Neukirchener Beiträge zur Systematischen Theologie

Herausgegeben von
Wolfgang Huber, Bertold Klappert,
Hans-Joachim Kraus und Jürgen Moltmann

Band 2
Hans-Joachim Kraus
Theologische Religionskritik

Neukirchener Verlag

Hans-Joachim Kraus

Theologische Religionskritik

1982

Neukirchener Verlag

© 1982
Neukirchener Verlag des Erziehungsvereins GmbH,
Neukirchen-Vluyn
Alle Rechte vorbehalten
Umschlaggestaltung: Kurt Wolff, Düsseldorf
Gesamtherstellung: Breklumer Druckerei Manfred Siegel
Printed in Germany
ISBN 3-7887-0672-4

CIP-Kurztitelaufnahme der Deutschen Bibliothek

Kraus, Hans-Joachim:
Theologische Religionskritik / Hans-Joachim
Kraus. – Neukirchen-Vluyn: Neukirchener Verlag,
1982.
(Neukirchener Beiträge zur systematischen
Theologie; 2)
ISBN 3-7887-0672-4
NE: GT

»Sed vere verbum Dei, si venit,
venit contra sensum et votum nostrum.
Non sinit stare sensum nostrum,
etiam in iis, quae sunt sanctissima,
sed destruit ac eradicat ac dissipat omnia.«

Martin Luther

Vorwort

Das vorliegende Buch wurde verfaßt mit dem Ziel, in möglichst umfassender Weise in die theologische Religionskritik einzuführen und die Bedeutung dieses revolutionären Vorstoßes angesichts der herabwürdigenden und oft recht unqualifizierten Angriffe von seiten der Verfechter und Liebhaber von »Religion« klar und scharf herauszustellen. Am Anfang stehen Referat, Analyse und Interpretation der theologischen Religionskritik bei Karl Barth und Dietrich Bonhoeffer, auch die Auseinandersetzung mit den dieser Religionskritik abweisend begegnenden Stellungnahmen. Eingefaßt in geistesgeschichtliche Orientierungsskizzen folgt sodann ein die Theologie Luthers und Calvins betreffendes Kapitel unter dem Thema »Die Reformatoren als Wegbereiter neuzeitlicher Religionskritik«. Als unerläßlich wird sich schließlich die Befassung mit der anthropologisch und ökonomisch fundierten Religionskritik, also mit Ludwig Feuerbach und Karl Marx, erweisen. Aufs neue ist zu fragen, was christliche Theologie in der Begegnung mit Feuerbach und Marx zu lernen und zu erklären hat. Aus der gesamten Darstellung ergeben sich *neue Perspektiven*, die biblisch-theologisch und systematisch aufzureißen sind. Dabei kann sich der Verfasser gelegentlich auf die Konzeptionen seines Buches »Reich Gottes: Reich der Freiheit. Grundriß Systematischer Theologie« (1975) beziehen. Doch werden im Fluchtpunkt der »neuen Perspektiven« Überlegungen zum Dialog mit den Religionen stehen.

Die theologische Religionskritik zielt ab auf die Grundlegung einer *politischen Ethik*, in der vor allem die Themen »Gerechtigkeit« und »Friede« zur Diskussion stehen. Es wird zu zeigen sein, daß ethische Implikationen und Konsequenzen theologischer Religionskritik bereits bei Barth und Bonhoeffer vorliegen. Die Bedeutung dieser Aspekte ist auch im Gespräch mit den Religionen geltend zu machen.

Göttingen/Wuppertal, im November 1981   *H.-J. Kraus*

Inhalt

Einführung

Es wird erwartet, ja sogar gefordert, daß jeder, der sich zum Thema »Religionskritik« äußert, einen deutlich definierten, möglichst weitmaschigen Religionsbegriff einführt oder doch wenigstens recht bald erklärt, in welchem Sinn er die Grundbestimmung des entscheidenden Begriffs auszuführen gedenkt. Aber diese Erwartung und Forderung ist unangemessen und unbillig. Sie unterstellt, daß es möglich ist, das doch jeweils *nur in konkreten Religionen sich darstellende Geheimnis* der »Religion« mit einer umfassenden und generell gültigen Definitionsformel einzufangen.

Karl Barth und Dietrich Bonhoeffer, die beiden Repräsentanten theologischer Religionskritik, haben es nie unternommen, einen solchen allgemeinen Begriff von »*Religion*« ihrer Kritik zu substituieren und entsprechend dann auch die religions*kritischen* Prozesse zu generalisieren. Wer eine aus der Religionswissenschaft übernommene oder selbständig gewagte, mit religionswissenschaftlichen Ambitionen ausgeführte Definition voraussetzen würde, hätte an allen wesentlichen Aussagen dieser beiden Theologen vorbeigelesen und Erwartungen gehegt, die nicht erfüllt werden. So kann es sich also gar nicht darum handeln, im Blick auf die Veröffentlichungen Barths und Bonhoeffers – mit religionswissenschaftlichem Interesse – den sog. »Religions«-Begriff auf seine allgemeine Verwendbarkeit und Tragbarkeit hin zu befragen, Engführungen zu bemängeln oder einen »zu wenig weit gefaßten Begriff« zu kritisieren. Beide, Barth und Bonhoeffer, haben es nicht mit einem generell nachweisbaren Phänomen »Religion«, sondern mit konkret aufgedeckten, scharf angesprochenen Erscheinungen der *christlichen Religion* zu tun. Davon wird auszugehen sein. Und erst in zweiter Linie kann die Frage gestellt werden, ob und wie alles das, was sich in der Kritik der christlichen, kirchlichen Religion ergeben hat, *auch für andere Religionen* eine Bedeutung erlangen kann. Insbesondere wird dann zu fragen sein, quo iure, mit welchem Recht, eine Generalisierung oder Universalisierung theologischer Religionskritik durchführbar ist.

Die Erwartungen und Forderungen, auf die angespielt wurde, haben zumeist dazu beigetragen, *daß die klaren Konturen der zum Thema sich äußernden Texte Barths und Bonhoeffers verwischt worden sind*. Leichtfertige Pauschalurteile, strenge Verdikte und mit überlegener Geste ausgegebene Warnungen haben den Zugang zu diesen Texten erschwert und eine neue Erarbeitung weitgehend verhindert. Seit »Religion« wieder in Mode gekommen ist, scheint es auch ganz und gar unangebracht zu sein, sich noch mit den radikalen und unangenehmen Outsiders zu befassen. Längst hat man für die Volkskirche die christliche Religion oder Religiosität wieder als wünschenswert deklariert. Frömmigkeit steht hoch im Kurs. Und auch der Religionsunterricht bedarf ja doch einer stabilen Grundlage, eines fest fundierten Begriffs von »Religion«. So ist es unter Religionspädagogen immer selbstverständlicher geworden, sich von einer Formel wie der Barths, Religion sei Unglaube, nicht aufhalten zu lassen, geschweige denn eine Infragestellung entgegenzunehmen. Bonhoeffers kritische Niederschriften werden als Fehleinschätzungen herabgespielt und verdrängt. Was Barth und Bonhoeffer sich haben zuschulden kommen lassen, wird von der volkskirchlichen Ideologie als »theologischer Unfall« (H.-O. Wölber) gewertet. Dies ist die Situation, in die eine neue Befassung mit theologischer Religionskritik hineintrifft.

Überlegungen zur Durchführung des Themas sind zu entfalten und auf die mit ersten Feststellungen umrissene Problemlage zu beziehen. Es wird einzusetzen sein beim ersten Auftreten einer theologischen Religionskritik in den Kommentaren Karl Barths zum »Römerbrief« (1919; 1921) bzw. in dem bedeutsamen § 17 der »Kirchlichen Dogmatik« (Bd. I,2). Diesem Ansatz könnte man entgegenhalten, Intentionen theologischer Religionskritik habe es doch vor dem Erscheinen der Werke Barths schon gegeben, etwa bei Christoph Blumhardt, bei Sören Kierkegaard und vor allem bei den Reformatoren. Gewiß, diese Zusammenhänge werden sorgfältig beachtet werden müssen, insbesondere wird der reformatorischen Theologie genaue Aufmerksamkeit zuzuwenden sein. Daran jedoch besteht kein Zweifel, *daß theologische Religionskritik explizit und in eindeutiger Ausführung zuerst von Karl Barth unternommen worden ist.* In der »Kirchlichen Dogmatik« (Bd. I,2) wird das Problem »Religion« systematisch aufgerollt und zum Gegenstand theologischer Analysen und Kritiken gesetzt. Dieses in der protestantischen Theologie epochale Ereignis wird im Kapitel I unserer Untersuchung eingehend zu behandeln sein.

Es wird sich sodann das Kapitel II der *theologischen Religionskritik Dietrich Bonhoeffers* zuzuwenden haben. Bonhoeffer hat immer wieder betont und anerkannt, daß Barth der erste Theologe gewesen sei, der das bedeutsame Thema und Problem gesehen und angepackt habe. Er selbst wußte sich berufen, die ihm vorliegende theologische Religionskritik weiterzuführen und in radikaler Weise zu vollenden. Wie der Begriff der »Religion« von Bonhoeffer gefaßt wird und auf welchen Wegen »Religionskritik« zum Austrag kommt, das wird neu zu erfragen, festzustellen und zu interpretieren sein. In diesem Zusammenhang wird aber auch das Verhältnis zu Barths erstem Vorstoß umfassend untersucht werden müssen.

Zu den beiden genannten Entwürfen liegen zahlreiche *kritische Auseinandersetzungen und dezidierte Abweisungen* vor. Es wird die Aufgabe zu erfüllen sein, Recht und Bedeutung dieser kritischen Anfragen und Einwürfe zu ermitteln und zu diskutieren. Da insbesondere der Religionsbegriff Barths und Bonhoeffers Zielscheibe heftiger Polemik war und ist, muß dieses Thema eingehende Beachtung finden. Die angedeuteten Überlegungen zum Problem »Religion« werden aufzunehmen und weiterzuführen sein.

Karl Barth und Dietrich Bonhoeffer rekurrieren in ihrer Religionskritik auf *die Theologie der Reformatoren*. Diese Tatsache gibt Veranlassung, im Kapitel III zu fragen, ob und inwieweit die Reformatoren – auf Luther und Calvin werden wir uns beziehen – als *Wegbereiter der neuzeitlichen Religionskritik* betrachtet werden können. Eine solche Nachfrage bedarf der geistesgeschichtlichen Orientierung; sie wird einzusetzen haben mit einer Skizze zur Geschichte des Religionsbegriffs und der Religionskritik bis zum Zeitalter der Reformation (III.1). Auch wird, wenn »Ansätze der Religionskritik« bei Luther und Calvin ermittelt sind, wiederum eine die Geschichte der Theologie und Philosophie betreffende Orientierung erforderlich sein; das neuzeitliche Phänomen der »Vernunftreligion« ist zu untersuchen (III.4). Dieser Abriß wird an das nächste Kapitel der Darstellung heranführen.

Das Kapitel IV hat es mit der *Religionskritik Ludwig Feuerbachs* zu tun, vor allem mit den beiden Hauptwerken »Das Wesen des Christentums« (1841) und »Das Wesen der Religion« (1851). Auch in diesem Kapitel ist die weitreichende Bedeutung und Auseinandersetzung, die dem Lebenswerk Feuerbachs zukam und zukommt, kritisch zu reflektieren und zu würdigen. Insbesondere wird das Verhältnis von anthropologischer und theologischer Religionskritik eingehend zu überprüfen sein.

Karl Marx und die marxistische Religionskritik werden im Kapitel V auszuführen und kritisch zu erarbeiten sein. Dabei gilt es im Blick auf Marx – wie zuvor im Blick auf Feuerbach –, die Relevanz und Relation der Religionskritik für das entsprechende theologische Unternehmen herauszustellen. Es muß deutlich werden, in welchem Verhältnis sich anthropologisch und ökonomisch fundierte religionskritische Verfahren zur theologischen Religionskritik befinden.

Die Darstellungen und Untersuchungen der Kapitel I–V sollen in einem *systematischen Abschluß* (Kapitel VI: »Die neuen Perspektiven«) rezipiert und auf biblisch-theologischer Grundlage in thematisch zu erfassenden Aufrissen zusammenfassend ausgeführt werden. Schritt für Schritt wird die jeweilige Fragestellung zu erarbeiten und zu entwickeln sein – unter letzter Befragung des Begriffs »Religion« und des Problems, wie theologische Religionskritik auf das Gespräch mit den Religionen sich auswirkt.

In der Intention und Denkrichtung weiß ich mich in Übereinstimmung mit der programmatischen Studie: *R. Gruhn*, Religionskritik als Aufgabe der Theologie. Zur Kontroverse ›Religion statt Offenbarung?‹: EvTh 39, 1979, 234–255. Die Situation der Theologie und die *Aufgabe theologischer Religionskritik* sind in diesem Aufsatz ausgezeichnet erfaßt.

I

Karl Barth

1. Die »Theologie der Krisis«

Karl Barth selbst hat die Frühzeit seiner theologischen Veröffentlichungen als eine Phase bezeichnet, die unter die Signatur einer »Theologie der Krisis« gestellt werden könnte (KD II,1:717). In dieser frühen Phase trat zum ersten Mal in der Geschichte der christlichen Theologie und Kirche eine theologische Religionskritik hervor. Für das Verständnis des § 17 der »Kirchlichen Dogmatik«, der unter dem Thema »Gottes Offenbarung als Aufhebung der Religion« steht und später in systematischer Präzision die religionskritischen Aspekte entwickelt, ist die genaue Kenntnisnahme der frühen Äußerungen Barths von eminenter Bedeutung, zumal auch Dietrich Bonhoeffer, der andere Religionskritiker unseres Jahrhunderts, von diesen ersten Aufbrüchen theologischer Religionskritik nachhaltig beeinflußt worden ist.

»Theologie der Krisis« erinnert daran, daß Kritik und Negation vom theologischen Thema her bestimmt sind, das heißt, daß der »Kritik der Religion« die Krisis schlechthin zugrunde liegt: Das Gericht Gottes über alles menschliche Wesen und Tun, auch und gerade das religiöse (Röm 1,18). Würde es sich um einen eigenmächtigen, wagemutigen Ansturm handeln, der einem radikalen, aus Offenbarungspurismus resultierenden Zerstörungsdrang entsprungen wäre, dann müßte »Religionskritik« ein überaus problematisches Unterfangen sein, das mit der Religiosität die Humanität des Menschen bedrohte. Doch die Voraussetzungen und Begründungen dessen, was Barth in seinen frühen Veröffentlichungen unternimmt, liegen ganz und gar in theologischer Erkenntnis beschlossen und sind, würde man nicht schon zu Beginn auf Abwege geraten, deutlich aufzuspüren und nachzuzeichnen.

Das in der Bibel bezeugte und erzählte Geschehen kann nur als *eschatologisches, endzeitliches Geschehen* verstanden werden: Eine neue Welt ragt in unsere gewöhnliche, alte Welt hinein (Das Wort Gottes und die Theologie, 1925, 24). Die *Sendung des Christus* ist als eine dem völlig verkehrten Weg innerhalb der ersten Schöpfung, der alten Welt zuwiderlaufende Bewegung in Gott selbst und von Gott her zu begreifen (Der Römerbrief, 1919, 223). Diese Bewegung ist das *Gericht über die Menschheit*, die solidarisch verantwortlich gemacht wird für die in ihrer Geschichte abgelaufene und vorliegende Entwicklung (25). Kreuz und Auferstehung des Christus

bringen die Wende. Das Kreuz bedeutet Ende und Tod, Gericht und Ver-
dammung. »Die Auferstehung ist der Einbruch der Kraft, der Durchbruch
der Erkenntnis nicht nur innerhalb eines Kreises von Gesinnungsverwand-
ten, sondern in kosmischer Tiefe, in räumlicher und zeitlicher Weite und
Breite« (35). Die rollende Kugel der Wahrheit, mit der wir es in der Bibel zu
tun haben, ist Gottesgeschichte, nie Religionsgeschichte (76). Sie betrifft
alle Menschen in ihrer Gegenwart und ist erfüllt von einer die Zukunft bestimmenden Kraft, der niemand sich entziehen kann. Gottes Wahrheit ist
das »ganz Andere«, das schlechthin Neue. Davon handelt die Bibel, der eine
sachgerechte Einstellung des Lesers und Forschers entsprechen muß. »Wir
müssen nur aufrichtig suchen in der Bibel, dann finden wir ganz sicher etwas Größeres in ihr als Religion und ›Frömmigkeit‹. Das ist nur so eine Kru-
ste, in der wir nicht stecken bleiben wollen« (27). So sind es also nicht die
Glaubenslehren und Lebensideale einer neuen Religion, sondern es sind die
Bedingungen und Voraussetzungen einer neuen Welt, unter die wir angesichts der Bibel mit allen Menschen gestellt sind (Der Römerbrief, 1919,
218). Die Begegnung mit der neuen Welt Gottes, dieses Ereignis ohneglei-
chen, das in Jesus Christus in die Welt eingetreten ist, läßt durch die Kru-
sten und Schalen von Religion und Frömmigkeit hindurch auf das Letzte
stoßen, das nicht mehr den Bedingungen und Zusammenhängen menschlicher Möglichkeiten unterworfen ist.

Sofort aber taucht jetzt die Frage auf: *Was ist Religion?* Wie und als was
hebt sie sich ab von »dem Letzten«, das sich mitteilen und durchsetzen will?
Radikal fällt die Antwort aus: »Was ist die Religion? Nichts! Ein psycholo-
gisches Faktum unter andern. Aber dieses Faktum muß schreien: der
Mensch ist Gottes durch das, was Gott an ihm getan . . . Abstrakt, abgese-
hen von der lebendigen Bewegung der kommenden Welt Gottes bedeutet
Beschneidung, Religion und Kirche ebensowenig, wie religiös-sittliche In-
dividualität« (88). Ein »Nichts« ist die Religion angesichts der »lebendigen
Bewegung der kommenden Welt Gottes«, die die Bibel bezeugt. Sie ist ein
Menschliches, Psychologisches, Relatives. Aber sie ist und bleibt doch ein
Reflex dessen, was Gott am Menschen getan hat und tut: kein blasser, leiser
Widerhall, sondern ein Schrei, ein lauter Aufschrei. »Religion« ist Zeuge
von Geschehenem, Abdruck und Erinnerung an ein von keiner menschlichen Lebensäußerung zu bannendes Ereignis. »Religion« ist z.B. das Institut der *Beschneidung:* Kennzeichnung des Menschen als Glied des Volkes,
dem Gott begegnete; »Religion« ist die Institution der *Kirche.* Die Synonyme sind aufschlußreich. Doch dies alles ist ein »Nichts«, ebenso die »religiös-sittliche Individualität«, auf die das fromme Persönlichkeitsethos der
bürgerlichen Welt sich bezog – ein »Nichts« angesichts des kommenden
Reiches Gottes.

Scharf und schroff sind auch die Gegenüberstellungen, die *Friedrich Gogarten*, Barths Weg-
genosse in den ersten Jahren des Aufbruchs der »Theologie der Krisis«, hinsichtlich des Verhältnisses von *Offenbarung und Religion* vollzog. Dabei wird freilich zu beachten sein, daß

»Religion« sich nicht – wie bei Barth – von der Folie der in der Bibel bezeugten »lebendigen Bewegung der kommenden Welt Gottes« abhebt, sondern in die Gegenüberstellung von Endlichem und Unendlichem versetzt wird. »Von allen Anmaßungen des Menschen ist das, was man gemeinhin Religion nennt, die ungeheuerlichste. Denn sie ist die Anmaßung, vom Endlichen aus und mit den Kräften des Endlichen zum Unendlichen kommen zu können; sie ist die Anmaßung, einen absoluten Gegensatz, den zwischen Schöpfer und Geschöpf, vom Geschöpf her überbrücken zu wollen.« »Kein gewaltigeres Werk als die Religionen schuf der Mensch. Aber eben: sie sind sein Werk, sie sind Menschenwerk. Und sie sind das zweideutigste und verhängnisvollste Werk des Menschen!« (Die religiöse Entscheidung, [2]1924, 20).

Verhängnis und Hybris der »Religion« bestehen nach Barth darin, daß die Religion vergißt, *daß sie nur in ihrer ständigen Aufhebung ihre Daseinsberechtigung hat,* daß sie ihre Relativität nicht erträgt und sich nicht damit begnügen will, auf das x hinzuweisen, das über Welt und Kirche steht (Das Wort Gottes und die Theologie, 80). »Das Bewegtsein will selbst Bewegung sein. Der Mensch hat das Göttliche in Besitz genommen, in Betrieb gesetzt« (81). Interessant ist, daß in solchen Erklärungen zuerst auf eine Selbstbestimmung der Religion hingewiesen wird. »Religion« hat ihr eigenes Gewicht und Gesetz; sie will als eine autonome Größe, eine Macht, verstanden sein. Gleichwohl, und das ist im Zitat der zweite Gedanke, bedient sich der Mensch dieser Macht, denn sie setzt ihn in die Lage, das Göttliche zu besitzen und zu verfügen, für das Funktionieren des Göttlichen Sorge zu tragen. Darum richtet die Polemik der Bibel sich *nicht* – wie es in den Religionen zumeist der Fall ist – gegen die gottlose Welt, sondern gerade gegen die religiöse, die fromme Welt (82). Man sieht: Stets ist *die Bibel* in den Unterscheidungen die maßgebende Instanz; sie setzt die Kriterien, sie rückt »Religion« in das scharfe Licht der Krisis. Barth benennt ein unterscheidendes Merkmal der »biblischen Linie«, ein kontrastierendes Kennzeichen alles dessen, was wir sonst in der *Religionsgeschichte* vor uns haben: »Eine tiefste Tendenz der Jenseitigkeit, der weltlichen Sachlichkeit, der Ungeschichtlichkeit wohnt letztlich allem inne, was wir als ›Religion‹ zu bezeichnen pflegen« (80). Was ist gemeint? Was »Tendenz der Jenseitigkeit« bedeutet, im Unterschied zu der die Welt in ihrer Weltlichkeit durchdringenden und verändernden Macht des kommenden Reiches Gottes, dürfte klar sein und könnte als Transzendenzverweis der Religion verstanden werden. Wie aber steht es mit der »weltlichen Sachlichkeit«? Ist sie der »biblischen Linie« fremd? Wer den Kontext liest, wird wahrnehmen, daß Barth den kurz-sichtigen ethischen Pragmatismus meint, der das Weltverhalten in der Religion und in den Religionen prägt – im Unterschied zu dem durch Auferstehung und neues, eschatologisches Leben bestimmten Wandel der biblischen Menschen im Alltag der Welt. Es wäre darum absurd, echte Weltlichkeit und Sachlichkeit der »biblischen Linie« abgesprochen sehen zu wollen. Was schließlich die »Ungeschichtlichkeit« betrifft, die Barth als entscheidendes, unterscheidendes Merkmal benennt, so ist es bedeutsam, daß an dieser Stelle implizit »Geschichte« für ein markantes Kennzeichen des Biblischen gehalten wird – Geschichte als »lebendige Bewegung der kommenden Welt Gottes«. Es wäre dies ein kontrastierendes Interpretations-element zur problematischen Destruktion von »Heilsgeschichte« in den frühen Veröffentlichungen Barths.

In der zweiten Auflage des »Römerbriefes« (1921) werden – bei aller nach wie vor bestehenden Schärfe der Religionskritik – die Äußerungen Barths ausgewogener. Doch weiterhin werden die Vorgänge in »Religion« und »Kirche« parallelisiert: »*Religion* ist unvermeidlicher seelischer Reflex (Er-lebnis) des an der Seele sich ereignenden Wunders des Glaubens. *Kirche* ist die nicht zu umgehende geschichtliche Fassung, Leitung und Kanalisierung des selbst nie Geschichte werdenden göttlichen Tuns am Menschen« (Der Römerbrief, 1921, 107). Auffallend ist hier, im Widerspruch zu dem soeben Ausgeführten, die Abweisung von »Geschichte«. Es zeigt sich an dieser Stelle eine Unausgeglichenheit in den Apostrophierungen der Wirkung von Religion und in den Definitionen von Geschichte. Intendiert ist der Gedan-ke: Das Ereignis des Kommens des Reiches Gottes in Jesus Christus ist nie und nirgendwo als eine Gegebenheit unter anderen Gegebenheiten ge-schichtlich vorhanden. Es geht um eine unanschauliche Relation, deren Er-kenntnis und Erklärung nur dialektisch verlaufen kann.

Was aber den *Menschen* betrifft, so wird »Religion« für ihn »ausbre-chender Dualismus« (253). »Die Wirklichkeit der Religion ist das Entsetzen des Menschen vor sich selbst« (254). Er wird einer *Aporie* inne, die unüber-windbar ist. Diese Aporie ist christologisch bestimmt: Christus als das »Ende des Gesetzes« (Röm 10,4) ist auch das *Ende der Religion*. Aber eine solche kritische Erkenntnis steht nicht im Rahmen dessen, was für mensch-liche Einsicht und Aussage erschwinglich wäre. Im Kreuzestod Christi wird mit *allen* menschlichen Möglichkeiten auch der »religiöse Gott« gerichtet, geopfert und preisgegeben. Was alles damit der Krisis verfällt, kann nur von einer einzigen Stelle her theologisch zur Sprache kommen: »*Jesus Christus* . . . ist der neue Mensch jenseits des menschenmöglichen Menschen, jen-seits vor allem des frommen Menschen. Er ist die Aufhebung *dieses* Men-schen in seiner Totalität. Er ist der Mensch, der aus dem *Tode* zum Leben gekommen ist. Er ist – nicht ich, mein existentielles Ich, ich, der ich in Gott, in der Freiheit Gottes bin« (254). Dieses »extra me« wirkt in allem, was Barth ausführt, als richtungweisend und erhellend – in Übereinstimmung mit der apostolischen Aussage: »Ich lebe, aber nicht ich; Christus lebt in mir« (Gal 3,20). Die befreiende Wende hat ihren Grund in dem Ereignis: »Durch das Gesetz bin ich dem Gesetz gestorben, damit ich Gott lebe. Ich bin mit Christus gekreuzigt« (Gal 3,19). Wer dem Gesetz gestorben ist, für den ist das Ende der Religion heraufgekommen. Zeichen und Erfüllung der Wende vom alten zum neuen Äon, von der alten zur neuen Existenz, ist das Kreuz. Damit steht alles zu einer Entscheidung, die in die Alternative gefaßt wird: *Glaube oder Religion?* (351f.). Und sogleich rückt wieder *die Kirche* in den Brennpunkt der Kritik. Unablässig hat sie sich für die Religion entschie-den, hat sie sich selbst als »Hort des religiösen Lebens« bestimmt und aus-gewiesen. Sie hat den »himmlischen Blitz« der Offenbarung in einen »irdi-

schen Dauerbrenner« verwandelt. Die Kirche »übt das Fasten derer nicht,
die den Bräutigam *nicht* haben, sondern sie sucht und weiß sich über die erschreckende Leerheit der Kirchengeschichte durchaus zu trösten durch al-
lerlei romantische Sentimentalitäten. Sie will nicht Fremdling sein in der
Welt. Sie kann nicht warten auf die Stadt, die einen Grund hat. Sie kann
nicht haltmachen in jener Urstellung des Christentums *vor* der Auferstehung, bei den Leiden des verworfenen Christus, denn sie hat große Eile, sie
ist hungrig und durstig nach Positivitäten und Hochzeitsfreuden. Sie will
sich trotz aller Niederlagen nicht aus den verlorenen Außenwerken in das
Zentrum der Festung zurückziehen, sondern vorwärtsdringen – wohin?«
(352). Die verlorenen Außenwerke der Festung sind die religiösen Positionen und Bastionen, in denen die Kirche existiert und die sie – in aussichtslo-
ser Lage – zäh behaupten und bewahren will.

Religionskritik ist Kirchenkritik. Die Kirche wird hineingestellt in die
Auswirkungen der Krisis; sie wird zur Umkehr gerufen. Kennzeichnend
aber für das Verharren im Bereich verlorener Positionen ist das Feiern, das
vermeintliche Haben und Besitzen, die Verachtung des Leidens Christi und
die Preisgabe des eindringlichen, unablässigen *Wartens* auf *sein* Leben,
seine Auferstehungskraft. Es muß also deutlich unterschieden werden:
»Religion ist nicht Reich Gottes, und wenn es die Reichsgottesreligion der
Blumhardt-Epigonen wäre, sondern Menschenwerk« (350). Wenn die Kirche vom »Glauben« redet, dann meint sie etwas, was der Mensch in dieser
Welt »haben« und »besitzen« kann, ein aufweisbares Gut. Aber dieser sog.
»Glaube« ist in seinem Wesen »Religion«.

Nun besteht die wahre Krisis der Religion – nach Barth – offensichtlich darin, daß sie vom
Menschen nicht nur nicht abgeschüttelt werden *kann*, sondern auch nicht abgeschüttelt werden *soll* – solange er lebt (224). »Religion« kann vom Menschen nicht abgeschüttelt und überwunden werden; sie stirbt auch nicht ab in einem immanenten Prozeß der Verkümmerung und
des Zerfalls. Sie ist und bleibt – wie »das Gesetz« – das Zeichen, daß die menschlichen Möglichkeiten und Fähigkeiten begrenzt sind. Religion ist überdies das Signal: Gott ist nicht gegenwärtig! Jenseits der Grenze ihrer selbst könnte das Ereignis stattfinden, ihm zu begegnen. Aber die
Grenze ist unüberschreitbar. »Religion« zeigt darum eine Möglichkeit an, die außerhalb ihres
eigenen Daseins- und Geltungsbereiches liegt. Es ist dies eine Interpretation verständnisvollen
Zugestehens, eine Erklärung *in bonam partem*, jedoch in sich widerspruchsvoll und nur dialektisch rezipierbar. Darum kann erklärt werden: »Religion ist die menschliche Möglichkeit, von
Gottes Offenbarung einen Eindruck zu empfangen und aufrecht zu erhalten, die Drehung,
Wendung und Begegnung vom alten zum neuen Menschen abzubilden, nachzuerleben, aus-
zugestalten in den anschaulichen Formen menschlichen Bewußtseins und menschlicher Schöpfungen . . .« (162). Aber es wird die *göttliche* Möglichkeit der Religion nie und nirgends
menschliche Möglichkeit. »Die Religion, die wir an uns selbst und an Anderen *allein* kennen,
ist die Religion als menschliche Möglichkeit des höchst problematischen Versuchs, den Vogel
im Fluge abzubilden. Religion muß in jedem anschaulichen, faßlichen und geschichtlichen
Sinn als Erscheinung innerhalb der Welt des Menschen (die die Welt der Sünde und des Todes
ist) aufgefaßt und – preisgegeben werden. Alle Beachtung und Bewunderung, die der Religion
innerhalb dieser Welt zukommt, darf uns nicht hindern an der Einsicht, daß jeder Absolut-
heits-, jeder Transzendenz-, jeder Unmittelbarkeitsanspruch der Religion nichtig ist« (163).

Damit ist das »relative Recht«, das Barth zuvor der Religion eingeräumt hat, in seiner *schrankenlosen* Relativität gekennzeichnet. – Es wird festzuhalten sein: »Barth meint Kritik der ›Religion‹, aber nicht ihre Aufhebung, denn sie hat für ihn zugleich auch einen positiven Sinn. Sofern sie nämlich sich abheben *will* von anderen Menschenmöglichkeiten und zugleich doch nicht von ihnen abheben kann, ist sie zugleich eine Möglichkeit ›von besonderer Gefährlichkeit‹ *und* ›von besonderer Verheißung‹, ist sie der ›Gipfel der Humanität – im bedrohlichen Doppelsinn dieses Wortes‹« (*E. Busch*, Karl Barth und die Pietisten, 1978, 95).

Zu Röm 7 befaßt Barth sich eindringlich mit dem »Sinn der Religion« und beharrt auf der *Synonymität von* »*Gesetz*« und »*Religion*«. Nur so kann es verstanden werden, daß Religion als »höchste Stufe innerhalb des Reiches der Sünde« bezeichnet wird (224). Und mit der religiösen Möglichkeit treten nun erst recht *alle* menschlichen Möglichkeiten in das Licht einer durchgreifenden, durchschlagenden Krisis. Am Spitzenerlebnis der Religion wird *Sünde* anschaulich und erfahrbar. Die romantische Psychologie eines Schleiermachers hingegen hat versucht, diesen Tatbestand zu verschleiern und zu verbergen, indem sie Religion als die Fähigkeit feierte, »alle Begebenheiten in der Welt als Handlungen eines Gottes vorzustellen«, sie »wie eine heilige Musik alles Tun der Menschen begleiten« zu lassen. Doch damit werden die wahren Verhältnisse auf den Kopf gestellt. *Die Krisis des Gesetzes ist der Sinn aller Religion* (vgl. *W. Hassiepen*, Der Religionsbegriff Karl Barths in seiner Auseinandersetzung mit der Theologie Schleiermachers: Diss.theol. Göttingen, 1967, 17f.). »In der Schärfe des prophetischen Angriffs auf den Menschen, die im israelitischen ›Gesetz‹ erreicht ist, scheint darum das religiöse Phänomen, entwicklungsgeschichtlich betrachtet, seine höchste und reinste Stufe erreicht zu haben« (225).

Keinen Augenblick freilich darf vergessen werden: *Christus* ist des Gesetzes Ende (Röm 10,4). *An ihm* scheitert Religion. Jesus Christus ist nicht Religionsstifter neben anderen oder gar Kirchengründer. Er ist der Schlüssel, der *alle* Schlösser öffnet, die Welle, die durch *alle* Stockwerke des Gebäudes hindurchläuft (367). *Der Universalismus der Gnade hat für die Welt der Religion und der Religionen globale und radikale Auswirkungen.* Im Gegensatz zu jeglichem religiösen Apriorismus geht vom Christusereignis die Konsequenz der *Destruktion* aller menschlichen Religion aus. *Gnade ist Proklamation völliger Voraussetzungslosigkeit, Negation jedes religiösen Apriori im Menschen. Gott ist frei. Gottes Gnade ist freie Gnade. Die Rechtfertigungslehre hat die unabweisbare Folge einer ebenso konkreten wie universalen Religionskritik.*

Da verschärfen sich noch einmal die Aspekte: »Religion *ist* der *Gegner*, der als treuester Freund verkappte *Gegner* des Menschen, des Griechen und des Barbaren, die *Krisis* der Kultur *und* der Unkultur. Sie ist der *gefährlichste* Gegner, den der Mensch diesseits des Todes (abgesehen von Gott) hat« (250). Man beachte in diesem Zitat die anthropologische und die kulturelle Relation! Die Religion verführt den Menschen zu einem Gottesbewußtsein, das nichtig ist, das keineswegs die Gegenwart Gottes und des Lebens, sondern die gefährliche Präsenz einer feindlichen Macht und der Gewalt des Todes bedeutet. Dies alles ereignet sich verdeckt und versteckt, unter der Maske treuer Freundschaft und wohlwollender Förderung aller menschlichen Belange. In Wahrheit aber wird der Mensch nicht nur bei sich selbst, in den Grenzen seiner Möglichkeiten, aufgehalten, sondern in einen »süßen Tod« gelockt.

Was aber bedeutet es sodann, wenn Barth die Religion als Krisis der Kultur und Unkultur bezeichnet? Die anthropologische Relation, die zuvor bestimmend war, wird geweitet. Was sich in ihr abspielt, ereignet sich auch auf dem Feld der Kultur. »Religion« als – immer wieder beschworener – Gipfel der Kultur (oder auch als Untergrunderlebnis der Subkultur!) ist *nicht* der höchste Wert der Kulturwelt, sondern Krisis und Infragestellung. Mit der »Religion« wird die Kultur zur Nichtigkeit verdammt.

In seiner Verblendung ist der Mensch *süchtig nach Religion.* Wie in Röm 7 »das Gesetz« die *Begierde* weckt und aktiviert, so ist Religion »jene alle Begierden fast schlechthin überbietende Begierde« (228). Doch Religion aktiviert nicht nur, sie *ist* concupiscentia. Schroffer und radikaler als Feuerbach, der »Religion« u.a. als »Wunschwesen« definiert, zieht Barth die religionskritischen Konsequenzen. Denn in der Religion wird die Sünde »zur anschaulichen Gegebenheit unsrer Existenz« (228). Religion ist höchster und kraftvollster Ausdruck menschlicher ἁμαρτία. Paulus sagt: »Ich weiß, daß in mir, das ist in meiner σάρξ, wohnt nichts Gutes« (Röm 7,18). Religion gehört zur σάρξ. Sie steht, wie alles Menschliche, unter dem Urteil: »Nichts Gutes«! »Religion ist als ein bestimmtes Sein, Haben und Tun des Menschen Fleisch. Sie nimmt Teil an der Verworrenheit und wesentlichen Weltlichkeit alles Menschlichen. Sie ist seine höchste Spitze, seine Vollendung, aber nicht seine Überwindung, nicht seine Erneuerung. Auch nicht als urchristliche Religion« (259).

Theologische Religionskritik, wie Barth sie in seinen frühen Veröffentlichungen vorträgt, ist den *Intentionen der Bibel folgende und entsprechende Ansage und Anzeige der von Gott ausgehenden Krisis.* Wer auch nur für einen Augenblick von der Biblizität der religionskritischen Aussagen absehen würde, der hätte ihren Sinn verfehlt. Am Anfang und in der Mitte steht die Erkenntnis, daß sich die Polemik der Bibel nicht wie die der Religionen bis auf den heutigen Tag gegen die gottlose Welt, sondern gerade *gegen die religiöse Welt* richtet, ob sie nun unter dem Vorzeichen »Baal« oder »Jahwe« stehe (82). Die biblische Polemik gegen die Götter der Heiden hingegen meint Barth in ihrem Wesen zu erkennen, wenn er in diesen Göttern hypostasierte Darstellungen von Mächten und Gewalten erblickt, die nichts anderes sind als »ins Metaphysische erhobene Relativitäten« (82) – dem Herrn ein Greuel und abgetan in Christus. Wird das biblische Evangelium neu vernommen, dann erscheint *die religiöse Welt der Kirche* in ihrer wahren Gestalt: »als die Verkörperung der letzten menschlichen Möglichkeit diesseits der unmöglichen Möglichkeit Gottes« (316). Es sind nicht graduelle Abweichungen, die durch eine Kurskorrektur behoben werden könnten. »Hier klafft der Abgrund wie nirgends sonst. Hier kommt die Krankheit des Menschen an Gott zum Ausbruch« (316).

Immer wieder standen und stehen wir vor dem Faktum: Barths Religionskritik gipfelt in *Kirchenkritik*. Wie »das Gesetz« den frommen Menschen und das auf dem Weg seiner Frömmigkeit zu Gott vordringende Volk verurteilt und verdammt, so und nicht anders ist Religion zu verstehen, nämlich als Ausdruck und Werk des Gesetzes – der Krisis, dem Gericht Gottes verfallen. *Der Religionskritiker hat keine auto-nomen Rechte.* Er folgt den Intentionen des biblischen Nomos. Seine Negationen sind keine willkürlichen Destruktionen, sondern Versuche, der Krisis des biblischen Zeugnisses in theologischer Religionskritik konkret und aktuell zu entsprechen. Man könnte auch erklären: *Religionskritik ist Zeichen der Bereitschaft zu ständiger Umkehr.* Barth weiß, daß seine Desillusionierungen hinsichtlich des religiösen Wesens, und somit auch die neuen Themen »Bibel« und »lebendiger Gott«, wieder eine Beute des unbußfertigen Menschen werden: »Kaum desillusioniert über Historismus und Psychologismus, droht uns in ›Bibel‹, ›lebendiger Gott‹ und ›Todesweisheit‹ schon ein neuer Götze zu erstehen. Wer kann merken, wie oft er fehle?« (425).

Der »Theologie der Krisis« hat man den Vorwurf gemacht, sie werfe den Menschen in eine *Aporie*. Die übermächtigen Negationen ließen keinen Raum mehr für die Realität und Praxis des Glaubens. An eine Ethik sei überhaupt nicht mehr zu denken. Überall sehe sich der von Krisis und Kritik geschüttelte Mensch in »Hohlräume« geworfen oder auf ein Drahtseil gestellt, auf dem er nun unter ständigen Entscheidungsforderungen und Absturzgefahren zu balancieren habe. Wer dermaßen urteilt, der übersieht die geschichtliche Situation, in der die theologische Religionskritik Barths hervortrat, in der sie sich aber auch immer wieder als wirksam erweisen will. In Kirche und Theologie dominierte nur *eine* Macht: die Religion. Unter völliger Verkennung und subtiler Verdrehung der biblischen und reformatorischen Rechtfertigungslehre hatte der *Neuprotestantismus* zur Religion seine Zuflucht genommen: »Frömmigkeit« als Inbegriff des Glaubens. Schleiermacher war es, der eine auf Religion gegründete Theologie systematisch stabilisierte. Die volks- und staatskirchliche Lebenswelt wußte sich auf das konservierende, Gottesdienst und Feier des Gegebenen perpetuierende »Wesen der Religion« angewiesen. In den Konturen deutlicher noch als der Neuprotestantismus war und ist der *Katholizismus* vollendeter Ausdruck christlicher Religion. Karl Barth hatte erkannt, daß sich das Evangelium vom kommenden Reich Gottes als Revolution aller bestehenden und ihren Bestand behauptenden und sichernden religiösen Gegebenheiten erweist; daß die biblische Polemik nicht der gottlosen, sondern der frommen Welt gilt. Er war der erste, der diese Erkenntnis als entschlossene und radikale Religionskritik aktualisierte. Auf diese Tatsache hat, wie noch zu zeigen sein wird, Dietrich Bonhoeffer mehrfach mit großem Nachdruck hingewiesen.

Es gehört zur Eigenart biblischer Krisis, daß eilfertige Konstruktionen

und »notwendige« Erstellungen von greifbaren Positivitäten kein Recht und
keine Chance haben. Die alttestamentliche Prophetie ist das untrügliche
Beispiel. Und auch im Neuen Testament ist »Umkehr« (Metanoia) nicht
durch einen Vorgriff auf ihre Folgen dem Wünschenswerten und pragmatisch Erforderlichen anzupassen. Die Beter der alttestamentlichen Psalmen,
in die unabsehbare Realität der Not und des Leidens geworfen, *hoffen, har-
ren und warten,* daß der Gott Israels sich ihnen wieder zuwendet und einen
neuen Anfang setzt. Diese Beter überbrücken nicht die Situation der Gott-
verlassenheit (Ps 22,2) mit dem beruhigenden Surrogat der Frömmigkeit,
der erreichbaren Möglichkeit der Religion. Sie warten. *Warten auf Gott ist
in der Frühzeit der Theologie Karl Barths die Kehrseite der schroffen Kritik*
– der allen kritischen Versuchen souverän vorauflaufenden Krisis, der sich
der Theologe Barth selbst ausgesetzt wußte. Es wurde bereits gezeigt, wie
der Kirche in ihrer religiösen Selbstzufriedenheit vorgeworfen wird: Sie
wartet nicht mehr. Sie eilt. Sie ist geschäftig und ängstlich besorgt, den
Nimbus religiösen Habens nicht zu verlieren. »Sie tut, als ob sie im Besitz
überweltlicher und überkirchlicher Goldbarren wäre, und sie fängt in der
Tat an, klingende Münzen, sog. ›religiöse Werte‹ auszugeben. Sie tritt als
konkurrenzfähige Macht . . . neben die Welt« (Das Wort Gottes und die
Theologie, 80).

Es wäre an dieser Stelle zu fragen, ob sich der Rat der Evangelischen Kirche in Deutschland
wohl bewußt war, daß er, genau auf dieser *religiösen Macht- und Besitzposition* stehend, in er-
schreckender Weise das praktiziert hat, was Barth anprangert, als er in Zusammenarbeit mit
der Deutschen Bischofskonferenz der römisch-katholischen Kirche die Schrift »Grundwerte
und Gottes Gebot« (1979) herausbrachte und jene »religiösen Werte« auf den Markt zu werfen
sich veranlaßt sah – als ob die Kirche »im Besitz überweltlicher und überkirchlicher Goldbarren
wäre«.

Noch ein anderer Aspekt wurde bereits aufgetan: Die Kirche nimmt nicht
mehr teil am *Leiden Christi;* sie versteht ihr eigenes »religiöses Leben« als
Besitz des Auferstehungslebens des Christus und rückt damit in verdächtige
Nähe zu den Resurrektionsenthusiasten in Korinth. Nie läßt Barth in seinen
frühen Veröffentlichungen einen Zweifel daran aufkommen, daß der mit
dem Kommen des Reiches Gottes in Christus geschehenen Wende vom alten zum neuen Äon eine *Wende zu neuem Leben und Tun des Menschen*
inhärent ist und nachfolgt. Aber Zeichen und Erfüllung dieser Wende ist
das Kreuz. »Vernünftiger Gottesdienst« wäre allein das Darbringen des
Leibes (Der Römerbrief, 1919, 350). Zu Röm 12,1ff. erklärt Barth: »Auch
die Religion und die Kirche reden freilich von ›Gott‹, ›Gottesdienst‹ und
›Opfer‹, aber sie meinen alles ganz anders: ihre Voraussetzung ist immer,
daß der ›Leib‹ sein Eigenrecht behält, daß die Weltkräfte ungehindert durch
diese Pforte ein- und ausgehen können. ›Gott‹ und sein Recht ist ihnen *ein*
Faktor unter andern, nicht die Macht aller Mächte – ›Gottesdienst‹ eine besondere Tätigkeit des Leibes, nicht die Tätigkeit seiner Tätigkeiten – und
ihre ›Opfer‹ sind Stellvertretungen für das eine notwendige Opfer, das der

Mensch *nicht* bringen will: sie sind nicht ›lebendig‹, denn wir halten dabei, und wenn sie noch so groß wären, mit unserem eigentlichen Lebendigsten immer noch zurück . . .« (350). Es ist alles »ganz anders«, als es sich der pragmatisch auf Ethik drängende religiöse Mensch vorzustellen vermag! Kein Weg zum Neuen führt am Tod und an der Auferstehung Jesu Christi vorbei. Beginnt hier nicht das große Erschrecken und Entsetzen, dann ist alles verloren. Dann wird – wie es in der Kirche vielfach geschieht – das Christusgeschehen der Religion angepaßt und voll integriert. Dann hört Christus auf, der freie und gnädige Herr zu sein. Dann wird er kirchlich verwaltet – als sakramentale Monstranz im Katholizismus, als evangelische, gepredigte »Monstranz« zur Veranschaulichung und Beispielsetzung religiöser und also ganz und gar menschlicher Verfügungs- und Aneignungsmöglichkeiten, in deren Vollzug sich das Stichwort »Gnade« einen vertraulich-frommen Klang bewahrt, aber in keinem Augenblick auch nur ahnen läßt, daß »Gnade« aus der *Freiheit Gottes* hervorkommt.

Theologische Religionskritik hat in der kompromißlosen Destruktion der religiösen und also der gesetzlichen Voraussetzungen eine *Neubegründung der Ethik* zu vollziehen. Dieser Gesichtspunkt wird in allen folgenden Ausführungen zum religionskritischen Thema von besonderer Bedeutung sein. Ohne Zweifel hat Barth in seinen frühen Veröffentlichungen diese Neubegründung intendiert. Aber sie steht zunächst – wie könnte es nach allem, was bisher ausgeführt wurde, auch anders denkbar sein?! – noch ganz im Zeichen der Negation des herkömmlichen Verständnisses von Ethik, das auf die religiös-sittliche Individualität und die menschlichen Leistungsfähigkeiten, auf »Christentum der Tat« und »Erweis der Wahrheit der Theorie in der Praxis« bezogen ist.

Es mag genügen, wenn an dieser Stelle die beiden oft zitierten Sätze aus dem »Römerbrief« (1919) die Situation verdeutlichen. Zu Röm 13,11–14 schreibt Barth: »Es gibt unter dem *letzten* Gesichtspunkt, den wir im Christus einnehmen müssen, *keine Ethik*. Es gibt nur die *Bewegung Gottes*, der in jedem einzelnen Augenblick unsererseits eine ganz bestimmte Erkenntnis der Lage und unseres daraus folgenden notwendigen Tuns entsprechen muß« (392). Es wäre eine oberflächliche Auskunft, wenn die hier eröffnete Sicht der Dinge als »Situationsethik« bezeichnet würde. Bestimmend ist das Bemühen Barths, »Ethik« überhaupt den Entwurfs- und Realisierungsmöglichkeiten der religiös-sittlichen Existenz oder gar Persönlichkeit zu entnehmen. Das eigentliche Movens – im eschatologischen Aspekt – ist das Sein ἐν Χριστῷ, die *Bewegung,* in die der Mensch hineingenommen worden ist: die Bewegung Gottes, das Kommen seines Reiches. Dem eigenen ethischen »Standort« entrissen, stehen sowohl die Einschätzung der Lage wie auch das Tun des Menschen in der Entsprechung zu Gottes wirksamem Tun, geschehen sie im Kraftfeld des Neuen, der Auferstehung und des Lebens. Man sage nicht, hier werde Ethik in Eschatologie verschlungen und absorbiert! Nicht »die Eschatologie« steht zur Rede, sondern »unter dem *letzten* Gesichtspunkt«, d.h. im eschatologischen *Aspekt,* die volle Einbeziehung alles menschlichen Urteilens und Handelns in die Wirklichkeit des Christus und das Kommen des Reiches Gottes. Alle ethischen Standorte und vorgebahnten Wege werden damit als ohnmächtig und relativ decouvriert. Vor allem werden jene »Schleusen« in ihrer Problematik offenbar, in denen – kraft der religiösen Vermittlung – menschliches Tun auf das höhere Niveau irgendeiner »göttlichen Bestimmung« oder »metaphysischen Motivation« gebracht wird, in denen also ein mehr oder weniger reibungsloser Verkehr von hier nach dort und von dort nach hier ermöglicht werden soll.

In seinem Tambacher Vortrag »Der Christ in der Gesellschaft« (1919) setzt Barth sich mit der Problematik der *religiös-sozialen Kombinationen* auseinander und bringt das, was zur Ethik ausgeführt wurde, auch auf dem Gebiet der Sozialethik zum Austrag. »Sehr geistreich ist das Paradoxon, daß Gottesdienst Menschendienst sein oder werden müsse, aber ob unsere eilfertigen Menschendienste, und wenn sie im Namen der reinsten Liebe geschähen, durch solche Erleuchtung Gottesdienste werden, das steht in einem anderen Buch. Sehr wahr ist die evangelische Erinnerung, daß der Same das Wort und der Acker die Welt ist, aber was ist denn das Wort und wer von uns hat es, und sollten wir nicht vor allem einmal *erschrecken* vor der Aufgabe, Säemann des Wortes für die Welt zu werden, vor der Aufgabe, vor der ein Mose, ein Jesaja, ein Jeremia so erschrocken sind? Ist die anfängliche Weigerung dieser Männer, das Göttliche auf das Leben der Menschen zu beziehen, etwa unsachlicher als unsere rasche Bereitschaft dazu?« (Das Wort Gottes und die Theologie, 3). Im sozial-ethischen Konzept und seinem entsprechenden Handeln ist es mit Erfahrung, Einsicht und gutem Willen nicht getan. Dies wären *partielle* Aspirationen, religiöse Motivationen. Die Sache Gottes und seines Reiches aber ist ein Ganzes, Unteilbares, in sich Geschlossenes, Neues, Grundverschiedenes gegenüber allem, was in der Welt im Gang ist. Nichts läßt sich hier vermitteln, übertragen und anpassen. Die Bewegung Gottes stürzt und richtet auf, tötet und erweckt zum Leben. Sie läßt sich nicht »anwenden«. »Wie gefährlich ist es, sich mitten in den Fragen, Sorgen und Erregungen der Gesellschaft auf Gott einzulassen!« (36). Und dann tritt wieder das Thema des *Wartens auf Gott* hervor – dieses Mal unter Bezug auf die Not der Gesellschaft: ». . . die Gesellschaft wird um die Hilfe Gottes, die wir doch eigentlich meinen, betrogen, wenn es nun nicht ganz neu lernen wollen, auf Gott zu warten, sondern uns statt dessen aufs neue eifrig an den Bau unserer Kirchen und Kirchlein machen« (38). Worauf soll gewartet werden? Auf Gott. Auf die Bewegung von Gott her. Dein Reich komme! »Das letzte Wort heißt *Reich Gottes*« (49).

Es ist nun zu fragen, wo geistesgeschichtlich der *Ursprung der Religionskritik Barths* zu suchen ist. Bekanntlich ist »Kritik der Religion« seit Ludwig Feuerbach und Karl Marx ein außerhalb der Theologie längst virulent gewordenes Verfahren. Doch eigenartigerweise wird – trotz unübersehbarer Annäherung – in den beiden Auflagen des »Römerbriefes« explizit weder auf Feuerbach noch auf Marx rekurriert. Nur implizit sind Beziehungen feststellbar.

Man wird erklären können: »Obwohl Barth im ›Römerbrief‹ (1919) auf Feuerbach explizit gar nicht eingeht, stellt doch eine Bezugnahme auf und eine Auseinandersetzung mit der Feuerbachschen Religions- und Philosophiekritik ein durchgängiges und zentrales Moment seiner Auslegung dar. Indem Barth in Übereinstimmung mit Feuerbach die Religion als illusionäres Produkt des Menschen kennzeichnet, indem er in Anlehnung an Feuerbach den Zusammenhang von Religion und Politik beschreibt und den praxisfremden und praxislosen Charakter von Religion und Theologie kritisiert und indem er in Analogie zu Feuerbach eine durch Individualismus, Subjektivismus und Spiritualismus gekennzeichnete religiöse Anthropologie mit aller Schärfe zurückweist und zu überwinden sucht, nimmt er die zentralen Aspekte der Feuerbachschen Kritik auf und sieht seine Interpretation deutlich in einer wesentlich durch Feuerbach bestimmten religionskritischen Tradition.« »In einzelnen wichtigen Punkten zeigt Barths Konzeption nicht nur eine Analogie zur Feuerbachschen, sondern auch zur Marxschen Kritik« (*M. Krämer*, Die Religionskritik Ludwig Feuerbachs und ihre Rezeption in der Theologie Karl Barths: Diss.theol. Göttingen, 1975, 262f.; zu den Einzelnachweisen sei auf diese Monographie verwiesen). – Vgl. auch *R. Gruhn*, Religionskritik als Aufgabe der Theologie. Zur Kontroverse ›Religion statt Offenbarung?‹: EvTh 39, 1979, 240ff.

Neben den von Feuerbach und Marx ausgehenden Impulsen sollten die Anstöße nicht übersehen werden, die von Christoph Blumhardt und Sören Kierkegaard empfangen worden sind. Blumhardt konfrontierte *Reich Gottes« und Religion*; er dürfte an zahlreichen Stellen die Erklärungen Barths in den »Römerbrief«-Kommentaren stark beeinflußt haben. Für die zweite Auflage sind die von Kierkegaard ausgehenden Anregungen bekannt. Somit wird auch die religionskritische Komponente des dänischen Theologen und Philosophen zu beachten sein. Doch alle diese Erklärungen zum Ursprung der Religionskritik Karl Barths genügen deswegen nicht, weil weder Feuerbach, dessen Konzeption Marx radikalisierte, noch Kierkegaard und Blumhardt letztlich bestimmend sind. Maßgebend und prägend ist vielmehr für Barth die Theologie der Reformatoren gewesen (Kapitel III), vor allem die reformatorische Rechtfertigungslehre, die iustificatio impii mit allen ihren die Religionskritik heraufführenden Konsequenzen.

Barths Bezug auf Feuerbach wird zuerst erkennbar im Aufsatz »Ludwig Feuerbach«: Zwischen den Zeiten V, 1927, 10–40. Dieser Aufsatz ist der Ausschnitt einer 1926 in Münster gehaltenen Vorlesung über die »Geschichte der protestantischen Theologie seit Schleiermacher«. Als bemerkenswert soll einstweilen nur die Tatsache herausgestellt werden, daß Barths Aufsatz im Zusammenhang seiner Kritik der neuprotestantischen Theologie, der Kritik an A. v. Harnack, W. Herrmann und F. D. E. Schleiermacher steht. Feuerbachs Philosophie wird als scharfe »Antithese zu aller Philosophie« verstanden. Dieser Aspekt bestimmt dann auch die gelegentliche Erwähnung Feuerbachs in der »Kirchlichen Dogmatik«. Zur Auseinandersetzung Barths mit dem Religionsverständnis des Neuprotestantismus vgl. *O. Herlyn*, Religion oder Gebet, 1979, 35ff.

Allerdings werden die in den zwanziger Jahren noch recht scharfen Urteile über Schleiermacher und seine theologischen Nachfahren, *deren Religionsverständnis dem Ferment der Kritik Feuerbachs bedenkenlos ausgesetzt wird*, vorsichtiger, wenn es in KD I,1 heißt: »Man würde *Schleiermacher* (und den Seinigen bis auf diesen Tag) Unrecht tun, wenn man ihnen unterschieben wollte, . . . sie hätten nämlich das menschliche Subjekt zum Schöpfer seiner Bestimmtheit durch Gott machen wollen, ihre Theologie sei also als *direkter* Cartesianismus anzusprechen« (220). Doch darin wird Feuerbach recht gegeben, daß er der Theologie vorgehalten hat: Das Wesen dieses (vor allem neuprotestantischen) Denkens und Redens besteht faktisch darin, »daß der Mensch sich Gott schafft nach seinem eigenen Bilde« (KD I,2:7). – Im übrigen ist die Bezugnahme auf Feuerbach in den beiden ersten Bänden der »Kirchlichen Dogmatik« spärlich. Im Abschnitt »Gottes Offenbarung als Aufhebung der Religion«, auf den sogleich einzugehen ist, wird nur im theologischen Kontext auf Feuerbach kurz hingewiesen (KD I,2:316f.).

Zu den oberflächlichen und wenig sachkundigen Erklärungen gehört die Behauptung, Barth habe die Wasser der Religionskritik Feuerbachs auf seine theologischen Mühlen gezogen. Nach allem, was bisher ausgeführt wurde und weiterhin zu beobachten sein wird, *kann von einer solchen theologischen Usurpation philosophischer Religionskritik überhaupt keine Rede sein.* Allenfalls könnte von einer *Korrespondenz* mit der philosophischen und marxistischen Religionskritik gesprochen werden; diesem Aspekt wird später genauer nachzugehen sein. Vor allem aber wird zu fragen sein und geprüft werden müssen, ob und in welchem Ausmaß Feuerbach die »theologische Religionskritik« Luthers auf seine philosophisch-anthropologischen Mühlen geleitet hat. Dann wäre ein tieferes »Ursprungsgeheimnis« angerührt, das in den bisherigen Ausführungen immer wieder anklang: Die Beziehung der theologischen Religionskritik Barths auf die reformatorische Lehre und deren biblischen Grund. Es liegen also theologiegeschichtliche und geistesgeschichtliche Verkettungen vor, die schwer auf zulösen, ja in den Einzelheiten noch nicht einmal wirklich durchschaubar sind. Doch wird die »Korrespondenz« der theologischen Religionskritik, insbesondere mit der marxistischen, noch genauer Nachprüfung und Darstellung bedürfen (Kap. III–V).

2.   »*Kirchliche Dogmatik*« *(Band I,2)*

Die systematische Erörterung des Problems der Religion und die ausführliche Darlegung theologischer Religionskritik finden sich im § 17 der »Kirchlichen Dogmatik«, der unter der Überschrift steht: »Gottes Offenbarung als Aufhebung der Religion«. Doch muß sogleich festgestellt werden, daß die in diesem Paragraphen enthaltenen Gedanken und Grundsatzerklärungen in der gesamten »Kirchlichen Dogmatik« bestimmend geblieben sind – auch wenn explizit das Thema »Religion« mehr oder weniger zurücktritt. In diesen späteren Zusammenhängen dürfte nicht übersehen werden, daß Barth einen bedeutsamen Beitrag zu der gesamten Problematik im § 69 unter dem Thema »Das Licht und die Lichter« vorlegt. Auf dieses Faktum ist später zurückzukommen (vgl. I.4). Zunächst soll die theologische Religionskritik Karl Barths, ausgehend von § 17 der »Kirchlichen Dogmatik«, referiert, analysiert und interpretiert werden. Dabei werden Referat, Analyse und Interpretation ineinandergreifen und fortgesetzt aufeinander bezogen. Anschließend muß zu einigen kritischen Äußerungen, die sich auf Barths Religionsverständnis und Religionskritik beziehen, Stellung genommen werden (vgl. I.3).

Gottes Offenbarung ist Gottes Gegenwart und Verborgenheit in der Welt menschlicher Religion. Von dieser mit dem Hinweis auf die Bibel Alten und Neuen Testaments begründeten Erkenntnis wird auszugehen sein. »Das Wort ward Fleisch« (Joh 1,14). Dies bedeutet im Kontext der zur Rede stehenden Thematik: Die Offenbarung, wesentlich als »Wort Gottes« verstanden, trat ein in den Raum und Zusammenhang menschlicher Religion. Im Alten und im Neuen Testament wird eben dieses Ereignis bezeugt. Es muß demnach die von Barth unternommene und deutlich ausgeführte *biblische Grundlegung des Ganzen* bedacht und nachvollzogen werden, wenn es gelingen soll, die religionskritische Konzeption wirklich zu verstehen. Vielen Kritikern ist schon an dieser Stelle entgegenzuhalten, daß sie sich auf die *biblischen Voraussetzungen und Begründungen* des Religionsverständnisses und der Religionskritik Barths gar nicht erst eingelassen haben und daß ihnen somit das Besondere, Eigenartige des ganzen Entwurfs überhaupt nicht bewußt geworden ist.

Offenbarung, wie sie in den biblischen Schriften bezeugt wird, ist ein *Menschen* widerfahrendes Ereignis auf menschlichem Rezeptionsfeld. Sie bezieht sich auf die gesamte menschliche Lebenswelt und also auch auf die menschliche Existenzäußerung der *Religion.* Offenbarung hat also »auch den Charakter und das Gesicht eines menschlichen, historisch und psychologisch faßbaren Phänomens . . ., nach dessen Wesen, Struktur und Wert man fragen kann wie nach denen anderer menschlicher Phänomene, das mit anderen menschlichen Phänomenen mehr oder weniger ähnlicher Art in einer Reihe gesehen und entsprechend verstanden und beurteilt werden kann« (KD I,2:305). Der Religionsphänomenologie und der religionsgeschichtlichen Forschung wird damit durchaus und unbestreitbar ihre Ansatzmöglichkeit und ihr relatives Recht eingeräumt. Es sind eben – wie könnte es geleugnet werden?! – »Christentum« oder »christliche Religion« die greifbare *Erscheinungsform der Offenbarung in der Welt der Religionen.* Offenbarung als solche müßte geleugnet werden, wenn bestritten wird, daß das Christentum dieses menschlich-allzumenschliche Gesicht hat – im Zusammenhang anderer religiöser Erscheinungen zwar eigenartig, aber nicht einzigartig (306). Es hat die Tatsache, daß Offenbarung auch als eine Religion unter anderen Religionen zu sehen und zu verstehen ist, aber darin ihren Grund: »Gott ist in seiner Offenbarung tatsächlich eingegangen in eine Sphäre, in der seine Wirklichkeit und Möglichkeit umgeben ist von einem Meer von mehr oder weniger genauen, aber jedenfalls grundsätzlich als solche nicht zu verkennenden Parallelen und Analogien in menschlichen Wirklichkeiten und Möglichkeiten. Gottes Offenbarung ist tatsächlich Gottes Gegenwart und also Gottes *Verborgenheit* in der Welt menschlicher *Religion*« (307). Man wird sich also von Anfang an darauf auszurichten und einzurichten haben, daß Barth nicht einen vagen, allgemeinen Begriff von »Religion« unterstellt, sondern konkret vom biblischen Offenbarungsgeschehen ausgeht und sich primär der »christlichen Religion« als der eigenartigen Erscheinungsform der biblisch bezeugten Offenbarung zuwendet.

Doch dann gilt es, im biblischen Zeugnis und in den dort offenkundigen
religiösen Erscheinungsformen *die wahre Intention* des Ganzen zu erkennen. *Gottes Offenbarung wird verkündigt als das Ereignis schlechthin, als
Ereignis von kontingenter Einmaligkeit, als Faktum, oberhalb und unter-
halb dessen es keine Instanz der Beurteilung gibt.* Offenbarung Gottes ist
das Zu-uns-Kommen seiner Gnade und Wahrheit. Diese Offenbarung trifft
uns aber an als religiöse Menschen, und das heißt, sie begegnet uns mitten
im Versuch, Gott von uns aus zu erkennen und zu ihm zu gelangen. Somit
entdeckt sie uns in einem ihrem Geschehen widersprechenden und entge-
genwirkenden, keineswegs aber korrespondierenden Verhalten und Unternehmen. Denn das der Offenbarung entsprechende Tun müßte *der Glaube*
sein: Die alle eigenen Wege negierende Anerkennung und Annahme der
*Selbst*darbietung und *Selbst*darstellung *Gottes*. Die Religion des Menschen
– das ist biblische Erkenntnis – wird durch die Offenbarung und durch den
Glauben aufgedeckt als *Widerstand* gegen Gottes eigenes Tun. Religion ist
Vorgriff. Religion will an die Stelle des Werkes Gottes ein menschliches Ge-
bilde setzen. Dieses religiöse Wollen ist der eigentliche Herd und Impuls des
Widerstandes. Denn »in der Religion wehrt und verschließt sich der
Mensch gegen die Offenbarung dadurch, daß er sich einen Ersatz für sie beschafft, daß er sich vorwegnimmt, was ihm in ihr von Gott gegeben werden
soll« (330f.). Wieder wird zu bedenken sein, daß Barth Vorgänge und Wi-
derstandsäußerungen anspricht und entrollt, die in der biblisch-christlichen
Religion manifest geworden sind und immer neu in Erscheinung treten. Er
spricht von »uns«, nicht von fremden Menschen anderer Religionen. Doch
fällt auf, wie alles das, was im Raum des Christentums an den Tag kommt,
als für »*den* Menschen«, also alle Menschen, symptomatisch erklärt wird.
An dieser Stelle wird die Diskussion mit den zahlreichen Kritikern Karl
Barths später wieder aufzunehmen sein.

Der Gedankengang, der auf die Formulierung »Religion als Widerstand
gegen die Offenbarung« stieß, soll jetzt unterbrochen und hernach in Zuwendung zum Thema »Religion als Unglaube« wieder aufgenommen werden. Zu verfolgen ist nunmehr, wie Barth sich mit der *theologiegeschichtlichen Tradition* und mit der durch die Prävalenz von »Religion« gekenn-
zeichneten Situation im Protestantismus auseinandersetzt. Denn daran besteht kein Zweifel: Auch die »Kirchliche Dogmatik« steht in wacher Auseinandersetzung mit den Fehlentwicklungen in der christlichen Überlieferung und mit den problematischen Gegebenheiten in der damaligen Situation von Theologie und Kirche. Doch im Unterschied zu den Äußerungen
der Frühzeit erkennt Barth: »›Theologie der Krisis‹ konnte und durfte sie in
der Tat nicht länger als einen Augenblick sein. Und daß sie es nur einen Augenblick lang sein konnte, das zeigt, daß schon die grundsätzliche, die
eschatologische Wendung als solche, auf die sie zurückging, *als Reaktion zu
stark*, d.h. zu willkürlich und eigenmächtig gewesen war.« »Die Lehre vom
lebendigen Gott erträgt nun einmal keine solchen Zuspitzungen« (KD
II,1:717). Die Kritiker fragen: Ist die einlinige, starke Zuspitzung der Reli-

gionskritik der Frühzeit in der »Kirchlichen Dogmatik« wirklich überwun- /
den oder doch wenigstens differenzierter zur Ausführung gebracht worden? ?
Darauf wird zurückzukommen sein. In der »Kirchlichen Dogmatik« wird
jedenfalls in systematischer Strenge der Grundsatz verfochten und entfal- ?
tet: *Nicht ist die Offenbarung der Religion, wohl aber die Religion der Of-* ?
fenbarung unterzuordnen. Wer genau aufmerkt, kann schon hier erkennen, daß Barth neue Seiten aufschlägt, im Prinzip freilich an dem festhält,
was in der »Theologie der Krisis« vorgetragen worden war. Nachdrücklich ?
wird betont: Es ist kennzeichnend für den modernistischen Protestantis- ?
mus, daß er die Offenbarung dem Gesamtphänomen »Religion« unterge-
ordnet und darum auch die Offenbarung von der Religion her beurteilt und
gewertet hat – genauer: von einem bestimmten Verständnis von »Religion«
her, das in der diesem Verständnis zugrunde liegenden Definition jeweils
geistesgeschichtlich analysierbaren Einflüssen unterlag. Als bezeichnend
kann z.B. die Auffassung von *Paul de Lagarde* zitiert werden: »Das Wort
Religion ist im entschiedensten Gegensatz gegen das in der lutherischen, re-
formierten und katholischen Kirche geltende Wort Glauben eingeführt und
setzt überall die deistische Kritik des allgemein christlichen Offenbarungs-
begriffs voraus. Wollen wir da noch behaupten, daß wir uns im Kreise der
Reformation befinden?« (Deutsche Schriften, 4. Abdruck, 46; zitiert in KD
I,2:309).

Der Hinweis auf die »*deistische Kritik*« gibt Aufschluß über den terminus a quo der folgen-
reichen Wandlung. Herbert von Cherbury will in seinem Buch »De veritate« (1624) aufzeigen,
daß der Glaube an Gott und an die jenseitige Vergeltung *allen Menschen angeboren* ist, so daß
also von »*der* Religion« in allen geschichtlichen Erscheinungsformen, auch der christlichen,
gesprochen werden kann. In allen religiösen Lebensäußerungen wäre demnach der identische
Wesenskern vorauszusetzen und zu ermitteln. Herbert von Cherbury denkt an einen allgemeinen Abfall von der Einfachheit und Klarheit einer natürlichen Urreligion. Er relativiert mit
diesem Begriff der »Urreligion« die gesamte biblische Offenbarung und setzt damit ein ganz
neues Religionsverständnis in Kraft. Deismus und Aufklärung haben *das der Vernunft gemäße*
allgemeine Phänomen einer »Naturreligion« zum Prinzip erhoben und dieses Prinzip zum Kriterium aller historischen und positiven Religionen – auch des Christentums – gesetzt. Vgl.
III.4 (»Vernunftreligion«).

Mit dem von Deismus und Aufklärung beeinflußten modernistischen
Protestantismus setzt sich Barth ausführlich auseinander. Er stellt die Alternativen scharf und klar heraus: »Es ist offenbar etwas anderes, ob die Religion *das* Problem *der* Theologie oder ob sie *ein* Problem *in* der Theologie
ist« (309). Er setzt sich mit den Theologie in Religionsphilosophie verwandelnden Gelehrten und den von ihnen inspirierten und inszenierten For-
schungsrichtungen auseinander. Dabei soll ans Licht kommen: ». . . Wo
man die Offenbarung mit der Religion überhaupt vergleichen oder ausglei-
chen wollen kann, da hat man sie als Offenbarung mißverstanden« (321).
Als kontingentes Ereignis steht die Offenbarung (»Das Wort ward Fleisch«)
in souveräner Überlegenheit aller menschlichen Religion gegenüber.

Darum wird Offenbarung auch nur da recht verstanden, wo das erste und
das letzte Wort über die Religion von ihr und nur von ihr erwartet und wo
vor diesen Konsequenzen nicht ausgewichen wird. Muß es wirklich hinzugefügt werden, daß die »souveräne Überlegenheit« allein der Offenbarung
eignet, nicht aber der Kirche und den Christen zu Gebot steht?!

Es wird später, im Anschluß an kritische Bemerkungen Bonhoeffers, zu fragen sein, ob es
derartige Äußerungen Barths nicht nahelegen, von einem *»Offenbarungspositivismus«* als der
Ausgangsposition oder auch dem »Ergebnis« der Religionskritik in der »Kirchlichen Dogmatik« zu sprechen. Doch muß schon jetzt bemerkt werden, daß Karl Barth »Offenbarung« (im
Kontext von KD II,1.2) keineswegs als das in unantastbarer (supranaturaler) Überlegenheit
einfach und schlechthin »Gegebene« versteht, sich vielmehr in der Wort-Gottes-Theologie der
Prolegomena fortgesetzt mit dem supranaturalistischen Mißverständnis auseinandersetzt. Es
wird darum die Aufgabe bestehen, noch einmal sorgfältig zu prüfen, wie Barth »Offenbarung«
interpretiert (vgl. Kap. I,3).

Für Barth ist Offenbarung souveränes Handeln Gottes am Menschen –
oder sie ist nicht Offenbarung. Offenbarung wird geleugnet, wann immer
und wo immer sie als Phänomen oder Problem angesehen und behandelt
wird. Die Grundsatzentscheidung des dem Wort Gottes antwortenden
Glaubens wird umgangen, wenn die biblische Offenbarung indifferent betrachtet wird. Doch mit der Hervorhebung der *Überlegenheit, Souveränität
und Verbindlichkeit der Offenbarung* wird nichts abgestrichen oder zurückgenommen von der Erkenntnis, daß Gott in seiner Offenbarung gegenwärtig ist mitten in der Welt menschlicher Religion. Nur wird jetzt der entscheidende Akzent gesetzt: *Gott* ist gegenwärtig – der *in Jesus Christus* sich
offenbarende Gott Israels! Dies aber bedeutet für die menschliche Religion –
zuerst und vor allem für die konkrete Erscheinungsform »christlicher Religion« – eine radikale Durchleuchtung und Krisis.

In der *Auseinandersetzung mit der Tradition* und ihrem Verständnis von »Offenbarung und
Religion« geht Barth auf einzelne Phasen der Geistes- und Theologiegeschichte ein, so u.a.
auch auf die neuzeitliche Entwicklung. Er trägt Gedanken vor, die besondere Erwähnung deswegen verdienen, weil sich Dietrich Bonhoeffer in seiner kulturgeschichtlich orientierten Auffassung von »Religion« auf ebendiese Aspekte – freilich mit anderer Wertung und Auswertung
– bezieht. Später wird daran zu erinnern sein, daß Bonhoeffer im Ansatz und in der Terminologie aufnimmt, was Barth auf S. 367 in KD I,2 ausführt: »Die sog. Neuzeit, die nicht ohne
Vorbereitung in den Tendenzen des späteren Mittelalters mit der Renaissance anhob, ist hinsichtlich des Christentums dadurch charakterisiert, daß jene Einheit von Reich und Kirche jetzt
wieder auseinanderfällt. Die abendländische Menschheit ist mündig geworden oder sie meint
es doch. Sie kann des Erziehers – und als solcher hatte sich ja das offizielle Christentum gefühlt
und benommen – nun entbehren. Der Mensch entdeckt sich selber als Universum und fühlt
sich, wenn er auch die Pietät gegen den Erzieher nicht ohne weiteres fallen läßt, fähig, nun mit
erst recht erhobenem Haupte seinen Weg zu gehen. Die Politik, die Wissenschaft, die Gesellschaft, die Kunst wagen es wieder, dankbar für alles Empfangene, aber entschlossen zu profa-
ner Sachlichkeit, auf ihre eigenen Füße zu treten.« Hier wird zum ersten Mal – und nicht erst
bei Bonhoeffer – im Zusammenhang mit dem Thema der Religionskritik *vom »mündig gewor-*

denen« Menschen, von der rasanten neuzeitlichen Entwicklung, von Emanzipation und Säkularismus gesprochen! Allerdings – das sei noch einmal betont – wertet Bonhoeffer diese kulturgeschichtlichen Analysen in einer ganz anderen Weise aus als Barth. Darauf wird später zurückzukommen sein.

Wir sahen: Offenbarung enthüllt die Religion als Widerstand, als eigenmächtigen Vorgriff des Menschen im Hinblick auf das, was Gott selbst in der Freiheit und Gnade seiner Selbstmitteilung tut. Dieser Aspekt wird verschärft durch die Erklärung: *Religion ist Unglaube – eine, nein: die Angelegenheit des gottlosen Menschen.* Begründet Gott in seiner Offenbarung und also mit dem Logos, der dem Menschen begegnet, Glauben, so wird im gleichen Augenblick, in dem dieses Ereignis sich vollzieht, das »Gott«-bezogene Eigene des Menschen, seine Religion, als *Unglaube* enthüllt. Diese Enthüllung ist nicht ein Akt eigenmächtiger religionskritischer Analyse und Findigkeit. Sie geschieht nicht kraft eines durch Offenbarung ermöglichten »höheren Ich-Bewußtseins«, sie ist vielmehr ganz und gar von dem sich selbst mitteilenden und hervortretenden Ich Gottes bestimmt.

Worum es hier geht, das mache man sich in zwei Passagen klar, in denen Offenbarung mit der *Selbstvorstellung* »Ich bin Jahwe« und mit dem »Ich bin es« des Christus jeder neutralen Analyse entnommen wird! »Offenbarung« ist für Barth in keinem Augenblick ein allgemeines Revelationsphänomen, eine Begriffshypostase unter dem Akzent gläubiger assertio. Gott offenbart sich unverwechselbar in seinem Namen, in Jesus Christus. »Man kann an Jesus Christus Anstoß annehmen. Das Anstößige an ihm besteht sehr einfach darin, daß man sein gewaltiges Ich bin es! nur gegen den Augenschein und die Macht des ganzen Weltverlaufs und also auch gegen unser ganzes eigenes Meinen, Gutfinden und Wollen annehmen, daß man ihn nur im Glauben an das Wort seiner Boten als an sein eigenes Wort erkennen kann als den, der er ist« (Fürchte dich nicht, 1949, 159). Wer könnte angesichts solcher Aussage von »Offenbarungspositivismus« sprechen?! Barths Religionskritik hat darin ihre besondere Kraft und ihre »skandalöse« Härte, daß sie sich zuerst, ja immer wieder *zuerst* auf die christliche Religion bezieht. Wer dies übersieht, wird nie begreifen, aus welchen Tiefen diese theologische Religionskritik hervorkommt. – Die andere Passage bezieht sich auf die Präambel des Dekalogs: »Nicht daß die Welt und daß wir selbst einer höchsten Macht unterworfen sind, wird uns ja da in Worten gelehrt oder in einem übermächtigen Geschehen vorgeführt – so entstehen die falschen Religionen der Heiden –, sondern da wird uns gesagt: *Ich bin der Herr, dein Gott!*« (KD II,1:636).

Die Religion ist Unglaube, d.h. in ihr, unter den ihr eigenen Voraussetzungen, Zusammenhängen, Kräften und Fähigkeiten, kann Gott *nicht* erkannt und geglaubt werden. Keine Religionskritik vermag dieses in und mit der Selbstoffenbarung Gottes gesprochene und vollstreckte Urteil zu annektieren, als kritisches Prinzip in Funktion zu setzen und selbstbewußt oder puristisch zu handhaben. Gottes Offenbarung ist das Zu-uns-Kommen seiner Wahrheit. Diese Wahrheit aber trifft uns nicht in einem neutralen Zustand vor, geschweige denn in einer aufgeschlossenen, hörwilligen und annahmebereiten Disposition, sondern vielmehr in einer Aktion und Bewegung radikaler, jedoch aus eigenem Vermögen unerkennbarer und darum auch nicht einzugestehender *Gegenwehr*. Gottes Offenbarung enthüllt Religion als Bestrebung, Gott kraft menschlicher Fähigkeit und Frömmigkeit erreichen und erkennen zu wollen. Der Gott-lose Mensch befindet sich stets auf eigenmächtigem Weg zu Gott. Er ist damit befaßt, seine eigene Gottlosigkeit religiös zu überwinden. Aber eben auf diesem Weg gerät er nur immer tiefer in einen heillosen Widerspruch und Gegensatz zu Gottes Offenbarung, die auf den Menschen zukommt – und zwar auf einem *völlig anderen* Weg als dem menschlichen Suchens, Wünschens und Wollens. Es ist der Weg des Kreuzes, angesichts dessen Religion als *die* Angelegenheit des gottlosen Menschen entdeckt wird – des Gottlosen, der seine Gottlosigkeit überwinden will, aber eben damit bei seiner Gottlosigkeit behaftet und in seinem Widerstandseifer erkannt wird. Daß *Gott* den Menschen erkennt (1Kor 8,3), ist das Ereignis der Offenbarung, das dem Erkenntnisstreben des religiösen Menschen voraufgeht und entgegensteht. Daß Gott den Menschen *erkennt*, fordert das der biblischen Eröffnung folgende und entsprechende Initium der Religionskritik heraus.

Doch die Offenbarungstheologie Barths steht in engstem Bezug zur Rechtfertigungslehre. Dies muß deutlich gesehen werden. Es wird sogar die Frage zu stellen sein, ob nicht die theologische Religionskritik, wie Barth sie als erster formuliert hat, als *die angemessene Weise gegenwärtiger Rezeption und Interpretation der reformatorischen Rechtfertigungslehre zu gelten hat*. Diese Überlegung wird demjenigen nicht einleuchten, der von der fundamentalen Bedeutung der Rechtfertigungslehre in Barths gesamter Konzeption, und zwar schon zur Zeit der »Theologie der Krisis«, meint absehen oder über sie hinwegsehen zu können. *Denn im Licht der iustificatio impii, der Rechtfertigung des Gottlosen, wird Religion als Ausdruck der Gottlosigkeit, des Unglaubens und des Widerstands offenbar.* Es steht also viel mehr auf dem Spiel, als die simple, simplifizierende oder auch unbedachte Empörung über Barths »Religionsbegriff« und die »pauschalen Konsequenzen seiner Religionskritik« auch nur ahnen kann. Der Römerbrief des Apostels Paulus und die reformatorische Erkenntnis Luthers basieren auf der – alle herkömmlichen Maßstäbe sprengenden – Einsicht: Die iustificatio trifft stets auf den *impius*, den Gottlosen, der in der frommen Lebensgestalt des homo religiosus sich auch noch in der tiefsten Selbsttäuschung hinsichtlich seiner Gottlosigkeit befindet. Mehr noch: der gerade in seiner Religiosität die höchste und subtilste Stufe der Gottlosigkeit erklommen hat. Barth zitiert Luther. Setzt man für »Frömmigkeit« den Begriff »Religion« ein, dann wird deutlicher, wie das folgende Stück aus Luthers Predigt über 1Pt 1,18f. aufgenommen und verstanden werden will: »Darum ist menschliche Frömmigkeit eitel Gotteslästerung und die allergrößte Sünde, die ein Mensch tut. Also ist das Wesen auch, damit jetzt die Welt umgeht, und das sie für Gottesdienst und Frömmigkeit hält, (es) ist für Gott ärger denn keine andere Sünde, – als da ist (der) Pfaffen und Mönche Stand, und was vor der Welt gut scheint und doch ohne Glauben ist. Darum wer nicht durch das Blut (Christi) vor Gott will Gnade erlangen, dem ist es besser, daß er nimmer vor Gottes Augen trete. Denn er erzürnet nur die Majestät je mehr und mehr damit« (WA 12,291). »Frömmigkeit« (Religion) rückt bei

Luther auf die Seite der »Werke«, durch die kein Mensch vor Gott gerecht wird, die vielmehr, solange sie aus dem Eigenen des Menschen hervorgehen, den gnädigen Gott schmähen und erzürnen. *Karl Barth erweist sich in seiner theologischen Religionskritik als konsequenter Schüler der Reformation.* Im Licht der iustificatio impii wird das »Wesen« der Religion als Gottlosigkeit und Unglaube manifest. Die Rechtfertigungslehre ist es, die in eine tödliche Kollision mit dem neuprotestantischen Verständnis von »christlicher Religion« gerät. In dieser Kollision wird Religionskritik erweckt. Nie wird derjenige, der um »christliche Religion« im selbstzufriedenen Dasein der Volkskirche besorgt ist und dem Volk seine Religion erhalten will, begreifen, was da geschehen ist. Doch wer an dieser entscheidenden Stelle Karl Barths religionskritische Lehre abweist, der verwirft die reformatorische Rechtfertigungslehre *in ihrer konkreten Auswirkung.* Es wird auf der Spur solcher Feststellungen unumgänglich sein, nach der reformatorischen Theologie zu fragen, genauer: nach der Bedeutung der Reformatoren als der Wegbereiter theologischer Religionskritik. Vgl. III.2.3.

Erneut kommt das Problem der *Universalisierung* konkreter, in der Kollision zwischen iustificatio impii und »christlicher Religion« gewonnener religionskritischer Erkenntnisse in Sicht. Mit welchem Recht – so wird zu fragen sein – überträgt Barth die im Gegensatz zwischen Evangelium und »christlicher Religion« ans Licht tretenden Enthüllungen der Religion als Gottlosigkeit, Unglaube und Widerstand auf »*die* Religion« überhaupt, auf *den* Menschen schlechthin bzw. auf die Religionen? *Daß* er diese Übertragung, diese Universalisierung vornimmt, daran besteht kein Zweifel. Aber quo iure, mit welchem Recht, werden die Grenzen überschritten?

Sogleich ist die Gegenfrage zu stellen: Werden überhaupt »Grenzen« überschritten? Kann die in der Bibel bezeugte Offenbarung anders aufgenommen werden als im Zeichen der aller Schöpfung, allen Völkern, allen Menschen geltenden gnädigen Zuwendung Gottes in Jesus Christus und dem in dieser Zuwendung sich ereignenden Gericht? Vom Kosmos und von allen Menschen heißt es in Joh 1,11: »Er kam in sein Eigentum, und die Seinen nahmen ihn nicht auf.« Kann die Situation schärfer gekennzeichnet werden als durch diesen Satz? Sind die Fragen aber zu bejahen, dann ist das der *christlichen Religion* widerfahrende Ereignis der Durchleuchtung und Verurteilung von Religion als ein Geschehen *pars pro toto* zu verstehen. Man könnte Am 3,1 heranziehen: »Euch allein habe ich erwählt aus allen Geschlechtern der Erde, darum will ich an euch heimsuchen alle eure Sünde!« Oder Ez 9,6 (Jer 25,29; 1Pt 4,17): »Es muß das Gericht anfangen am Haus Gottes.« Das Volk Gottes, das im religiösen Mißverständnis seiner Erwählung ein unantastbares Heilsprivileg für sich in Anspruch nimmt, erfährt im »Gerichtsprivileg« die Gnade des lebendigen Gottes, der in immer neuen Akten der Zuwendung und Hinwegräumung aller Hindernisse und Widerstände seinem Volk begegnen will. Indem auch die »christliche Religion« solcher Krisis unterworfen ist, *trifft Religionskritik* – in Konsequenz und Entsprechung zur prophetischen Gerichtsansage – *zuerst und mit un-*

ausweichlicher Wucht und Radikalität die christliche Gemeinde. Doch was hier (*partikular* und *pars pro toto*) *konkret* wird, hat zugleich universale Auswirkungen – der Universalität der Gnade des Gottes Israels und Vaters Jesu Christi entsprechend. *Alle Völker, Menschen und Religionen stehen im Licht des Reflexes dessen, was der »christlichen Religion« in der Begegnung mit der Rechtfertigungsbotschaft widerfährt.* Es ist darum barer Unsinn, wenn behauptet wird, Barth substituiere seiner »pauschalen Religionskritik« einen »allgemeinen Religionsbegriff« ureigenster Schöpfung. Aber dieser Unsinn wird seit Jahren verbreitet. Vor allem religionspädagogische Veröffentlichungen mästen einen Pappochsen und feiern dann billige Schlachtfeste. Und auch Theologen setzen sich – ohne genaue Kenntnisnahme und Erforschung dessen, was im schlichten Wortsinn in der »Kirchlichen Dogmatik« zu lesen steht – aufs hohe Roß der Kritik. Das heimliche Interesse aller dieser Unternehmungen zielt darauf ab, »Religion« zu erhalten, um auf diese Weise den »religiösen Bedürfnissen« des modernen Menschen entgegenzukommen bzw. ein »religiöses Terrain« zu gewinnen, auf dem eine Ersterfahrung allgemeiner Art gewonnen werden kann von dem, »was uns unbedingt angeht« (P. Tillich). Aber ob sich die »Metakritik« der Religionskritik Karl Barths wohl wirklich bewußt ist, daß und mit welcher Importanz sie gegen die Rechtfertigungslehre und ihre Konkretionen Sturm läuft?

Es müßte doch genau beachtet werden, daß die theologische Religionskritik, die sich auf den Satz »Religion ist Unglaube« bezieht, kein religionswissenschaftliches und auch kein religionsphilosophisches Urteil impliziert – ein Urteil, das etwa von einem allgemeinen, negativen Vorurteil über das Wesen der Religion her bestimmt wäre (KD I,2:327). Es geht ausschließlich und stets um das *Urteil Gottes,* das, wie gezeigt wurde, zuerst und mit besonderer Wucht die Kirche trifft. Dieses Urteil kann in seiner religionskritischen Abschattung kein menschliches Verdikt über menschliche Werte des Wahren, Guten und Schönen in fast allen Religionen enthalten. Damit wird schon an dieser Stelle der »Kirchlichen Dogmatik« ein Aspekt aufgetan, der in KD IV,3 unter dem Thema »Das Licht und die Lichter« in voller Klarheit in Erscheinung tritt. Wo immer also theologische Religionskritik in ihrem Bezug auf das göttliche Urteil akut wird, da kann sie nur *zeichenhafte,* nie aber prinzipielle und pauschale Bedeutung haben. Hier ist es unerläßlich, den folgenden Satz zur Kenntnis zu nehmen: »Wir können ja das göttliche Urteil: Religion ist Unglaube, nicht sozusagen ins Menschliche, in die Form bestimmter Abwertungen und Negationen übersetzen, sondern wir müssen es, auch wenn es je und je in Gestalt bestimmter Abwertungen und Negationen sichtbar zu machen ist, als *göttliches* Urteil über *alles* Menschliche stehen und gelten lassen« (KD I,2:328). Wie aber könnte eine solche Erklärung anders aufgenommen und verstanden werden als im Blick auf Röm 1,18: »Der Zorn Gottes vom Himmel her ist offenbar geworden über alle Gottlosigkeit und Ungerechtigkeit der Menschen, die die Wahrheit in Ungerechtigkeit aufhalten«?!

Die religionskritischen Erkenntnisse werden von Barth erweitert und vertieft. *In der Religion entwirft der nach Gott greifende, der Offenbarung vorgreifende Mensch Bilder von Gott.* Religion ist das Feld, auf dem Bilder entworfen, geschaffen und angebetet werden. Der religiöse Mensch, der dem Zu-uns-Kommen der Wahrheit Gottes vorgreift und sich also nicht von der Gnade der Selbstmitteilung Gottes vorbehaltlos beschenken lassen will, vergreift sich. Er bringt aus seinem Innersten Bilder hervor: Bilder von Gott, Bilder des Höchsten, Allmächtigsten – Bilder, die er sich mit dem Weltstoff seiner Vorstellungen gestaltet. *»Gott« erscheint in der Religion als menschliche Projektion*. Feuerbach hat dieses wesentliche und nicht zu leugnende Moment von Religion mit seiner Projektionstheorie getroffen. Doch die Reformatoren – Feuerbach seinerseits beruft sich in den Vorlesungen über »Das Wesen des Christentums« wiederholt auf Luther – haben den Stein ins Rollen gebracht. Barth zitiert Calvin: »Hominis ingenium perpetuam . . . esse idolorum fabricam . . .« (Inst. I,11,18). Calvin hatte diese Einsicht in die Abgründe menschlicher Religiosität und in die Ursprünge der Gottesbilder und Gottesideen nicht aus Spekulationen über den heidnischen Kultus gewonnen, sondern im Licht der prophetischen und apostolischen Botschaft der Bibel, vor allem aber angesichts des 2. Gebots. Sein Diktum betrifft darum die christliche, die kirchliche Religiosität. So will auch Barth verstanden sein. Das 2. Gebot bringt *Ereignisse im Gottesvolk* ans Licht.

Doch was ist das Ergebnis der Bilder, die der Mensch sich von Gott macht? »Greift der Mensch von sich aus nach der Wahrheit, so greift er zum vornherein daneben . . . Würde er glauben, so würde *hören;* in der Religion *redet* er aber. Würde er glauben, so würde er sich etwas *schenken* lassen; in der Religion aber *nimmt* er sich etwas. Würde er glauben, so würde er Gott selbst für Gott eintreten lassen; in der Religion aber wagt er jenes Greifen nach Gott. Weil sie dieses *Greifen* ist, darum ist die Religion Widerspruch gegen die Offenbarung, der konzentrierte Ausdruck des menschlichen Unglaubens . . .« (330). Vor allem das Gottesbild zeigt an und kehrt nach außen, wie der Mensch aus seinem Innersten heraus nach Gott greift, ihn sich entwirft und sich als eifriger Produzent von Bildern erweist. Dies muß nicht unbedingt in groben, plastischen Gestaltungen seinen Ausdruck finden. Der Übergriff ereignet sich permanent im Projekt geistiger, gedanklicher Vorstellungen und Bilder von Gott. In solchem Vorgehen wurde und wird das Hören der den Menschen anredenden Stimme überschlagen oder ausgelassen. Der Religion steht die *fides ex auditu* (Luther) gegenüber.

Die Offenbarung ist die Aufhebung und das Ende der Religion. Diese These ergibt sich konsequent aus dem bisher Ausgeführten. Wie das Evangelium des Gesetzes Ende ist (Röm 10,4), so ist es auch als Offenbarung der Gerechtigkeit Gottes (Röm 1,17) die Aufhebung und das Ende der Religion. Dieser Aspekt war schon, wie wir sahen, in der »Theologie der Krisis« bestimmend. In der »Kirchlichen Dogmatik« wird schärfer umrissen: Gottes Offenbarung knüpft nicht an die schon vorhandene und betätigte Religion an, sondern sie tritt ihr entgegen, sie widerspricht ihr. Noch einmal vermag

das folgende Zitat zu zeigen, wie unablösbar die Religionskritik Barths *in*
der Rechtfertigungslehre verankert ist: »Wo der Mensch das will, was er in
der Religion will: Rechtfertigung und Heiligung als sein eigenes Werk, da
befindet er sich – gleichviel ob der Gottesgedanke und das Gottesbild dabei
primär oder nur sekundär wichtig sind – nicht etwa auf dem Wege zu Gott
hin, der ihn dann auf irgendeiner höheren Stufe desselben Weges doch noch
zum Ziele bringen könnte. Da ist er vielmehr im Begriff, sich gegen Gott zu
verschließen, sich ihm zu entfremden, ja direkt gegen ihn vorzustoßen«
(338). Dies alles trägt die Signatur bitteren Ernstes und betrifft jeden Menschen: Nur in Abbruch, Ende, Umsturz des gesamten bisherigen Wesens
erweist die Offenbarung Gottes ihre erneuernde Kraft. Wer könnte sich da
ausschließen, und wer könnte ausgeschlossen sein – seit die Wende der Welt
im Tod und in der Auferweckung des Christus besiegelt ist?! Es ist wahr:
Wir haben noch nicht damit begonnen, über *die ekklesiologischen und die*
universalen Konsequenzen der Rechtfertigungslehre, vor allem die in solchen Konsequenzen beschlossene Beziehung von Ekklesiologie und Universalität nachzudenken. Die verhängnisvolle, seit Augustinus und Luther der
Tradition eingegebene *Individualisierung der Rechtfertigung des Sünders*
hat die Erkenntnismöglichkeiten abgestumpft. Karl Barths theologische Religionskritik aber zielt die *ekklesiologischen und universalen Konsequen-*
zen dieser Lehre. Dies ist ein epochales Ereignis in der Theologiegeschichte,
das von Grund auf neu zur Kenntnis genommen werden muß, wenn nicht
weiterhin die Fülle von Mißverständnissen und Fehldeutungen dominant
bleiben und den schlichten Wortsinn der Lehrentfaltung überlagern und
verstellen soll.

Im weiteren Verlauf dieser Lehrentfaltung begegnet die These: *Mystik*
und Atheismus sind vergebliche Versuche der Problematisierung von Reli-
gion. Auszugehen ist von der Feststellung, die auch in den frühen Veröffentlichungen Barths getroffen worden war: Der religiöse Mensch ahnt die
Aporien seines Weges und seines Werkes. Er erkennt die Problematik seines
Tuns. Oder vorsichtiger: Er problematisiert Religion durch neue Einstel-
lungs- und Verhaltensweisen. In solchem Prozeß hat die *Mystik* die Tendenz einer Bewegung nach innen, in die sublime Geistigkeit des Sich-Ver-
senkens und der Einkehr in die Tiefen der Seele. Der Mensch der Mystik löst
sich also von dem »Draußen«, von dem im Äußeren, außerhalb seiner selbst
gesuchten Befriedigungsziel seiner religiösen Bedürfnisse, er wendet und
versenkt sich in die Tiefen seiner selbst. Anders, radikaler verfährt der
Atheismus. Barth nennt ihn die »unbesonnene, die knabenhafte Form jener
kritischen Wendung« – nämlich der kritischen Abwendung von dem in der
Religion intendierten und problematisch gewordenen Befriedigungsziel;
diesmal nicht ins Innere hinein, sondern in die totale Negation.

Atheismus und Mystik haben (nach Barth) ein gleiches Programm – das
der Auseinandersetzung und vor allem das der Absetzung und Abwendung
von den dem Menschen problematisch gewordenen Ausdrucksformen, Be-
tätigungen und Inhalten der Religion. Im Licht der radikalen Negation, die

NB Barth + Mystik

der Atheismus vornimmt, wird die Mystik als »esoterischer Atheismus« bezeichnet (352). – Man sollte an dieser Stelle beiläufig darauf aufmerksam machen, daß eine merkwürdige Koinzidenz von mystischen und atheistischen Trends z.B. im Werk Ernst Blochs hervortritt. – Es kann jetzt nicht die Aufgabe sein, Barths interessante Ausführungen zum Thema »Mystik und Atheismus« weiter zu verfolgen. Bemerkenswert ist die Tatsache, daß er sich – im Kontext der Religionskritik – eingehend mit diesen beiden ausweichenden Bewegungen befaßt. Dabei wird der Atheismus (auch der sublime Atheismus der Mystik) verstanden als eine stets auf die Religion bezogene, auf Religion fixierte Problematisierungsbemühung, mit der sich der homo religiosus gleichsam am eigenen Schopf aus dem Sumpf seiner als fragwürdig erkannten oder doch wenigstens geahnten Frömmigkeit herausziehen möchte. Es muß offenbleiben, ob Barth dem Atheismus mit solcher Erklärung gerecht wird.

Karl Barths Ausführungen zum Thema »Religion« nehmen alsdann eine merkwürdige Wende. Es wird die Existenz *wahrer Religion* statuiert, wobei freilich sogleich zu betonen ist: Die wahre Religion erweist sich, wie der gerechtfertigte Mensch, als ein *Geschöpf der Gnade*. Die wahre Religion ist demnach nirgendwo »vorhanden« und in keiner – auch nur approximativen – Gestalt ihrer Wahrheit und Vollkommenheit aufweisbar. Barth geht aus von der Erklärung: »Der Begriff einer ›wahren Religion‹ ist, sofern damit eine einer Religion als solcher und an sich eigene Wahrheit gemeint sein sollte, so unvollziehbar wie der eines ›guten Menschen‹, sofern mit dessen Güte etwas bezeichnet sein sollte, dessen er aus seinem eigenen Vermögen fähig ist« (356). Darum ist die wahre Religion wie der gerechtfertigte Mensch ganz und ausschließlich ein Geschöpf der Gnade. Offenbarung kann demnach kraft der ihr innewohnenden kreativen Dynamik Religion annehmen und sie auszeichnen als wahre Religion. Doch dieses Geschehen ist stets – wie die Rechtfertigung des Gottlosen – ein schöpferischer Akt. Da geschieht es dann in der Kirche, ». . . daß die christliche Gemeinde der Ort wird, wo Menschen mit Gottes Offenbarung und Gnade konfrontiert, durch Gnade von Gnade leben, d.h. wo jeder menschliche Anspruch preisgegeben ist« (377). Aber es besteht kein Zweifel: Wir *bleiben* Widersprecher Gottes, Menschen der Gottlosigkeit und des Unglaubens. *Wir existieren – nach wie vor – im Kraftfeld der durch die Rechtfertigung in ihrem wahren Wesen als Unglaube enthüllten Religion.* »Daß es eine wahre Religion gibt, das ist Ereignis im Akt der Gnade Gottes in Jesus Christus, genauer: in der Ausgießung des Heiligen Geistes, noch genauer: in der Existenz der Kirche und der Kinder Gottes« (377). Barth kann in diesem Zusammenhang sogar von dem durch den Heiligen Geist als den »creator Spiritus« geschaffenen *sakramentalen* Raum sprechen, in dem Gott, dessen Wort Fleisch geworden ist, durch die *Zeichen* seiner Offenbarung fort und fort redet (394f.).

Viele Fragen hat diese Rede von der »wahren Religion« aufgegeben. Warum beharrt Barth auf dem Begriff »Religion«, der doch durch alle zuvor gegebenen Erklärungen und Bestimmungen so völlig desavouiert wurde?

Müssen nicht neue Begriffe, neue Worte die neue Wirklichkeit der durch die Rechtfertigung und durch den Heiligen Geist vollzogenen neuen Schöpfung Gottes anzeigen? Doch Barth vergleicht die wahre Religion mit dem gerechtfertigten Menschen. Ja, es ist nicht nur ein Vergleich, sondern es scheint eine – im Kontext des bisher Ausgeführten konsequente – Ineinssetzung vorzuliegen. Da stellt sich aber die Frage ein: Ist das, was dem *Menschen* in der Rechtfertigung des Sünders widerfährt, aus der anthropologischen Relation auf »*die* Religion« in der Weise übertragbar, daß »die Religion«, gerechtfertigt und als Geschöpf der Gnade neu auf den Plan gestellt, nun als »wahre Religion« in Erscheinung treten kann? Und weiter: Kann demgemäß auch die Formulierung Luthers »simul iustus – simul peccator« auf »die Religion« übertragen werden? Dies wären in der Tat seltsame Verschiebungen und Verzerrungen! Nein. Ein solches Verfahren problematischer Übertragung liegt nicht vor! Tatsächlich kann nicht übersehen werden, daß Barth in keiner Phase seiner Darstellung »*die* Religion« etwa als eine Hypostase betrachtet, als eigenständige, lebendige Wesenheit mit der Fähigkeit zu Wesensäußerungen und Gestaltwandlungen. Immer handelt es sich um den *Menschen in der Religion* bzw. um die *Religion in der Kirche*. Die Rechtfertigung als schöpferische Erneuerung vollzieht sich am Menschen, an der Gemeinde. Doch durch dieses den Menschen und die Gemeinde erneuernde Geschehen wird Religion als Lebensraum und Lebensäußerung zutiefst mitbetroffen. Der Mensch in der Religion steht im Zeichen der Wirklichkeit »simul iustus – simul peccator«. Diese Realität kennzeichnet auch die vom Rechtfertigungsgeschehen mitbetroffene Religion. Aber es geschieht noch mehr: Die Religion in der Kirche, die christliche Religion, wird durch den Heiligen Geist und sein schöpferisches Wirken zu einem sakramentalen Raum, in dem die Zeichen der Offenbarung fort und fort vernehmbar werden. Der Begriff der »wahren Religion« enthält in dieser Ereignisrelation die Dialektik von aktueller *Gegenwart* der Wahrheit und voller *Verborgenheit* eben dieser Wahrheit in menschlicher Lebensäußerung und menschlichem Lebensraum. Eine totale Eliminierung von »Religion« müßte ein Schritt in enthusiastische Direktheiten und menschenfeindliche Abstraktionen sein. Überdies wird niemand mehr mit zureichendem Grund erklären können, Barth schaffe mit der Religionskritik ein unangreifbares Terrain für den christlichen Offenbarungsglauben.

Doch wäre alles sogleich falsch verstanden oder verfälscht, wenn man Barth so begreifen würde, als betrachte er die »wahre Religion« nun doch als ein vom Menschen bzw. von der Kirche Erreichbares und Aufweisbares. Weder Rechtfertigung noch Sakrament sind in irgendeinem Sinn auf menschlicher Ebene nachvollziehbar und aufweisbar. *Der Begriff der »wahren Religion« zeigt an, daß Gottes Offenbarung zum Ziel kommt, daß sie sich nicht in Abbruch, Ende und Tod des Gottlosen festläuft, sondern schon jetzt, in dieser Welt, und also unter den Bedingungen von Religion, den Vorschein des Neuen aufleuchten lassen will.* Wie die Rechtfertigung nur in der eschatologischen Relation des »Noch nicht« (»peccator *in re* – iustus *in spe«*; Luther) ihre Kraft erweist, so befinden sich auch der Mensch in der Religion bzw. die Kirche als »wahre Religion« auf dem Weg zur Erfüllung dessen, was nur geglaubt, in keinem Sinn aber empirisch aufweisbar oder evident gemacht werden kann.

Es wäre absurd anzunehmen, daß Barth mit der Rede von der »wahren Religion« auch nur an einer einzigen Stelle den Ernst, die *Härte und die Radikalität seiner theologischen Religionskritik* zurückgenommen oder gar in lauter Wahrheitserweisen die Krisis aufgehoben und aufgelöst hätte. Leider ist dieses Mißverständnis weitverbreitet. Auch Bonhoeffer erlag ihm. Das Gegenteil aber trifft zu. Gerade die am Schluß aufleuchtenden Aspekte der »wahren Religion« setzen die zuvor entrollte Religionskritik voll in Kraft. Denn wer könnte behaupten, die »wahre Religion« zu »haben«, ihrer ansichtig zu sein – ohne mit eben solcher Behauptung dem ganzen Frevel der »Religion als Gottlosigkeit« verfallen zu sein?! Es würde derjenige die Rechtfertigungslehre auf der ganzen Linie ins Gegenteil ihrer Aussage-Intention verkehren, der im Aufmerken auf das, was Barth zur »wahren Religion« ausführt, auch nur für einen Augenblick annehmen könnte: Jetzt ist das Ziel erreicht, jetzt ist das Problem der Religion gelöst, jetzt schließt sich der Kreis.

Alle Mißverständnisse im Ansatz haben ihre weitreichenden und verzerrenden Konsequenzen. Wer nicht in allem Anfang und in beharrlichem Nachverfolgen die Bedeutung der biblischen Grundlegung sowie der reformatorischen Rechtfertigungslehre in der Religionskritik Karl Barths zur Kenntnis nimmt, der wird auch im Ausgang der Gedankenführung nichts verstanden haben. Wenn Luther in der ersten der 96 Ablaß-Thesen erklärt, das *ganze* Leben der Christen habe eine einzige Umkehr zu sein, so ist auf dieser Linie die Rezeption der reformatorischen Rechtfertigungslehre Barths zu sehen und zu verstehen. *Religionskritik in ihrer beunruhigenden theologischen Tiefe und Radikalität, in der Religion als Widerstand, Unglaube und Gottlosigkeit ins Licht tritt, ist kein propädeutisches Unternehmen, das auf den kirchlichen Idealzustand der »wahren Religion« abzielt, sondern permanente Revolution aller bestehenden kirchlichen und religiösen Verhältnisse – in Erwartung der verheißenen Selbstdurchsetzung der Wahrheit Gottes in unserer Welt, in unserer durch »Religion« geprägten Welt.* In der Tat: »Wahre Religion« ist nicht das »happy end« der Religionskritik, das erreichbar und erfüllbar wäre; sie ist Gottes Schöpfung! So ist »wahre Religion« auch nicht die supranaturalistische Lösung des Rätsels »Religion« durch den offenbarungskundigen christlichen Theologen, der seinem »Offenbarungspositivismus« zum Sieg verhelfen will, sondern Hinweis auf das gnädige, schöpferische Tun Gottes, der alle Aporien in der Lebensäußerung und im Lebensraum der Religion überwinden will und überwinden wird. Denn dies ist die biblische Verheißung: »Siehe, das Zelt Gottes bei den Menschen! Und er wird zelten unter ihnen . . .« (ApcJoh 21,3).

Es ist nicht faßbar, wie sehr Barth mißverstanden und fehlinterpretiert worden ist. Auch Bonhoeffer, darauf wird zurückzukommen sein, hat nicht begriffen, worauf Barths Religionskritik abzielt. Er hat die theologische Schärfe und Klarheit, das Gewicht der Darlegungen in der »Kirchlichen Dogmatik« letztlich nicht erkannt.

Vor allem hat man Barths Begriff des »*Sakramentalen*« und des »*Zeichens*« in bezug auf die »wahre Religion« weithin nicht verstanden. Dies beruht größtenteils auf einem Umgang mit der »Kirchlichen Dogmatik«, der sich eklektisch vom Begriffsregister anleiten und den Kontext übersehen läßt. Dabei wäre doch z. B. auf S. 248 in KD I,2 nachzulesen: »Das Gegebensein dieser Zeichen bedeutet also nicht, daß der offenbare Gott nun sozusagen selbst ein Stück Welt geworden oder doch in die Hände und in die Verfügung der zur Kirche versammelten Menschen geraten sei. Vielmehr bedeutet es dies, daß in Christus die Welt und der Mensch in die Hände Gottes gefallen ist. Es bedeutet die Aufrichtung der Gottesherrschaft, nicht einer sakralen Menschenherrschaft.«

Zur Analyse und Interpretation des §17 der »Kirchlichen Dogmatik« Karl Barths vgl. auch: K. *Nürnberger*, Glaube und Religion bei Karl Barth. Analyse und Kritik der Verhältnisbestimmung zwischen dem christlichen Glauben und den anderen Religionen in §17 der »Kirchlichen Dogmatik« Karl Barths: Diss.theol. Marburg, 1967.

3. *Zu den polemischen Abweisungen der Religionskritik Karl Barths*

In der »Kirchlichen Dogmatik« ist »Religionskritik« kein Thema, das für sich genommen, aus dem Kontext herausgerissen und isoliert betrachtet werden könnte. Die Ausführungen Barths zur Kritik an der Religion stehen im größeren Zusammenhang der in den Prolegomena entrollten Offenbarungslehre, darüber hinaus im Kontext und Duktus des gesamten dogmatischen Werkes, in dem das in §17 Ausgeführte in Geltung bleibt und immer neue Interpretationen, Zuspitzungen und Ergänzungen erfährt. Man wird darum das Blickfeld nicht willkürlich einengen und eingrenzen dürfen, sondern Umschau halten müssen. *Die Religionskritik Karl Barths ist im Kontext der gesamten »Kirchlichen Dogmatik« zu sehen und zu verstehen.* Dieser Aufgabe haben sich die meisten der Kritiker entzogen und sind so zu verengten und vor allem verzerrenden Darstellungen gelangt. Ja, noch nicht einmal der Kontext in §17 der »Kirchlichen Dogmatik« ist – wie noch zu zeigen sein wird – bei einigen der Kritiker ausreichend zur Kenntnis genommen worden.

Es wird im Abschnitt 4 dieses Kapitels der Kontext der Religionskritik Barths in der gesamten »Kirchlichen Dogmatik« aufzusuchen und sorgfältig zu erarbeiten sein. Gleichwohl ist es notwendig, schon jetzt zu den polemischen Abweisungen der Religionskritik Karl Barths Stellung zu nehmen, weil sich diese Abweisungen speziell auf §17 der »Kirchlichen Dogmatik« beziehen. Eine klärende Diskussion ist unerläßlich, bevor weitere Schritte unternommen werden können.

In Referat, Analyse und Interpretation wurde gezeigt, welche Bedeutung der biblischen Grundlegung der Religionskritik Barths zukommt. Da wurde die Erkenntnis gewonnen, daß in der Bibel Alten und Neuen Testaments nicht heidnische Gottlosigkeit zuerst und vordringlich das Objekt kritischer Verkündigung ist, sondern vielmehr die »Religion Israels«, die »Frömmigkeit christlicher Gemeinden«. *Der eigentliche Widersacher Gottes ist der* [1] *religiöse Mensch.* Dies führte zu der anderen Erkenntnis, die, von Paulus initiiert, in Luthers Lehre von der iustificatio impii ihren Ausdruck fand: *Religionskritik muß als unabweisbare Konsequenz der Rechtfertigung des Gottlosen verstanden werden.* Genau an dieser Stelle wird in der Diskussion mit Barths Kritikern einzusetzen sein. Denn wer, so ist allen Ernstes zu fragen, hat überhaupt gesehen und wahrgenommen, daß die Krisis, deren Reflex und zeichenhafte Entsprechung theologische Religionskritik darstellt, in der Rechtfertigung des *Gottlosen* manifest wird? Wem ist es bewußt geworden, daß Barths religionskritische Ausführungen eine höchst aufregende und beunruhigende Aktualisierung der biblisch-reformatorischen Rechtfertigungslehre bringen?

Man vergegenwärtige sich, welche Schwierigkeiten die aus der Reformation hervorgegangene Kirche mit dem »*articulus stantis et cadentis ecclesiae*«, der Rechtfertigungslehre, in unseren Tagen auf der ganzen Linie zu bewältigen hat! Auf der Tagung des Lutherischen Weltbundes in Helsinki (1963) blieb das angekündigte, klärende Wort zu dem eindringlich behandelten Thema aus. *Gerhard Gloege* bezeichnete es in seinem Bericht über die Tagung als ein »offenes Geheimnis, daß heute weder die Kirche noch die Welt mit der Rechtfertigung etwas Rechtes anzufangen wissen. Für die Kirche bedeutet sie eine offenkundige Verlegenheit. Für die moderne Welt ist sie wenig mehr als eine sinnentleerte Formel der Vergangenheit« (FAZ: Bericht vom 2. 8. 1963). – Die verschiedensten Versuche sind unternommen worden, die Rechtfertigungslehre zu »aktualisieren«: Hermeneutisch als Zentralprinzip der gesamten Bibel-Interpretation (R. Bultmann, E. Käsemann u.a.); systematisch durch Ersetzung und Einführung des Begriffs der »Annahme« (P. Tillich) oder durch eine Beziehungssetzung der Lehre auf die Frage nach dem »Sinn des Lebens« (H. Gollwitzer). Dabei ist zu schweigen von allen denen, die die Rechtfertigungslehre als eine protestantische Selbstverständlichkeit ansehen, als ein unerschütterliches Fundament der evangelischen Kirche, mit dessen Befassung man sich nicht mehr aufzuhalten braucht, weil andere Fragen heute brennender sind.

»Die Rechtfertigungslehre ist . . . kein selbstverständlicher und verfügbarer Besitz der evangelischen Kirche, sondern ihr stets neu zu gewinnender Grund« (*E. Wolf*, Peregrinatio II, 1965, 11). Sie ist kein theologiegeschichtlich zu registrierendes »Dogma«, sondern *Herausforderung zu immer neuer Vergegenwärtigung.* Wer dies aber einmal erkannt hat, daß die Rechtfertigungslehre nicht für sich genommen werden kann – gleichsam als axiomatischer Grund-Satz der Reformation –, wer diesem insbesondere durch Albrecht Ritschl verbreiteten Mißverständnis absagt, der wird den Zugang zu Barths provokanter Aktualisierung der iustificatio impii in der theologischen Religionskritik finden können. Denn hier steht mehr zur Entscheidung als nur eine »Spielart« der reformatorischen Zentrallehre!

In § 21 der »Kirchlichen Dogmatik« wird unter dem Thema »Die Freiheit in der Kirche« auf die *Situation des Menschen unter der Verkündigung des Wortes Gottes* eingegangen: »Unsere

Vorstellungen, Gedanken und Überzeugungen als solche, d.h. als die unsrigen, laufen bestimmt nicht in der Richtung des (sc. biblischen) Zeugnisses . . . Das ist, vom Inhalt des biblischen Zeugnisses her gesehen, das Nebelhafte, das Finstere der menschlichen Geisteswelt als solcher, daß sie, indem sie als unsere Welt ersteht und besteht, immer wieder unsere Natur, die Natur des sündigen Menschen ohne den Namen Jesus Christus und also ohne den gnädig an uns handelnden Gott offenbar macht. Die Natur dieses Menschen ist aber das Streben nach einer durch ihn selbst zu vollziehenden Rechtfertigung seiner selbst vor einem Gott, dessen Bild er sich in seinem eigenen Herzen zurecht gemacht hat, das Streben, sich selbst möglichst groß und darum Gott gleichzeitig möglichst klein zu machen« (KD I,2:808).

Dietrich Bonhoeffer hat sich in den von *Eberhard Bethge* unter dem Titel »Widerstand und Ergebung« (Neuausgabe 1977) herausgegebenen Briefen und Aufzeichnungen mehrfach zur Religionskritik Karl Barths geäußert. Darauf soll jetzt zuerst Bezug genommen werden – in einem ersten Anlauf der Verstehensversuche. Denn im nächsten Kapitel wird, von einer genauen Erfassung der Religionskritik Bonhoeffers ausgehend, noch einmal ein kritischer Vergleich aufgezogen werden müssen.

Wiederholt hebt Bonhoeffer *das große Verdienst Barths* hervor: Er war der erste, der die Bedeutung und den entscheidenden Ernst der theologischen Religionskritik erkannte und zur Geltung brachte. In den Aufzeichnungen vom 8. 8. 1944 wird auf das Religionsverständnis der liberalen Theologie sowie der Systematiker Karl Heim, Paul Althaus und Paul Tillich hingewiesen. In diesem Zusammenhang heißt es dann: »Barth erkannte als erster den Fehler aller dieser Versuche (die im Grunde alle noch im Fahrwasser der liberalen Theologie segelten, ohne es zu wollen) darin, daß sie alle darauf ausgehen, einen Raum für Religion in der Welt oder gegen die Welt auszusparen. Er führte den Gott Jesu Christi gegen die Religion ins Feld, *pneuma* gegen *sarx*. Das bleibt sein größtes Verdienst (Römerbrief, 2. Aufl., trotz aller neukantianischen Eierschalen!). Durch seine spätere Dogmatik hat er die Kirche instandgesetzt, diese Unterscheidung prinzipiell auf der ganzen Linie durchzuführen« (WuE, 359). So weit die Anerkennung, die wiederholt in diesem Sinn vorgetragen wird, bei der bemerkenswerterweise aber niemals die Aktualisierung der Rechtfertigungslehre durch Barth zur Sprache kommt! Bonhoeffer hat, wie später zu zeigen sein wird, in der Religionskritik ein ganz anderes »intentionales Interesse«, nach dessen speziellem Richtungssinn auch Barths Unternehmungen betrachtet, befragt und beurteilt werden. So kommt die biblisch-reformatorische Grundlegung der theologischen Religionskritik Barths nicht ausreichend ins Blickfeld Bonhoeffers.

Dies mag auch der Grund sein, warum Bonhoeffer in seiner *Kritik an Barth* Begriffe und Aspekte einführt, die den Voraussetzungen und Intentionen, ja überhaupt dem Kontext in der »Kirchlichen Dogmatik« nicht angemessen sind und die Barth auch nie zu verstehen vermochte. Der Vorwurf lautet, Barth sei zu einem hochproblematischen *»Offenbarungspositivismus«* gelangt (306). »Nicht in der Ethik, wie man häufig sagt, hat er dann versagt – seine ethischen Ausführungen, soweit sie existieren, sind ebenso

bedeutsam wie seine dogmatischen –, aber in der nicht-religiösen Interpretation der theologischen Begriffe hat er keine konkrete Wegweisung gegeben, weder in der Dogmatik noch in der Ethik« (359). Was versteht Bonhoeffer unter »Offenbarungspositivismus«? Dies ist die – trotz aller Versuche – immer noch ungeklärte Frage. Die Verlegenheit jeder Verstehensbe-
mühung liegt darin, daß ein kontrastierender Gegenbegriff nicht aufweisbar ist, denn die »nichtreligiöse Interpretation« ist keineswegs die Kontrastfigur, sondern der Prozeß, in dessen Verlauf Barth dem besagten »Offenbarungspositivismus« erlegen gewesen sein soll. Daß mit »Offenbarungspositivismus« auch kein handlungsfremder, abstrakt-transzendent orientierter
»Dogmatismus« gemeint ist, zeigt Bonhoeffer selbst auf mit dem Hinweis
auf die eminente Bedeutung der Ethik Karl Barths. Was also kann gemeint
sein?

Sieht der »Positivismus« generell seine Aufgabe darin, das erfahrungs-
gemäße Wissen aufgrund des Gegegebenen zu einem einheitlichen System
zusammenzuschließen, und verzichtet er darauf, die letzten Gründe des Daseins in irgendeiner Weise zu definieren, so wäre »Offenbarungspositivismus« die – jeder Spielart von »Positivismus« im Ansatz doch entgegenlau-
fende – Bemühung, das durch Offenbarung »Gegebene« in ein einheitliches
System zu fassen. Doch derartige Erklärungsversuche machen das Verständnis des von Bonhoeffer eingeführten Begriffs nicht eben leichter.
Denn den Vorwurf etwa des Supranaturalismus oder sogar einer den supranaturalistischen Intentionen entsprechenden dogmatischen securitas erhebt
Bonhoeffer nicht. Ein Vorwurf dieser Art wäre begreifbar, aber sachlich
nicht akzeptabel, z.B. in Wolfhart Pannenbergs Supranaturalismus-Kritik
an Barth, in der einem (supranaturalistisch verstandenen) »Offenbarungspositivismus« ein »Geschichtspositivismus« (Offenbarung als Geschichte)
entgegengestellt wird. Doch derartige Kontrastierungen erfassen und erklären nicht das von Bonhoeffer Gemeinte. So könnte man einen Augenblick
lang geneigt sein, eminent Positives aus dem Begriff »Offenbarungspositivismus« herauszuhören, nämlich den Hinweis auf die Unableitbarkeit der
Offenbarung, ihren axiomatischen Charakter, ihr »Gegebensein« durch die
Gabe und den Akt der gnädigen revelatio Gottes und also das Gebundensein
des Theologen und Dogmatikers an diesen einzigartigen »Sachverhalt«,
der, wie es der Positivismus will, jede metaphysische Spekulation abschnei-
det. Doch obwohl ein solches Verständnis der Begriffsbildung naheliegen
könnte, wird von Bonhoeffer doch in kritischer Abzweckung eben nicht in
die bezeichnete Richtung gedacht, sondern es wird vielmehr ein Verschließen, ein Abriegeln der Offenbarungsbotschaft auf ihrem Weg zum nichtreligiösen Menschen hin beklagt. »Offenbarungspositivismus« soll demnach
besagen: *Die Kunde von der Offenbarung Gottes in Jesus Christus wird
nicht wirklich entriegelt und geöffnet zu wahrhaft weltlicher Mitteilung;
sie wird festgehalten und festgestellt im dogmatischen System der Kirche,
in einem weitere Interpretationen verhindernden »Positivismus«.* Darum
kann es im Brief Bonhoeffers vom 30.4.1944 (im Zusammenhang mit dem

Vorwurf des »Offenbarungspositivismus«) auch heißen: »Für den religionslosen Arbeiter oder Menschen überhaupt ist hier nichts Entscheidendes gewonnen« (306). Der Begriff des »Positivismus« würde demnach zu
beziehen sein auf Richtung, Lauf und Zum-Ziel-Kommen der Offenbarung, die zum weltlichen, nichtreligiösen Menschen hin sich interpretieren
und interpretiert sein will. Der so verstandene »Positivismus« müßte sich
der christologisch motivierten Selbstdurchsetzung und Selbstinterpretation
der Offenbarung in den Weg stellen, *das Interpretationsgefälle abbrechen*
und auf diese Weise den Intentionen des »Positivismus« nachkommen.

Es korrespondiert diese Auffassung und Erklärung mit den zahlreichen
kritischen Bemerkungen Bonhoeffers über die *aufgehaltene, aufhaltende
und begrenzte Sicht* Barths und der »Bekennenden Kirche«, in der es sich
immer nur um *die »Sache« der Kirche* handelt, in der also Offenbarung zuerst und zuletzt auf »die Kirche« bezogen bleibt (415). Da wird nicht erkannt, daß die Kirche nur Kirche ist, wenn sie für andere da ist (415). Die der
Religionskritik entsprechende Kirchenkritik müßte demnach nicht nur um
der Kirche willen zur Sprache kommen, wie es bei Barth der Fall ist, sondern
auch um der Tatsache willen, daß Kirche nur dann Kirche ist, wenn sie »für
andere da ist« und wenn in ihr somit *das grenzenlose, schrankenlose »Für-
andere-da-Sein« der Offenbarung Gottes in Jesus Christus zur Auswirkung
kommt.* »Offenbarungspositivismus« und die in sich geschlossene, um sich
selbst besorgte Kirchlichkeit sind Synonyme. Die »Kirchliche Dogmatik«
Karl Barths konnte zu dieser Kritik, die im Kontext der Religionskritik Bonhoeffers noch zu präzisieren sein wird, Anlaß geben – allerdings doch wohl
nur in den Bänden, die Bonhoeffer damals vorlagen. Nach einer Mitteilung,
niedergeschrieben am 4. Advent 1943, besaß Bonhoeffer außer den Bänden
I,1 und I,2 auch die Bände der Gotteslehre Barths (KD II,1 und II,2). Es wird
zu zeigen sein, daß Barths theologische Religionskritik – bis in die letzten
Veröffentlichungen hinein – ihre besonderen Konsequenzen entwickelt hat
und daß es unsachgemäß wäre, sie isoliert zu betrachten. Hier hat die bemerkenswerte, vor allen anderen polemischen Äußerungen zu nennende,
allen diesen Äußerungen in Erkenntnis und Verständnis überlegene Kritik
Bonhoeffers ihre Grenze.

Es soll noch ein *anderer Aspekt der Kritik Bonhoeffers an Barths Entwurf* Erwähnung und
Beachtung finden. Am 5. 5. 1944 schreibt Bonhoeffer: »Barth hat als erster Theologe – und das
bleibt sein ganz großes Verdienst – die Kritik der Religion begonnen, aber er hat dann an ihre
Stelle eine positivistische Offenbarungslehre gesetzt, wo es dann heißt: ›friß, Vogel, oder
stirb‹; ob es nun Jungfrauengeburt, Trinität oder was immer ist, jedes ist ein gleichbedeutsa-
mes und – notwendiges Stück des Ganzen, das eben als Ganzes geschluckt werden muß oder gar
nicht. Das ist nicht biblisch. Es gibt Stufen der Erkenntnis und Stufen der Bedeutsamkeit; d.h.
es muß eine Arkandisziplin wiederhergestellt werden, durch die die *Geheimnisse* des christlichen Glaubens vor Profanierung geschützt werden. Der Offenbarungspositivismus macht es
sich zu leicht, indem er letztlich ein Gesetz des Glaubens aufrichtet und indem er das, was eine
Gabe für uns ist – durch die Fleischwerdung Christi! –, zerreißt« (312). Am Anfang steht hier
wieder die Hervorhebung des Verdienstes Barths. Dann aber setzt eine Kritik ein, die in mehr-

facher Hinsicht schwer verständlich ist und *sich auf die Eigenart einer »regulären Dogmatik«* (KD I,1:292ff.) *nicht sachgemäß einzustellen vermag.* Es ist ja keineswegs an dem, daß Barth die von Bonhoeffer genannten Themen als gleichbedeutsam und gleichnotwendig zu »schlukken« verordnet. Sehr sorgfältig wird z.B. bei der Jungfrauengeburt zwischen »Zeichen« und »Sache« unterschieden; und mit äußerster Sorgfalt werden systematisch die Kreise gezogen, deren Zentrum bestimmt. Da wird nirgendwo ein Lehrgesetz aufgestellt. Im Gegenteil: Da kommt es an den Tag, wie *Gottes Gabe und Liebe* dem Menschen in seinem Widerstand zum *Skandalon* wird. Und auch davon kann keine Rede sein, daß Gottes Offenbarung, ihres Geheimnischarakters beraubt, der »Profanisierung« überantwortet wird. »Wenn anders ›Offenbarung‹ ernstlich die Offenbarung *Gottes* ist und nicht etwa bloß ein etwas emphatischer Ausdruck für eine Entdeckung, die der Mensch in sich selbst oder in seinem Kosmos aus eigenem Vermögen zustande gebracht hat, dann muß in einer Lehre von der Offenbarung der Punkt berührt und ausdrücklich genannt werden, der das Geheimnis der Offenbarung, der den Ausgangspunkt alles Denkens und Redens von ihr bildet« (KD I,2:137). Die Erinnerung Bonhoeffers an die »Arkandisziplin« geht von einer verzerrten Gegenüberstellung und von einer Verkennung des Selbstverständnisses der »Kirchlichen Dogmatik« aus. Wo und wie wird denn irgendein Thema christlichen Glaubens in diesem dogmatischen Werk »profanisiert«? Was ist denn eigentlich Sinn und Ziel einer Dogmatik? »Dogmatik ist als theologische Disziplin die wissenschaftliche Selbstprüfung der christlichen Kirche hinsichtlich des Inhalts der ihr eigentümlichen Rede von Gott« (KD I,1 §1 These). In der Dogmatik handelt es sich entscheidend um *ein Gespräch der Dogmatiker untereinander,* in das selbstverständlich nicht nur die Fachgelehrten, sondern auch die allgemein von der dogmatischen Frage Betroffenen und Bewegten einbezogen sind (KD I,1:80). Obwohl die Aufgabe der Dogmatik durch die Mauern der Kirche nicht eingegrenzt ist, hat sie sich doch in erster Linie *nicht der außerkirchlichen Verkündigung,* sondern ihrer regelmäßigen Aufgabe zuzuwenden (KD I,1:83). Die Dogmatik hat *keine Verkündigungsinhalte* zu geben, sondern Anleitungen, Wegweisungen, Gesichtspunkte, Grundsätze und Schranken für das nach menschlichem Ermessen richtige Reden (KD I,1:89). – Hat Bonhoeffer diese in der »Kirchlichen Dogmatik« leitenden Grundsätze nicht beachtet?

Wie Bonhoeffer, so stellt auch *Hendrik Kraemer* in seinem Buch »Religion und christlicher Glaube« (1959) zuerst die Verdienste Barths heraus. Kraemer meint, ein gutes Verständnis der Theologie Karl Barths sei in unserer Zeit sehr heilsam, da es so schwer zu sein scheine, unser Denken unter der befreienden Zucht der Offenbarung zu halten, und da wir geneigt seien, so leicht und so schnell andere Prinzipien einzuführen, denen dann eine umfassende Gültigkeit zugesprochen werde (188). Ziel Barths sei es doch, »alle modernen Relativismen und die *hybris* des modernen Humanismus in seinen vielfältigen Formen radikal zu zerstören« (189). Auch hält Kraemer Barths These »Religion ist Unglaube« im Licht der iustificatio impii für »völlig zutreffend« (190). Dann aber folgen die *kritischen Einschränkungen,* die einen ganz anderen Ton anschlagen und neue Aspekte zu eröffnen suchen. Kraemer schreibt: »Dies immer wiederholte Draufloshämmern jedoch wirkt bedrückend und entbehrt der spontanen Natürlichkeit, die für die Theozentrizität der Bibel – Barths echtes Anliegen! – so charakteristisch ist und die die Bibel über die Rezeptivität des Menschen in einer ganz ungehemmten und natürlichen Art sprechen läßt« (189). – Wenn Kraemer mit diesem Votum die in der Bibel zutage tretende Rezeptivität des Menschen

vor dem »Immer-wieder-Daraufloshämmern« der Religionskritik Barths
bewahren will, dann verkennt er die *prophetisch-apostolische Krisis,* die
über die *religiöse Sekurität frommer Rezeptivität* ergeht und deren Reflex-
und zeichenhafte Entsprechung in der theologischen Religionskritik nicht
Nein und Ja, sondern nur ein entschiedenes und kompromißloses Nein sagen kann. Die »spontane Natürlichkeit« steht in §17 der »Kirchlichen
Dogmatik« überhaupt nicht zur Diskussion; auf keinen Fall kann sie zur
Erweichung oder Problematisierung der Religionskritik geltend gemacht
werden. Was zu diesem Thema – unter ganz anderen Voraussetzungen als
denen einer emphatisch eingeführten »Natürlichkeit« – vorzutragen ist,
kommt bei Barth in der »Lehre von der Schöpfung« bzw. in KD IV,3 (im
Abschnitt »Das Licht und die Lichter«) zur Ausführung.

Die religionskritischen Abhandlungen in KD I,2 können darum nicht von
der Voraussetzung ihrer biblischen Begründung abgelöst werden: Der eigentliche Widersacher Gottes ist – nach biblischem Zeugnis – der religiöse
Mensch. Doch sollte man andererseits auch das Ziel nicht aus dem Auge
verlieren: Gottes Offenbarung will in der Gestalt menschlicher Religion zu
»wahrer Religion« werden. Diese »wahre Religion« aber ereignet sich niemals kraft spontaner Natürlichkeit menschlicher Rezeptivität, sondern unter dem schöpferischen Walten des Geistes Gottes. Was Barth sorgsam unterscheidet und voneinander abhebt, sollte nicht durch die Einführung eines
vagen Begriffs von »Natürlichkeit« wieder zum Verschwimmen und zur
Unkenntlichkeit gebracht werden. Dabei vermag der Hinweis auf die
»Theozentrizität«, die übrigens durchaus nicht als Barths »echtes Anliegen« bezeichnet werden kann, nur Verwirrung zu stiften. Kraemer sucht
eine Entspannung, er ist um einen Ausgleich bemüht. So hält er zwar die
These »Religion ist Unglaube« im Licht der iustificatio impii für »völlig zutreffend«, fügt jedoch hinzu: »Aber in der Auseinandersetzung mit diesem
komplizierten und dialektischen Thema ist sie zu sehr simplifiziert und einleuchtend, um befriedigend zu sein. Man hat nicht das Gefühl, daß dies dialektische Theologie ist!« (190). Zuerst wird zu fragen sein: Ist es wirklich
eine Simplifizierung, wenn der Gerechtfertigte in der Begegnung mit der
Offenbarung Gottes in Jesus Christus als der »impius«, als der ganz und gar
Gott-lose, entlarvt und dargestellt wird? Welche andere Einsicht sollte und
müßte »dialektische Theologie« denn an dieser Stelle gewinnen und ein-
bringen – vielleicht unter Einbeziehung jener »spontanen Natürlichkeit«,
die Kraemer reklamiert? Es ist doch *die schroffe Härte der Rechtfertigungslehre,* die sich in die Religionskritik hinein auswirkt; gegen sie kann kein
auflockerndes, auf Entspannung und Ausgleich bedachtes theologisches
Denkprinzip »Dialektik« ins Feld geführt werden. Diese Dialektik könnte
allenfalls als sachgemäß und sinnvoll zum Einsatz und zur Durchführung
gelangen, wenn das Verhältnis von Religionskritik und »wahrer Religion«
zur Sprache kommt. Ist aber die These Barths »Religion ist Unglaube« im
Licht der iustificatio impii tatsächlich »völlig zutreffend«, wie Kraemer zuerst betont, wo müßten dann *in concreto* nach seiner Meinung die Korrek-

turen einsetzen? Im Kontext wird es klar: Kraemer will erneut »*das Natür-*
liche« geltend machen und die ihm als geboten erscheinende »dialektische«
Aussage im Blick auf ein ausgeglichenes Verhältnis von Natur und Gnade
treffen. Er bemüht die Bezeichnung »dialektische Theologie« zu einer der
Theologie Barths widersprechenden und gerade an diesem Punkt wider-
streitenden Ausgleichsbestrebung. Es sei doch nicht vergessen, daß Kraemer ein rechtes und gutes Verständnis der Theologie Barths deswegen für
heilsam und wichtig hält, weil diese Theologie unser Denken unter der *be-*
freienden Zucht der Offenbarung hält – »uns«, die wir so leicht geneigt
sind, *andere Prinzipien* einzuführen. Kraemer selbst führt ein solches »anderes Prinzip« mit dem Begriff der »spontanen Natürlichkeit« ein. Daß er
sie für ein Kennzeichen biblischer Theozentrik hält, ist ein recht eigenarti-
ger und unbegründeter Gesichtspunkt.

Wenn es galt, die *Bedeutung der Rechtfertigungslehre* in der Religionskritik Karl Barths
immer wieder deutlich herauszustellen, so sollte an dieser Stelle nicht übersehen werden, daß
die den Begriff der Religion im metatheoretischen System formalisierende und die Systemim-
manenz ständig *rechtfertigende* Gedankenwelt von *Niklas Luhmann* zu der folgerichtigen Erkenntnis gelangt: »Gesamtgesellschaftlich gesehen bleibt das Dogma der Rechtfertigung allein
durch den Glauben riskant und nur tolerierbar, wenn zugleich die Folgen des Glaubens für die
Gesellschaft in gewissem Umfang neutralisiert werden können« (Funktion der Religion, 1977,
137). Die theologische Religionskritik wird zu fragen haben, ob und inwieweit die Immunisie-
rung des Religionsbegriffs im metatheoretischen System »tolerierbar« ist und welche Folgen es
hat, wenn Religion als »*Kontingenzbewältigung*« verstanden wird.

Gegen alle diejenigen, welche in Barths Religionskritik nur das Negative,
das »Immer-wieder-Daraufloshämmern« (H. Kraemer) zu sehen und zu
hören vermeinen, hat *Benkt-E. Benktson* in seinem Buch »Christus und die
Religion. Der Religionsbegriff bei Barth, Bonhoeffer und Tillich« (1967)
Einspruch vorgetragen. Benktson hebt den Begriff der »wahren Religion« in
der Konzeption Barths hervor und konfrontiert die beiden Aspekte: »Als
wahre Religion ist das Christentum nicht eine allgemein-menschliche Möglichkeit, sondern eine von Gott geschaffene und in Jesus Christus gegebene
Wirklichkeit« (62). »In der falschen Religion hat der Mensch sich an Gottes
Stelle gesetzt; in der wahren Religion ist Christus an die Stelle des Menschen getreten« (63). Benktson vertritt dann die Auffassung: »Barths dialektische Sicht der Offenbarung als Aufhebung der Religion ist von Theologen, die sonst Barth nahestehen, nicht aufgenommen worden. Sie haben
sich . . . gegen alle menschliche Religion verschworen« (64). Auch angesichts dieses Zitats ist – wie in der Auseinandersetzung mit Hendrik Kraemer – zu fragen: Was heißt »dialektische Sicht«? Es sieht so aus, als wolle
Benktson ein *ausgewogenes Verhältnis* unterstellen. Zwar weiß er wohl,
daß es zwei ganz verschiedene Aspekte sind, die zutage treten. Doch schon
die blanke Gegenüberstellung von »wahr« und »falsch« entspricht der Religionskritik nur in rudimentären Äußerungen. Sie unterstellt Eindeutigkeit
und Durchschaubarkeit der Religion als des »Falschen« wie dann auch des

»Wahren«. Sie entschärft Religionskritik, die sich doch als ein permanenter, revolutionärer Prozeß des je neuen und unerwarteten Nein, als nie vorherzusehende Enthüllung des so sicher Bestehenden erweist. Es ist richtig: Ganz gewiß haben diejenigen Barth nicht verstanden, die sich »gegen alle menschliche Religion verschworen haben«! Das hat Benktson scharf gesehen. Theologische Religionskritik ist weder ein sicher verfügbares Prinzip noch eine entsprechend handhabbare Methode! Sie erfährt ihr Recht und ihre Ermächtigung allein als Reflex und zeichenhafte Entsprechung zur biblischen Krisis, die über alles gottlose und ungerechte Wesen der Menschen ergeht (Röm 1,18) – über das menschliche Unwesen und Unrecht, das sich eben insbesondere im Bereich der Religion behauptet. Doch der dem Verdikt über allzu eifrige und eilfertige Religionskritik korrespondierende positive Hinweis auf »wahre Religion«, den Benktson sich angelegen sein läßt, wird tief problematisch, weil er unverkennbare Tendenzen zu einem *Aufweis* solcher »wahren Religion« in sich schließt und also ein aufweisbares Phänomen der »dialektischen Sicht« integriert.

Als ein Beispiel, wie an dem schlichten Wortsinn des §17 der »Kirchlichen Dogmatik« vorbei argumentiert und Barth eine »philosophische Voraussetzung« unterstellt wird (ausgerechnet mit dem von Barth mit Nachdruck verworfenen Diktum »ens finitum non capax est infiniti«), sei die Auffassung des römisch-katholischen Theologen *B. Stoeckle* zitiert: »Unbrauchbar ist schließlich die Erklärung K. Barths. Trotz der streng heilsgeschichtlichen Ausrichtung seiner Theologie ist der eigentlich tragende Gedanke, welcher seine Absage an die Religionen formuliert, kein theologischer, vielmehr folgerichtiges Resultat des über die ›analogia entis‹ gesprochenen Verdiktes, der philosophischen Voraussetzung, daß das ›ens finitum non capax est infiniti‹« (MYSTERIUM SALUTIS II, 1967, 1072). – Ungleich sachgemäßer ist die Erkenntnis der Voraussetzung theologischer Religionskritik in der Konzeption Barths bei *H. Halbfas.* Hier werden die Wurzeln der theologischen Religionskritik in der reformatorischen Theologie wahrgenommen. Halbfas erklärt: In der Lehre Luthers wurde im Rahmen seiner Lehre von der Rechtfertigung aus dem Glauben »Religion dem Gesetz unterstellt und in Gegensatz zum Evangelium gebracht . . .: eine Lösung, die später in Karl Barths Parole von ›Gottes Offenbarung als Aufhebung der Religion‹ ihre letzte Ausfaltung findet« (Religion, 1976, 191). Allerdings bedenkt Halbfas die theologischen Konsequenzen dieser Zusammenhänge nicht. Sein Interesse gilt ausschließlich der Kennzeichnung der Beziehung. Er selbst strebt einem umfassenden Religionsbegriff zu und steht damit in der Front jener Kritiker Barths, mit denen das Gespräch zu führen ist.

In der evangelischen Theologie und Kirche kommen die Widersprüche gegen Barths (und Bonhoeffers) theologische Religionskritik *aus dem Lager volkskirchlicher Ideologie,* deren Sprecher mit allen Kräften und oft in abenteuerlichen theologischen Argumentationsprozessen dem Volk die Religion, die gute alte christliche Religion, erhalten wissen wollen. So erklärt *Hans-Otto Wölber:* »Man sollte volkskirchliche Religiosität von der Frage nach dem Geist her aufschlüsseln und den theologischen Unfall bei Barth und Bonhoeffer, der letztlich darauf hinausläuft, den Menschen der Selbsterlösung für schuldig zu erklären, weil er von Natur religiös sei, endlich überwinden« (Evangelische Kommentare 1977, H. 3, 146). Wölber will also den religiösen *status quo* der Volkskirche »aufschlüsseln« und auch andere veranlassen, dies unter Bezug auf die Pneumatologie zu tun. M.a.W. er will, was Barth zum Ereignis der »wahren Kirche« ausführt, für den »Aufschlüsselungsprozeß« de facto vorhandener und aufweisbarer »volkskirchlicher Religiosität« in Anspruch nehmen. Doch ein solches Verfahren entschlüsselnden Aufweises de facto vorhandener Frömmigkeit stünde – dies wird zuerst zu betonen sein – in krassem Widerspruch zu allen ekklesiologischen Aussagen Luthers. Überhaupt scheint *die reformatorische Komponente der theologischen Religionskritik*, insbesondere der Barths, Wölber überhaupt nicht zum Bewußtsein gekommen, geschweige denn zu einer Frage geworden zu sein. Hier ist an alles das zu erinnern, was zum Bezug der theologischen Religionskritik auf die Rechtfertigungslehre Luthers ausgeführt wurde. Was Wölber zur *Rechtfertigung volkskirchlicher Frömmigkeit* unternimmt, kann im Gegensatz zur iustificatio impiorum nur als eine »iustificatio piorum in ecclesia« verstanden werden. Es ist zu fürchten, daß Wölber sich die Voraussetzungen, Zusammenhänge und Konsequenzen der theologischen Religionskritik Barths nicht klargemacht hat, als er seine Unfallanzeige veröffentlichte. Es stünde schlecht mit der deutschen Theologie, wenn sie sich in die Einflußsphäre des volkskirchlichen Pragmatismus und seiner Ideologie begeben würde!

Schlecht steht es auch um eine Metakritik der Religionskritik Karl Barths, die, ohne wirkliche Kenntnisnahme des §17 der »Kirchlichen Dogmatik«, den – mehr auf Feuerbach als auf Barth bezogenen – »Extrakt« vorträgt: es werde pauschal alle Religion verdammt und als Menschenwerk denunziert. So *Helmut Thielicke* im III. Band des Werkes »Der Evangelische Glaube« (1978) 432. Nirgendwo hat Barth derartige Verallgemeinerungen von sich gegeben! Die »Nivellierung und Generalisierung«, die Thielicke dem Religionsverständnis Barths anlastet, ist unter Außerachtlassen der spezifischen theologischen Voraussetzungen, Zusammenhänge und Folgerungen hinsichtlich der Religionskritik Barths zustande gekommen. Damit ist ein Strohmann gebaut worden, der schnell anzuzünden und in Rauch aufzulösen ist. »Jede Nivellierung und Generalisierung führt *zu* und begnügt sich *mit* Pauschalurteilen. Das ist die etwas triste Konsequenz, zu der Barths Religionstheorie führt« (440). Vollends unverständlich ist es, wenn Thielicke, inspiriert durch Paul Althaus, diese behauptete »Nivellierungstendenz« auch noch auf einen »hintergründigen Monismus« in der Theologie Barths zurückführt (440). Das Erschreckende besteht darin: Barths Religionskritik ist in der in dieser »Metakritik« zugrunde liegenden Kurzwiedergabe in ihren Umrissen nicht wiederzuerkennen. Thielicke führt jenen Popanz vor, den sich – seit Jahren schon – die Diskussion um die theologische Religionskritik angefertigt hat. Was sich da in der »Auseinandersetzung« abspielt, ist symptomatisch für ein überall willkommenes, kurzschlüssiges Verfahren, mit der unbequemen, zuerst den eigenen Leib der Kirche treffenden Religionskritik »fertigzuwerden«, sie abzuschütteln. Der Beifall derer, die sich bestätigt fühlen, wird nicht sparsam sein.

4. Der Kontext der Religionskritik

Wie bereits angekündigt, soll nun der Kontext der theologischen Religionskritik Barths – insbesondere in der »Kirchlichen Dogmatik« – beachtet und
befragt werden. Wie werden bis in die letzten Veröffentlichungen hinein die
Themen »Religion« und »Religionskritik« ausgeführt? Hat Barth mit dem
Abschluß des Bandes I,2 der »Kirchlichen Dogmatik« das Thema »Religion«
erledigt und hinter sich gelassen? Welche neuen Aspekte werden eröffnet?

Bevor diesen Fragen nachgegangen wird, wäre im Blick auf die *theologi-
sche* Religionskritik« eine Erklärung zum *Theologie*-Verständnis sinnvoll.
Denn im Verständnis von Theologie spiegeln sich die Voraussetzungen und
Ansätze des religionskritischen Verfahrens.

Es entspricht der herausfordernden Schärfe der »Theologie der Krisis«
und der in dieser Phase virulent werdenden Wahrheitsfrage, wenn Karl
Barth die Bilanz zieht: »Theologie und Kirche haben seit Anbeginn der Welt
mehr für das Einschlafen als für das Wachwerden der Gottesfrage getan«
(Das Wort Gottes und die Theologie, 72). Diese erschreckende Tatsache hat
ihren Grund darin, *daß Theologie und Kirche sich nicht zuerst und vorbehaltlos der Krisis der Wahrheit Gottes ausgesetzt, sondern in der wind- und
sturmstillen Ecke der Religion geschlafen und geträumt haben.* Fremden
Prinzipien und Verhaltensweisen hat man sich angepaßt und damit die Eigenart der biblischen Offenbarungsbotschaft verkannt und verleugnet. Die
theologischen Sätze, die man sprach, standen fortgesetzt in Korrelation zu
fremden religiösen, weltanschaulichen oder philosophischen Prämissen. Es
wurde nur selten erkannt: Theologische Sätze sind »offensichtlich *voraus-
setzungslose* Sätze: unableitbar von irgendwelchen Punkten außerhalb des
von ihnen selbst bezeichneten Wirklichkeits- und Wahrheitsbereiches her –
ohne Vordersätze in irgendwelchen Ergebnissen der allgemeinen, der Natur
und dem Menschen, seinem Geist und seiner Geschichte zugewendeten
Wissenschaft, ohne Hintergrund auch in irgendwelchen philosophischen
Grundlegungen« (Einführung in die evangelische Theologie, 1962, 57). Die
Krisis, die in der theologischen Religionskritik zur Sprache kommt, ist dem
Theologieverständnis als solchem inhärent. Doch diese Tatsache entrückt
und enthebt Theologie nicht der illusionslosen Einsicht, daß sie, auch als die
reinste und beste, ein »sündiges, unvollkommenes, ja verkehrtes, dem
Nichtigen verfallenes *Menschen*werk ist, das zum Dienste Gottes und seiner Gemeinde und in der Welt an sich nichts taugt, ganz allein durch Gottes
Barmherzigkeit recht und brauchbar werden und sein kann« (150). Da besteht also ein *permanentes Mißverhältnis* zwischen dem lebendigen Gott
und allem, was in der Theologie an Erhabenem und Schönem, Treffendem
und Schockierendem geäußert wird. »Es gibt keine Theologie, die anders als
von der Barmherzigkeit Gottes leben und also anders als in der Erfahrung
seines Gerichts recht und brauchbar werden und sein könnte« (157). Dieser
entscheidende Vorbehalt gilt auch und insbesondere hinsichtlich der theologischen Religionskritik, die zu keiner Zeit in die Regie eines das »religiöse

Unwesen als solches« aufstöbernden und zerstörungseifrigen Theologen geraten kann. Klar sind die Grenzen gesteckt.

Es wurde ausgeführt und nachhaltig darauf aufmerksam gemacht, daß Barths theologische Religionskritik auf der *Rechtfertigungslehre* basiert. Diese Feststellung gibt Veranlassung, den Ort aufzusuchen, an dem in der »Kirchlichen Dogmatik« das Thema »Rechtfertigung« abgehandelt wird, und von den dort getroffenen Erklärungen her das Gesamtbild zu schärfen. Barth entwickelt die Lehre von der Rechtfertigung im Rahmen der Versöhnungslehre, auf deren universale Aspekte hernach hinzuweisen sein wird. Hinsichtlich der Rechtfertigung aber wird zuerst zu sehen sein: Das Ereignis des *Todes* Jesu Christi ist der Vollzug des gnädigen Gerichtes Gottes, des gnädigen Gottes, der in der Dahingabe seines Sohnes an unserer Stelle seine Treue gegenüber den Menschen als seinen Geschöpfen bestätigt und seinen Bund mit ihnen aufrichtet. Und es ist das Ereignis der *Auferstehung* die Offenbarung des *Urteils* Gottes, das in dem zuvor genannten Gericht zur Ausführung gelangt – aus dem freien Beschluß der Liebe und der Gerechtigkeit Gottes (KD IV,1:573). Es hat das im Tod Christi vollzogene *Gericht Gottes* aber einen doppelten Sinn: Negativ als das *Gericht und Urteil* des dem Menschen gnädigen Gottes, positiv als das Gericht und Urteil des dem Menschen in Güte, Barmherzigkeit, *Gnade* zugewendeten Gottes. In demselben Gericht also, in dem Gott den Menschen als Sünder anklagt, verurteilt und in den Tod gibt, spricht und stellt er ihn frei zu einem neuen Leben für Gott und mit Gott (575). Diese Ausführungen werfen Licht auf die Religionskritik. Denn immer ist Rechtfertigung – Rechtfertigung des *Gottlosen* unter den angezeigten Voraussetzungen und mit den in KD I,2 verdeutlichten Konsequenzen. Sie ist »*anhebende* Rechtfertigung« (KD IV,1:642). In diesem Zusammenhang will Barth eine rein-gedankliche Auffassung der Formulierung Luthers »simul iustus – simul peccator« ausgeschlossen wissen. »Das von Gott her Neue hat als solches den *Vorrang* gegenüber dem Alten des Menschen« (659). Wenn in dieser Sache eine »Dialektik« besteht, dann wäre es demnach eine Dialektik der *Geschichte*. Rechtfertigung weist den Menschen nach vorwärts; sie redet vom »*Futurum exactum* Gottes« (663). Auch an dieser Stelle wird zu erklären sein, daß die Präzisierung der Rechtfertigungslehre eine Verdeutlichung der Intentionen theologischer Religionskritik nach sich zieht. *Die kritischen Negationen stehen im Zeichen des gnädigen Heilswillens Gottes; das von Gott her Neue hat Vorrang gegenüber dem gesamten, das Alte repräsentierenden religiösen Wesen.* Dieser Akzent wird aufzunehmen sein. Die Theologie der Rechtfertigung und Versöhnung integriert die »Theologie der Krisis«, deren Auswirkungen auch in §17 der »Kirchlichen Dogmatik« aufweisbar sind.

Die Versöhnungslehre als der umfassende Kontext der Lehre von der Rechtfertigung zeigt die *eschatologisch-universale Relevanz* des Heilswerkes Gottes auf. Für die Welt, für alle Völker hat in der Auferweckung Jesu Christi die erste und die letzte Stunde geschlagen; das Neue hat begonnen. Die universale Heilszukunft ist in diesem eschatologischen Geschehen Gegenwart geworden; nicht nur die Versöhnung, sondern auch die ihr folgende Erlösung und Vollendung (KD IV,3:366). Christus ist der »Erstgeborene der ganzen Schöpfung« (Kol 1,16). Er ist unter allen anderen Menschen *der neue Mensch*. Damit ist in der Welt der Religionen die Wende geschehen. In Christus ist die ganze Welt, jeder Mensch, *de iure* schon versöhnt. *De facto* wird dies nur von der Gemeinde zu sagen sein (KD IV,2:578ff.). Wo immer aber die große Wende Wirklichkeit zu werden beginnt, im Glauben der Christen, da ist die christliche Existenz »als solche von aller Religion durch einen Abgrund geschieden« (KD IV,3:1068).

Durch alle Bände der »Kirchlichen Dogmatik« hindurch läßt sich die Auseinandersetzung mit dem Problem der Religion verfolgen, auch wenn dies nicht immer in expliziten Darlegungen geschieht. So wird in der Gotteslehre eindringlich vor Augen gestellt, daß der heilige Gott der Bibel Alten und Neuen Testaments nicht »*das* Heilige« Rudolf Ottos und der religionsphänomenologischen Definitionen ist. Er ist nicht jenes Numinose, das als »tremendum« an sich und als solches das Göttliche wäre. Er ist der Heilige Israels, der in seinem erwählten Volk sich selbst Mitteilende, seinem Volk Entgegentretende, der zu fürchten ist. Vor allem aber und zuerst erweist dieser Gott sich als der Heilige darin, daß er Israel erwählt und angenommen, daß er ihm Verheißungen gegeben und Hilfe erwiesen hat (KD II,1:405). Dem entspricht das alle Kategorien sprengende neutestamentliche Geschehen: Im Ereignis des Kommens Christi ist Er, der Herr, für uns ein Knecht geworden. Von dieser Tat der *Erniedrigung* her wollen alle Prädikate seiner wahren Gottheit gefüllt und interpretiert werden. Und das heißt nun: Der wahre Gott ist »darin von allen falschen Göttern unterschieden, daß sie dieser Tat nicht fähig sind, diese Tat noch nie vollbracht haben, daß ihre angebliche Ehre, Herrlichkeit, Ewigkeit, Allmacht gerade ihre Selbsterniedrigung nicht nur nicht ein-, sondern ausschließt. Sie sind allesamt Spiegelbilder der falschen, der allzu menschlichen Selbsterhöhung. Sie sind allesamt Herren, die keine Knechte sein wollen noch können und die eben darum auch keine wirklichen Herren sind, deren Sein kein wahrhaft göttliches Sein ist« (KD IV,1:142). Dieser Passus ist höchst aufschlußreich. *Es werden die Götter der Religionen ausschließlich an dem Ereignis der Selbsterniedrigung des Gottes Israels in Jesus Christus gemessen. Diese Götter erweisen sich als Spiegelbilder der durch die Erniedrigung des Christus manifest gewordenen Sünde des Menschen, die in der Selbsterhöhung besteht. Diese Götter sind aufsteigende, in die Transzendenz gesetzte Vorstellungen menschlich-allzumenschlicher Herrschaftsbilder und Überlegenheitsbestrebungen, die der Bewegung des einen, wahren Gottes hinab in die Tiefe entgegenlaufen.* Die Kritik der Religion und der Religionen wird ganz und gar christologisch motiviert. Feuerbachs Projektionstheorie tritt damit unter grundstürzend neuen Voraussetzungen in die Argumentation ein.

Aber *wie entsteht Religion*? Wie kommt es zu den zahlreichen und mannigfaltigen, krassen und sublimen Formen der bewußt oder auch unbewußt geübten Götter- und Götzendienste? Barth bezieht sich auf die Erklärung des Lukrez: »*Primus timor fecit deos*«. *In seiner Angst und Not sucht der Mensch Zuflucht bei den Göttern und in der Religion.* In seiner Angst kann er fromm werden. Barth bezeichnet es als eine Aufgabe für sich, dies anhand der Geschichte und Phänomenologie der Religion (mit Einschluß der christlichen!), aber auch im Blick auf die verkappten Religionen zu belegen (KD IV,3:924). Er fügt jedoch sogleich hinzu, »daß der Mensch in derselben Angst auch Atheist, Skeptiker, religiöser, weltanschaulicher, politischer Indifferentist werden, daß auch die verschiedenen nicht erst heute, sondern von jeher unternommenen *Entgötterungen* der Welt . . . Produkte der wahrhaftig nicht unbegründeten *Angst* des um das Evangelium nicht – noch nicht oder nicht mehr – wissenden Menschen sind« (924). Doch nicht nur die Angst und Not ist als Triebkraft zu bedenken, auch *des Menschen Trägheit*, jene Gestalt der Sünde, die im Licht der Herrschaft des Menschensohnes an den Tag kommt. In seiner Trägheit flieht der Mensch in Religion, weicht er Gott aus in die gläubige Verehrung eines ihm kongenialen höheren Wesens hinein. Barth nennt dies die reifste, eigentliche Möglichkeit, nach der der Mensch in seiner Trägheit greift (KD IV,2:456).

In allen ihren Lebens- und Wesensäußerungen sieht Barth *die Religion als eine durchaus anerkannte und akzeptierte Macht,* die keineswegs a limine im Widerspruch zur Welt steht. »Man täusche sich nicht: die Welt kann, was ›Religion‹ betrifft, Vieles ertrages, gelten lassen, ja schätzen. Religiöses Dogma, religiöser Kult, religiöse Gläubigkeit, religiöse Persönlichkeiten sind ihre Phänomene, die ihr durchaus nicht fremd und unsympathisch sein müssen, die sie vielmehr in ihr Bild von der menschlichen Wirklichkeit in Geschichte und Gegenwart grundsätzlich sehr wohl einzuordnen vermag. Religionsfreiheit ist ein zwar wie alle anderen Freiheiten oft bedauerlich verletztes, aber doch auch immer wieder siegreich sich durchsetzendes Weltprinzip« (KD IV,3:711).

Religion in Israel, Religion in der Kirche – mit diesen Fakten setzt sich die »Kirchliche Dogmatik« unablässig auseinander. »Du sollst keine anderen Götter neben mit haben!« (Ex 20,3). Was bedeutet dieses Gebot für das Volk Gottes? Wie findet es dieses Volk vor, indem es ergeht? Die Sünde Israels bestand ja doch zumeist nicht in einem direkten Abfall von Jahwe, »wohl aber eben in der Kombination und Vermischung seines Dienstes, seiner Anrufung, seiner in praktischem Gehorsam zu vollziehenden Anerkennung mit der Verehrung der Numina Kanaans und der umliegenden Völker« (KD IV,3:113). Martin Buber hat diesen Vorgang einmal eine »Baalisierung des Gottes Israels« genannt. Der Begriff »Synkretismus« in seiner ohnehin kaum auslotbaren Problematik wirkt vergleichsweise harmlos angesichts des in der Volksreligion Israels gewagten und bewahrten »Sowohl-Als-auch«. Man will Jahwe nicht verlieren und die Baalim nicht missen. Man will Gott dienen *und* den anderen Mächten. Ein Vergleich mit der Situation und dem Leben der christlichen Volkskirche ist schwerlich abweisbar. Im Neuen Testament trifft die Revolution des Reiches Gottes nicht nur auf den absolut gesetzten Besitz, den »Mammon der Ungerechtigkeit« (Lk 16,9), auf die absolut gesetzte Ehre, Gewalt oder Familie, sondern vor allem auch auf *die absolut gesetzte Religion*, die in ihrer Gestalt dann am gefährlichsten ist, wenn sie sich als »Offenbarungsreligion« präsentiert. Alle diese Absolutsetzungen sind vom Menschen aufgerichtete und angebetete Götter, die sich in alle Lebens- und Gottesverhältnisse hineingeschoben haben und eine Mittlerstellung zäh behaupten (KD IV,2:615).

Was hier an den Tag kommt, wird noch klarer und schärfer zu erfassen sein. Es ist deutlich zu machen – vor allem angesichts der zahlreichen Klagen und Empörungen über den *Atheismus*, insbesondere den des Ostens –, »daß die Gottlosigkeit, die Jesus Christus ans Kreuz gebracht hat und die er in seiner Auferstehung widerlegt hat, nicht die theoretische Gottlosigkeit der Atheisten, sondern die praktische Gottlosigkeit der Frommen, der Vertreter der ›christlichen Zivilisation‹ seiner Zeit gewesen ist« (Die christliche Kirche und die heutige Wirklichkeit: Junge Kirche 5, 1976, 273).

Aus allen diesen Hinweisen auf Passagen der »Kirchlichen Dogmatik« und spätere Veröffentlichungen Barths wird deutlich, daß und wie das religionskritische Thema stets gegenwärtig ist und auf welche Weise es im einzelnen angefaßt und von verschiedenen Seiten her neu beleuchtet und in Kraft gesetzt wird. Doch diese Umschau ist zunächst auf zwei Gedankengänge zu konzentrieren, die mit den Überschriften »Religion oder Gebet« und »Das Licht und die Lichter« angezeigt werden können.

Zuvor sei noch darauf hingewiesen, daß Barth auch im Nachlaßband »Das christliche Leben« (KD IV,4. Fragmente aus dem Nachlaß. Gesamtausgabe, 1976) eingehend auf die Religion und die Religionen zu sprechen kommt, und zwar im Zusammenhang mit der Frage, wie die Welt und wie die Kirche auf das »objektive Bekanntsein Gottes« und die Heiligung seines Namens reagieren. Eine Form der Reaktion ist der theoretische Atheismus als Äußerung der Gottlosigkeit. Doch gilt von der Gottlosigkeit: »In der *Religion* erscheint diese darum in schlimmerer Gestalt als im theoretischen Atheismus, weil sie sich hier nicht, wie sie es dort wenigstens versucht, offen zu sich selbst bekennt, sondern einen positiven Ersatz für das Fehlende gesucht und gefunden zu haben meint« (212). In eindrücklichen Darlegungen werden *Atheismus und Religion* kontrastiert – mit der Zuspitzung: »Im Atheismus wehrt sich die Welt wenigstens noch gegen die sie bedrohende Selbsthingabe und Selbstkundgabe Gottes. In der Religion hat sie sich in der Weise mit ihm abgefunden, daß sie sich ihm gegenüber hinter einer ganzen Mauer von selbsterfundenen und selbstgemachten Gegenbildern häuslich einzurichten und so erst recht bei sich selbst bleiben zu können versucht« (214). In schärferen Konturen als in den Religionen prägt sich diese Verhaltensweise in der Kirche aus. Wie in den frühen Äußerungen Barths zur Religionskritik, so heißt es nun auch im Nachlaßband: ». . . daß sich die Kritik der alttestamentlichen Propheten nur am Rande mit den Israel umgebenden Völkern, zentral aber mit Gottes eigenem, von ihm erwählten, berufenen und geheiligten Volk – und daß sich auch die Kritik der neutestamentlichen Apostel ebenfalls nur am Rande mit den Gottlosigkeiten, Abgöttereien und Selbstvergötterungen der Griechen, Barbaren und Römer ihrer Zeit, zentral aber mit dem beschäftigt, was unerhörterweise in der christlichen Gemeinde in Abweichung von ihrem eigensten Wesen als ›Nicht-Wissen um Gott‹ (1Kor 15,34) faktisch Ereignis wird. Die ganze Bibel redet gerade *kritisch* nur mittelbar zum Fenster hinaus auf die Straße, unmittelbar immer *nach innen*: zu denen, die im Hause, dem besonderen Hause Gottes sind« (222f.).

Das Thema »Religion oder Gebet« hat *Okko Herlyn* in einer ebenso betitelten Monographie (1979) behandelt. In dieser Studie werden – und darauf wäre zuerst zu achten – grundsätzliche Erklärungen zur Eigenart der Religionskritik Karl Barths vorgetragen. Herlyn stellt mit Recht und überzeugend die Grunderkenntnis Barths heraus, *daß das Gericht über die Religion allein Gottes Sache sei* (124). Wie aber wird, so fragt Herlyn, unter dieser bestimmenden Voraussetzung Religionskritik zu vertreten, zu verstehen und zu realisieren sein? Es wird auf das der Theologie Barths eigene Denkmodell von »Sache« und »Zeichen« rekurriert und gefragt, »weshalb nicht eine Religionskritik denkbar ist, die gar nicht mehr als ein solches Zeichen sein will, ja, ganz bewußt innerhalb jener Grenze zu verbleiben sucht« (124). Was die Begriffe und deren Klärung betrifft, so schlägt Herlyn vor, zwischen menschlicher »Religionskritik« und göttlicher »Religionskrise« zu unterscheiden.

In ähnlicher Weise haben wir bisher die Religionskritik Barths zu interpretieren und zu verstehen gesucht – auf dem Hintergrund dessen, was durch die »Theologie der Krisis« unterscheidend nahegelegt war. Darum sollte man auch statt von »Religionskrise« besser von »Religionskrisis« sprechen. – Herlyn macht im Zusammenhang seiner Bemühung um eine eindeutige Sprache darauf aufmerksam, daß in den Werken Barths »recht unsystematisch gepflogene *Begrifflichkeit*« erhellt werden müsse. »Da taucht zunächst die sich wohl auf die traditionelle Unterscheidung von falsa und vera religio beziehende Differenz von Religion und ›Religion‹ oder von ›sogenannter Religion‹ und deren eigentlichem ›Sinn‹ auf. Sehr bald schon wird dann allerdings das Gemeinte abseits von der ›Religion‹ formuliert; an ihre Stelle treten bereits in frühen Jahren ›Glaube‹ oder ›biblische Frömmigkeit‹, später dann ›Glaube und Gehorsam‹, ›christliches Leben‹, ›Das Leben der Kinder Gottes‹ bzw. ›Das Leben der Kirche‹ und nicht zuletzt ›Anrufung‹, wobei der Begriff der ›Religion‹ – »I hate the word« – spätestens mit § 17 der Kirchlichen Dogmatik fast ganz verschwindet . . .« (124). So wichtig und richtig diese Übersicht ist, es wird nicht verkannt werden dürfen, daß die Begriffsvielfalt weniger ein Indiz für gelegentliche Unsicherheit der Interpretation als vielmehr ein Ausdruck für die Ambivalenz und *bewußt problematisierte* Eindeutigkeit und systematische Übersichtlichkeit in der verhandelten Sache ist. Daß das »fast gänzliche Verschwinden« des Begriffs »Religion« nach § 17 der KD nicht von der Aufgabe entbindet, das in diesem § 17 Vorgetragene im Kontext des gesamten Lebenswerkes Barths weiterzuverfolgen und nach Klärungen auszuschauen, hat Herlyn durch seine Monographie bestätigt. Es fragt sich nur, ob bei solcher Nachforschung ein *monokausales* Verhältnis von Religionskritik und Gebet das Ergebnis sein kann. – Doch wird zunächst Herlyn zu folgen sein.

Herlyn vertritt die Auffassung, daß Barth die praktischen Folgen seiner Lehre von der Religion – gewiß implizit, aber doch in der Sache nicht minder exakt – am *Gebet* aufzeigt. Denn das Gebet gehört selbstverständlich zu den *religiösen Phänomenen.* Der Beter »in sich und an sich« ist der »homo religiosus« (K. Barth, Der heilige Geist und das christliche Leben: ZdZ Beiheft 1, 1930, 105). So muß angesichts dieses konkreten Themas eine wichtige Klärung und Entscheidung in den Fragen nach Religion und Religionskritik zu suchen und zu erwarten sein. – Wir versuchen, der These Herlyns auf eigenen Wegen durch das Werk Barths nachzugehen und sie zu prüfen.

In der 2. Auflage des »Römerbriefes« bezieht Barth sich auf Röm 8,26:
»Denn was wir beten sollen nach Gebühr, wissen wir nicht.« Er erklärt, es
könne auch das tiefste, heroischste, gewaltigste Beten nur anschaulich machen, »wie wenig auch der betende Mensch über das Eigene, Gedachte und
Erlebte hinauskommt, wie sehr auch er, ja *gerade er* restlos und durch und
durch *Mensch* ist und nichts sonst, wie sehr auch die kühnsten Sprünge und
Brückenschläge der sog. ›Frömmigkeit‹ sich durchaus innerhalb dieser *Welt*
abspielen und mit einem Verkehr des Menschen mit dem nicht gedachten,
nicht erlebten, sondern *lebendigen* Gott an sich nichts, gar nichts zu tun haben, weil auch das Gebet, gerade das Gebet, gegenständlich betrachtet und
verherrlicht, nur eine Bestätigung des Einwandes ist, den Feuerbach mit
menschlich vollem Recht gegen die Religion erhoben hat« (300). Die Bibel
richtet eine unübersteigbare Schranke auf: »*Wir wissen nicht!*« Jenseits
dieser dezidierten Negation »Wir nicht« liegt die eigentliche Wirklichkeit
des Verkehrs des Menschen mit Gott; diesseits der Inbegriff von Religion,
welche die harte Zurückweisung des »Wir nicht« noch nicht erfahren bzw.
sich mit allen möglichen Techniken der Versenkung und der Meditation
über das Unvermögen hinweggesetzt und ein erstaunliches »Gebetsvirtuo-
sentum« geschaffen hat (vgl. *F. Heiler*, Das Gebet, [5]1923). Barth wiederholt
es später. Werden Andacht-Exerzitien seelischer oder geistiger Provenienz
unternommen – im Versuch, sich selbst zu konzentrieren und zu vertiefen
–, »dann wisse man wenigstens, daß man damit nicht nur zu beten noch
nicht einmal begonnen, auf das Gebet sich noch nicht einmal vorbereitet,
sondern sich vielmehr von dem, was uns als Gebet befohlen ist, zunächst
wieder abgewendet hat« (KD III,4:107). *Mit dem in der Bibel unter Gebot
und Verheißung stehenden Gebet hat die sich vertiefende oder empor-
schwingende Übung des homo religiosus – diesseits der Erkenntnis völligen
Unvermögens – nichts zu tun.*

Die einzige Ermächtigung und Ermöglichung des Gebets geht aus vom
Gebot des lebendigen Gottes, von seinem ermutigenden und von Verheißungen begleiteten Befehlswort: »Rufe mich an!« (Ps 50,15). Die nach diesem Gebot sich richtende Anrufung ist der Grundsinn alles menschlichen
Gehorsams. »Was Gott dem Menschen erlaubt und damit von ihm erwartet, will und fordert, ist ein Leben in seiner Anrufung« (KD IV,4:69). Der
Gegenbegriff zur religiösen Gebetsbemühung ist also der dem Gebot folgende Gehorsam: Die Geschichte der lebendigen Kinder Gottes vor ihrem
lebendigen Vater. Dabei ist genau zu beachten und zu bedenken, daß Anrufung und Gebet auf Erneuerung, Dynamisierung und Aktualisierung eines
statisch gewordenen Verhältnisses zu Gott abzielen (137). Gemäß Röm
8,26f. (»der Heilige Geist vertritt uns«) steht am Anfang der Anrufung des
Gebets die Bitte um den Heiligen Geist, der in alle Wahrheit, aber auch in
alle Freiheit führt. »Es ist etwas ungeheuer Großes und gar nicht Selbstverständliches, diese *Freiheit* zu bekommen. Man muß darum jeden Tag, jede
Stunde *beten: Veni creator Spiritus!* im Hören auf das Wort Christi und in
der Dankbarkeit. Das ist ein geschlossener Kreis. Wir ›haben‹ diese Freiheit

nicht, sie wird uns immer wieder von Gott zugesprochen« (Dogmatik im Grundriß, 1947, 162). Der Heilige Geist ist mit dem menschlichen Geist nicht identisch. Er begegnet ihm. Es geschieht dann je neu, daß der *ganze* Mensch bis in die äußersten Räume des sog. »Unterbewußten« hinein betroffen und beansprucht ist. Der Heilige Geist ist die erneuernde, schöpferische Macht – wirksam an der entscheidenden Stelle, wo der Mensch (nicht kraft seiner religiösen Aufstiegsfähigkeit, sondern durch das Eintreten des Heiligen Geistes) im Gebet Gott begegnet. *Das rechte Gebet ist das seiner Erhörung gewisse Gebet*. Mit dieser These stellt Barth sich in den Zusammenhang reformatorischer Theologie (KD III,4:117f.) Dem Glauben ist es wesentlich, Glaube an den Gott zu sein, der Gebete erhört. Es gibt aber nur *eine* große Erhörung aller wirklichen, berechtigten und notwendig an Gott gerichteten Bitten: *Jesus Christus*. »Er ist es darum, weil in ihm geschehen ist, daß Gott sich der Welt und des Menschen angenommen und eben damit der Welt und dem Menschen die Fülle alles Guten zugewendet hat« (KD III,3:307). »Wie sollte er uns mit ihm nicht *alles* schenken?« (Röm 8,32). Beten kann ja nur darin bestehen, daß wir in Empfang nehmen, was Gott uns bereitet hat, bevor und ohne daß wir die Hände danach ausstrekken. Zugleich ist das Gebet ein Akt des Vertrauens, in dem die Sorge auf Gott geworfen und die Befreiung aus der Angst erfahren wird. Doch die ersten Bitten des Herrengebets zeigen es an und machen es deutlich: »Man kann für die eigene Sache nicht vor Gott auftreten, ohne zuerst und vor allem für die seinige, die die Sache der ganzen Gemeinde, der ökumenischen Kirche, ja der ganzen Kreatur ist, einzutreten. Man wird gerade für seine eigene Sache dann recht, freudig und wirksam eintreten, wenn es in diesem größeren Zusammenhang geschieht« (KD III,4:122). Mit den ersten drei Bitten, in denen es sich um Gottes Namen, sein Reich und seinen Willen handelt, empfangen wir Erlaubnis und Gebot, für das Gelingen seiner Sache zu beten.

In seiner *Auslegung des Vaterunsers* fährt Barth fort: »Wer immer sich dessen weigern wollte und kein Interesse an der Sache Gottes hätte, könnte auch weder um die Vergebung seiner Sünden noch um das tägliche Brot beten; er verstünde nicht, worum es sich handelt. Wir können nur mit Gott leben, wenn wir einverstanden sind mit seinen Absichten, mit seiner Sache, die die unsrige und alle anderen mit einschließt.« Einige Zeilen danach erklärt Barth: »Es ist nicht verwunderlich, daß so viele Gebete ins Leere verhallen und daß sie weder angehört noch erhört werden. Dennoch wäre alles ganz einfach, wenn man verstehen wollte, daß man mit *diesem* Anfang anfangen muß und daß man andernfalls nicht beten kann« (Das Vaterunser, 1965, 49).

Okko Herlyn hat auf den von ihm eingeschlagenen Wegen vorzüglich erfaßt und klar dargestellt, daß der *Zusammenhang von Glaube und Gebet* in der Theologie Karl Barths die allem religiösen Leben schroff entgegenstehende neue Wirklichkeit ist. Während die Religionen stets hinter und über das Gebet hinausstreben, ist das Gebet der christlichen Gemeinde und der Christen der Weg der Wahrheit und der Freiheit, die krasse Alternative zu »Religion«.

Aus dem bisher Ausgeführten ist klar ersichtlich, welche Bedeutung dem Gebet in der Theologie Karl Barths dort zukommt, *wo »Religion« ihr Ende findet und die Wende unter Gottes Gebot und Verheißung geschieht:* Die Wende zur Anrufung, zum Gehorsam, zum antwortenden, verantwortlichen Leben vor Gott, in der Heiligung seines Namens, in der Bitte um das Kommen seines Reiches und das Geschehen seines Willens.

Doch nun kann es sich nicht darum handeln, am »Phänomen« des Gebets als solchem die Konsequenzen des Verständnisses von Religion und Wende zum Neuen veranschaulicht zu sehen. Schon in KD IV,3 wird deutlich, daß *Gebet und verantwortliche Tat,* Gebet und Praxis, nicht auseinanderzureißen sind: »Immer nur die *ecclesia orans* kann und wird die *ecclesia efficaciter laborans,* die ihrer Verantwortlichkeit wirklich entsprechende Gemeinde sein« (891). Im Gebet ereignet sich nicht nur gehorsame Antwort, sondern auch permanente Verantwortungsgewißheit. Im Gebet stellt die Gemeinde unablässig die Frage: *Was sollen wir tun?* Das Gebet ist nicht nur das initium des christlichen Tuns, sondern als solches *die praxis ecclesiae.* Gottes Gebot – das wird in Frage, Bitte und Antwort akut – ist kein dem Menschen auferlegtes, ihm ein für alle Male offenbartes Prinzip seines Handelns oder eine Sammlung solcher Prinzipien. Gott begleitet den Weg des Menschen mit immer lebendiger, neuer, direkter Weisung. Die im Gebet vorgetragene Bitte »Was soll ich tun?« erwartet die je ganz besondere, konkrete Gestalt und Art des Tuns, das Gott vom Menschen haben will. Wer sich mit der Lehre vom Gebet bei Barth befaßt, der stößt unweigerlich auf die damit angezeigten ethischen Konsequenzen: *Das verantwortliche Tun des Neuen, im Gebet erfragt und erbeten, kennzeichnet das Leben der »Kinder Gottes« und also den Weg und Wandel derer, die nicht im Kraftfeld der Religion, sondern in der Gemeinschaft mit dem lebendigen Gott existieren.* Damit aber wären wir – auf der Spur der Frage »Religion oder Gebet?« – auf ein für die Religionskritik Barths überaus wichtiges Feld geführt worden: auf das Feld der Ethik mit allen ihren politischen, gesellschaftlichen und sozialen Implikationen. Mit diesem Thema wird sich der nächste Abschnitt (I.5) befassen. Doch wird schon jetzt – vor allem unter Verweis auf die Fragmente aus dem Nachlaß (»Das christliche Leben«) – zu erklären sein, daß die Alternative »Religion oder Gebet« nicht genügt. *Das Gebet ist kein geschlossener Bereich des Verkehrs des Menschen mit Gott; es ist das offene Tor zur Tat des Glaubens.* An dieser Stelle ist die Weiterführung der religionskritischen Intentionen Barths zu suchen und weiterzuverfolgen. Hier muß allerdings auch ein neuer Akzent gesetzt werden, den man in Herlyns trefflicher Studie vermißt.

In diesem Zusammenhang ist der Abschnitt § 72,2 der »Kirchlichen Dogmatik« von großer Wichtigkeit. Christliche Gemeinde ist *Gemeinde für die Welt,* für alle Menschen aller Zeiten und aller Räume. Nur auf diese Weise ist sie für Gott da. So könnte also der in der Gemeinde erfahrene Friede Gottes, auf den eigenen Bereich beschränkt und von Gliedern der Gemeinde geschlossen, nur ein »fauler Friede« sein (KD IV,4:874). Christliche Gemeinde kann und darf kein Selbstzweck sein. »Die wirkliche Gemeinde Jesu Christi ist *die von Gott* in und mit ihrer Begründung *in die Welt gesendete Gemeinde*. Eben als solche ist sie für die Welt da« (KD IV,4:878). Existenz in der Eingrenzung, in der Verschlossenheit, in bezug auf das eigene fromme Leben wäre als Ausübung von »Religion« Nicht-Annahme oder Preisgabe der Sendung. *Darum schließen Sendung der Gemeinde und Religion einander aus.* Im gehorsamen Vollzug ihrer Sendung aber ist die Gemeinde der Ort in der Welt, wo Menschen in Freiheit, Aufgeschlossenheit und Universalität, in »kritisch-komprehensiver Güte« um das Wesen der Welt und des Menschen wissen dürfen. Darum kann die ihrer Sendung getreue Gemeinde auch die Gemeinschaft sein, die sich als *mit der Welt solidarisch erkennt und verhält,* ohne der Welt gleichzuwerden. Dieses solidarische Dasein für die Welt wird zum Verzicht auf alle religiösen Attitüden, denn: »Solidarität mit der Welt heißt: daß die wahrhaft Frommen sich gerade als solche zu den Weltkindern stellen und bekennen, daß die wahrhaft Gerechten sich nicht scheuen, sich als Freunde der Ungerechten mit ihnen zu Tische zu setzen und also bloßzustellen, daß die wahrhaft Weisen kein Bedenken tragen können, unter den Törichten auch selbst als Törichte zu erscheinen, und als wahrhaft Heilige sich nicht zu gut und zu vornehm sind, in großer Profanität ›in die Hölle‹ zu gehen« (KD IV,4:886). Wenn Paulus sagt, er sei »allen alles« geworden (1Kor 9,22), dann ist dieser Satz nicht der Ausdruck eines sich überall geschickt anpassenden religiösen Komödianten oder eines evangelisierenden Chamäleons, sondern eine schroffe religionskritische Selbstaussage, deren Dreh- und Angelpunkt die in der Sendung lebendige und ihn antreibende Liebe Christi ist (2Kor 5,14).

Die christliche Gemeinde ist *der Welt verpflichtet,* sie ist *mitverantwortlich* für deren Weg und Zukunft. Sie ist in den aktiven Dienst Gottes gestellt, der als Schöpfer und Herr selbst die Verpflichtung und die Verantwortung für seine Welt trägt. Sie ist gesandt, an ihrem Teil und in ihrer Weise mit Hand anzulegen. Doch eben hier gilt der (bereits zitierte) Satz: »Immer nur als die *ecclesia orans* kann und wird sie die *ecclesia efficaciter laborans,* die ihrer Verantwortlichkeit wirklich entsprechende Gemeinde sein (KD IV,4:891). Das Gebet ist der entscheidende Akt des Handelns der Christen in der Welt. »Gebet ist eine Bewegung, in der sich die Christen *dauernd* und in der sie sich *gemeinsam* befinden: schlechthin unentbehrlich im Vollzug des ganzen, der Gemeinde befohlenen Tuns, von diesem unmöglich zu trennen« (1011). In solchem Vollzug bekommt Religions- bzw. Kirchenkritik die entscheidende Bedeutung, die in 1Kor 11,31 angezeigt ist: »Richten wir uns selbst, dann werden wir nicht gerichtet!« Selbstgericht oder Selbstkritik beziehen sich aber nicht auf das Sosein der Kirche im allgemeinen, sondern auf die konkrete Sendung, auf den Dienst, auf die aus dem Gebet herauskommende und ins Gebet zurückführende Aktion.

Für die Ekklesiologie Barths gilt, daß das Dasein der Kirche für die Welt eine alles bestimmende *nota ecclesiae* ist – ein wahrnehmbares Kennzeichen, in das recht eigentlich auch die klassischen *notae,* Verkündigung und

Sakrament, einzubeziehen sind. Hier freilich wäre es wünschenswert gewesen, wenn Barth sich auf Bonhoeffer bezogen hätte, der als erster diese *nota ecclesiae* herausgestellt hat: Kirche ist *nur* Kirche, wo sie für andere da ist (vgl. II.6). – Wie sich das Dasein der Kirche für die Welt in der *politischen* Verantwortung der Christengemeinde darstellt, wird in I.5 auszuführen sein.

Es ist jetzt das angekündigte Thema »*Das Licht und die Lichter*« in der »Kirchlichen Dogmatik« Karl Barths zur Kenntnis zu nehmen und in seiner Relevanz für die Religionsproblematik zu befragen. Um zunächst von ferne die Bedeutung dieses Lehrstückes in KD IV,3 in den Blick zu bekommen, sei darauf hingewiesen, daß die sog. »Lichterlehre« das positive Pendant zur Negation der natürlichen Theologie und jeglicher Annahme einer »Uroffenbarung« (P. Althaus) darstellt. Auszugehen ist von dem, was Barth zur Prophetie des Christus ausführt: »Sein Leben ist das Licht für die *Menschen* (Joh 1,4), das in die *Welt* gekommene Licht (Joh 3,19; 12,46), das Licht der *Welt*, d.h. das in ihr leuchtende, sie als solche erleuchtende Licht (Joh 8,12; 9,5), dem Licht der am Tage leuchtenden Sonne gleich, in deren Schein (11,9) *niemand* stolpern kann. Es ist das wahre Licht, das *jeden* Menschen erleuchtet (1,9)« (KD IV,3:53). Die Hervorhebungen in diesem Zitat zeigen die schrankenlose, universale Ausstrahlung des Lichtes, das Jesus Christus *heißt*, an. Die Prophetie des Christus ist in ihrer durch Mt 10,5 und Mk 7,25 deutlich bezeichneten israelitischen Partikularität – *universale Prophetie*. Christus, das »Licht des Lebens«, ist die Licht*quelle*, durch deren Leuchten es draußen, im gesamten Kosmos, hell wird. Er *spricht* den Logos Gottes, indem er selbst dieser Logos, die Wahrheit, die Offenbarung, das Licht Gottes *ist* (KD IV,3:53). Exklusiv nominell ist zu betonen: *Jesus Christus* – und kein anderer, aber auch kein anderes (z.B. ein »logos spermatikos«) – ist Logos und Licht. *Er* ist das wahrhaftige Licht, das alle Menschen erleuchtet, die in diese Welt gekommen sind und kommen (Joh 1,9). Wo und wann immer im Kosmos Lichter aufleuchten, wahre Erkenntnisse und Worte – auch in den Religionen –, da ist das *eine* Licht die Quelle, da sind *die* Lichter Widerschein und Reflexe. Barth trägt damit einen christologisch fundierten Gegenentwurf zu der auf der Lehre vom *logos spermatikos* basierenden, im Kraftfeld natürlicher Theologie entwickelten Religionstheorie vor. Angesichts dieses Entwurfes kann niemand mehr behaupten, Barth zeichne die Welt der Religion schwarz in schwarz. Allerdings wird es nach allem, was da zu Joh 1 ausgeführt wird, nicht möglich und denkbar sein, den *einen* Logos, der den Namen Jesus Christus trägt, einer Ergänzung, Kombination oder Überbietung für bedürftig zu erklären. Christus ist das eine, einzige Wort, »das alle menschlichen Worte, auch die besten, nur eben direkt oder indirekt bezeugen, nicht aber wiederholen, nicht ersetzen, mit dem sie nicht konkurrieren können, so daß ihre eigene Güte und Autorität sich schlechterdings daran ermißt, ob und in welcher Treue sie die Zeugen dieses einen Wortes sind« (KD IV,3:109). Was immer im Kosmos aufleuchtet an Lichtern und wahren Worten, es sind »*Brechungen* des einen Lichtes«, »*Er*-

scheinungen der einen Wahrheit« (164). Gewiß, nur implizit wird unter dem Thema »Das Licht und die Lichter« die Frage nach dem Verhältnis »Christus und die Religionen« verhandelt, aber es wird de facto Stellung genommen und in den Erklärungen eine Fülle von Fragen aufgegeben, die das Gespräch mit den Religionen betreffen. Darauf wird zurückzukommen sein.

Für die christliche Gemeinde bedeutet der Hinweis auf die »Lichter« *eine ebenso ernste wie nachhaltige Provokation*. Wer sich da auf das Haben und Besitzen der Wahrheit berufen und entsprechend existieren würde, der könnte an den Mitteilungen und Zeichen vorbeigehen, die im Kosmos – und also auch in den anderen Religionen – aufleuchten. Er könnte in der geschlossenen Religiosität kirchlicher Selbstgenügsamkeit und entsprechender Selbstzufriedenheit zugrunde gehen. Der Hinweis auf das, was da draußen, extra muros ecclesiae, geschieht, gehört hinein in die Kirchenkritik. Er gehört hinein in die Verkündigung. »Geht hin zu den Inseln der Kittäer und schaut! Sendet nach Kedar und gebt genau acht und seht zu, ob es dort so zugeht, ob die Völker ihre Götter austauschen, die doch keine Götter sind. Aber mein Volk hat seine Herrlichkeit eingetauscht gegen einen Götzen, der nicht helfen kann!« (Jer 2,10f.). *Es gibt etwas zu lernen, zu hören und zu sehen bei den Völkern*, bei den »Heiden«, in den anderen Religionen! Und zwar etwas Beachtliches, Vorbildliches, Erstaunliches! Doch ist zu bedenken, daß nie vorausbestimmt und inhaltlich vorweggenommen werden kann und darf, *was* zu lernen, zu hören und zu sehen ist. Alles wird darauf ankommen, den Reflex des *einen* Lichtes wahrzunehmen – eben als *Reflex*. Es gilt auch hier: »In deinem Licht sehen wir das Licht« (Ps 36,10). Da wird sich niemand wundern dürfen über die *Grenzüberschreitungen Gottes* und die *neuen Dimensionen*, in denen seine Lichter aufstrahlen. Unbegrenzt wie seine Liebe ist sein Licht in seinen Ausstrahlungsmöglichkeiten und in der Kraft seines Widerscheins. Christen haben sich herausfordern und herausrufen zu lassen aus ihrem geschlossenen Bereich, in dem sie den »Absolutheitsanspruch des Christentums« zu begründen immer wieder auf dem Weg sind und damit eine religiöse Ideologie der Selbstbestätigung und Selbstversicherung betreiben.

Die »Kirchliche Dogmatik« entfaltet den Grundsatz: »Es gibt nur *eine* Offenbarung« (KD IV,1:47). Barth bezeichnet den Begriff einer »*Ur-Offenbarung*« (Paul Althaus), die von der einen in Jesus Christus zu unterscheiden und abzuheben wäre, für einen vollkommen leeren oder aber nur mit Illusionen zu füllenden Begriff. »Mit einem Wort: der Gnadenbund des Anfangs, die Voraussetzung der Versöhnung ist *keine* Entdeckung und Aufstellung ›natürlicher Theologie‹. Abseits von Jesus Christus und ohne ihn würden wir von Gott und vom Menschen und ihrem Verhältnis gar nichts und am wenigsten das zu sagen haben: daß ihr immer schon vorauszusetzendes Verhältnis das eines Gnadenbundes sei« (47). Damit wird unter Bezug auf die im Band IV leitenden Begriffe »Bund« und »Versöhnung« klargestellt, was in der Lehre vom Licht und den Lichtern zum Austrag gelangt. Es gilt »erkenntnistheoretisch«: »Erkenntnis der Gnade ist immer selbst Gnade« (47). »Gnade ist uns unzugänglich: wie wäre sie sonst Gnade? Gnade kann sich nur selbst zugänglich machen« (47). »Es ist also der Gnadenbund schon ontologisch eben in Jesus Christus, in der menschlichen Gestalt und dem menschlichen Inhalt, den Gott seinem Wort von Ewigkeit her geben wollte, geschlossen und begründet. Dieser *Sach*ordnung kann die *Erkenntnis*ordnung nicht ungehorsam sein, sondern nur folgen« (47f.). Es ist darum die Rede von Barths »Christomonismus« (Althaus) oder von dem in seinem Denken waltenden »hintergründigen Monismus« (Thielicke) ein dem biblischen Zeugnis und Bekenntnis entgegenlaufendes Votum, dessen pluralistische Konsequenzen unabsehbar sind.

Zum Thema »Das Licht und die Lichter« sei hingewiesen auf Band 123 der »Theologischen Studien«: *H. Berkhof / H.-J. Kraus,* Karl Barths Lichterlehre, 1978.

5. Die politische Verantwortung der Christengemeinde

In allen Werken und Veröffentlichungen Karl Barths ist die politische Verantwortung der Christengemeinde die Kehrseite der theologischen Religionskritik und der eigentliche Ausdruck nicht-religiösen Glaubens und Handelns. Daß Kirche als »Kirche für die Welt« ihre Sendung erfährt, wird im politischen und gesellschaftlichen Bereich konkret und akut. Offenkundig wird damit auch der prophetischen Botschaft entsprochen, die von den religiösen Praktiken des Tempelkultes wegführt und zur Durchsetzung von Recht und Gerechtigkeit im gesellschaftlichen und politischen Leben aufruft. Allerdings sollte es, wenn auf dieser Spur den Äußerungen Barths nachgegangen wird, von Anfang an zu denken geben, daß – wie gezeigt wurde und wie *Okko Herlyn* es zutreffend dargestellt hat – *das Gebet der entscheidende Ort der je neuen und konkreten Verantwortung der Christen ist.* Dieser im Nachlaßband »Das christliche Leben« bestimmende Aspekt kann und muß die Aufmerksamkeit für die Tatsache schärfen, daß Barth nie Prinzipien politischen und gesellschaftlichen Handelns aufgestellt und gelehrt hat, sondern daß es sich stets nur darum handeln konnte, Gesichtspunkte verantwortlichen Tuns, Orientierungsmerkmale notwendigen Verhaltens zu gewinnen. Das die Frühzeit der »Theologie der Krisis« prägende »Warten auf Gott« enthält ebenso wie die Aufzeichnungen aus dem Nachlaß die Gott zugewandte Frage: »Was sollen wir tun?« »Wir wissen nicht, was wir tun sollen, sondern unsere Augen sehen nach dir« (2 Chr 20,2). Unter dem letzten Gesichtspunkt des Lebens »in Christus« gibt es keine Ethik. »Es gibt nur die *Bewegung Gottes,* der in jedem einzelnen Augenblick unsererseits eine ganz bestimmte Erkenntnis der Lage und unseres daraus folgenden notwendigen Tuns entsprechen muß« (Der Römerbrief, 1919, 392). Das Problem der Ethik ist die große Störung, die der Gedanke an Gott selbst für alles menschliche Tun in sich schließt. Diese »Grundeinstellung« der Frühzeit ist zu keiner Zeit und in keinem Zusammenhang aufgegeben worden.

So hat es christliche Ethik – dies wird z.B. in der 2. Auflage des »Römerbriefes« deutlich – nicht primär mit dem menschlichen Handeln auf der »horizontalen« Ebene zu tun, sondern mit der »Vertikalen« der Gottesfrage (410f.). Christliche Ethik erweist sich als »*Kritik* alles Ethos« (413). Wie unvermittelt ein solcher Satz mit den religionskritischen Intentionen korrespondiert, wird aus der Erklärung zu Röm 6,1ff. ersichtlich: »Wir schöpfen nicht aus einer religiösen Theorie« (Der Römerbrief, 1919, 153). Vielmehr handelt es sich im Kommen des Christus um das Aufbrechen der wesentlichen Lebenswahrheit, um den Abbruch der alten Menschheit und die Heraufführung eines neuen, ebenso die ganze Menschheit, alle Welt umfassenden Lebenszusammenhangs. Es steht alles im Licht einer letzten (eschatologischen) Wende. Das Handeln der Christen ist durch die schlechthin jenseitig orientierte Zukunftserwartung motiviert und hineingeworfen in den Krieg des Geistes gegen das Fleisch, in die »*absolute* Revolution von Gott aus« (379). In diesem Zusammenhang streng eschatologischer Sicht kann sogar erklärt werden, es müsse das ganze Gebiet des Vorletzten dem Auflösungsprozeß preisgegeben werden. Doch die in Röm 12,1f. zur Sprache kommenden »Erbarmungen Gottes werden, ohne ihre (eschatologische) Jenseitigkeit aufzugeben, zur letzten Bestimmung der ihr gegenüberstehenden Diesseitigkeit« (Der Römerbrief², 413).

Um die gängige Verhältnisbestimmung von »Dogmatik« und »Ethik« zu überwinden, bezieht Barth sich auf die Begriffe »Theorie« und »Praxis« und erklärt zu Röm 12,1ff.: »Also kein anderes Buch wird hier aufgeschlagen und nicht einmal eine andere Seite. Keine ›Praxis‹ *neben* der Theorie soll hier empfohlen, sondern festgestellt soll hier werden, daß eben die ›Theorie‹, von der wir herkommen, die *Theorie der Praxis* ist« (Der Römerbrief², 412). Also kein Nebeneinander oder Nacheinander von Theorie und Praxis, keine »Bewährung« der Theorie im praktischen Tun, sondern ein merkwürdiges Ineinander, eine Koinzidenz im Sinne des existentiellen Bezuges jeder »Theorie« auf die »Praxis *Gottes*«, die »Erbarmen« (Röm 12,1) heißt und vom Tod zum Leben führt (415)! Hier kann nur der Begriff der »Heiligung« oder der des »Opfers« erklären, welcher Art der angedeutete »existentielle Bezug« ist. »Etwas *heiligen* heißt, es für Gott aussondern, bereitstellen, es ihm darbringen und anbieten, wie es schärfer in dem Begriff *Opfer* bezeichnet ist.« »Opfer bedeutet *Preisgabe,* Verzichtleistung des Menschen zugunsten der Gottheit, bedingungslos gemachtes Geschenk« (416).

Für Barth ist – in der 2. Auflage des »Römerbriefes« – das Problem der »Ethik« identisch mit dem der »Dogmatik«: Soli Deo gloria! »Alles *sekundäre* ethische Handeln aber . . . muß sich an dieses primäre anschließen, aus ihm hervorgehen, aus dem Zusammenhang mit ihm seinen Charakter als ›lebendig, heilig, Gott wohlgefällig‹, als – gut d.h., als unter dem Telos des Lebens stehend (. . .) empfangen« (417). Diese auf Röm 12,1ff. sich beziehenden Aussagen sind in der Theologie offenkundig nicht als das erkannt und erfahren worden, was sie in der Tat waren und sind: als *die große Störung* jeder pragmatischen Verhältnisbestimmung von Dogmatik und Ethik. Wenn heute der Übergang aus dem Zeitalter der Dogmatik in das der Ethik proklamiert wird (T. Rendtorff), dann wird hier – ungestört – die alte Verhältnisbestimmung weiterhin als in Geltung stehend vorausgesetzt.

Die Veränderung und Erneuerung der gesamten Welt ist im Gang, nicht als Werk der Menschen, die aus einem religiösen Fundus schöpfen könnten, sondern als *Werk Gottes und seines schöpferischen Geistes.* Auf die Frage

»Wer ist Gott?« antwortet Barth: »Der heilige Geist, der einen neuen Himmel und eine neue Erde schafft und darum neue Menschen, neue Familien, neue Verhältnisse, eine neue Politik, der keinen Respekt hat vor alten Gewohnheiten, nur weil sie Gewohnheiten sind, vor alten Feierlichkeiten, nur weil sie feierlich sind, vor alten Mächten, nur weil sie mächtig sind! Der *heilige* Geist, der nur vor der Wahrheit, nur vor sich selber Respekt hat! Der heilige Geist, der mitten in der Ungerechtigkeit der Erde die Gerechtigkeit des Himmels aufrichtet und der nicht ruhen noch rasten wird, bis alles Tote lebendig geworden, eine neue *Welt* ins Dasein getreten ist« (Das Wort Gottes und die Theologie, 32). Christen sind in diese Bewegung, in dieses schöpferische, erneuernde Wirken des Geistes Gottes hineingeholt, hineingerissen worden. Von Gott her und durch Gottes Kraft steht vor ihren Augen das Ziel, die Gewalt der Ungerechtigkeit abzulösen durch die Gewalt der Gerechtigkeit (Der Römerbrief, 1919, 377).

Wiederholt widerspricht Barth jedem Versuch aus eigener Initiative hervorgehenden revolutionären Handelns, vor allem der religiös motivierten Aktivität, die das eschatologische Kommen des Reiches Gottes verfügbar machen will. Damit ist der »*christlichen Politik*« ihre Grenze gesetzt und ihr Ende gewiesen. Aller Glanz und alle Wucht dieser christlichen Politik »können nicht darüber täuschen, daß sie gerade als solche den Wurm in sich trägt. Gott ist nicht dabei, gerade *wenn* und *weil* wir ihm dabei helfen wollen« (Der Römerbrief, 1919, 385). *Religiös motiviertes politisches Handeln will Gott in die Hand bekommen und ihn als Machtmittel dort einsetzen, wo er sich nach der Situationseinschätzung der »Frommen« noch nicht als wirksam erwiesen hat.*

Die »Kirchliche Dogmatik« nimmt die Theorie-Praxis-Relation auf. Die Kategorie »Praxis« leitet Barths theologisches Denken. Dogmatik ist »schlechterdings die Theorie dieser Praxis« (KD II,2:609). Zur »reinen Lehre« gehört die Praxis untrennbar dazu, zum entscheidenden Wort der Verkündigung des gekommenen und kommenden Reiches Gottes als der »praxis Dei« z.B. auch *die auf sozialen Fortschritt oder auch Sozialismus gerichtete Praxis* (KD III,4:626). Doch derartige Eröffnungen sind nicht Prinzipien einer christlichen Dienstanweisung, Gesetze politischen und gesellschaftlichen Handelns; angezeigt wird vielmehr eine notwendige, Notwendende Konsequenz und Richtung in der Bewegung des Reiches Gottes, das als die alleinige Dominante in der ihm eigenen Dynamik am Werk ist. Besser könnte man sagen: Es handelt sich um Implikate der Eigendynamik des Reiches Gottes, die »vor Gott« wahrzunehmen und im je neu zu erkennenden und zu realisierenden Gehorsam sich imponieren.

Ohne in die Diskussion einzutreten – sie würde die Grenzen der Ausführungen sprengen –, sei an dieser Stelle auf drei Veröffentlichungen zum *Thema »Sozialismus« in der Theologie Karl Barths* aufmerksam gemacht: F.-W. Marquardt, Theologie und Sozialismus. Das Beispiel Karl Barths, 1972; H. Gollwitzer, Reich Gottes und Sozialismus bei Karl Barth: ThEx 169, 1972; E. Thurneysen, Karl Barth. »Theologie und Sozialismus« in den Briefen seiner Frühzeit, 1973.

Die Entscheidung über die Wahrheit und Güte des menschlichen Handelns liegt im *Gebot Gottes* beschlossen. Stets geht das göttliche Handeln dem menschlichen voran. Auf die durchaus nicht ruhende, sondern geschehende, nicht allgemeine, sondern »höchst besondere Wirklichkeit hin unternimmt es die theologische Ethik, auf die ethische Frage Antwort zu geben« (KD II,2:609). Diese »höchst besondere Wirklichkeit« steht im Zeichen der Einheit von Gottes Barmherzigkeit und Gerechtigkeit im Kommen seines Reiches. Ihr folgt »schnurgerade eine sehr bestimmte *politische* Problematik und Aufgabe«: »eine politische Haltung, die entscheidend dadurch bedingt ist, daß der Mensch allen denen gegenüber verantwortlich gemacht ist, die vor seinen Augen arm und elend sind, daß er seinerseits aufgerufen ist für das Recht, und zwar für das Recht derer einzutreten, die Unrecht leiden« (KD II,1:434f.). Barth unterstreicht die *unabweisbaren Konsequenzen* der Vollkommenheit und des Wirkens Gottes. Gehorsam gegenüber dem Gebot Gottes hat die Gestalt der Verantwortung, des permanent hörenden und entsprechend folgenden Antwortens. »Wir leben verantwortlich, d.h. unser Sein, Wollen, Tun und Lassen ist, ob wir es wissen und wollen oder nicht, ein fortwährendes Antworten auf das uns als Gebot gesagte Wort Gottes: es geschieht fortwährend im Verhältnis zu der Norm, die im Gebot Gottes vor und über uns steht; es ist also fortwährend nach seiner Entsprechung zu dieser Norm gefragt; es ist fortwährend Antwort auf diese Frage« (KD II,2:713). *Das im Gehorsam und in der Verantwortung vor dem lebendigen Gott geführte Leben ist das genaue Gegenteil einer Existenz in Religion.* Denn es ist alles, was Barth über die dem Menschen durch den ihn erwählenden Gott widerfahrende Heiligung ausführt, in der Erkenntnis Jesu Christi begründet, »weil dieser der heilige Gott und der geheiligte Mensch in Einem ist« (KD II,2:564). Daß aber die Herrschaft Christi dem Bereich der Religion entreißt und sich als »politische Herrschaft« erweist, wird im »Credo« (1935) ausdrücklich betont (52): »Der Acker ist die Welt« (Mt 13,38).

Die Stationen der *Klärung und Schärfung politischer Verantwortung der Christengemeinde* sind durch drei Veröffentlichungen Barths gekennzeichnet und deutlich aufzuweisen. Es handelt sich *erstens* um die 19. Vorlesung der »Gifford-Lectures« (1938) unter dem Thema »Der politische Gottesdienst« (Gotteserkenntnis und Gottesdienst, 1938, 203ff.), *zweitens* um den Aufsatz »Rechtfertigung und Recht« (1938; Eine Schweizer Stimme 1938–1945, 1945, 13ff.) und *drittens* um die Abhandlung »Christengemeinde und Bürgergemeinde« (1946). – Die zuerst genannte Vorlesung macht deutlich, daß sich das christliche Leben und das Leben der Kirche *im Raum der Welt* abspielt – einer Welt, die das Wort Gottes noch nicht gehört hat. Aber diese Welt darf und soll das verbum Dei hören. Eine Antizipation wird vollzogen. »Es bedeutet die Existenz der Kirche in der Welt, die Tatsache, daß sie es wagen muß, ihr das Wort Gottes zu sagen, eine vorläufige, aber reale *Heiligung* der Welt« (204). *Die Herrschaft des Christus hat keine Grenze und kein Ende.* Ihm ist alle Gewalt gegeben im Himmel und auf Erden (Mt 28,18). Religion parzelliert, unterscheidet zwischen Innen- und Außenräumen. Die Herrschaft des Christus aber unterliegt keiner Begrenzung. Im Blick auf die von Luther formulierte Lehre von den beiden Reichen ist zu erklären: »Nach reformierter Lehre sind diese zwei Reiche zwar zu unterscheiden, aber insofern doch Eines, als Jesus Christus nicht nur der Herr der Kirche, sondern in jener ganz anderen Weise, nämlich in Form des Anspruchs auf die politische Ordnung der Herr auch der Welt ist« (206). Die Studie »Rechtfertigung und Recht« (1938) geht dann eindringlicher der Frage nach, *wie* die beiden Reiche zusammengehören. Erneut wird einer christologischen Begründung zugestrebt, die schließlich in »Christengemeinde und Bürgergemeinde« (1946) ihre umfassende Ausführung erfährt. Ohne auf diese Untersuchung in extenso einzugehen, seien hier nur die für den Zusammenhang mit den religionskritischen Erwägungen bedeutsamen Aspekte bedacht. Die Christengemeinde existiert »nicht apolitisch, sondern politisch« (7). Im Raum der universalen Christusherrschaft, die über den inneren konzentrischen Kreis der Christengemeinde *und* den äußeren der Bürgergemeinde, der Polis, aufgerichtet ist, hat das Handeln dieser Gemeinde ein Gleichnis-bestimmtes, Analogie-trächtiges Gefälle aus dem »inneren« Bereich hinaus in die politische Welt. Denn die Christengemeinde hat nicht die Verheißung und Hoffnung einer »ewigen Kirche«, sondern das Ziel der von Gott gebauten, auf die Erde kommenden Polis, eines »Politeuma« (Phil 3,20). »Man wird von da aus von einer gerade allerletztlich hochpolitischen Bedeutung der Existenz der Christengemeinde reden dürfen und müssen« (7). Ist dieses politische Wirken der Christengemeinde der heftigste Widerspruch und das schärfste Gegenbild zu einer auf Religion reduzierten, im Innenraum der Kirchlichkeit und der christlichen Frömmigkeit verharrenden, nach »draußen« sich abschirmenden Lebensart, so muß hinzugefügt werden, daß auch das »Maß aller Dinge«, auf das hin der »politische Gottesdienst« der Christengemeinde ausgerichtet ist, mit dem homo religiosus nichts, gar nichts mehr zu tun hat: »Nachdem Gott selbst Mensch geworden ist, ist der Mensch das Maß aller Dinge, kann und darf der Mensch nur für den Menschen eingesetzt und unter Umständen geopfert – muß der Mensch, auch der elendeste Mensch – gewiß nicht des Menschen Egoismus, aber des Menschen Menschlichkeit – gegen die Autokratie jeder bloßen Sache resolut in Schutz genommen werden. Der Mensch hat nicht den Sachen, sondern die Sachen haben dem Menschen zu dienen« (15. Abschnitt, 23).

Nun sollte man aber nicht übersehen, daß Karl Barth in seinen Orientierungsperspektiven zum gesellschaftlichen und politischen Handeln der Christengemeinde den Bereich des *in allernächster Nähe zu Verrichtenden* nie überspringt. Wer an dem »Nächsten« vorbeigehen und dessen Not im Höhenflug des »politischen Engagements« überfliegen würde, stünde nicht mehr unter Gottes Gebot »Du sollst deinen Nächsten lieben wie dich selbst« (Mk 12,31).

Es wäre an dieser Stelle eingehend zur Kenntnis zu nehmen, was Karl Barth in der »Kirchlichen Dogmatik« I,2 unter dem Thema »Das Lob Gottes« zur *Nächstenliebe* ausführt.

Im Band IV,3 der »Kirchlichen Dogmatik« tritt die Theorie-Praxis-Relation wieder hervor. In allen dogmatischen Überlegungen geht es »um eine *Theorie*, die gerade nur im Blick auf ihren Ursprung und ihr Ziel in der *Praxis* zu verstehen sein wird« (86f.). Wohlbemerkt: Hier handelt es sich also nicht nur um die sog. »praktischen Konsequenzen«, sondern auch um den *Ursprung* der Theorie in der Praxis. Barth nähert sich in dieser Hinsicht den durch Karl Marx statuierten »Korrelationen« von Theorie und Praxis. Aber er übernimmt den Wechselbezug nicht in einem fremdbestimmten Sinn. Im Denken und Handeln der Christen geht es um den *Gehorsam* in Theorie und Praxis, um die zuerst und zuletzt und also jederzeit zu beachtende und zu bedenkende Tatsache, daß im Leben Jesu Christi Gott selbst – als Subjekt handelnd – auf dem Plan ist (87) und daß darum alles Tun der Christengemeinde dieser »praxis Dei« zugewandt ist, nur in diesem Zusammenhang seine Initiative und seinen Sinn zu finden vermag. Das dermaßen in den Blick gelangte Handeln der Christen ist *Handeln in der Nachfolge*. Und das Gemeinsame aller Forderungen der Nachfolge liegt darin beschlossen, »daß dabei auf ein solches Tun und Lassen gezielt ist, durch das seine Jünger den durch den Anbruch und Einbruch des Reiches entstandenen *Bruch* in der menschlichen Situation, das Ende der widerstandslos ausgeübten und widerspruchslos hingenommenen Herrschaft der Gegebenheiten, der Lebensordnungen, der Geschichtsmächte sichtbar machen und also der Welt *anzeigen* sollen« (KD IV,2:618).

Der *Bruch in der menschlichen Situation* ist alles andere als eine »religiöse Verhaltensweise«. Im Gegenteil. Der Nachfolgende tritt aus allen zwingenden Weltverhältnissen heraus, also auch aus den religiösen. Es gilt, »daß der konkret geforderte und zu leistende Gehorsam des Jüngers in jedem Fall dies bedeutet, daß er aus der Konformität mit dem zuvor auch ihm selbstverständlichen Tun und Lassen des Herrn Jedermann an der ihm zugewiesenen Stelle *heraus*treten, in seiner Umgebung ein *Einsamer* werden muß: ein Einsamer damit, daß er an dieser Stelle *nicht* das von den in seiner Umgebung noch in allen Ehren stehenden Göttern verlangte *Allgemeine* tun darf und will. Er ist an dieser bestimmten Stelle vom Tun jenes Allgemeinen entbunden: weil und indem er an Jesus gebunden ist« (KD IV,2:618f.). Der damit angezeigte *radikale Nonkonformismus* (vgl. Röm 12,2) erstreckt sich zuerst und vor allem auf die Machtsphäre der Götter, auf »Religion«. Es ist aber *das Kreuz* die konkreteste Gestalt des Bruchs und zugleich Lebensmerkmal der Gemeinschaft zwischen Christus und den Christen.

Nachfolge Christi ist Kreuzesnachfolge. Im Neuen Testament tritt ein Aspekt des Kreuzes beherrschend in den Vordergrund, auch wenn dieser Aspekt seine Aktualität in der Kirche weithin verloren hat: Kreuz heißt in der Hauptsache *Verfolgung* – Verfolgung der Christen von seiten der Welt, die, wie es Christus selbst erlitten hat, in erster Linie als die fromme, die religiöse Welt sich erweist und Jesus aus religiösen Gründen in den Kreuzestod bringt. Indem Christen den ihnen in der Nachfolge gewiesenen und gebotenen *eigenen Weg* in der Welt der Völker und ihrer Religionen (auch der christlichen Religion!) gehen, werden sie zu Fremdlingen, erregen sie Widerwillen und Anstoß. Dieses in der Nachfolge zu tragende Kreuz wird auch dann, wenn die »ruhigen Zeiten« es verdecken, unaufhaltsam kommen (KD IV,2:693). Es wird die Entgegnung und den Gegensatz zum Zeugendienst der Christen bringen. Denn der Christ »hat der Welt zu bezeugen, daß das Licht der in Jesus Christus geschehenen Tat und Offenbarung kein Traum, keine Illusion und auch kein Gegenstand bloßer Theorie, sondern ein *Faktum*, und zwar ein für den Menschen schlechthin und also für jeden Menschen relevantes, bedeutsames, ihn direkt angehendes Faktum ist, mit dem er also nicht nur als mit einer Gegebenheit zu rechnen, mit dem er sich auch nicht nur ›auseinanderzusetzen‹, dem er vielmehr, indem dieses Faktum ein Faktor ist, in seinem Leben Raum und Wirkungsfreiheit zu geben hat« (KD IV,3:754).

Nachfolge Christi geschieht im Gebet. Damit wären wir wieder beim Hauptthema des Nachlaß-Bandes »Das christliche Leben« angelangt. Nur als die betende Gemeinde kann und wird die christliche Gemeinde eine wirksam handelnde sein. »Die Christen bitten Gott, daß er seine Gerechtigkeit auf einer neuen Erde unter einem neuen Himmel erscheinen und wohnen lasse. Unterdessen handeln sie ihrer Bitte gemäß als solche, die für das Walten menschlicher Gerechtigkeit, d.h. für die Erhaltung und Erneuerung, für die Vertiefung und Erweiterung der von Gott angeordneten menschlichen Sicherungen menschlichen Rechts, menschlicher Freiheit, menschlichen Friedens auf Erden verantwortlich sind« (Das christliche Leben: KD IV,4. Fragmente aus dem Nachlaß: Gesamtausgabe, 1976, 347). *Das Wirken der Christengemeinde in Politik und Gesellschaft geschieht analog zur Bitte, daß Gottes Gerechtigkeit die Welt erneuern und vollenden möchte. Dem eschatologisch ausgerichteten Gebet entspricht ein vorläufiges, vorwärtslaufendes und relatives Tun, das sich nie vermessen kann und darf, das Letzte – auch nur ansatzweise – heraufführen und erfüllen zu wollen.* Im Gebet »Dein Reich komme!« ist es Gott selbst, der seine Gemeinde in großer Güte dazu befreit und ermächtigt, im Raum der angewiesenen, relativen Möglichkeiten und in großer Unvollkommenheit das Gebotene zu tun (458f.). Aber es geht wirklich um das dem Gebet analoge und folgende *Tun.* Wem das Gebet nicht das offene Tor zur Tat wäre, der würde sich vermessen, betend an Gott zu delegieren, was dem Menschen zu tun geboten ist.

Thema der Theologie ist »der neue Mensch im neuen Kosmos« (Einführung in die evangelische Theologie, 1962, 132). Mit diesem Thema wird die christliche Theologie in ihrem Kern zu einer *eminent kritischen, revolutionären Angelegenheit* und also keineswegs zu einem der Religion und dem in sich gekehrten kirchlichen Binnenleben dienstbaren und nutzbaren Unternehmen. Es ist darum nicht unwahrscheinlich, »daß die Theologie gerade wegen der direkt und indirekt von ihr ausgehenden *ethisch-praktischen* Beunruhigung im Ganzen kaum je populär werden kann: bei den Weltkindern nicht und unter den Frommen auch nicht« (132). Man wird angesichts dieses Satzes erklären müssen: Vor allem die theologische Religionskritik Barths konnte und kann nicht populär werden, sie entspricht nicht dem Kriterium des »Frommen« in Kirche und Theologie, sie ist eine unangenehme Störung! *Doch evoziert die kritische Theologie Karl Barths keine elitäre Gruppe, wohl aber betrifft sie effektiv die zu keinen Anpassungen bereiten Minoritäten.*

Wer angesichts alles dessen, was zum Thema »Die politische Verantwortung der Christengemeinde« ausgeführt wurde, noch meint auf dem Standpunkt verharren zu können, Barths Religionskritik sei in die Sackgasse eines »Offenbarungspositivismus« geraten, der hat weder die Ansätze noch die Auswirkungen der das Ganze dieser Theologie durchziehenden religionskritischen Komponenten begriffen. Man erinnere sich noch einmal an den in I.3 erwähnten Erklärungsversuch Bonhoeffers zu seinem Vorwurf des »Offenbarungspositivismus«: Da wird (angeblich) die Kunde von Gottes Offenbarung in Jesus Christus nicht wirklich entriegelt und geöffnet zu wahrhaft weltlicher und nichtreligiöser Mitteilung; sie wird festgehalten und festgestellt im dogmatischen System »*Kirchlicher* Dogmatik«, in einem weitere Interpretationen verhindernden »Offenbarungspositivismus«. Es würde der Begriff »Positivismus« im Sinne einer (nichtreligiöse Interpretation verhindernden) Sperre demnach zu beziehen sein auf Richtung und Lauf der Offenbarung zum weltlichen, nichtreligiösen Menschen hin.

Aber sind alle diese Vorwürfe noch aufrechtzuerhalten angesichts des dieser Bewegung entsprechenden *Daseins der Kirche für die Welt*, vor allem angesichts des – nach Barths Konzeption – realiter in Politik und Gesellschaft hineinwirkenden Kommens des Reiches Gottes und des dieser Bewegung entsprechenden Handelns der Christengemeinde in Gebet und Tat? Im Unterschied zu Bonhoeffer, bei dem die neue Rezeption und die neue Aktion in der nicht-religiösen Welt eine so große Rolle spielt, dominiert bei Barth im Blick auf den weltlich-politischen Raum *die Wirklichkeit eschatologisch-absoluter Erneuerung und deren Reflex in relativen und vorläufigen Veränderungstaten der Christengemeinde.* Mehr noch: Es wird zu erklären sein, daß bei Barth – ungleich stärker und konsequenter als bei Bonhoeffer – das politische und soziale Thema im weltlichen, nicht-religiösen Bereich als Implikat der theologischen Religionskritik zur Sprache kommt. Auf keinen Fall aber kann und darf mehr behauptet werden, Karl Barth beziehe sich ausschließlich auf die »Sache« der Kirche und setze somit »positivistisch« eine Grenze. Mag dieser Vorwurf in den Augen Bonhoeffers noch ein relatives Recht gehabt haben, er ist heute angesichts der Ausführungen in KD IV,3:780ff. in keinem Sinn mehr durchzuhalten und darum auch nur gegen besseres Wissen zu wiederholen.

Es wird an dieser Stelle auch den beiden – oft geäußerten – Auffassungen zu widersprechen sein, Barth lehre eine »theozentrische Theologie«, in der die Gottheit Gottes alles, der Mensch aber nichts sei, bzw. Barths Dogmatik habe es überwiegend mit »Gott in der Höhe«, mit Gottes Transzendenz und Aseität zu tun. Zum ersten Vorwurf wäre z.B. auf KD IV,3 hinzuweisen:

Gegenstand und Inhalt der Theologie ist »weder ein ›Subjektives‹, noch auch ein ›Objektives‹ für sich, allgemein erklärt: weder ein isolierter Mensch, noch ein isolierter Gott, sondern Gott und Mensch in ihrer von Gott begründeten und durchgeführten *Begegnung* und *Gemeinschaft*, Gottes *Verkehr* mit dem Christen, des Christen *Verkehr* mit Gott« (573). Zum zweiten Vorwurf aber wäre auf Passagen aus dem kleinen Band »Das Vaterunser« (1965) aufmerksam zu machen: »Kein Spiritualist, Idealist oder Existenzialist kann uns zu der Wirklichkeit Gottes führen, zu *seiner* Transzendenz, die eine andere Sache ist als Geist und Unsichtbarkeit. Seine Transzendenz wird erwiesen, enthüllt, verwirklicht in Jesus Christus, in der Tiefe seines allmächtigen Erbarmens« (46).

Es müssen auch diese Aspekte beachtet und in Erinnerung bewahrt bleiben, wenn es zu einer sachgemäßen Vergleichung mit der Religionskritik *Dietrich Bonhoeffers* kommen soll. Die Nuancen wären sehr genau festzuhalten, damit nicht weiterhin die pauschalisierende Interpretation und Kritik die Regie führt, sondern die Texte selbst zur Geltung gelangen.

II

Dietrich Bonhoeffer

1. Christuswirklichkeit

Die Religionskritik Dietrich Bonhoeffers, die, wie es bereits gezeigt wurde, sich fortgesetzt auf Karl Barths religionskritische Konzeptionen bezieht, tritt in den Aufzeichnungen und Briefen aus dem Gefängnis hervor. Eberhard Bethge gab sie unter dem Titel »Widerstand und Ergebung« heraus. Die Schwierigkeiten der Interpretation sind erheblich. Die fragmentarischen, im Vertrauen der Freundschaft verfaßten und oft nur andeutungsweise sich äußernden Niederschriften sperren sich gegen eine systematische Rezeption. Ihre Intention ist nicht die der Grundlegung oder ersten Ausführung eines theologischen Programms; vielmehr werden starre Blöcke traditionellen Denkens in Bewegung gebracht, verfestigte und verschlossene Vorstellungen aufgesprengt und neue Horizonte entdeckt. Der träge dahinfließende Strom theologischer und kirchlicher Überlieferung erfährt in dieser der Öffentlichkeit kundgegebenen Korrespondenz mit dem Freund Eberhard Bethge einen reißenden Zufluß, der Turbulenzen verursacht, der nicht zur Ruhe kommen will, der nicht aufgenommen werden will ins gemächliche Dahingleiten. Die Theologie war und ist allzu beflissen, Bonhoeffers Religionskritik zu verarbeiten, sie zu kritisieren und in die verschiedensten Zusammenhänge zu integrieren. Manches geschieht da im Vorfeld der Volkskirche, die sich heftigen Infragestellungen ausgesetzt sieht und der mit kirchenkritischer Spitze auf sie zukommenden Religionskritik entgegenwirkt oder diese Spitze gar zu zerbrechen bestrebt ist. Doch sollte man auch nicht zu schnell von der »Änigmatik« der in den Aufzeichnungen und Briefen geäußerten theologischen Gedanken und Forderungen reden und entsprechende Warntafeln aufrichten.

Niemand, der sich mit diesem Thema der theologischen Religionskritik befaßt, ist davon entbunden, in immer neuen Anläufen ein wirkliches Verstehen der umstürzenden und Neues anzeigenden Niederschriften zu suchen. Dabei ist es geraten, in frühere Veröffentlichungen Bonhoeffers zurückzufragen, insbesondere in die Fragmente zum Thema »Ethik«. In dieser Hinsicht sind bereits verschiedene Vorstöße unternommen worden, die aber ein neues Durchdenken nicht erübrigen. Doch besteht kein Zweifel, daß das Thema »Religionskritik« überraschend und in vieler Hinsicht auch unvermittelt in den Briefen aus dem Gefängnis zur Sprache kommt. *In einer ersten Annäherung und Beschreibung sind zwei Komponenten der Reli-*

gionskritik zu nennen: die biblische und die kulturgeschichtliche. Beide Komponenten stehen in engster Bezogenheit zueinander. Hinsichtlich der Bibel wird in zwei Perspektiven einzutreten sein: in die christologische und in die alttestamentliche. Als »kulturgeschichtliche Komponente« soll vorerst alles das bezeichnet werden, was Bonhoeffer über die historische Entwicklung zur mündigen, nicht-religiösen Welt ausführt. Auf alle diese Themen wird zuzugehen sein. Was aber das behutsame Zurückfragen anlangt, so weist die christologische Thematik auf die Spur der unter dem Thema »Ethik« gesammelten Fragmente.

In seiner Bonhoeffer-Biographie (³1970) berichtet *Bethge* über die im Jahre 1939 einsetzenden Ethik-Studien. »Daß die Ethik seine Lebensaufgabe sei, hat Bonhoeffer oft zum Ausdruck gebracht« (804). Dieses vorrangige Interesse bekundet zuerst das Buch »Nachfolge« (1937). Mit dem Jahr 1939 wurden die neuen Entwürfe begonnen. Der geschlossenste Entwurf gelang 1940–41 im Kloster Ettal; der weitere Neuansatz 1941/42 (807f.). Will man zwei wesentliche Begriffe dieser Entwürfe zur Ethik herausstellen, so sind es die Begriffe »*Christuswirklichkeit*« und »*Weltlichkeit*«. Bethge zitiert aus der »Ethik«: »Das Kreuz ist die Befreiung zum Leben vor Gott mitten in der Gott-losen Welt, es ist die Befreiung zum Leben in echter Weltlichkeit« (809). Bethge fügt hinzu: »Nun ist Bonhoeffer dort angelangt, wo die Gefängnisbriefe mit ihren überraschend einfachen Formeln einsetzen« (809). So besteht also kein Zweifel, daß für das Verständnis der Aufzeichnungen und Briefe aus dem Gefängnis die »Ethik« eine genau zu beachtende Vorstufe darstellt.

Es ist der Leitbegriff der »*Christuswirklichkeit*«, dem zuerst das Interesse zu gelten hat. Wir treten damit in die christologische Perspektive ein, die bis in den Band »Widerstand und Ergebung« hinein zu verfolgen sein wird. Was über Wirken und Wirklichkeit des Christus auszusagen ist, steht im Zeichen der Auferstehung und also des lebendigen und gegenwärtigen Erweises seiner Macht. Die große, alles bestimmende Wende ist geschehen: »Der auferstandene Christus trägt die neue Menschheit in sich, das letzte herrliche Ja Gottes zum neuen Menschen. Zwar lebt die Menschheit noch im Alten, aber sie ist schon über das Alte hinaus, zwar lebt sie noch in einer Welt des Todes, aber sie ist schon über den Tod hinaus, zwar lebt sie noch in einer Welt der Sünde, aber sie ist schon über die Sünde hinaus. Die Nacht ist noch nicht vorüber, aber es tagt schon« (Ethik, ⁸1975, 84). Angesichts dieses Ereignisses fällt dahin und zerbricht alles Übermenschentum, alles (religiöse) Bemühen des Menschen, über sich hinauszuwachsen, alles halbgöttliche Wesen. Der Weg zum Leben, zu neuem Menschsein ist allein der des Gleichgestaltetseins mit dem Menschgewordenen. Nur auf diesem Weg sind Schein, Heuchelei, Krampf, Zwang und alles religiöse Wesen abgetan. »Gott liebt den wirklichen Menschen. Gott wurde wirklicher Mensch« (86). Damit ist das den Menschen zur *Menschlichkeit* und die Welt zur *Weltlichkeit* befreiende Ereignis angezeigt. Jetzt kann der Mensch endlich der sein, der er in Wirklichkeit ist. Christus als wahrer Mensch gewinnt Gestalt im Menschen. Es ist die neue Gestalt, die neue Menschheit, die da beginnt. »In Christus war die Gestalt des Menschen vor Gott neu geschaffen. Es war keine Sache des Ortes, der Zeit, des Klimas, der Rasse, des Einzelnen, der Gesellschaft, der Religion oder des Geschmacks, sondern die Sache des Lebens der Menschheit schlechthin, daß sie hier ihr Bild und ihre Hoffnung erkannte. Was an Christus geschah, war an der Menschheit geschehen« (88). In der Reihe der Negationen in diesem Zitat steht die Religion. Ihr gegenüber gilt die Affirmation: *In Christus, dem Menschgewordenen, geht es um die Sache des Lebens der Menschheit schlechthin.* Christus wurde wirklicher Mensch, Mensch wie wir. Er war nicht wesentlich Lehrer, Erzieher oder gar Gesetzgeber. »Er will darum auch nicht, daß wir in unserer Zeit Schüler, Vertreter und Verfechter einer bestimmten Lehre seien, sondern Menschen, wirkliche Menschen vor Gott« (90). Vehementer kann das menschliche und damit implizit nicht-religiöse Christentum wohl kaum angekündigt werden. Der Menschgewordene will keine religiösen Anhänger und Eiferer. Die Wirklichkeit seines Menschseins bringt jede Vorstellung von einer religiösen Idee, einem Prinzip oder Programm zum Erlöschen. *Christus bejaht die menschliche Wirklichkeit, er setzt sie in kraft, er ist ihr Lebensgrund.* Es kann darum keine Rede davon sein, daß die Menschlichkeit des Menschen religiös überboten oder überwunden werden müsse – etwa auf die Idealgestalt des homo religiosus zu.

Wirken und Wirklichkeit des Menschgewordenen stellen die Kirche in ein neues Licht und auf einen neuen Grund. Die Kirche ist »nicht eine Religionsgemeinschaft von Christusverehrern, sondern der unter Menschen gestaltgewordene Christus« (88). Die ekklesiologische Formulierung »Christus als Gemeinde existierend«, die in »Sanctorum Communio« getroffen worden war, bekommt eine neue Prägung durch die alles beherrschende Betonung der humanitas Christi. *So ist die Kirche in ihrer christologischen Grundbestimmung das erste, vorläufige Stück der Menschheit, in dem Christus Gestalt gewonnen hat.* Die Kirche hat keine andere Gestalt; keinem fremden Leitbild oder Ideal ist sie verpflichtet. Sie ist »der menschgewordene, gerichtete, zu neuem Leben erweckte Mensch in Christus« (89). Das Wort »gerichtet« wird man nicht überschlagen oder geringschätzen dürfen. Das Kreuz darf nicht vom Auferstehungsleben oder von strahlender humanitas überblendet werden. Die Auferstehung Jesu Christi ist die gegenwärtige Wirkkraft der Gleichgestaltung mit dem Menschgewordenen, die durch das Gericht des Kreuzes hindurchführt und darum alles andere als eine unmittelbar vollzogene »Gleichschaltung« bringt. Dies alles aber geschieht in der Kirche, die ein wahrhaft menschliches und kein religiöses Gepräge empfängt. Ausdrücklich betont Bonhoeffer, daß es die Kirche primär gar nicht mit den »religiösen Funktionen« des Menschen zu tun hat, sondern mit dem ganzen Menschen in seinem wirklichen Dasein in der Welt (89). Es entspricht eine solche Äußerung den religionskritischen Äußerungen Karl Barths, vor allem in der Frühzeit der »Theologie der Krisis«. Doch die eigentümliche Kontrastierungstendenz Bonhoeffers wird im folgenden Zitat erkennbar: »Es geht in der Kirche nicht um Religion, sondern um die Gestalt Christi und ihr Gestaltwerden unter einer Schar von Men-

schen. Lassen wir uns auch nur um das Geringste von dieser Sicht abbrin-
gen, so fallen wir unvermeidlich zurück in jene Programmatik ethischer
oder religiöser Weltgestaltung . . .« (89).

   Offenkundig wird in diesen Sätzen mit großem Ernst *die Alternative* herausgestellt: *Religion oder Gestaltgewinnen Christi unter einer Schar von
Menschen. Wer dem Gestaltgewinnen Christi ausweicht, würde in den Sog
religiöser Welt- und Lebensgestaltung geraten.* Vor allem die Kirche ist dieser Gefahr und Krisis ausgesetzt. Sie ist für Religion anfällig. Bedenkt man
die herausgestellte Alternative, so ist der Unterschied zu Barths theologischen Voraussetzungen und Zusammenhängen der Religionskritik nicht
groß. Auch Bonhoeffers religionskritische Distinktionen erweisen sich als
Variationen der Rechtfertigungslehre, die zwar nicht explizit und in der
Härte der Darlegungen Barths die iustificatio impii berühren, wohl aber die
Gnade des Gestaltgewinnens Christi unter einer Schar von Menschen und
das *Werk* religiöser Welt- und Lebensgestaltung kontrastieren. Achtet man
auf die Passagen, in denen in Bonhoeffers »Ethik« explizit von der Rechtfertigung gehandelt wird, dann öffnet sich zum Ausgeführten der erklärende
Kontext. Wie ereignet sich denn das Gestaltgewinnen Christi im Leben eines Menschen? Wie beginnt es? »Der finstere, von innen und außen verriegelte, immer tiefer in Abgrund und Ausweglosigkeit sich verlierende
Schacht des menschlichen Lebens wird mit Macht aufgerissen, das Wort
Gottes bricht herein; der Mensch erkennt zum ersten Mal in rettendem
Licht Gott und den Nächsten. Das Labyrinth seines bisherigen Lebens stürzt
zusammen. Der Mensch ist frei für Gott und seine Brüder« (128). »Dies alles geschieht, wenn Christus zu den Menschen tritt. In Christus ist . . . das
Leben des Menschen, dem die Gegenwart Christi widerfährt, von nun an
nicht mehr ein verlorenes, sondern ein gerechtfertigtes Leben geworden,
gerechtfertigt aus Gnade allein« (129).

Es muß an dieser Stelle angemerkt werden, daß Bonhoeffer mit wenigen Sätzen eine *völlige
Neubestimmung des Verhältnisses von Ekklesiologie und Ethik* vorträgt, wenn er vom Gestaltgewinnen Christi in seiner Gemeinde ausgeht. Die Ekklesiologie ist nicht – wie zumeist
traktiert wird – Inhalt der Ethik, sondern deren Voraussetzung und Ansatzpunkt. »Der Ausgangspunkt christlicher Ethik ist der Leib Christi, die Gestalt Christi in der Gestalt der Kirche,
die Gestaltung der Kirche nach der Gestalt Christi. Nur indem das, was in der Kirche geschieht,
in Wahrheit der ganzen Menschheit gilt, gewinnt der Begriff der Gestaltung – indirekt – seine
Bedeutung für alle Menschen« (89). Die alle herkömmlichen Kategorien umstürzende Bedeutung dieses Aspekts ist der theologischen Ethik weithin noch nicht bewußt geworden. – Was
aber das durch Bonhoeffer angezeigte Verhältnis von Ekklesiologie und Universalität angeht,
so könnte nur auf Barth hingewiesen werden, bei dem, wie ausgeführt wurde, eine ähnliche
Verhältnisbestimmung vorliegt.

   Bonhoeffer begibt sich auf den Weg einer neuen Erklärung und Bestimmung von Wirklichkeit. *Was ist »Wirklichkeit«?* Schon in »Akt und Sein«
(⁴1976) hatte Bonhoeffer Versuche einer neuen Beantwortung dieser Frage
unternommen. Da hieß es: »›In Wirklichkeit‹ und ›in Wahrheit‹ kann der

Mensch nur durch Gott sein. Wahre Wirklichkeit ist durch Wahrheit des Wortes Gottes gedeutete Wirklichkeit, so daß, wer in der Wirklichkeit ist, auch in der Wahrheit ist und ebenso umgekehrt« (65). Oder: »Geschöpfliches Dasein ist je nur in dem Gerichtetsein auf die Offenbarung ›da‹, d.h. Da und Wie sind allein und unlöslich voneinander in der Offenbarung begründet« (130). Diese ersten Anläufe führen zu neuen, streng auf die Christologie bezogenen Ausführungen in der »Ethik«. Was ist »Wirklichkeit«? Bonhoeffer antwortet jetzt, »Schöpfung« heiße dieses unteilbare Ganze seinem Ursprung nach, »Reich Gottes« werde es hinsichtlich seines Zieles genannt. Beides aber sei uns gleich fern und gleich nah, weil Gottes Schöpfung und Gottes Reich uns allein gegenwärtig sind in Gottes Selbstoffenbarung in Jesus Christus (205f.). So ist Christus das Alpha und das Omega, der Anfang und das Ende in Person. Er ist dies nicht nur im noetischen Sinn der Wirklichkeitserkenntnis und Wirklichkeitsdeutung, sondern als Selbstoffenbarung der alle Wirklichkeit tragenden Wirklichkeit Gottes. In ihm hat alles seinen Bestand (Kol 1,16). Christus ist das Angebot, »an der Gotteswirklichkeit und an der Weltwirklichkeit zugleich teilzubekommen, eines nicht ohne das andere« (208). Darum wären alle Konzeptionen, die von Christus absehen könnten, Abstraktionen. Analog zu der zuvor betonten *menschlichen Wirklichkeit*, die der Menschgewordene und Lebendige in Gleichgestaltung wirkt, wird nun von der *Weltwirklichkeit* erklärt, Gottes Wirklichkeit erschließe sich nicht anders, als indem sie uns ganz in die Weltwirklichkeit hineinstellt. Dies ist das Geheimnis der Offenbarung Gottes im Menschen Jesus Christus. Doch ist damit kein Anlaß gegeben, im Sinne protestantischer Emphase die Weltwirklichkeit als solche – in säkularistischer Manier – zu preisen. Es liegt alles, was zum Thema »Wirklichkeit« auszuführen ist, in Jesus Christus, und nur in ihm, beschlossen.

Es wird darauf hinzuweisen sein, daß Bonhoeffer sich in allem, was er zum Thema »Wirklichkeit« ausführt, *in größter Nähe (nicht Abhängigkeit!) zu Karl Barths entsprechenden Äußerungen befindet.* In KD II,1 schreibt Barth: »Was . . . Wirklichkeit ist, das können wir in keiner Weise im voraus wissen, sondern erst durch und in Gottes Offenbarung entscheidet es sich, was echte Wirklichkeit ist« (598). KD III,4: Es ist »die Begegnung Gottes mit dem Menschen«, welche »die in Frage stehende Wirklichkeit selbst mit großer Bestimmtheit auf den Plan führt« (30f.). Und schließlich KD IV,1: »*Ist* die Jesusgeschichte das Geschehen der Versöhnung, *ist* die Versöhnung darin wahr und kräftig, daß Gott selbst Mensch wurde«, dann haben wir es »in diesem Faktum . . . mit *der* Wirklichkeit zu tun, die als Gottes erstes und ewiges Wort aller anderen Wirklichkeit zugrunde liegt und vorangeht« und damit für alle Zeiten und Zonen in Geltung steht (55f.).

Der Ansatz des theologischen Denkens Bonhoeffers hat Folgen für die Erkenntnis und Einsicht in die Einheit der Wirklichkeit. Es gibt für ihn nicht zwei Räume, sondern *nur den einen Raum der Christuswirklichkeit*, in dem Gotteswirklichkeit und Weltwirklichkeit miteinander vereinigt sind (210). Mit solcher Sicht wird der verhängnisvolle »abendländische Dualismus« (M. Buber), die Teilung der Wirklichkeit in zwei Sphären, überwunden.

Auch die idealistisch-dualistischen Konsequenzen der Lehre Luthers von den beiden Reichen sind mitbetroffen. Doch vertritt Bonhoeffer kein monistisches, auch kein »christomonistisches« *Prinzip*. Gotteswirklichkeit und Weltwirklichkeit sind *in Christus* unteilbare, unauflösbare Einheit. Weitere Abgrenzungen macht Bethge in seiner Bonhoeffer-Biographie bewußt: »Die in Christus bestehende Einheit der Weltwirklichkeit ist nicht eine synthetische, wie es die römisch-katholische Kirche meint, und nicht in Diastase gehalten wie bei den Schwärmern. Sie ist nicht magisch-kosmisch real, sondern durch die Stellvertretung Christi dynamisch gültig und real« (809). Die Rede von dem »*einen* Raum der Christuswirklichkeit« hat weitwirkende Konsequenzen. Ist in Christus die Gotteswirklichkeit in die Weltwirklichkeit eingegangen – in Inkarnation und Stellvertretung –, dann gibt es das Christliche nicht anders als im Weltlichen, das »Übernatürliche« nur im Natürlichen, das Heilige nur im Profanen und das die Offenbarung Betreffende nur im Vernünftigen (211). Diese Folgerungen enthalten die Ansätze zur später ausgeführten Religionskritik. Alles führt hin zur Weltlichkeit, Profanität und Menschlichkeit. Man könnte auch sagen: Zur nicht-religiösen Gestalt der Offenbarung, die im *Mensch*gewordenen manifest geworden ist. Wenn in diesem Zusammenhang betont wird, es sei aber das Christliche nicht identisch mit dem Weltlichen (211f.), so wird auf das *Ereignis* der die wahre Weltlichkeit heraufführenden Inkarnation und Stellvertretung hinzuweisen sein. Die Inkarnation kann zu Identifikationen keinen Anlaß geben. Alles hängt daran, daß die *Gottes*wirklichkeit in die *Welt*wirklichkeit *einging*. Durch dieses Ereignis haben sich alle Verhältnisse grundstürzend gewandelt. Die Botschaft »Gott war in Christus und versöhnte die Welt mit sich selbst« (2Kor 5,19) hat zur Folge: »Es gibt kein Stück Welt und sei es noch so verloren, noch so gottlos, das nicht in Jesus Christus von Gott angenommen, mit Gott versöhnt wäre« (218). Damit steht nicht eine Deutung der Welt und auch nicht die Bedeutung der Versöhnung zur Rede, sondern die in alle Bereiche dringende Veränderung und Erneuerung des Kosmos, die *neue Wirklichkeit*.

Es muß an dieser Stelle noch einmal darauf aufmerksam gemacht werden, daß Bonhoeffer die Hauptthemen der Christologie: Inkarnation, Kreuz und Auferstehung in keiner Phase durch falsche Absolutsetzungen voneinander trennt, sondern fortgesetzt die Einheit der durch diese Themen angezeigten Ereignisse und also auch die einheitliche Folgerung für das Denken über das christliche Leben verficht. Er fürchtet, daß eine allein auf Kreuz und Auferstehung aufgebaute Ethik dem Radikalismus und der Schwärmerei verfallen könnte (135ff.). Doch gleichwohl wird man nicht übersehen können, daß die Inkarnation als Dominante der Erklärung heraustritt, nicht absolut gesetzt, aber doch eben als das beherrschende Theologumenon, das die Menschlichkeit des Menschen und die Weltlichkeit der Welt so stark betonen läßt. Man wird auch nicht erklären können, daß Bonhoeffer in der besonderen Herausstellung die Inkarnation vom Ereignis der Auferweckung des Gekreuzigten abgelöst oder auch nur einen Augenblick für sich genommen habe. Stets wird die Einheit gewahrt – im Zeichen des Ereignisses: In Christus ist die Gotteswirklichkeit in die Weltwirklichkeit eingegangen.

Mit der Weltlichkeit und Menschlichkeit bekommt auch der *Begriff des Natürlichen* in der »Ethik« Bonhoeffers eine neue Bedeutung. In der evangelischen Ethik war »das Natürliche« in Mißkredit geraten. »Weil vor dem Licht der Gnade alles Menschlich-Natürliche in der Nacht der Sünde versank, wagte man nicht mehr, auf die relativen Unterschiede innerhalb des Menschlich-Natürlichen zu achten aus Furcht, es könne die Gnade als Gnade Einbuße erleiden . . . Das Natürliche hatte als einzigen Gegensatz das Wort Gottes, aber nicht mehr das Unnatürliche. Natürliches und Unnatürliches waren ja vor dem Wort Gottes in der gleichen Verdammnis« (152f.). So wertvoll und wichtig dieser Einspruch Bonhoeffers auch ist, er wird nicht unkritisch, aus bejahender Freude am »Natürlichen«, hingenommen werden können. Genügt es wirklich, auf die »relativen Unterschiede innerhalb des Menschlich-Natürlichen« hinzuweisen und gar die Kontrastierung zwischen dem Natürlichen und dem Unnatürlichen vorzunehmen? – Hat Karl Barth zum Thema »Das Licht und die Lichter« (vgl. I.4) nicht ungleich klarer und schärfer zum Problem Stellung genommen? Hatte die Tradition einen *Gegensatz* zwischen dem Natürlichen und dem Wort Gottes herausgebildet, so wird doch an *dieser* Stelle auch zu intervenieren sein. Muß nicht in der *Konfrontation* (»Er kam in sein Eigentum und die Seinen nahmen ihn nicht auf«, Joh 1,11) die *universal-schöpferische Grundlegung* erkannt werden: Der präexistente Logos Gottes war das wahrhaftige Licht, welches *alle Menschen* erleuchtet, die in diese Welt kommen« (Joh 1,9)? Ist nicht »das Natürliche« in seiner Strahlkraft allein als Reflex des *einen* Lichtes zu begreifen, das Jesus Christus heißt? Bonhoeffer selbst ist dieser Erkenntnis auf der Spur, wenn er schreibt: »Je ausschließlicher wir Christus als unseren Herrn erkennen und bekennen, desto mehr enthüllt sich uns die Weite seines Herrschaftsbereiches« (62).

Synonym zur »Einheit der Wirklichkeit« steht bei Bonhoeffer der Begriff der »*letzten Wirklichkeit*«. In diesem Zusammenhang klingt mit großer Deutlichkeit das Thema der Religion an. »Handelte es sich bei Gott nur um eine religiöse Idee, so wäre nicht einzusehen, warum nicht hinter dieser angeblich ›letzten‹ Wirklichkeit auch noch eine allerletzte Wirklichkeit der Götterdämmerung, des Göttertodes bestehen sollte. Nur sofern die letzte Wirklichkeit Offenbarung, d.h. Selbstzeugnis des lebendigen Gottes ist, ist ihr Anspruch erfüllt . . . Die letzte Wirklichkeit erweist sich hier zugleich als die erste Wirklichkeit, als das Erste und das Letzte, als das A und O. Alles Sehen und Erkennen der Dinge und Gesetze ohne Ihn wird zur Abstraktion, zur Loslösung vom Ursprung und vom Ziel« (201). Der Begriff der »letzten Wirklichkeit« will verdeutlichen, daß auch die Wirklichkeit der bestehenden Welt nur durch die Wirklichkeit Gottes Wirklichkeit hat. Daß aber die Wirklichkeit Gottes nicht wieder in eine religiöse Idee aufgelöst werden kann, entnimmt der Glaube der Tatsache, daß die Wirklichkeit Gottes sich als lebendig und gegenwärtig bezeugt und offenbart hat mitten in der wirklichen Welt. Wieder läuft alles, was in dieser Sache zu sagen ist, hin zu *dem* Wirklichen, der Jesus Christus heißt.

So ist die wahre Wirklichkeit und Weltlichkeit der Welt allein durch Jesus Christus begründet und verbürgt. Würde das Weltliche neben der Christusverkündigung sich behaupten und sein eigenes Gesetz bewahren, dann müßte es ganz sich selbst verfallen und – in religiöser Selbsterhöhung – an Gottes Statt treten (314f.). Das Weltliche würde aufhören, weltlich zu sein. Von einer »Autonomie« könnte also keine Rede sein. Der Schritt zur Aufrichtung eigenen Rechts würde sogleich in die Richtung auf Vergöttlichung des Weltlichen führen, und die Folge müßte dann die sein, daß das betont und ausschließlich weltliche Leben einer unechten, halben Weltlichkeit verfällt. Denn es fehlt die Freiheit und der Mut zu echter und ganzer Weltlichkeit. Es mangelt an Wahrheit und Bereitschaft, »die Welt das sein zu lassen, was sie vor Gott in Wirklichkeit ist, nämlich eine in ihrer Gottlosigkeit mit Gott versöhnte Welt« (315). An diesem Punkt ist sorgfältig zu bedenken, daß die wahre Weltlichkeit darin ihren Grund und ihr Gepräge hat, daß die Welt *der mit Gott versöhnte Kosmos* ist. Echte Weltlichkeit kann es nur im Licht der Verkündigung des Kreuzes Jesu Christi geben. Damit wird der Ansatz der Inkarnationschristologie in die Kreuzestheologie aufgenommen. »Das Kreuz der Versöhnung ist die Befreiung zum Leben vor Gott mitten in der Gott-losen Welt, es ist die Befreiung zum Leben in echter Weltlichkeit« (314).

In der Intention kann den Erklärungen *R. Mayers* in dessen Buch »Christuswirklichkeit« (1969) zugestimmt werden. »Nur aus dem Zusammenbruch der christologischen Ontologie als System kann man Bonhoeffers Ablehnung der Religion begründen. Bonhoeffer bezweifelt, daß der Religionsbegriff weiterhin eine legitime Möglichkeit zur Beschreibung der Sichtbarkeit der Christuswirklichkeit darbietet« (237). »Weil die Christuswirklichkeit die Weltwirklichkeit ganz und gar umschließt, kann die Religionslosigkeit der Welt paradoxerweise als Funktion der Christuswirklichkeit verstanden werden« (242).

Wenn in »Widerstand und Ergebung« von *Weltlichkeit* die Rede ist, dann wird man sich stets die bahnbrechenden und grundlegenden Ausführungen der »Ethik« vor Augen halten müssen. Es ist nicht an dem, daß später emphatisch und in turbulenter Weltzugewandtheit ein gänzlich neues Kapitel aufgeschlagen würde. Es liegt alles, was über die Weltlichkeit der Welt und die Menschlichkeit des Menschen geschrieben steht, in der *einen* Christuswirklichkeit beschlossen.

2. Kennzeichen der »Religion«

In keiner seiner Schriften hat Bonhoeffer auch nur ansatzweise eine explizite Definition von »Religion« gegeben. Er setzt auch nicht einen in seinen Konturen klar umrissenen Begriff voraus, der etwa aus der Religionsphänomenologie hätte gewonnen werden können. Es kann überhaupt – bis in den Band »Widerstand und Ergebung« hinein – nur von auffälligen, sorgfältig beobachteten und entsprechend festgestellten *signa religionis* gesprochen werden, die, in ihrer Bedeutung aus dem jeweiligen Kontext zu erschließen, als Gegenbilder, als kontrastierende Elemente fungieren. Es werden Vorstellungen und Praktiken aufgezeigt, die unter dem Kennzeichen »Religion« Verfallserscheinungen, Perversionen, aber auch »normale« Entwicklungen des Christlichen dokumentieren. Systematische Erhebungen des »Religionsbegriffs« Bonhoeffers müssen sich darum von Anfang an ihrer Problematik und Unangemessenheit bewußt sein. Sie könnten allenfalls einen ersten Überblick vermitteln und der Orientierung dienen. Sachgemäß wäre es, vorsichtig nach den *Kennzeichen von »Religion«* in der theologischen Religionskritik Bonhoeffers zu fragen.

Solche Kennzeichen von »Religion« sind schon in der »Ethik« aufspürbar, aber auch in früheren Opera, auf die hier nicht eingegangen werden soll. In den Entwürfen zur »Ethik« erscheint »Religion« als Gegenbild zu der durch den Menschgewordenen als wirksam erwiesenen Menschlichkeit und Weltlichkeit. Sie zeigt sich als gefährlicher Akt der Selbsterlösung und Selbstüberwindung von Mensch und Welt. In anderem Zusammenhang wurde es schon ausgeführt: *»Religiöse Weltgestaltung« wäre Verfehlung und Verkehrung der Wirklichkeit, Absturz in Götzendienst.* Vor allem die Kirche muß sich dieser Gefahr ausgesetzt sehen. Doch in Wahrheit geht es in der Kirche – wie Bonhoeffer immer wieder betont – nicht um Religion, sondern um das Gestaltgewinnen des Christus unter einer Schar von Menschen. Religion würde diesem »Gestaltgewinnen« entgegenwirken, einem vorgestellten Leitbild zustreben und die Vermessenheit einer religiösen Weltgestaltung begehen.

Deutlicher werden die Kennzeichen von »Religion« in den Aufzeichnungen aus dem Gefängnis (»Widerstand und Ergebung«). »Die Religiösen sprechen von Gott, wenn menschliche Erkenntnis (manchmal schon aus Denkfaulheit) zu Ende ist oder wenn menschliche Kräfte versagen« (307). Religion wird zu einem Mittel, den Aporien des Handelns und Denkens zu entgehen, jenseits der fragwürdig oder brüchig gewordenen menschlichen und weltlichen Lebensverhältnisse einen in jeder Hinsicht entlastenden, wunderhaften Ausweg und Neuansatz der Orientierung im Denken und Handeln zu gewinnen. Kennzeichen von »Religion« ist der Glaube an Gott als den »deus ex machina«, als urplötzlich und abrupt auftretendes Allheilmittel, als Wunderdroge und geheimnisvolles Lösungsphänomen. An den Grenzen der Erkenntnis und der Kraft wendet man sich an ihn und spricht von ihm. *Als Geheimnis der Religion erweist sich die menschliche Grenzsituation.* Auch die Existenzphilosophie (Karl Jaspers) hatte – auf ihre Weise – diesen Aspekt gefördert. Bonhoeffer aber wurde das Reden von den menschlichen Grenzen zutiefst fragwürdig (307). Gibt es solche Grenzen überhaupt? Was heute als Grenze der Erkenntnis und der Leistungsfähigkeit der Menschheit gilt, kann schon morgen durch neue Errungenschaften von Wissenschaft und Technik hinfällig werden. Selbst der Tod – ist er noch eine »echte Grenze«? Viele fürchten ihn kaum noch. Und schon gar nicht wird man von der »Sünde« als von einer »Grenze des Menschen« sprechen können. Denn wer kann überhaupt noch begreifen, worum es geht? So wird denn alles Gerede von den menschlichen Grenzen auf seinen geheimen Sinn hin zu befragen sein. Warum werden so eifrig und nachhaltig Grenzen des

Menschlichen behauptet und aufgerichtet? Bonhoeffer meint, man wolle
»*ängstlich Raum aussparen für Gott*« (307). Religion will ihren Bezugsbe-
reich behaupten und »Gott« jenseits der Grenzen, in der Separation, zu
Ehre und Ansehen verhelfen. Religion will sich betätigen an den »Grenzen
des Menschengeschlechts«. Sie bezieht sich auf das *Jenseits* und wirkt als
Koalitionsgehilfe im Verhältnis zur göttlichen Macht jenseits der Grenzen.
Der religiöse Mensch schaut über sich hinaus auf die *Transzendenz*, auf
»Gott hoch über uns«, auf »Gott jenseits alles menschlichen Erkennens und
Vermögens«.

Aber ist der in der Bibel Alten und Neuen Testaments Bezeugte nicht ein
solcher »Gott hoch über uns«, ein »Gott jenseits alles menschlichen Erkennens und Vermögens«? Bonhoeffer argumentiert in der Abweisung solcher
Vermutungen christologisch: »Gott ist mitten in unserm Leben jenseits«
(308). Und nun kommt es auf die Akzentsetzung an: Er ist Gott *mitten unter uns.* »Jenseits« aber bedeutet hier: Er ist *Gott* mitten unter uns; und also
in der unverwechselbaren Weise Gott, in der er ganz bei uns ist – bis in den
Tod hinein. Die religiöse, aber auch die erkenntnistheoretische Rede von
der Transzendenz hat mit *dieser* Transzendenz Gottes »nichts zu tun«
(308). Sie ist ein ganz anderes Genus, nämlich das der Metaphysik. Religion
und Metaphysik haben ihr eigenes Bild von »Gott«, das der im Christus-Er-
eignis erfüllten biblischen Verkündigung völlig inkomparabel, ja sogar ent-
gegengesetzt ist. Dem Raum-Aussparen religiöser Provenienz steht das Ge-
staltgewinnen-Wollen des Christus diametral gegenüber. Doch was meint
Bonhoeffer, wenn er als Kennzeichen von Religion die Begriffe »Transzendenz« und »Metaphysik« einführt? Diese als Chiffren auftauchenden Begriffe sind nicht ausreichend erklärt, sie tendieren jedoch in ihrem Bedeutungsge-
halt jedoch auf »*Theismus*« hin. »Theismus« kann man diejenige katego-
riale religiöse Auffassungsweise nennen, die in geprägter Eindeutigkeit und
unerschütterlicher Sicherheit die Vorstellung von einem außerweltlichen
(transzendenten), persönlichen, selbsttätigen Allherrn und unnahbaren
Gott *fixiert und stabilisiert.* Aber diesem Theismus liegt, wie Bonhoeffer
ausdrücklich betont, keine echte Gotteserfahrung zugrunde, er stellt ein
»Stück prolongierter Welt« dar (414).

Bezeichnend für »Religion« ist *die Korrespondenz von Innerlichkeit und
Transzendenz.* Der Gott der Religion ist ein überweltliches Wesen, »ganz
draußen« und doch zugleich, im Persönlichen und Privaten, im Inneren und
Innerlichen, »ganz drinnen«. Das Raum-Aussparen für Gott, das zugleich
eine Verdrängung Gottes aus der Welt bedeutet, hat den rückwirkenden Effekt, »ihn wenigstens in dem Bereich des ›Persönlichen‹, ›Innerlichen‹, ›Privaten‹ noch festzuhalten« (377). Dem Außenbereich der theistisch vorgestellten Transzendenz Gottes korrespondiert der Bereich des Intimen. Aus
den religiösen Ressourcen der Innerlichkeit lebt der homo religiosus, will er
– mit göttlichem Beistand – »aus sich selbst etwas . . . machen« (402). In-
dessen waltet im Korrespondenzfeld der Transzendenz und Innerlichkeit
eine *religiös-esoterische Terminologie,* ein Sprachgefüge mit allen spezifi-

schen Formulierungen und Wortbildungen von Religion, ausgerichtet auf
»Gott« in der Separation, ein durch Tradition und Erziehung eingeübter
Mechanismus frommen Lebens.

Im Christentum (von ihm ist bei Bonhoeffer allein die Rede) erfüllt *die
Kirche* die Funktionen von Religion. Ihre Funktionäre sind »Pfaffen«,
Grenzwächter des Lebens, ruhelos Tätige, die hinter den Schwachen und
Sünden der Menschen herschnüffeln (377f.). Die »Kammerdienergeheim-
nisse« (vom Gebet bis zur Sexualität) sind zum Jagdgebiet der modernen
Seelsorger geworden. Die Schwächen, das Widerliche, die Sünden werden
»ausspioniert«. Als Vermittler zwischen dem transzendenten Gott und der
Innerlichkeit bedienen Pfarrer sich einer besonderen Sprache, der Kanzel-
sprache, der »Sprache Kanaans«. Bonhoeffer denkt hier keineswegs an Entstellungen und extreme Amtsausübungen in der Praxis der Kirche. Er hat
die allsonntägliche »religiöse Predigt« im Sinn, die sich wie ein Ritual aus-
nimmt. Die Bilanz ist trostlos: »Pietismus als letzter Versuch, das evangelische Christentum als Religion zu erhalten; die lutherische Orthodoxie, der
Versuch, die Kirche als Heilanstalt zu retten; Bekennende Kirche: Offenbarungstheologie . . .« (413).

An dieser Stelle gerät auch *Karl Barth*, wie in anderem Zusammenhang schon gezeigt wurde, in das Schußfeld. Ihm wird der Vorwurf gemacht, er habe die Religionskritik nicht radikal
zu Ende geführt, sondern in seiner (die Bekennende Kirche bestimmenden) Offenbarungstheologie an die Stelle von Religion *die Kirche* gesetzt. Diese kritischen Äußerungen fallen immer
wieder, obwohl es unabstreitbar ist, daß Bonhoeffer den Kennzeichen von »Religion« in den
frühen Schriften Barths zuerst begegnet ist. Die ersten Impulse hat er wohl empfangen aus
Barths Vortrag »Biblische Fragen, Einsichten und Ausblicke« (so *B.-E. Benktson*, Christus und
die Religion, 1967, 67).

Die Kirche, deren Lebensraum von allen Kennzeichen der »Religion« geprägt ist, vollzieht eine *Moralisierung der Gebote Gottes.* Bonhoeffer hält
die übliche Auslegung des ersten Gebotes in der Apostrophierung der Götzendienste »Reichtum, Wollust und Ehre« für eine solche religiöse Moralisierung, die unbiblisch ist, aber auch allen aktuellen Voraussetzungen widerspricht: »Götzen werden *angebetet* und Götzendienst setzt voraus, daß
Menschen überhaupt noch etwas anbeten. Wir beten aber gar nichts mehr
an, nicht einmal Götzen. Darin sind wir wirklich Nihilisten« (368). Bonhoeffer spricht sich also gegen die Auffassung aus, es könne das erste Gebot
auf eine »religiöse Welt« übertragen werden. Die Moralisierung steht im
Bann der Prämisse einer Allwirksamkeit von Religion. – Man wird freilich
kritisch bemerken müssen, daß Bonhoeffer in polemischer Überspitzung
nicht bedacht hat, daß es sich im ersten Gebot tatsächlich um solche *Mächte*
handelt, die den Menschen ganz in Anspruch nehmen, die ihm seine Freiheit rauben, für die er alles andere »opfert«.

Ein weiteres Kennzeichen von »Religion« läßt sich mit dem Begriff der
Partialität angeben (*E. Bethge*, Dietrich Bonhoeffer, 982). Schon die Re-
striktion des Glaubens auf den Bezirk der Innerlichkeit kündigt an, daß Gott

eine »mehr oder weniger respektable Provinz aus dem gesamten Lebens-
vollzug zugewiesen« wird (Bethge, 982). Diese Begrenzung kann sich auch
in anderen Lebensbereichen durchsetzen und behaupten. Doch derartige
Restriktionen haben mit dem Grundverständnis des Glaubens im Sinne des
Neuen Testaments nichts zu tun. Der Glaube ist immer etwas Ganzes, ein
totaler, umfassender Lebensakt. Religion aber bezieht sich auf einzelne,
ausgegrenzte Bereiche; sie tendiert auf Partielles. Dabei ist sie stets um die
Einhaltung und Respektierung ihrer Grenzen bemüht. In der Kirche spiegelt sich dieser religiöse Vollzug in der Selbstverteidigung.

   Immer wieder wird die Frage gestellt: Kann der Mensch wirklich auf »Religion« verzichten? Bedarf er nicht des Bewahrenden, Stützenden, Stabilisierenden, das von jeder Religion ausgeht? Hat nicht Bonhoeffer selbst die
Anweisung Luthers, beim Morgen- und Abendgebet sich »mit dem Kreuz
zu segnen«, als eine Hilfe empfunden? Er schreibt: »Es liegt darin etwas Objektives, nach dem man hier besonderes Verlangen hat« (154). *Der »religiöse« Akt als Hilfe, als das Objektive?* Tritt damit nicht ein entscheidendes
Kennzeichen von »Religion« in Bonhoeffers eigenem Verhalten auf?

> Wie steht es überhaupt mit dem *Gebet*? Ist es nicht *der* religiöse Akt schlechthin und also *das*
> Kennzeichen von »Religion«? Und müßte nicht im Blick auf das Thema »Gebet« die ganze Pro-
> blematik von Religion und Religionskritik noch einmal von Grund auf neu aufgerollt werden?
> Karl Barth hat dies getan. Und *O. Herlyn* erklärt zu Recht: »Kein Zweifel, daß Barth mit seiner
> Lehre vom Gebet die Sache des ›religionslosen Christentums‹ entschieden bei den *Hörnern* ge-
> packt, d.h. jene scheinbar offengebliebene Frage nicht nur andeutungsweise oder – wie Bon-
> hoeffer – dunkel ahnend, sondern ausgesprochen deutlich und bewußt beantwortet hat« (Reli-
> gion oder Gebet, 125f.).

   Doch Bonhoeffer fährt fort: »Erschrick nicht! Ich komme bestimmt nicht
als ›homo religiosus‹ von hier heraus!« (154). War demnach der religiöse
Akt des Sich-Segnens mit dem Kreuz ein Rudiment, dessen religiöser Charakter geflissentlich übergangen wird? Bonhoeffer weist sofort jeden Verdacht zurück: »ganz im Gegenteil, mein Mißtrauen und meine Angst vor
der ›Religiosität‹ sind hier noch größer geworden als je« (154). *Mißtrauen
und Angst!* Wird die kritische Kennzeichnung von »Religion« aus untergründigen, unbewußten Aversionen und Aggressionen gesteuert? Öffnet
sich hier ein Feld der Psychoanalyse? Und sind bei Barth möglicherweise
ähnliche Syndrome zu bedenken, wenn er – im Blick auf »Religion« – sagt:
»I hate the word«? Mißtrauen, Angst, Haß: Sind dies die geheimen Trieb-
federn der Religionskritik? Ist die Religionskritik Barths und Bonhoeffers
einer »ekklesiogenen Phobie« erwachsen, der Angst vor den unheimlichen
Phänomenen der narzißtischen Frömmigkeit?

   Man könnte in solcher Nachfrage fortfahren und neben das psychologi-
sche *das soziologische Motiv* setzen: Die Kirche – in ihrer introvertierten
Lebensweise der Religion – übt keine Wirkung auf die breiten Massen aus;
das Christentum ist eine Sache der Klein- und Großbürger geworden (414).
Sind derartige soziologische Beobachtungen und Analysen Anlaß zu einem

psychologisch zu sondierenden Aggressionsverhalten geworden? Noch
einmal: Ist die gesamte *theologische* Religionskritik psychologisch und soziologisch reduzierbar und erklärbar?

Es wird gewiß kein Widerspruch dagegen zu erheben sein, daß Barths und
Bonhoeffers Religionskritik *auch* auf ihre psychologisch und soziologisch
erhebbare Motivation hin untersucht wird. Doch ist zu fragen, ob damit *das
eigentliche Movens* tatsächlich getroffen und erfaßt worden ist. Zur Religionskritik Karl Barths wurden die theologischen Voraussetzungen, Zusammenhänge und Zielsetzungen eingehend entfaltet und dargestellt. Zu
Dietrich Bonhoeffers Entwürfen ist einstweilen nur darauf hinzuweisen –
und davon wurde ausgegangen –, daß die Kennzeichnung dessen, was als
»Religion« zu benennen ist, im jeweiligen Kontext als Gegenbild, als kontrastierendes Moment in Erscheinung tritt. Kontrastierend zu welchen Pro-
pria? Ohne allen Zweifel ist hinzuweisen auf die am Evangelium orientierte,
tiefe Diesseitigkeit des Christentums: »Nicht ein homo religiosus, sondern
ein Mensch schlechthin ist der Christ, wie Jesus« (401). Wie noch zu zeigen
sein wird, korrespondiert mit der christologischen die alttestamentliche Argumentation. Der *biblische Bezug* ist also entscheidend. Zudem der Rekurs
auf die *Reformation:* »Ich glaube, daß *Luther* in dieser Diesseitigkeit gelebt
hat« (401).

»Die Diesseitigkeit ist . . . Ausdruck für eine wesentliche Tendenz, die Bonhoeffer in der
Theologie Luthers gefunden hat« (*B.-E. Benktson,* Christus und die Religion, 1967, 82). – Ob
freilich auch die Gegenüberstellung: »Bonhoeffers christozentrische Orientierung ist luthe-
risch, nicht barthisch« (84f.) angemessen ist, dürfte in vieler Hinsicht höchst zweifelhaft, zu-
mindest aber ein wenig konfessionalistisch motiviert sein.

Aber es kann sich in den zuletzt gegebenen Hinweisen nur um erste, vorläufige Erklärungen handeln, die noch einer umfassenden Darstellung bedürfen. Auch sind die »signa religionis«, die in diesem Abschnitt aufgezeigt
wurden, noch nicht vollständig aufgewiesen. Hier sind Ergänzungen erforderlich, die nur in kontextualer Interpretation geleistet werden können. Die
systematischen Untersuchungen werden in jeder Hinsicht flexibel sein
müssen. Abzusehen ist darum von abstrakten Registrierungen. Was bisher
ausgeführt wurde, wird auf der ganzen Linie auch als Problemanzeige aufzunehmen sein.

3. Die kulturgeschichtliche Situation

Eine Vorbemerkung ist erforderlich. Man hat die wesentliche Komponente
der Religionskritik Bonhoeffers, um die es sich in diesem Abschnitt handeln
soll, zumeist als »geistesgeschichtlich« bezeichnet. Doch wäre es angemessener, von einer *kulturgeschichtlichen Analyse* zu sprechen, die in »Widerstand und Ergebung« in verschiedenen Anläufen unternommen wird. »Re-

ligion« ist eine Lebensäußerung der Kultur. So sind es kritische Reflexionen zur Kulturgeschichte, die in Bonhoeffers Aufzeichnungen vor uns liegen.

Derartige Reflexionen sind schon in den Fragmenten zur »Ethik« nachweisbar. Bonhoeffer befaßt sich dort mit dem großen »*Säkularisierungsprozeß* . . ., an dessen Ende wir heute stehen« (102). In dieser Formulierung wird ein Moment erkennbar, das sich hernach in »Widerstand und Ergebung« noch deutlicher durchsetzt: *das epochale Bewußtsein, am Ende einer geschichtlichen Entwicklung angelangt zu sein.* Natürlich wird man schon jetzt fragen können, ob dieses »epochale Bewußtsein« in einem untergründigen Zusammenhang zur Krisensituation des Zweiten Weltkrieges steht. Doch machen es sich diejenigen Kritiker gewiß zu leicht, die in die Distanz getreten sind und mitleidig-verständnisvolle Worte suchen, um wenigstens die »besondere Lage« des Krieges, und später auch des Gefängnisses, Dietrich Bonhoeffer zugute zu halten. Nur aus dem höchsten Gegenwartsbewußtsein heraus wird Geschichte erkannt (F. Nietzsche). Der Abstand abgeklärter Betrachtung schließt stets ein Defizit an Deutungskraft in sich. Vor allem christlicher Glaube weiß sich in die Erkenntnis-Korrelation von Gegenwart und Geschichte hineingestellt. In diesem Sinne negierte Bonhoeffer die distanzierte Beobachtung und sah sich der Alternative Verwerfung oder Anerkennung angesichts geschichtlicher Entwicklungen ausgesetzt. Die Wahrheitsfrage wußte er gestellt. Die Entscheidung hat Vorrang vor der gemächlichen Interpretation. »Nur soweit die Historie dem Leben dient, wollen wir ihr dienen«, erklärte Friedrich Nietzsche. Bonhoeffer war sich seines Vorgehens in den kulturgeschichtlichen Analysen bewußt; er hatte ein klar konturiertes Geschichtsverständnis (vgl. *R. Mayer*, Christuswirklichkeit, 1969, 97f.).

> Es wird damit ein Terrain betreten, das hart umkämpft ist. Die Problematik des angedeuteten *Geschichtsverständnisses* zeigt keiner so deutlich auf wie Friedrich Nietzsche, auf dessen Sicht soeben hingewiesen wurde. Die historisch Denkenden »glauben, daß der Sinn des Daseins im Verlaufe seines *Prozesses* immer mehr ans Licht kommen werde, sie schauen nur deshalb rückwärts, um an der Betrachtung des bisherigen Prozesses die Gegenwart zu verstehen und die Zukunft heftiger begehren zu lernen; sie wissen gar nicht, wie unhistorisch sie trotz aller ihrer Historie denken und handeln, und wie auch ihre Beschäftigung mit der Geschichte nicht im Dienste der reinen Erkenntnis, sondern des Lebens steht« (*F. Nietzsche*, Werke Bd. I, ed. *K. Schlechta*, 1973, 217). Man wird diese Überlegungen im folgenden zu bedenken haben.

Schon in der »Ethik«, so wurde angesetzt, befaßte Bonhoeffer sich mit dem großen Säkularisierungsprozeß, an dessen Ende wir heute stehen. Wie wird dieser Säkularisierungsprozeß gesehen und gedeutet? Drei Aspekte werden zu beachten sein: 1. Die mißverstandene lutherische Lehre von den zwei Reichen führte zur Befreiung und Heiligsprechung der Welt und des Natürlichen. »Obrigkeit, Vernunft, Wirtschaft, Kultur nehmen das Recht einer Eigengesetzlichkeit für sich in Anspruch . . .« (102). *Der reformatorische Ansatz zur Entdeckung der Weltlichkeit der Welt wurde säkularistisch usurpiert.* – 2. In der französischen Revolution ereignete sich die Enthüllung des befreiten Menschen in ungeheurer Gewalt und entsetzlicher Verzerrung. »Der befreite Mensch, das heißt hier die befreite ratio, die befreite Klasse, das befreite Volk« (103). Fortan galt die intellektuelle Redlichkeit, auch in Fragen des Glaubens. Denn die befreite ratio durchleuchtete alles. Ihr freier Gebrauch schuf eine Atmosphäre der Wahrhaftigkeit, der Helle und der Klarheit (103). »Hinter Lessing und Lichtenberg können wir nicht mehr zurück« (104). *Die neue geistige Einheit des Abendlandes, die durch die französische Revolution geschaffen wurde, bestand in der Befreiung des Menschen als ratio, als Volk, als Masse. – 3. Am Ende dieses neuen Weges erhebt sich der Nihilismus, die spezifisch abendländische Gottlosigkeit*, die nicht, wie der griechische, indische oder chinesische Atheismus, sich in der theoretischen Leugnung der Existenz eines Gottes äußert, sondern selbst Religion ist: »Religion aus Feindschaft gegen Gott« (109). Weil die Polemik von ihrer Vergangenheit nicht lassen kann, muß sie wesentlich religiös sein. Nach menschlichem Ermessen läßt gerade dieser Rückbezug sie als so hoffnungslos gottlos erscheinen. Diese abendländische Gottlosigkeit mit allen ihren spezifischen Erscheinungsformen erstreckt sich von der »Religion des Bolschewismus« bis mitten in die christlichen Kirchen hinein (109). Ihre Kehrseite ist die schrankenlose Apotheose des Menschen.

Überdenkt man diese Aspekte, dann steht die abendländische Kultur im Zeichen der Usurpation reformatorischer Freiheitseröffnung, des Hervortretens eines revolutionären, in erster Linie rationalen Befreiungsprozesses und eines »religiös« motivierten Atheismus. Wohlbemerkt: Bonhoeffer fragt nach dem Prozeß der Säkularisierung. Seine leitende Fragestellung ist darum an *Religion* orientiert, an der Entwicklung von der religiösen zur weltlichen, verweltlichten Lebensauffassung. Unter einem solchen Gesichtspunkt bleibt das Religiöse auch dort im Spiel, wo es sich um die Kennzeichnung der abendländischen Gottlosigkeit handelt. Als Gott-losigkeit kommt sie von ihren religiösen Ursprüngen nicht los.

Aufschlußreich sind in der »Ethik« auch die Ausführungen Bonhoeffers zur Bedeutung der *Aufklärung*. Recht und Unrecht dieser Bewegung werden sorgfältig abgewogen. »Die Aufklärung hat uneingeschränkt recht in ihrem Hinweis darauf, daß sich das Ethische nicht auf eine abstrakte Gesellschaftsordnung . . . bezieht« (289f.). Unrecht aber hat die Aufklärung dort, wo sie über die polemischen Sätze hinaus den Menschen selbst wieder zu einer Abstraktion macht (290). Nur diese Gegenüberstellung sei hervorgehoben, weil sie sich in späteren Überlegungen als aufschlußreich erweisen wird.

In »Widerstand und Ergebung« unternimmt Bonhoeffer *verschiedene Versuche kulturgeschichtlicher Analyse*, die selbstverständlich nicht auf eine systematische Geschlossenheit hin untersucht werden können, die jedoch übereinstimmen in der Eindeutigkeit ihrer Intention und Zielsetzung. Im historischen Rückblick wird eingesetzt bei der im Kampf gegen das Papsttum erwachsenen »Weltlichkeit« des 13. Jahrhunderts. Da ist von Walther von der Vogelweide, von der Nibelungen- und Parzivaldichtung, aber auch vom Naumburger und Magdeburger Dom die Rede. Eine »christliche«, antiklerikale Weltlichkeit bricht auf. Vom Weltbewußtsein der Renaissance ist sie durchaus wesensverschieden. Später taucht diese Strömung wieder auf bei Lessing; auch bei Goethe, Stifter und Mörike sind Nachwirkungen zu entdecken (258). Bonhoeffer entwirft eine Skizze, in die auch Humanismus und Klassizismus einbezogen sind. Er will an die *Ursprünge der Wahrnehmung von Weltlichkeit* heranführen. Damit bewegt er sich auf den Spuren der Exkurse, in denen Karl Barth in KD I,2 die seit der Renaissance angebrochenen Veränderungen umrissen hatte.

In »Widerstand und Ergebung« beginnt eine Aufzeichnung vom 16.7.1944 mit dem Stichwort »Zum Historischen: . . .« Es folgt ein relativ umfangreicher Aufriß, der die *eine* große Entwicklung aufzeigen will, die zur *Autonomie der Welt* führte (392ff.). In Theologie, Moral, Politik, Philosophie – überall ist der gleiche Trend erkennbar. In der Theologie behauptete Herbert von Cherbury die Suffizienz und Dominanz der Vernunft in der religiösen Erkenntnis. In der Moral traten Lebensweisheit und pragmatische Verhaltensregeln an die Stelle der göttlichen Gebote (Montaigne, Bodin). In der Politik wurde die Lehre von der Staatsraison begründet (Macchiavelli), die Autonomie der menschlichen Gesellschaft behauptet und das Naturrecht als Völkerrecht aufgestellt, »etsi deus non daretur« (Hugo Grotius). In der Philosophie wurde durch den Deismus des Descartes, durch Spinoza, Kant, Fichte und Hegel der Schlußstrich gezogen. »Überall ist die Autonomie des Menschen und der Welt das Ziel der Gedanken« (393). Dies bedeutet aber: »Gott als moralische, politische, naturwissenschaftliche Arbeitshypothese ist abgeschafft, überwunden; ebenso aber als philosphische und religiöse Arbeitshypothese (Feuerbach!)« (393). Die intellektuelle Redlichkeit gebietet zu erkennen, daß wir seither in einer Welt leben müssen, in der »Gott« von der Autonomie des Menschen völlig verdrängt worden ist. Was Bonhoeffer meint, wird man sich erneut an dem heute stärker ins Bewußtsein getretenen Begriff des *Theismus* verdeutlichen können. Christentum und griechische Philosophie hatten ein Welt- und Lebensbewußtsein geformt, in dem ϑεός, Gott, für die religiöse Vorstellung und ihr Umfeld die selbstverständliche Voraussetzung und das allem Denken und Tun überlegene Prinzip war. Dieses Gottes transzendentes Sein erfüllte das All. Seine Ewigkeit umschloß die Zeit. Seine Allmacht durchdrang den Raum. Doch die Entwicklungen in Theologie, Moral, Politik, Philosophie und Naturwissenschaft zersetzten das theistische Prinzip und verdrängten »Gott« aus dem vom autonomen Menschen nunmehr besetzten und beherrschten Raum. *Aus der Sphäre der religiösen Vormundschaft ging eine mündige Menschheit hervor.* Diese Entwicklung ist nicht mehr rückgängig zu machen. Irreversibel ist die epochale Wende. Und zu beachten bleibt, daß sich bei Bonhoeffer der Begriff der »Religion« mit der Vorstellung von Unmündigkeit und Unfreiheit verbindet. Damit wird der Grundaspekt der Aufklärung aktualisiert.

Im Unterschied zu Barth erfährt der kulturgeschichtliche Aspekt eine weitreichende Bedeutung in Bonhoeffers Religionskritik. Man wird freilich nicht behaupten dürfen, wie es immer wieder geschehen ist, daß diese Religionskritik *exklusiv* kulturkritisch fundiert und motiviert sei. Dies sei schon jetzt betont und wird im nächsten Abschnitt näher zu begründen sein. Doch wird zunächst von einem *erheblichen Unterschied zwischen den Auffassungen Bonhoeffers und Barths* auszugehen sein. Bonhoeffer selbst will diesen Dissensus als wesentlichen Fortschritt erkannt und gewahrt wissen. Wohl war auch Barth bemüht, die Entwicklung in Renaissance und Neuzeit hinsichtlich der Wandlung des Religionsbegriffs darzustellen (KD I,2:367f.), doch bilden die Phänomene »Mündigkeit«, »Emanzipation« und »Säkularismus« lediglich den Hintergrund für eine Wandlung des Verständnisses von »Religion«, die aber keine maßgebenden Konsequenzen für die Religionskritik in sich trägt.

> E. *Bethge* sieht *die Unterschiede* so: »Barth verstand die Religion im Sinn von Gläubigkeit auch als ein unvermeidbares Merkmal des glaubenden Menschen – wie es auch Bonhoeffer in seiner Frühzeit getan hat, etwa in ›Akt und Sein‹. Jetzt aber scheint das Phänomen Religion bei Bonhoeffer nicht mehr eine ewige begleitende Grundbefindlichkeit des Menschen zu sein, sondern ein geschichtliches, vorübergehendes, so vielleicht nicht wiederkommendes ›westliches‹ Phänomen. Damit ging Bonhoeffer allerdings über Barth hinaus. Was damit aber alles in Fluß gerät, das ist bei Bonhoeffer nicht mehr genügend durchreflektiert, und hier bieten die vorhandenen Äußerungen eine offene, schwache Stelle« (Dietrich Bonhoeffer. Eine Biographie, 978f.). Was die kritischen Schlußbemerkungen dieses Passus betrifft, so wird die skizzenhafte kulturgeschichtliche Analyse mit ihren dezidierten Thematisierungen und Folgerungen in der Tat als eine »offene, schwache Stelle« zu bezeichnen sein. Doch bekommt Bonhoeffers Religionskritik ihre eigentliche Gestalt und Kontur erst durch das Zusammenwirken der kulturgeschichtlichen und der biblischen Komponenten. Sicher versteht er Religion als eine »geschichtlich bedingte und vergängliche Ausdrucksform« (vgl. auch E. *Feil*, Die Theologie Dietrich Bonhoeffers, 1971, 345f.). Aber es wird eben doch nur die eine Seite gesehen, wenn erklärt wird: »Der Religionsbegriff Bonhoeffers ist nicht mehr systematisch im Sinne der Dialektik Barths, sondern ›geistesgeschichtlich‹ im Sinne der Zugehörigkeit zu einer bestimmten Phase der Geschichte; Religion ist nun für Bonhoeffer ein ›geschichtlich bedingtes und vergängliches‹ Phänomen« (346). – Vgl. auch: *H. E. Tödt*, Glauben in einer religionslosen Welt. Muß man zwischen Barth und Bonhoeffer wählen?: Ev. Kommentare 9, 1976, 148–151.

Bonhoeffer versteht also – und mit großem Nachdruck wird diese Auffassung verfochten – *Religion als kulturgeschichtlich bedingte Form des christlichen Glaubens, die durch die Entwicklung schon seit geraumer Zeit zerbrochen und überholt worden ist.* Bei der Lektüre von Carl Friedrich von Weizsäckers Buch »Weltbild der Physik« wird ihm deutlich, daß man Gott nicht zum Lückenbüßer für unvollkommene Erkenntnis figurieren lassen kann. Die moderne Naturwissenschaft verwehrt es, von den Grenzen her »Gott« in die Lücken menschlicher Erkenntnis einzuführen und die Domäne seiner Macht in den Fragen und Verlegenheiten der Forschung anzusiedeln (341). Doch die christliche Apologetik wurde und wird nicht müde in den Versuchen und Bemühungen, der mündigen Welt zu beweisen, daß sie ohne den Vormund und Lückenbüßer »Gott« nicht existieren kann (357). Bonhoeffer macht der liberalen Theologie den Vorwurf, daß sie es der Welt

überlassen habe, Christus seinen Platz im Kosmos zuzuweisen. Mit diesem
Vorgehen sei ein relativ milder Friedensschluß zustande gekommen. Doch
die Mündigkeit der Welt kann und darf forthin kein Anlaß mehr sein zu Polemik und Apologetik, »sondern sie wird nun wirklich besser verstanden,
als sie sich selbst versteht, nämlich vom Evangelium, von Christus her«
(360). Diese Erklärung Bonhoeffers verdient darum hohe Beachtung, weil
in ihr deutlich zutage tritt, *daß die Entwicklung zur Mündigkeit, Weltlichkeit und Autonomie einen höheren Erklärungs- und Verstehensgrund hat
als den der immanenten kulturgeschichtlichen Analyse; diese ganze Entwicklung ist nur vom Evangelium, von Christus her zu begreifen.* Es wäre
darum unsachgemäß, die kulturgeschichtliche Komponente für sich zu
nehmen und sie zu verabsolutieren. Wenn Bonhoeffer die geschichtliche
Entwicklung aufreißt, mit religionskritischen Folgerungen aus der Perspektive heraustritt und Karl Barth gegenüber die Errungenschaft des neuen
Aspektes geltend macht, so kann und darf daraus noch lange keine exklusiv
kulturgeschichtliche Argumentation gefolgert werden. Das »Hinauskom-
men« über die Religionskritik Barths, das zweifellos kulturgeschichtlich begründet wird, gibt keine Veranlassung, die biblische Motivation, die bei
Barth *und* Bonhoeffer – mit Differenzierungen im Detail – bestimmend ist,
zurücktreten oder gar verschwinden zu lassen. In dieser Hinsicht macht
man es sich zu einfach, wenn der »systematische« (oder gar »dialektische«)
Zusammenhang bei Barth gegen den »geistesgeschichtlichen« bei Bonhoeffer ausgespielt wird und wenn dann schließlich überhaupt das Proprium der
Religionskritik Bonhoeffers als »geistesgeschichtlich« definiert wird. Auch
völlig abwegig wäre es, wenn das »epochale Bewußtsein« als das punctum
saliens betrachtet würde. Die betonten Äußerungen Bonhoeffers, die erkennen lassen, daß und wie und wo Barth vor dem Ziel überholt worden ist,
haben dazu geführt, daß die Interpretation sich auf *diese* Gesichtspunkte der
Aufzeichnungen fixiert hat. Alle Einseitigkeiten und Kontrastierungen haben in solcher Fixierung ihren Grund. Es kann darum nicht nachhaltig genug auf *die innere Zusammengehörigkeit des kulturgeschichtlichen und biblischen Aspektes hingewiesen werden.* Ja, es kommt der biblischen Sicht –
wie noch zu zeigen sein wird – eine erkenntnisbegründende und erkenntniserschließende Funktion in der kulturgeschichtlichen Analyse zu. Denn nie
hat Bonhoeffer den Standpunkt verlassen: »Nur aus der Heiligen Schrift
lernen wir unsere eigene Geschichte kennen« (Gemeinsames Leben,
[15]1976, 44). Doch bevor auf die damit angesprochenen Zusammenhänge
eingegangen wird, muß die Deutung der geschichtlichen Entwicklung noch
weiterverfolgt werden.

Bonhoeffer ist der Auffassung, daß unsere gesamte 1900jährige christliche Verkündigung und Theologie auf dem *»religiösen Apriori« des Menschen* aufgebaut habe (305). »Religion« wäre somit das von Natur oder dem
Wesen nach Vorhergehende, Vorgegebene, das Angeborene und Ermögli-
chende. Unter dieser Prämisse war »Christentum« immer eine Form (vielleicht die »wahre Form«) der Religion. Wie aber – so erwägt Bonhoeffer –,

wenn es deutlich wird, daß es dieses Apriori gar nicht gibt, sondern daß es eine »geschichtlich bedingte und vergängliche Ausdrucksform des Menschen gewesen ist, wenn also die Menschen wirklich radikal religionslos werden . . .« (305). Was würde eine solche Wende für das Christentum bedeuten? Es hätte seinen Existenz- und Ermöglichungsgrund im Menschen verloren. Implizit deutet Bonhoeffer an, daß die christliche Verkündigung und Theologie in ihrem herkömmlichen Verständnis offensichtlich auf den Anknüpfungspunkt und das Beziehungsziel dieses »religiösen Apriori« im Menschen angewiesen bzw. auf diesen Faktor ausgerichtet war.

Was hier zur Rede und zur Entscheidung steht, ist weder mit Argumenten aus dem Arsenal der Religionswissenschaft noch mit empirischen Allerweltsweisheiten (»nie wird Religion absterben«) abzutun. Es geht um eine *theologische Aussage,* die in der Rechtfertigungslehre ihren Grund hat. Denn Begegnung mit dem vom Evangelium betroffenen Menschen würde bedeuten: »Der finstere, von innen und außen verriegelte, immer tiefer in Abgrund und Ausweglosigkeit sich verlierende Schacht des menschlichen Lebens wird mit Macht aufgerissen, das Wort Gottes bricht herein . . . Das Labyrinth seines bisherigen Lebens stürzt zusammen« (Ethik, 128). Deutlicher kann die alles entscheidende Absage an das »religiöse Apriori« im Menschen nicht formuliert werden. Der für Bonhoeffer entwicklungsgeschichtlich nachweisbare Zusammenbruch des Bezugspunktes »religiöses Apriori« ist nicht einfach geschichtlich ablesbar. *In Nachweis und Deutung waltet ein theologisches Vor-Urteil.*

Man könnte selbstverständlich fragen, ob dieses theologische Vor-Urteil in angemessener Weise Röm 1,19ff. und Röm 2,14ff. berücksichtigt und reflektiert hat. Doch dieser Frage begegnet bereits die Rede von dem Gott, »der die Toten lebendig macht und das Nicht-Seiende ins Sein ruft« (Röm 4,17). Das Verhältnis zu diesem Gott ist kein »religiöses« zu einem denkbar höchsten, mächtigsten, besten Wesen. Die Kulturgeschichte liegt im Licht der »Christuswirklichkeit«. »Geschichte an sich« ist stumm. Auch die Geistesgeschichte als solche hat keine Sprache, keinen sich selbst mitteilenden Geist. Sie ist »Klotzmaterie« (E. Bloch). Im Glauben wirkt sich die erkenntnisbegründende und erkenntniserschließende Wahrheit biblischer Verkündigung aus. Geschichte wird zum Feld des Erweises. Das »epochale Bewußtsein«, am Ende einer Entwicklung zu stehen, hat antwortenden Entscheidungscharakter und ist nicht zu verwechseln mit geschichtstheologischer oder religionspsychologischer Spekulation, auch nicht mit empirischen Erhebungen oder gar mit Auskünften, die der »Offenbarungsquelle« der Geschichte entnommen worden wären.

Gewiß hat Bonhoeffer sich intensiv – auch psychologisch und soziologisch – mit den *religionslosen Menschen seiner Umwelt* befaßt. Im Brief vom 30.4.1944 ist von dem »religionslosen Arbeiter oder Menschen überhaupt« die Rede (WuE, 306). Darüber hinaus wird mehrfach der Massen gedacht, die kein Organ und keine Empfänglichkeit für die christliche Botschaft mehr besitzen. Doch diese Aussagen betreffen stets Menschen als

Adressaten des Evangeliums, Menschen in der Beziehung auf den Mensch-
gewordenen. Es sind keine kulturkritischen Erhebungen neutraler Art.
Bonhoeffer ist kein distanzierter Beobachter. Er geriert sich auch nicht als
Kulturprophet, wenn er schreibt: »Wir gehen einer völlig religionslosen
Zeit entgegen; die Menschen können einfach, so wie sie nun einmal sind,
nicht mehr religiös sein« (305). *Dem biblisch geschärften Blick in Gegen-
wart und Geschichte bleibt der Weg in die Zukunft nicht verborgen.* Die
Prognose ist ein Fazit des Gesamtaspektes.

Es gehört zu den unbegreiflichen Argumentationsansätzen, wenn Bonhoeffer entgegengehalten wird, er habe sich geirrt; innerhalb und außerhalb der Kirche seien neue religiöse Bewegungen aufgebrochen, von einer
»völlig religionslosen Zeit« könne überhaupt keine Rede sein. Um die Religion »innerhalb der Kirche« hat Bonhoeffer wohl mehr gewußt als diejenigen, die sich da zum Gegenbeweis anschicken. Was er von dieser »kirchlichen Religion« gehalten hat, ist in der »Ethik« und in »Widerstand und Ergebung« nachzulesen; auf die Hauptthemen wurde Bezug genommen. Und
es gibt keine Anzeichen, daß Bonhoeffer die Lage falsch eingeschätzt hätte.
Im Kontext der zur Rede stehenden Prognose einer völlig religionslosen Zeit
findet sich übrigens der zum Nachdenken Anlaß gebende Satz: »Auch diejenigen, die sich ehrlich als ›religiös‹ bezeichnen, praktizieren das in keiner
Weise; sie meinen vermutlich mit ›religiös‹ etwas ganz anderes« (305). Entscheidend für das Verständnis von »Religion« ist also nicht ein Allgemeinbegriff, den man Bonhoeffer immer wieder unterstellt, sondern die an konkreten Kennzeichen aufgewiesenen Vorstellungen und Praktiken der »religiös« sich nennenden Menschen. Was aber die Situation außerhalb der Kirche betrifft, so ist nicht abzusehen, wo und wie die Erklärungen Bonhoeffers
zur religionslosen Zeit einer Modifizierung bedürften. Will man im Ernst
die religiösen Jugendsekten oder die von östlichen Meditationen und Riten
affizierten Europäer, also jene ganze skurrile Sphäre frustrierter und religiös sich betätigender Minderheiten in den Vordergrund rücken, um die
Tatsache zu verstellen, daß das Heer der Arbeiter und Angestellten, der Ar-
beitergeber und Akademiker in immer tiefere Religionslosigkeit versinkt,
daß also das von Bonhoeffer Angedeutete in einer erstaunlichen Weise sich
bestätigt hat?! Man wird fragen dürfen: Welches Interesse verfolgen eigentlich die Diagnostiker, die überall den Frühling der »Religion« anbrechen sehen? Bonhoeffer hat aber auch nie behauptet, daß »Religion« überhaupt absterben werde. Derartige Vorhersagen hat er sich nicht angemaßt.
Zudem wird zu bedenken sein, daß die kulturgeschichtlichen Deutungen
sich auf die westliche, abendländische Welt beziehen. Die Religionen der
anderen Kontinente werden nicht erwähnt. Allein was im Umfeld des
»Christentums« geschehen ist, tritt ins Licht. Von den Kritikern der Werke
Bonhoeffers wird in viel zu hohem Maß immer wieder unterstellt, daß ein
eindeutig geprägter Religionsbegriff zugrunde liegt – ein Begriff, der sich
allgemein und grundsätzlich bewähren und anwenden ließe. Doch zu diesem Thema ist das Notwendige bereits ausgeführt worden.

Es drängt nun alles dahin, den biblischen Bezug, man wird sagen müssen:
die *biblische Grundlegung* der Religionskritik Bonhoeffers zu erarbeiten.
Auf dem Weg zu dieser Aufgabe wurde die Bedeutung der Aussage erkannt,
die Mündigkeit der Welt werde besser, als sie sich selbst zu verstehen ver-
möchte, vom Evangelium, von Christus her verstanden (360). Was heißt
»vom Evangelium, von Christus her«? Und wie ist dieses (bessere) Verstehen inhaltlich ausgeprägt? Schließlich: Welche Auswirkungen hat das biblische Verstehen auf die Geschichtsbetrachtung und das kulturgeschichtliche
Urteil, das in diesem Abschnitt bedacht wurde?

4. Christusherrschaft und Altes Testament

Es ist davon auszugehen, daß im theologischen Denken Dietrich Bonhoeffers *die Bibel Quelle und Richtschnur aller Aussagen* gewesen ist. Nie hat
sich diese grundsätzliche Einstellung in irgendeiner Weise verschoben. Die
Erklärung »das ist nicht biblisch!« zeigt bis in »Widerstand und Ergebung«
hinein die alles bestimmende Norm an. Daß damit aber nicht im geringsten
Tendenzen verbunden sind, die dem »Biblizismus« eignen, läßt sich auf der
ganzen Linie klar erkennen. So wird man von einer *stringenten Biblizität* im
Lebenswerk Bonhoeffers zu sprechen haben. Auch die kulturgeschichtlichen Analysen und Erweise stehen im Licht biblischer Erkenntnis: »Nur aus
der Heiligen Schrift lernen wir unsere eigene Geschichte kennen« (Gemeinsames Leben, [15]1976, 44).

*Im Verständnis der Bibel ist der Aspekt der Einheit der einzelnen Schrif-
ten wie auch des Alten und Neuen Testaments bestimmend.* »Die Heilige
Schrift besteht nicht aus einzelnen Sprüchen, sondern sie ist ein Ganzes, das
als solches zur Geltung kommen will. Als Ganzes ist die Schrift Gottes Of-
fenbarungswort. Erst in der Unendlichkeit ihrer inneren Beziehungen, in
dem Zusammenhang von Altem und Neuem Testament, von Verheißung
und Erfüllung, von Opfer und Gesetz, von Gesetz und Evangelium, von
Kreuz und Auferstehung, von Glauben und Gehorchen, von Haben und
Hoffen wird das volle Zeugnis von Jesus Christus, dem Herrn, vernehm-
lich« (Gemeinsames Leben, 41). Wenn Bonhoeffer vom Lesen der Bibel berichtet, von seinen Entdeckungen, vom neuen Wahrnehmen und von herausfordernden Erkenntnissen, dann steht dies alles – bis zuletzt – im Zeichen der zitierten Grundsatzerklärung. Dabei sollen jedes dogmatische
Vorwissen und jede schnelle Aneignung und Applikation stets gemieden
werden. Das Lesen und Hören des biblischen Wortes geschieht nicht aus
wissender Distanz oder in pragmatischer Zweckbestimmung. Der Hörer
und Leser der biblischen Texte bekommt Anteil an dem, was zu unserem
Heil geschah: ». . . wir ziehen, uns selbst vergessend und verlierend, mit
durch das Rote Meer, durch die Wüste, über den Jordan ins gelobte Land,
wir fallen mit Israel in Zweifel und Unglauben und erfahren durch Strafe
und Buße wieder Gottes Hilfe und Treue; und das alles ist nicht Träumerei,

sondern heilige, göttliche Wirklichkeit« (Gemeinsames Leben, 43). Die eigene Existenz wird herausgerissen aus den prägenden Lebenszusammen-
hängen, sie wird hineinversetzt in Gottes Geschichte mit dieser unserer
Welt. Dies ist eine in toto andere Einstellung als die jenes »christlichen
Selbstverständnisses«, welches zu erklären vermag: »Mich hat Gott nicht
aus Ägypten herausgeführt« (Herbert Braun). Es verhält sich nicht so, daß
Gott Zuschauer und Teilnehmer unseres gegenwärtigen Lebens ist, sondern
wir sind Zuhörer und Teilnehmer an Gottes Geschichte, an der Geschichte
des Christus auf Erden. Nur sofern wir dort Beteiligte sind, ist Gott auch
heute bei uns. Damit ist eine völlige Umkehrung aller Verhältnisse angekündigt. Unser Leben und unser Heil stehen »außerhalb unserer selbst«
(extra nos). »Wir müssen die Heilige Schrift erst wieder kennenlernen wie
die Reformatoren, wie unsere Väter sie kannten. Wir dürfen die Zeit und
die Arbeit dafür nicht scheuen« (Gemeinsames Leben, 44). Dabei gilt es,
selbständig mit der Bibel umzugehen und keinen heteronomen Anleitungen zu unterliegen.

Auch wenn Bonhoeffer sein Buch »Nachfolge« in den letzten Aufzeichnungen mit Vorbehalten betrachtet und kritisch einige Intentionen revoziert hat, so sollte man doch das *Schriftverständnis* dieses Buches beachten. »Wo der einfältige Gehorsam grundsätzlich eliminiert
wird, dort wird ein unevangelisches Schriftprinzip eingeführt. Voraussetzung für das Schriftverständnis ist dann die Verfügung über einen Schlüssel zum Schriftverständnis. Dieser
Schlüssel ist aber nicht der lebendige Christus selbst in Gericht und Gnade, und die Handhabung dieses Schlüssels liegt nicht mehr allein im Willen des lebendigen heiligen Geistes, sondern der Schlüssel der Schrift ist eine allgemeine Gnadenlehre, und wir selbst verfügen über
seine Handhabung. Das Problem der Nachfolge erweist sich hier auch als ein hermeneutisches
Problem. Es muß einer evangelischen Hermeneutik klar sein, daß es zwar nicht ohne weiteres
angeht, uns mit den von Christus Gerufenen unmittelbar zu identifizieren, vielmehr gehören
ja die Gerufenen der Schrift selbst mit zum Worte Gottes und damit zur Verkündigung«
(Nachfolge, 1940, 37). – In einem Brief Bonhoeffers heißt es: »Ich glaube, daß die Bibel allein
die Antwort auf alle unsere Fragen ist, und daß wir nur anhaltend und etwas demütig zu fragen
brauchen, um die Antwort von ihr zu bekommen. Die Bibel kann man nicht einfach lesen wie
andere Bücher. Man muß bereit sein, sie wirklich zu fragen. Nur so erschließt sie sich. Nur
wenn wir letzte Antwort von ihr erwarten, gibt sie uns. Das liegt daran, daß in der Bibel Gott zu
uns redet. Und über Gott kann man eben nicht so einfach von sich aus nachdenken, sondern
man muß ihn fragen. Nur wenn wir ihn suchen, antwortet er« (Ges. Schr. III, 26). In den letzten Sätzen wird deutlich, daß und wie *Bibel und Gebet* zusammengehören.

Es ist also deutlich: Allein die Bibel will das Wort sein, in dem Gott uns
begegnet und sich finden lassen will. Sie ist ein »fremder Ort«. Ihr Wort
steht uns nicht zur Verfügung, ist uns nicht angenehm oder von vornherein
einsichtig; es ist ein *verbum alienum*. Aber Gott hat diesen und keinen anderen Ort und dieses und kein anderes Wort zur Begegnung mit Menschen
gewählt. Im gesamten theologischen Werk Bonhoeffers ist davon auszugehen. Allerdings zeigt sich in den Aufzeichnungen aus dem Gefängnis, daß
die bittere Wirklichkeit des bedrohten Lebens die »fromme Übung« der Bibellese trifft, daß die gewohnte, »rituelle« Praxis des Lesens und Hörens
eine tiefe Infragestellung erfährt. Es ereignet sich eine neue, nichtreligiöse

Begegnung mit der Bibel Alten und Neuen Testaments. *Was früher zur Selbstaussage und Selbstauslegung biblischer Texte ausgeführt worden war, wird in dieser neuen Begegnung noch einmal, und doch zugleich anders als je zuvor, staunend erfahren.* Es wird neu erkannt, daß die Christuswirklichkeit die Weltwirklichkeit ganz und gar umschließt und durchdringt.

In großer Klarheit tritt in »Widerstand und Ergebung« *die Herrschaft Christi* ins Zentrum. »Jesus nimmt das ganze menschliche Leben mit allen seinen Erscheinungen für sich und das Reich Gottes in Anspruch« (WuE, 375). Gott lebt nicht in der Separation, die die Religiösen für ihn vorgesehen haben, er hat in Jesus die Herrschaft über alle Bereiche des Lebens und der Welt angetreten. Die Christuswirklichkeit durchdringt und umschließt die Weltwirklichkeit. »Reich Gottes« heißt: Gott will in Jesus mitten in der Welt erkannt werden. »Mitten im Leben muß Gott erkannt werden« (341). Bedenkt man alles das, was zur kulturgeschichtlichen Situation und epochalen Wende ausgeführt wurde, so lautet jetzt die Kernfrage und das alles bestimmende Thema: *Christus und die mündig gewordene Welt* (358). Doch die Herrschaft des Christus ist in keinem Moment einem allgemeinen Herrschaftsverständnis zuzuordnen oder in irgendeiner Weise vergleichbar. Das Leben des Jesus von Nazareth ist ein »Dasein für andere«: Teilhabe, Hingabe, Durchleiden aller Tiefen. *Es ist die Herrschaft des Gekreuzigten, die alle Weltverhältnisse wendet und der Religion ein Ende setzt.* Der Mensch wird nicht bevormundet, sondern befreit. Die mündig gewordene Welt begegnet nicht einer despotischen Theonomie oder Christonomie, sondern dem, der für sie – in ihrem modernen Gepräge – ganz »da ist«. Die Religiosität verweist einen leidenden Menschen in seiner Not an den allmächtigen Gott, an Gottes unbeschränkte Macht. »Die Bibel weist den Menschen an die Ohnmacht und das Leiden Gottes; nur der leidende Gott kann helfen« (394).

Was in Kreuz und Auferstehung Jesu Christi geschah, ist vom Inhalt religiöser Erlösungsmythen vollkommen verschieden. Religiöses Erlösungsverlangen strebt aus Sorgen und Sünden, aus Not und Tod einem besseren Jenseits zu. Der Gläubige der Erlösungsreligion flieht aus den irdischen Aufgaben und Schwierigkeiten ins Ewige, Jenseitige, dem dann stets das Innerste der Frömmigkeit korrespondiert. Aber ein solcher Aspekt entspricht nicht dem Neuen Testament. »Die christliche Auferstehungshoffnung unterscheidet sich von den mythologischen darin, daß sie den Menschen in ganz neuer und gegenüber dem Alten Testament noch verschärfter Weise an sein Leben auf der Erde verweist« (369). *Der Christ hat das irdische Leben und Leiden wie Jesus ganz auszukosten* (»Mein Gott, mein Gott, warum hast du mich verlassen?«, Mk 15,34). Nur auf diesem Weg ist der Gekreuzigte und Auferstandene bei ihm, ist er mit Christus gekreuzigt und auferstanden. »Das Diesseits darf nicht vorzeitig aufgehoben werden. Darin bleiben Neues und Altes Testament verbunden. Erlösungsmythen entstehen aus den menschlichen Grenzerfahrungen. Christus aber faßt den Menschen in der Mitte seines Lebens« (369).

Beim Bedenken der Relevanz des Alten Testaments für die Religionskritik Bonhoeffers wird auf diese Einsichten zurückzukommen sein. Kreuz und Auferstehung sind keine religiösen Grenzereignisse, sie betreffen nicht Jenseitiges oder Vermittelndes. Das Leben auf der Erde in seiner Alltäglichkeit, in seinen Aufgaben und Schwierigkeiten steht zur Rede. Herrschaft Christi ist die Gegenwart der Hingabe und der Todesüberwindung mitten im weltlichen Dasein. Entsprechend reden die Evangelien vom Glauben: »Nichts von religiöser Methodik, der ›religiöse Akt‹ ist immer etwas Partielles, der ›Glaube‹ ist etwas Ganzes, ein Lebensakt. Jesus ruft nicht zu einer neuen Religion auf, sondern zum Leben« (396). So sind Christen gerufen, in der gottlosen Welt zu leben. Sie haben nicht den Versuch zu unternehmen, religiöse Enklaven zu bilden, auf Jenseitiges zu verweisen, fromme Innerlichkeit zu erwecken, sondern, befreit von allen in sich fragwürdigen religiösen Bindungen, dürfen und sollen sie *wirkliche Menschen* werden. Solche wirklichen Menschen schafft der Menschgewordene; sie werden hineingezogen in seine humanitas, damit aber auch in sein »Dasein für andere«, in seine Hingabe und sein Leiden. »Nicht der religiöse Akt macht den Christen, sondern das Teilnehmen am Leiden Gottes im weltlichen Leben« (395). Zuvor und grundlegend ist damit das Sein und der Auftrag der Kirche bezeichnet. Gott hat seine Kirche jenseits von Religion und Ethik begründet (Ges. Schr. I,354) – so konnte Bonhoeffer schon 1939 erklären. Zur Teilnahme am Leiden Gottes ist die Kirche erwählt und bestimmt. Sie hat die Herrschaft Christi über alle Bereiche des Lebens der Welt so zu bezeugen, vor allem aber im Tun des Gerechten und Geforderten so zu bewähren, daß die mündige Welt im Gekreuzigten den Menschen aller Menschen zu erkennen vermag. Darum kann fortan »weltlich« nicht mehr die Bedeutung von »gottlos« oder »entchristlicht« haben. »Weltlich« heißt: Unter die Herrschaft des Christus gestellt (vgl. *B.-E. Benktson, Christus und die Religion*, 51).

Wie unangemessen die (vielfach überzogenen) Kontrastierungen der Auffassungen Bonhoeffers in bezug auf Barths Religionskritik sind, zeigt das folgende Zitat: ». . . es genügt Bonhoeffer nicht, in Anlehnung an Barth zu sagen, daß das *Wort Gottes* ›die Kritik aller Religion‹ ist, er spricht im Zusammenhang seiner Kritik an der Religion vielmehr von *Jesus Christus*, worin auch eine indirekte Kritik an Barth enthalten ist« (E. Feil, Die Theologie Dietrich Bonhoeffers, 342). Ganz gewiß ist es zutreffend, daß Bonhoeffer – seit der »Ethik« – die theologische Religionskritik ganz und gar christologisch begründet. Aber ist in dieser Sache ein Unterschied, ja sogar eine indirekte Kritik im Verhältnis zur Theologie Barths zu konstatieren? »Wort Gottes« ist für Barth kein anderer als der Logos Jesus Christus (KD I,2:89ff.128ff.). Und was ist denn die Rechtfertigungslehre, die Karl Barths theologische Religionskritik bestimmt, anderes als eine Präzisierung und Konkretisierung der Christologie?!

Die Ausführungen Bonhoeffers zur Herrschaft Christi vermögen deutlich zu zeigen, *wie eng und unauflösbar Christologie und kulturgeschichtliche Analyse in Bonhoeffers Religionskritik aufeinander bezogen sind.* Ja, es ist noch einmal zu wiederholen, daß das erkenntnisbegründende und erkenntnisleitende Movens der kulturgeschichtlichen Erhellungen in der biblischen Christusverkündigung zu sehen ist.

Aber die Biblizität der theologischen Religionskritik Dietrich Bonhoeffers reicht weiter; sie erstreckt sich in besonderer Weise auf das *Alte Testament*. Und gerade hier ist größte Aufmerksamkeit geboten, weil eine Fülle scharfer, die Religionskritik begründender Gedanken zutage tritt.

An den Anfang ist der folgende Passus zu setzen: »Ich spüre übrigens immer mehr, wie alttestamentlich ich denke und empfinde; so habe ich in den vergangenen Monaten auch viel mehr Altes Testament als Neues Testament gelesen. Nur wenn man die Unaussprechlichkeit des Namens Gottes kennt, darf man auch einmal den Namen Jesus Christus aussprechen; nur wenn man das Leben und die Erde so liebt, daß mit ihr alles verloren und zu Ende zu sein scheint, darf man an die Auferstehung der Toten und eine neue Welt glauben; nur wenn man das Gesetz Gottes über sich gelten läßt, darf man wohl auch einmal von Gnade sprechen, und nur wenn der Zorn und die Rache Gottes über seine Feinde als gültige Wirklichkeiten stehen bleiben, kann von Vergebung und von Feindesliebe etwas unser Herz berühren. Wer zu schnell und zu direkt neutestamentlich sein und empfinden will, ist m.E. kein Christ« (WuE, 175f.). Der zitierte Abschnitt bedarf einer genauen Kenntnisnahme und Interpretation. Da wird zuerst deutlich, wie intensiv sich Bonhoeffer mit dem Alten Testament befaßt hat – so intensiv, daß sein Denken und Empfinden vom Gelesenen und Entdeckten her zutiefst geprägt worden sind. Dabei sind es folgende Erkenntnisse, die herausgestellt werden: 1. Nur die im Alten Testament begegnende »*Unaussprechlichkeit*« *des Gottesnamens* ist die Voraussetzung für ein neues Aussprechen des Namens Jesus Christus. Was ist gemeint? Der Begriff »Unaussprechlichkeit«, den Bonhoeffer einführt und auch an anderer Stelle benutzt, dürfte mehr der jüdischen als der alttestamentlichen Praxis entsprechen. Denn selbstverständlich werden, insbesondere in den Psalmen, Menschen ermutigt und dahin geführt, den »Namen Jahwes anzurufen«. So scheint »Unaussprechlichkeit« sich in erster Linie auf das Verbot der mißbräuchlichen Anrufung oder Nennung des Namens Jahwes zu beziehen, also auf die Heiligung des Gottesnamens. Dem entspräche, was Bonhoeffer einmal zu Ex 20,7 ausgeführt hat: Mißbrauch des Namens Gottes geschieht, »wenn wir den Namen Gottes so selbstverständlich, so oft, so glatt und so vertraulich im Munde führen, daß wir dem Wunder seiner Offenbarung Abbruch tun. Es ist Mißbrauch, wenn wir für jede menschliche Frage und Not vorschnell mit dem Wort Gott oder mit einem Bibelspruch zur Hand sind, als wäre es das Selbstverständlichste von der Welt, daß Gott auf alle menschlichen Fragen antwortet und in jeder Schwierigkeit immer schon zur Hilfe bereit ist. Es ist Mißbrauch, wenn wir Gott zum Lückenbüßer unserer Verlegenheiten machen. Es ist Mißbrauch, wenn wir echte wissenschaftliche oder künstlerische Bemühungen einfach mit dem Worte ›Gott‹ zum Verstummen bringen wollen. Es ist Mißbrauch, wenn wir von Gott reden, als hätten wir ihn jederzeit zu unserer Verfügung. Wir mißbrauchen auf alle diese Weisen den Namen Gottes, indem wir ihn zu einem leeren menschlichen Wort und kraftlosen Geschwätz machen, und wir entheiligen ihn damit mehr, als die Lästerer ihn entheiligen können« (Ges. Schr. IV, 610f.). Im Licht dieser Ausführungen wird deutlicher, was gemeint ist, wenn die im Alten Testament erfahrene »Unaussprechlichkeit« des Namens Gottes erst die rechte Anrufung und Nennung des Namens Jesus Christus ermöglicht. – 2. *Im Alten Testament hängt alles am diesseitigen Leben auf Erden.* Wer das Leben verliert, für den erlischt alle Hoffnung. Er kann »das Licht der Sonne nicht mehr schauen«. Diese alttestamentliche Liebe zur Erde und zum Leben, von der auch Nietzsche so tief beeindruckt war, ist für Bonhoeffer die Voraussetzung dafür, der Verkündigung des Neuen Testaments entsprechend an die Auferstehung der Toten und Gottes neue Welt glauben zu können. Denn wo immer der Glaube an die Auferstehung und das ewige Leben im Umfeld religiöser Lebens- und Weltentsagung angesiedelt ist, da entsteht eine verzerrte Situation, da wird die Wahrheit und Wirklichkeit menschlicher Existenz in einen Dunstkreis gehüllt, der den Glauben als ein verschwommenes Übergangsphänomen im Grenzbezirk des depravierten Daseins erscheinen läßt. – 3. Bonhoeffer bezieht sich sodann ausdrücklich auf das *Verhältnis von Gesetz und Evangelium* (vgl. auch oben S. 78f.), wie es von Luther gelehrt worden ist. Er schließt *Zorn und Rache Gottes* über die Feinde als »gültige Wirklichkeit« ein. Zorn und Rache Gottes können und dürfen nicht von einem »höheren« (angeblich: neutestamentlichen) Standpunkt her ausgetilgt und als »religiös überholt« abgewertet werden. Ausdrücklich wehrt Bonhoeffer es ab, derartige Einstufungen und Wertsetzungen vorzunehmen. Vergebung und Feindesliebe können nur das Herz dessen bewegen, der sich den Aussagen über den Zorn und die Rache Gottes vorbehaltlos ausgesetzt hat. – 4. Mit dem allem wird jener christlich-allzu-christlichen Grundhaltung widersprochen, die sich stets sogleich und unvermittelt auf den Sockel *neutestamentlicher Frömmigkeit* emporschwingen will und ur-christlich zu sein und zu empfinden vorgibt.

Noch ist nicht abzusehen, in welchem Ausmaß Bonhoeffers Satz »Wer zu schnell und zu direkt neutestamentlich sein und empfinden will, ist m.E. kein Christ« die gesamte, seit Schleiermacher systematisch stabilisierte Ausscheidung des Alten Testaments aus der christlichen Glaubenslehre trifft und problematisiert. Ebendies war ja doch die fundamentale Verirrung und Verführung Schleiermachers, daß er mit einem religiösen Prinzip das Neue Testament rezipierte und mit diesem fremden Prinzip das Vorwort und die Vorgeschichte, die das Neue Testament allein erkennen lehrt, eliminierte. Doch es gilt: »Man kann und darf das letzte Wort nicht vor dem vorletzten sprechen. Wir leben im Vorletzten und glauben an das Letzte« (WuE, 176).

Zu F. D. E. Schleiermachers Verständnis des Alten Testaments und Bonhoeffers Äußerungen diametral entgegenstehenden Grundaspekten vgl. *H.-J. Kraus*, Die Biblische Theologie. Ihre Geschichte und Problematik, 1970, 110ff.

Das Alte Testament führt in eine irdische, wahrhaft weltliche Welt. Da wird zur Ehre Gottes gelogen und betrogen, geraubt und gemordet, die Ehe geschieden und gehurt. Da wird gezweifelt, gelästert und geflucht. Gibt es dies alles in der neutestamentlichen Ära nicht mehr? Ist das Alte Testament eine primitive, religiös unterentwickelte »Vorstufe«? Bonhoeffer antwortet: »Das ist eine sehr naive Auskunft; es ist ja ein und derselbe Gott« (176). Damit wird das zu Beginn dieses Abschnitts referierte und erläuterte Bibelverständnis Bonhoeffers bestätigt. Es ist – allen voreiligen Belehrungen zum Trotz – zunächst dabei zu verharren: Bonhoeffer stellt sich in schroffen Widerspruch zu dem gesamten religions- und frömmigkeitsgeschichtlichen Verstehen der Bibel. Er hält es schlicht für eine Naivität, Abstufungen vorzunehmen und religiöse Wertungen einzuführen. Tatsächlich wird ja zu fragen sein, woher die Wertmaßstäbe stammen. Sind sie wirklich im Neuen Testament begründet? Ist es nicht vielmehr eine dann auch das Neue Testament integrierende Entwicklungsideologie, die sich da vermißt, die Evolution biblischen Glaubens zu durchschauen und entsprechende Kriterien für die Erforschung des Prozesses zu gewinnen?! Widerspricht Bonhoeffer dieser Ideologie, so weiß man sich an Sören Kierkegaard erinnert, der einmal schrieb: »Darum wandert meine Seele immer wieder zum Alten Testament zurück und zu Shakespeare. Da fühlt man doch, daß es Menschen sind, die da reden. Da haßt man, da liebt man, mordet seine Feinde, verflucht seine Nachkommen durch alle Geschlechter, da sündigt man« (zit. nach H. Diem, Kierkegaard, 1956, 28). Aber was bei Kierkegaard den Anstrich des bewegten Existenzinteresses hat, steht bei Bonhoeffer unter dem Vorzeichen: »es ist ja ein und derselbe Gott«. Die Einheit und »Selbigkeit« Gottes hat Bonhoeffer stets betont. Der Gott Israels ist der Vater Jesu Christi, ». . . und ist kein andrer Gott«. Aber müßte nicht doch eingeworfen werden, daß es historisch verschiedene und auch sehr unterschiedliche Traditions- und Rezeptionsweisen dieses im biblischen Kanon in seiner Einheit bezeugten Gottes gegeben hat und daß sich dieser historisch-kritischen Einsicht, die Bonhoeffer wohl bekannt war, ein einliniges Verstehen nicht in den Weg stellen darf? Gewiß bestreitet Bonhoeffer nicht die Bedeutung der Geschichte und aller aus dieser Dimension sich ergebenden Zusammenhänge, aber er spricht sich gegen die aus religions- und frömmigkeitsgeschichtlichen Forschungen hervorkommenden, theologisch nicht verarbeiteten und dann auch noch popularisierten *Wertungen* aus – gegen das *Überlegenheitsbewußtsein* derer, die so schnell und so direkt »neutestamentlich sein und empfinden« wollen; also gegen alle diejenigen, die nicht mehr hören, was das Alte Testament in der ihm eigenen Sprache mitteilt, die sich der Menschlichkeit und Weltlichkeit seiner Aussagen nicht mehr aussetzen und sich damit an der Geschichte, in der Gott zur Welt kommt, nicht mehr beteiligen. Es ist ein hartes Wort: Wer so verfährt, ist kein Christ! Das Verhältnis zum Alten Testament stellt in einen *status confessionis*, der den in der hebräischen Bibel forschenden Gelehrten ebenso betrifft wie den urteilsbeflissenen frommen Bibelleser.

B.-E. Benktson hat in seinem Buch sehr eingehend auf Bonhoeffers *Verständnis des Alten Testaments* hingewiesen, vor allem im Kapitel »Christus und der Psalter« (Christus und die Religion, 1967, 36ff.). Wichtig sind die Feststellungen: »Es ist kein Zweifel, daß die lichte Diesseitigkeit aus dem Boden des Alten Testaments Nahrung geschöpft hat, die ›Diesseitigkeit‹, die nicht nur aus seinen Schriften redet, sondern auch von denen bezeugt wird, die ihn kannten, die ›Atmosphäre von Glück‹, in der er lebte . . .« (41f.). »In Wirklichkeit ist Bonhoeffer niemals exklusiv neutestamentlicher Theologe gewesen.« »Das Alte Testament hat schon Anfang der dreißiger Jahre grundlegende Bedeutung für ihn gehabt« (42). »Die intensive Konzentration Bonhoeffers auf das Alte Testament, die in der kontinentalen Theologie der Gegenwart nicht ihresgleichen hat, läßt uns . . . in der Mitte des menschlichen Lebens Gott begegnen« (44). – Vgl. auch *M. Kuske*, Das Alte Testament als Buch von Christus. Dietrich Bonhoeffers Wertung und Auslegung des Alten Testaments, 1971.

Einschneidend und in vieler Hinsicht revolutionär mußte Bonhoeffers *Verständnis des Exodus* wirken. In der christlichen Rezeption des Geschehens der Ausführung aus Ägypten dominierte die typologisch-spirituelle Interpretation, die sich z.B. bei Calvin in der Erklärung äußert: ». . . daß die ägyptische Knechtschaft Israels ein Vorbild der geistlichen Gefangenschaft ist, in der wir alle uns befinden, bis uns der himmlische Befreier durch die Gewalt seines Armes losmacht und in das Reich der Freiheit führt« (Inst. II,8,15). Gewiß ist es bemerkenswert, daß bei Calvin die Formulierung »regnum libertatis« hervortritt, doch war in Theologie und Kirche die ins Spirituelle tendierende Interpretation, verbunden mit einem geistlichen Erlösungsverständnis, allezeit bestimmend. Diesem geistlichen Aspekt aber steht dann in der historischen Forschung der geschichtlich-politische konträr gegenüber. Der im Alten Testament forschende Historiker ist traditionsgeschichtlich und mit der Frage, was »wirklich geschah«, bei der Interpretation der Texte in erster Linie befaßt. In einer neuen Perspektive sieht Bonhoeffer den Exodus: »Im Unterschied zu allen anderen orientalischen Religionen ist der Glaube des Alten Testaments keine Erlösungsreligion. Nun wird doch aber das Christentum immer als Erlösungsreligion bezeichnet. Liegt darin nicht ein kardinaler Fehler, durch den Christus vom Alten Testament getrennt und von den Erlösungsmythen her interpretiert wird? Auf den Einwand, daß auch im Alten Testament die Erlösung (aus Ägypten und später aus Babylon, vgl. Deuterojesaja) eine entscheidende Bedeutung habe, ist zu erwidern, daß es sich hier um *geschichtliche* Erlösungen handelt, d.h. *diesseits* der Todesgrenze, während überall sonst die Erlösungsmythen gerade die Überwindung der Todesgrenze zum Ziel haben. Israel wird aus Ägypten erlöst, damit es als Volk Gottes auf Erden vor Gott leben kann« (WuE, 368). Auch dieses Zitat bedarf einer genaueren Erklärung.

1. *Bonhoeffer konfrontiert mit dem geschichtlichen, diesseitigen Exodus den Typ der »Erlösungsreligion«.* Er sieht diesen Typus im Orient vertreten und hält es für charakteristisch, daß eine Überwindung der Todesgrenze menschlichen Lebens angestrebt wird. Man denke z.B. an den Kult der sterbenden und auferstehenden Gottheiten. Erlösungsmythen suchen – nach Bonhoeffers Auffassung – »ungeschichtlich eine Ewigkeit nach dem

Tod« (368). Diese Mythen wollen die Schranken des Todes sprengen, sie strecken sich aus nach unvergänglichem, unzerstörbarem Leben. Es ist natürlich problematisch, die differenzierte Welt orientalischer Religionen, und überhaupt eine oder gar *die* Religion, mit dem summarischen Begriff »Erlösungsreligion« zu erfassen. Allenfalls könnte dies für die (gnostischen) Erlösungsreligionen des hellenistischen Zeitalters zutreffen. Deutlich ist nur, daß Bonhoeffer einen (in sich geschlossenen) Gegenbegriff zum Ereignis des geschichtlich-diesseitigen Exodus heraushebt, in den vereinheitlichend Tendenzen von »Religion« hineingespiegelt werden. Allein bedeutsam ist die Kontrastfigur als solche.

2. *Der Typus der* »*Erlösungsreligion*« *wird als die große Irreführung und Fehldeutung christlichen Glaubens verstanden.* In der Christenheit hat man Erlösung nicht vom geschichtlichen, wirklichen, diesseits der Todesgrenze sich ereignenden Exodus her und also durchaus nicht als weltliches Befreiungsgeschehen verstanden, sondern Christus, sein Kreuz und seine Auferstehung, vom Erlösungsmythos und damit von ungeschichtlichen, die Todesgrenze überwindenden Vorstellungen her gedeutet. Damit hat man das Christentum allgemeinen religiösen Kategorien angepaßt und es zur »Religion« umgestaltet. Man hat das Christusgeschehen von seinen alttestamentlichen Voraussetzungen getrennt und es damit in eine wesens- und lebensfremde Perspektive gerückt. Doch der Gegensatz zur mythologischen, den Menschen und die Welt entfremdenden Erlösungsreligion wird mit der geschichtlichen Befreiung diesseits der Todesgrenze zu bezeichnen sein. Interpretationsbestimmendes Vorwort und verständniseröffnende Vorgeschichte des Neuen Testaments ist die innerhalb der menschlichen und weltlichen Grenzen sich ereignende wirkliche Befreiung und nicht ein ungeschichtlich-mythologischer Schritt über die Grenzen des Lebens hinaus. Der in dieser Weise gesehene Exodus dürfte nicht nur als der wahre Kontext des Christusgeschehens hermeneutisch zum Zug kommen, er prägt das gesamte Lebensverständnis der Christen, die *auf Erden vor Gott leben*. Hier ist an alles das zu erinnern, was zum Thema »Kreuz und Auferstehung« ausgeführt wurde. Was an Jesus Christus geschah, ist von den Inhalten und Tendenzen religiöser Erlösungsmythen vollkommen geschieden. Dabei beruht die Unvergleichlichkeit und Einzigartigkeit nicht auf der Reinheit der religiösen Idee, wie man früher (und auch heute noch) oft erklärte, sie beruht überhaupt auf keinen die »Absolutheit des Christentums« betreffenden und erweisenden religiösen Vorstellungen, sondern allein auf der vollen Menschlichkeit, Weltlichkeit und Diesseitigkeit des Handelns Gottes. »Das Diesseits darf nicht vorzeitig aufgehoben werden. Darin bleiben Neues und Altes Testament verbunden. Erlösungsmythen entstehen aus den menschlichen Grenzerfahrungen. Christus aber faßt den Menschen in der Mitte seines Lebens« (369). Religionskritik kämpft um diese *Mitte des Lebens*; sie streitet mit den Waffen des Alten Testaments gegen jede religiöse Ideologie, die die Randbezirke verklärt und die Grenzerfahrungen verherrlicht.

3. *Unsere Unterscheidung von Äußerem und Innerem kennt die Bibel nicht* (379). Damit wird ein biblisches Argument gegen die auf Innerlichkeit der Erlösung und des Gottesglaubens rekurrierende Religiosität aufgerufen. »Das ›Herz‹ im biblischen Sinne ist nicht das Innerliche, sondern der ganze Mensch, wie er vor Gott ist« (379). Diese Erklärung mag sehr pauschal angelegt sein; sie könnte 1Sam 16,7 widersprechen: »Ein Mensch sieht, was vor Augen ist; Jahwe aber sieht das Herz an.« Denkt man aber an die zahlreichen Stellen des Alten Testaments, in denen »Herz« die Mitte menschlicher Existenz und somit das Zentrum alles Fühlens, Planens, Denkens, Redens und Handelns bezeichnet, dann trifft Bonhoeffers Erklärung zu. Auch für 1Sam 16,7 trifft es zu: »Herz« – das ist der ganze Mensch, wie *Gott* ihn sieht.

Eine bemerkenswerte biblisch-theologische Reflexion stellt Bonhoeffer zum Thema »*Segen und Kreuz*« an. Nach dem Alten und Neuen Testament schließt »Segen« alle irdischen Güter in sich. Das ganze irdische Leben wird für Gott in Anspruch genommen und unter alle Verheißungen gestellt, wenn ein Mensch gesegnet wird (406). Doch dann stellt sich die von Sören Kierkegaard (und Emanuel Hirsch) aufgeworfene Frage ein: »Soll man nun den alttestamentlichen Segen gegen das Kreuz setzen?« (406). Bonhoeffer zeigt in der Abweisung dieser Suggestivfrage auf, daß und wie im Alten Testament der Erwählte und Gesegnete leiden muß. Nirgendwo können Glück und Leiden, Segen und Kreuz in einen ausschließlichen Gegensatz gestellt werden. »Der Unterschied zwischen Altem Testament und Neuem Testament liegt wohl in dieser Hinsicht nur darin, daß im Alten Testament der Segen auch das Kreuz, im Neuen Testament das Kreuz auch den Segen in sich schließt« (407).

Es war zu zeigen, daß neben der christologischen die alttestamentliche Perspektive die wesentliche Voraussetzung für die theologische Religionskritik Bonhoeffers darstellt und *daß die gesamtbiblische Argumentation in begründender und erhellender Weise mit den kulturgeschichtlichen Analysen korrrespondiert.* Aus diesem Verbund ist kein Element zu lösen und zu verselbständigen. Sicher wird man erklären müssen, daß in allen genannten Komponenten – zieht man den Vergleich mit Barths Religionskritik – sehr Eigenes und Neues waltet und daß die kulturgeschichtlichen Nachweise dem Ganzen einen besonderen, einzigartigen Elan geben. Doch wird man im Unternehmen einer Konfrontation zurückhaltend sein müssen. Bonhoeffer selbst gibt überall zu erkennen, daß seine Vorstöße im Blick auf Karl Barth auf Kooperation und Weiterführung abzielen. Wer hier Konfliktmodelle – möglicherweise mit konfessionalistischem Interesse – gegeneinanderstellen will, verkennt *die Einzigartigkeit des gemeinsamen Themas der theologischen Religionskritik und das gemeinsame Bemühen, diese Religionskritik biblisch zu begründen* – genauer wird man sagen müssen: die Konsequenzen der jeweils herausgestellten biblischen Grundthemen für die theologische Religionskritik in eindringlicher Klarheit und nicht zu dämpfender Brisanz zu entrollen. Dabei sollte deutlich geworden sein, daß es nicht angeht, die kulturgeschichtliche Komponente der Religionskritik Bonhoeffers absolut zu setzen. Und zuletzt wird zu erklären sein: In unserer

Zeit kann es nicht mehr die Aufgabe theologischer Interpretation sein, Bonhoeffer und Barth in Sachen der Religionskritik gegeneinander auszuspielen und voneinander abzuheben, sondern beide Vorstöße und Intentionen gegen eine erneut in »Religion« absinkende Volkskirche und deren theologische Promotoren ins Gefecht zu führen. Im übrigen sollte das, was Dietrich Bonhoeffer Kritisches über Barth dem Freund »ins Ohr gesagt« hat, nicht von den Dächern theologischer Instinktlosigkeit in Kontrastprogrammen ausgestrahlt werden.

5. Religionslose Interpretation

Reden und Handeln der Christen haben sich auf die nahende »völlig religionslose Zeit« einzustellen, auf die Religionslosigkeit des mündig gewordenen Menschen. Zu fordern ist darum eine *religionslose Sprache,* in der es sich nicht mehr darum handeln kann, mit modernen Begriffen und neuen Praktiken Gott »an irgendeiner Stelle hereinzuschmuggeln« und Demonstrationen für die Unentbehrlichkeit des Glaubens anzutreten. Vielmehr ist dem Dasein Gottes im Menschen Jesus von Nazareth entsprechend eine neue Position einzunehmen. »Gott läßt sich aus der Welt herausdrängen ans Kreuz, Gott ist ohnmächtig und schwach in der Welt und gerade und nur so ist er bei uns und hilft uns« (394). Hier liegt der entscheidende Unterschied zu allen Religionen und der Bruch mit der religiösen Sprache. Es geht um die wahre Erkenntnis unserer Lage vor Gott. Sie ereignet sich in der Mitte des Lebens und also nicht an den Rändern und Grenzen eines fragwürdig gewordenen oder von religiösen Negationen zersetzten Daseins. Die tiefe Diesseitigkeit des Evangeliums, Jesus als der Mensch schlechthin, die stets gegenwärtige Erkenntnis des Todes und der Auferstehung – dies wären die neuen Aspekte, die jedoch an keiner Stelle in Korrespondenz zu bringen sind mit der »platte(n) und banale(n) Diesseitigkeit der Aufgeklärten« (401), mit der Betriebsamkeit und mit der Aktualitätsbeflissenheit derer, die stets fürchten, bei ihren Zeitgenossen zu spät anzukommen. Im Heute schlägt die Stunde des Glaubens, der Metanoia, ». . . und so wird man ein Mensch, ein Christ« (402). Die Hauptgesichtspunkte lassen sich schon in Bonhoeffers Aufzeichnungen zur »Ethik« nachweisen: »Gottes in Jesus Christus geoffenbares Gebot umfaßt das Ganze des Lebens, es bewacht nicht nur wie das Ethische die unüberschreitbare Grenze des Lebens, sondern es ist zugleich die Mitte und Fülle des Lebens. Es ist nicht nur Sollen, sondern auch Erlauben, es verbietet nicht nur, sondern es befreit zum Leben, es befreit zum unreflektierten Tun« (Ethik, 296).

Mit E. *Bethge* ist an dieser Stelle festzuhalten und deutlich herauszustellen: »Bonhoeffers Lebensthema lautet nicht: Die Rolle von Religion und Religionslosigkeit, ihre Quantität und Statistik; es lautet vielmehr: ›Wer ist Christus für uns heute?‹ . . .« »Die Analyse der Religion und der Religionslosigkeit war in Bonhoeffers Denken ein Werkzeug, nicht aber das Werkstück« (Christlicher Glaube ohne Religion: Am gegebenen Ort. Aufsätze und Reden, 1979,

33). Und auch dies ist zu bedenken: »Weil Bonhoeffer nie aufhört, dialektisch zu denken, bleibt sein Reden von Mündigkeit zweischichtig und verflacht nicht positivistisch. Das Evangelium der *theologia crucis* erträgt die Mündigkeit, ja läßt sich von ihr bestreiten – und es hilft ihr doch zu Stand und Wesen« (Dietrich Bonhoeffer. Eine Biographie, 974).

Was in der nichtreligiösen Interpretation biblischer Texte auf dem Spiel steht, führt Bonhoeffer am eindrucksvollsten im Brief vom 30.4.1944 aus. Da wird deutlich, was ihn unablässig bewegt: *Die Frage, was das Christentum, wer Christus für uns heute eigentlich ist.* Vergangen ist die Zeit, in der fromme oder auch theologisch gut formulierte Worte bei den Menschen noch ankommen und Erhellung bewirken konnten. Vorüber ist die Zeit der Internalisierung und der Abzielung auf das Gewissen. Beendet ist überhaupt das Zeitalter der Religion (WuE, 305). Neue Fragen stellen sich ein: »Wie kann Christus der Herr auch der Religionslosen werden? Gibt es religionslose Christen? Wenn die Religion nur ein Gewand des Christentums ist – und auch dieses Gewand hat zu verschiedenen Zeiten verschieden ausgesehen –, was ist dann ein religionsloses Christentum?« (306). Dies alles sind Fragen, *Fragen an die Kirche*, an eine neue Gestalt ihres Lebens und Wirkens in der Welt und für die Welt. Die Fragen betreffen die Predigt, die Liturgie und das christliche Leben in einer religionslosen Welt. Schon jetzt wird deutlich, was noch genauer zu betrachten sein wird, daß Bonhoeffer die religionslose oder nichtreligiöse Interpretation keineswegs nur als ein hermeneutisches Programm versteht, sondern als *eine Infragestellung der Ganzheit kirchlichen und christlichen Lebens im Dunstkreis von Religion*. In der Tat: Die Fragezeichen überwiegen. Bonhoeffer entwickelt keine Prospekte, die übersichtlich und ansprechend wären. Er rührt auch nicht die Emotionen derer an, die eine Animosität oder gar Aggression gegen alles Religiöse in sich tragen. Vielmehr liegt das große Problem vor, wie von Gott ohne den ganzen mittlerischen Sprachapparat religiöser Provenienz geredet werden kann, und das heißt ohne Rekurs auf die »zeitbedingten Voraussetzungen der Metaphysik, der Innerlichkeit . . .« (306). Wie kann von Gott »religionslos-weltlich«, in voller Entsprechung zur menschlichen Wirklichkeit gesprochen werden? Voraussetzung zur Einsicht in alle diese Fragen und Probleme ist auf jeden Fall ein neues »Selbstverständnis« der in der Kirche lebenden Christen. Sie sind keine religiös Privilegierten, sondern »*Herausgerufene«, die doch ganz zur Welt gehören.* Für sie ist Christus nicht Gegenstand der Religion, vorbildlicher homo religiosus, sondern etwas ganz anderes: Herr der Welt in ihrer schrankenlosen Weltlichkeit. »Jesus nimmt das ganze menschliche Leben in allen seinen Erscheinungen für sich und das Reich Gottes in Anspruch« (375). Für sich selbst erklärt Bonhoeffer, sein »religiöser Instinkt« ziehe ihn häufig mehr zu den Religionslosen als zu den Religiösen. Der »Instinkt« hat nichts mit einer religionslosen Emotionalität zu tun, sondern alles mit einer »brüderlichen Verbundenheit« mit den Religionslosen. Die Absicht einer geschickten Missionierung wäre völlig abwegig (307).

Im Brief vom 5. Mai 1944 nimmt Bonhoeffer Stellung zu Rudolf Bultmanns *Forderung einer »Entmythologisierung« des Neuen Testaments.* Was da aufgezeichnet worden ist, haben Schüler Bultmanns als Akklamation verstanden, auch wenn die bei Bonhoeffer im Kontext folgenden Einschränkungen erheblich sind. Doch zunächst die Stellungnahme, in der es heißt, »daß er (Bultmann) nicht ›zu weit‹, wie die meisten meinten, sondern zu wenig weit gegangen ist. Nicht nur ›mythologische‹ Begriffe wie Wunder, Himmelfahrt etc. (die sich ja doch nicht prinzipiell von den Begriffen Gott, Glauben etc. trennen lassen!), sondern die ›religiösen‹ Begriffe schlechthin sind problematisch. Man kann nicht Gott und Wunder voneinander trennen (wie Bultmann meint), aber man muß beide ›nicht-religiös‹ interpretieren und verkündigen können. Bultmanns Ansatz ist eben im Grunde doch liberal (d.h. das Evangelium verkürzend), während ich theologisch denken will« (311f.).

Gewiß, in diesen Sätzen werden zuerst das Recht und die Bedeutung des Vorstoßes Bultmanns gewürdigt, aber es wird damit paradoxerweise noch nicht einmal ein relatives Recht eingeräumt; vielmehr wird das ganze Problem unversehens auf eine andere Schiene verlagert. Der bei Bultmann vorausgesetzte Begriff des Mythologischen deckt das nicht ab, was Bonhoeffer unter »religiösen Begriffen« versteht. Folglich beschreitet »Entmythologisierung« andere Wege als die »nicht-religiöse Interpretation«. Doch der in der Kürze der Aufzeichnung angeleuchtete Unterschied wird – mit den zur Verfügung stehenden Möglichkeiten – zu präzisieren sein. Bultmann hatte die Verstehensproblematik »mythologischer« Begriffe wie z.B. »Wunder« und »Himmelfahrt« aufgerollt. Diese Begriffe, so setzte er ein, sind dem *modernen Menschen* nicht mehr zugänglich oder zuträglich. Bonhoeffer bejaht diese entmythologisierende Interpretation in ihren Intentionen, aber er wirft ihr vor, sie sei nicht weit genug gegangen. Welche Grenze wird hier sichtbar? Bultmann wird vorgehalten, er habe die mythologischen Begriffe (»Wunder«, »Himmelfahrt« etc.) prinzipiell von den Begriffen »Gott« und »Glauben« getrennt und damit verkannt, daß *alle* religiösen Begriffe problematisch und dem *nicht-religiösen Menschen* nicht mehr verständlich und zumutbar sind. Als liberaler Theologe denkt Bultmann vom modernen Menschen her; er erwägt, was sein Weltbild zu akzeptieren vermag. Bonhoeffer hingegen versteht sich als Theologe, dessen *theologische* Religionskritik entscheidend an der Frage orientiert ist, »wer Christus heute für uns eigentlich ist« (305). Wäre Bonhoeffer im Ansatz seines Denkens Kulturkritiker, dessen Analyse des »modernen Menschen« ausschließlich vom Weltbild und von der Anthropologie her geleitet würde, dann müßte auch er sich dem Verdikt »liberal« unterstellen, wobei man sich die theologiegeschichtlichen Zusammenhänge vergegenwärtigen muß, um die Bezeichnung »liberal« als »Verdikt« verstehen zu können.

Aber die Dinge sind viel komplizierter, als es die von Bonhoeffer eingeworfene Gegenüberstellung von liberalem und theologischem Denken nahelegen könnte. Deutlich hat doch Bultmann sich selbst vom hermeneutischen Verfahren liberaler Theologie abgegrenzt. »Entmythologisierung« ist für ihn ein im Neuen Testament vorgezeichnetes Interpretationsgefälle, das insbesondere in der paulinischen und johanneischen Theologie erkennbar wird. Und die existentiale Interpretation, wie immer sie auch von der Existential-Philosophie Martin Heideggers beeinflußt und geleitet sein mag, will mit dem im Neuen Testament erschlossenen »Selbstverständnis« des Glaubenden korrespondieren. Diese Fakten erforderten wohl eine differenziertere Kritik als die von Bonhoeffer in Kürze skizzierte!

Auch müßte in diesem Zusammenhang heute bedacht werden, wie sich Herbert Brauns *radikale Entmythologisierung*, in die nun auch die biblische Rede von Gott hineingezogen ist, zu Bonhoeffers Bultmann-Kritik verhält. Vgl. *H. Braun*, Gottes Existenz und meine Geschichtlichkeit im Neuen Testament: Zeit und Geschichte, 1964, 399ff. Ist die von Braun geforderte atheistische Rede von »Gott« auf die Linie dessen zu stellen, was Bonhoeffer mit »nicht-religiöser Interpretation« aller religiösen Begriffe anstrebte? Läßt Braun nicht gerade die Radikalität erkennen, die Bonhoeffer in Bultmanns Entwurf vermißte? Doch sollte man die Verstehens- und Vergleichsmöglichkeiten nicht zu sehr strapazieren. Ob überhaupt und wie konsequent Bonhoeffer den hermeneutischen Intentionen Bultmanns auf der Spur war, läßt sich aus den wenigen Mitteilungen schwer ausmachen. Zum Versuch der Verhältnisbestimmung: *G. Krause*, Dietrich Bonhoeffer und Rudolf Bultmann: Zeit und Geschichte, 1964, 457ff.

Als widersprüchlich erscheint es zunächst, wenn Bonhoeffer zur Entmythologisierung Bultmanns an anderer Stelle erklären kann, er sei der Auffassung, daß die vollen Inhalte des Neuen Testaments einschließlich der »mythologischen« Begriffe bestehen bleiben müßten; die »Mythologie« sei keine Einkleidung allgemeiner Wahrheit, sondern »die Sache selbst« (360). Demnach wäre also gar nicht von einem zu begrüßenden Ansatz bei Bultmann zu sprechen und also auch nicht von einem richtigen Weg, auf dem – bedauerlicherweise! – »nicht weit genug« vorangeschritten wurde. Vielmehr läge das ganze Verfahren auf einem anderen Geleise, das nur streckenweise und intentional parallele Erscheinungen aufweist, im Grund und in der Voraussetzung aber *völlig verschieden* angelegt ist. Wohl ist Bonhoeffer auch hermeneutisch interessiert, aber schon den Eintritt in den Prozeß der Entmythologisierung vermag er eigentlich nicht nachzuvollziehen. Ihm geht es allein darum, *daß alle religiösen Begriffe der Bibel (einschließlich der mythologischen) so interpretiert werden, daß die Religion mit ihrer gesamten Begriffsapparatur nicht zur Bedingung des Glaubens erhoben wird.* Wie Karl Barth, so erinnert auch Dietrich Bonhoeffer daran, daß im Neuen Testament die περιτομή bei Paulus nicht zur conditio fidei erhoben worden ist (307). Die περιτομή wird dabei als Typos und Inbegriff von »Religion« verstanden. Rechtfertigung des Gottlosen geschieht ohne die Voraussetzung der περιτομή, ohne Religion. *So ist religionslose Interpretation eine Konsequenz der Rechtfertigungslehre.*

War es die Schwäche der liberalen Theologie, im Streit von Kirche und Welt auf einen Ausgleich des Verstehens und einen relativ milden Frieden hin zu tendieren, so hat die religionslose Interpretation des Evangeliums als

Konsequenz der Rechtfertigungslehre eine unerhört scharfe und beunruhigende *kirchenkritische Spitze*. Sie enthält eine Infragestellung der Ganzheit kirchlichen und christlichen Lebens. Man wird darum nicht einfach erklären können, Bonhoeffer überbiete und durchstoße die hermeneutische Aufgabe mit ethischen Zielsetzungen. *Die Ganzheit des Verhältnisses von Kirche und Welt, Christen und Nicht-Christen, ist zutiefst betroffen.* Hier wird nicht etwa im Partiellen etwas abgerissen und Neues aufgebaut, hier ereignet sich ein Erdrutsch von unabsehbaren Ausmaßen. Wer aber die Bibel »religiös« interpretiert, der bewegt sich auf den Wegen des Theismus und der Innerlichkeit, der Metaphysik und Individualität. Bonhoeffer stellt Fragen, immer neue Fragen: »Ist nicht die individualistische Frage nach dem persönlichen Seelenheil uns allen fast völlig entschwunden?« »Gibt es im Alten Testament die Frage nach dem Seelenheil überhaupt? Ist nicht die Gerechtigkeit und das Reich Gottes auf Erden der Mittelpunkt von allem?« (312). Wieder tritt das Alte Testament in den Blick. In der Bibel sind »Reich Gottes« und »Gerechtigkeit« die Mitte des Ganzen. So würde »religionslose Interpretation« dem Ruf folgen: »Trachtet zuerst nach dem Reich Gottes und seiner Gerechtigkeit, dann wird euch alles andere zufallen . . .« (Mt 6,33). Das erste Gebot kommt zur Sprache.

Es gehört zur »religionslosen Interpretation« die Einsicht, daß »Stufen der Erkenntnis« gegeben sind. Der plerophore »Offenbarungspositivismus« will stets das Ganze. Ohne sich einer krampfhaften oder auch methodischen Apologetik zu verpflichten, entwirft Bonhoeffer in großer Freiheit *die Möglichkeit, dem religionslosen Menschen zu begegnen*. Da sind »Präparationen«, Vorstufen, durchaus vorzusehen: »Man muß die Menschen aus dem einlinigen Denken herausreißen – gewissermaßen als ›Vorbereitung‹ bzw. ›Ermöglichung‹ des Glaubens, obwohl es in Wahrheit erst der Glaube selbst ist, der das Leben in der Mehrdimensionalität ermöglicht . . .« (340f.). Das Eingehen auf den anderen Menschen kann und darf jedoch niemals ein Eindringen in ihn zur Folge haben. Das Leben in allen seinen Werten ist zu erkennen und auszuschöpfen, der Schmerz über beeinträchtigte oder verlorene Lebenswerte stark und aufrichtig zu empfinden (215). Menschlichkeit überwindet die Welt des Religiösen mit allen ihren das »ganz Andere« vermittelnden Attitüden. Niemand wird veranlaßt oder gar aufgefordert, das Ganze der Offenbarungswahrheit zu »schlucken«. So gehört es zu den Grundvoraussetzungen nicht-religiöser Interpretation und Mitteilung, daß sie kein »Gesetz des Glaubens« aufrichtet. »Es gibt Stufen der Erkenntnis und Stufen der Bedeutsamkeit« (312). Die Menschwerdung Gottes ist Herabneigung. Analog verfährt die Auslegung und Mitteilung.

Was *das Ganze des christlichen Glaubens* betrifft, so fordert Bonhoeffer – wie in anderem Zusammenhang bereits gezeigt wurde – eine *Arkandisziplin*, um die Geheimnisse dieses Glaubens vor Profanisierung zu schützen. Die Intention ist schon früh wahrzunehmen. So heißt es schon 1934: »Alle Gedanken, die wir über Gott denken, dürfen nie dazu dienen, dies Geheimnis aufzuheben, Gott zu etwas Begreiflichem, Geheimnislosem zu machen, sondern vielmehr muß alles Denken über Gott nur dazu dienen, sein uns gänzlich überlegenes *Geheimnis* sichtbar zu machen . . .« (zit. nach *E. Feil*, Die Theologie Bonhoeffers, 1971, 82). Daß Offenbarung stets Offenbarung des *Mysteriums* Gottes und seines Christus ist und daß dieser Tatsache eine entsprechende »Disziplin« zu folgen hat, war Bonhoeffer wichtig. Vgl. *G. Meuß*, Arkandisziplin und Weltlichkeit bei Dietrich Bonhoeffer: Die mündige Welt III, 68ff.

Es ist bemerkenswert, wie stark immer wieder das Alte Testament als Kriterium der religionslosen Interpretation eintritt. Am 5. 5. 1944 teilt Bonhoeffer mit: »Ich denke augenblicklich darüber nach, wie die Begriffe Buße, Glaube, Rechtfertigung, Wiedergeburt, Heiligung ›weltlich‹ – im alttestamentlichen Sinne und im Sinne von Joh 1,14 – umzuinterpretieren sind« (WuE, 313). *Nicht-religiöse Interpretation wäre demnach »Uminterpretation«, Neuformulierung der Botschaft nach innerbiblischen Kriterien, die durch das Alte Testament und durch Joh 1,14 bezeichnet sind.* Was Religionslosigkeit tatsächlich ist, das wird also *nicht* durch ein modernes Emanzipationsbewußtsein oder durch kulturgeschichtliche Analysen ermittelt, sondern durch die Bibel selbst vermittelt. Es kann jedoch keine Rede davon sein, daß schon erste Schritte oder gar Fortschritte im Verfahren nicht-religiöser Interpretation gemeldet werden könnten. Den zahlreichen Fragen, die Bonhoeffer stellt, entspricht vielmehr die Feststellung: Wir sind »wieder ganz auf die Anfänge des Verstehens zurückgeworfen. Was Versöhnung und Erlösung, was Wiedergeburt und Heiliger Geist, was Feindesliebe, Kreuz und Auferstehung, was Leben in Christus und Nachfolge Christi heißt, das alles ist so schwer und so fern, daß wir es kaum mehr wagen, davon zu sprechen« (327f.). Dem »Offenbarungspositivismus« hingegen ist alles geläufig und vertraut; die »religiöse Interpretation« verfügt über lauter bekannte und selbstverständliche Begriffe. Doch die Wirklichkeit ist ernüchternd und erschreckend. Eine um ihre Selbsterhaltung kämpfende Kirche – Bonhoeffer denkt auch und vor allem an die »Bekennende Kirche« – findet das versöhnende und erlösende Wort für die Welt nicht mehr. Sie steht im lähmenden Bann ihrer religiösen Tradition. Weil aber die Worte kraftlos geworden und dem Verstummen nahegekommen sind, wird das Christsein heute nur in zweierlei bestehen: »im Beten und im Tun des Gerechten unter den Menschen« (328). *Die Forderung religionsloser Interpretation der biblischen Botschaft schließt nicht nahtlos an Vorhandenes an. Es ist ein Ende gesetzt.* Eine immer wieder als Selbstzweck sich verstehende Kirche hat zu schweigen und zu verstummen. Denn die Voraussetzung für eine nicht-religiöse Mitteilung des Evangeliums wäre eine veränderte und erneuerte Gemeinde, die vorbehaltlos für andere da ist. Die religiöse Sprache aber vernebelt die wahre Situation der auf sich selbst bezogenen und ihre eigene Existenz behauptenden Kirche. Die Krisis, die damit angezeigt ist, kann nicht mit neuen hermeneutischen Programmen überrannt und ignoriert werden. Sie führt ins Gebet und in das Tun des Gerechten unter den Menschen. Bonhoeffer gibt zu verstehen, was in Barths Theologie des Gebets ungleich deutlicher ausgeprägt ist, *daß im Gebet, in der Begegnung mit der Wirklichkeit Gottes, Religion zerbricht*, daß also nur das Gebet das Tor zu neuer (religionsloser) Mitteilung der Kirche sein kann – das Tor aber auch zum Tun des Gerechten, in dem die Kirche das wird, was zu sein sie berufen und bestimmt ist: *Kirche für andere*. Keine tumultuarische Wende wird von Bonhoeffer proklamiert oder eingeleitet, keine hermeneutische Regel als neues Gesetz ausgegeben. Eine Zeit der Stille und der Verborgenheit wird anbrechen, wenn die Zusammenhänge bewußt werden.

Was jenseits dieser Phase steht, kann keine Spekulation ermessen. »Es ist nicht unsere Sache, den Tag vorauszusagen – aber der Tag wird kommen –, an dem wieder Menschen berufen werden, das Wort Gottes so auszusprechen, daß sich die Welt darunter verändert und erneuert. Es wird eine neue Sprache sein, vielleicht ganz unreligiös, aber befreiend und erlösend, wie die Sprache Jesu, daß sich die Menchen über sie entsetzen und doch von ihrer Gewalt überwunden werden, die Sprache einer neuen Gerechtigkeit und Wahrheit, die Sprache, die den Frieden Gottes mit den Menschen und das Nahen seines Reiches verkündigt« (328). Aus dieser bedeutsamen Passage sind die schlechterdings entscheidenden Aspekte dessen zu gewinnen, was bei Bonhoeffer »religionslose« Interpretation und Verkündigung bedeutet. 1. Diese Verkündigung ist ein *Ereignis der Zukunft*, dem alles Nachdenken und Gebet nur wartend und hoffend entgegengehen kann. 2. Zu dieser Verkündigung bedarf es einer neuen *Berufung und Ermächtigung*, das weltverändernde und welterneuernde Wort Gottes auszusprechen. 3. Nur eine *neue Sprache* kann hier laut werden – die Sprache einer neuen Gerechtigkeit und Wahrheit. In diesem Zusammenhang verwundert es, wenn Bonhoeffer erklärt, diese neue Sprache könne »vielleicht ganz unreligiös« sein. »Vielleicht«? Gerade diese Formulierung läßt deutlich erkennen, daß irgendwelche Definitionen von »religiös« oder »nicht-religiös« durchaus nicht entscheidend sind; entscheidend ist vielmehr, daß die neue Sprache »befreiend und erlösend« wirkt, wie die Sprache Jesu. Die Chiffre »nicht-religiös« meint demnach recht eigentlich die Sprache des Menschgewordenen, die Sprache Jesu.

> Wie es wenig ertragreich ist, Bonhoffer als Inaugurator einer neuen Hermeneutik in Anspruch zu nehmen, so ist es auch wenig hilfreich, seine Aussagen über die »neue Sprache« sprachtheologisch zu rezipieren. Es dürfen die ohnehin *fragmentarischen Hinweise* nicht aus ihrem Kontext herausgerissen und in neue Prospekte eingearbeitet werden. Gleichwohl ist es interessant, z.B. in den Bonhoeffer-Studien Ebelings den speziellen Rezeptionshintergrund im Verhältnis zu den zu rezipierenden Texten zu betrachten. Vgl. vor allem: *G. Ebeling*, Die ›nicht-religiöse Interpretation biblischer Begriffe‹: Wort und Glaube, [3]1967, 90ff.

Wie in der Konzeption Karl Barths die »wahre Religion« nicht als ein vom Menschen oder von der Kirche mit Hilfe der theologischen Religionskritik erreichbares »happy end« verstanden werden kann, so wäre es auch völlig abwegig, Bonhoeffers Zielbild einer »nicht-religiösen Interpretation« biblischer Texte als ein ohne weiteres realisierbares Ereignis zu bezeichnen. In beiden Fällen kulminiert die theologische Religionskritik zunächst einmal in einer *unüberwindbaren Krisis.* Diese Tatsache wird bei den meisten Forschern, die an Sinn und Bedeutung »nicht-religiöser Interpretation« herumrätseln und ihre Deutungsversuche vorlegen, zu wenig beachtet. Die unüberwindbare Krisis einigt die Entwürfe Barths und Bonhoeffers in tiefer wurzelhafter Gemeinsamkeit und verbietet es, nicht-theologische Aspekte der Religionskritik bedenkenlos einzuführen. Theologische Religionskritik kann nur die Abschattung, der Reflex jener tiefen Krisis sein, in die die Kirche und der Mensch durch das richtende Wort Gottes hineingeführt worden sind (Hebr 4,12).

6. *Dasein-für-andere*

Bonhoeffer erklärte, das Christsein heute werde in zweierlei bestehen müssen: *Im Beten und im Tun des Gerechten unter den Menschen* (328). Mit dieser Eröffnung ist mehr gemeint als ein situationsgemäßes Verhalten oder ein Interim – bis es zur neuen nicht-religiösen Verkündigung des Evangeliums kommen kann. Gewiß, die unter einer solchen Weisung lebenden Christen haben auf Gottes Zeit zu warten (328), doch die Wartenden stehen unter dem »Bußruf an die Kirche und ihre Gestalt (*E. Bethge,* Dietrich Bonhoeffer, 987). Die Forderung nicht-religiöser Interpretation biblischer Texte impliziert den Ruf zu einer totalen Metanoia, in der die Kirche alle Selbstbezogenheit, allen Selbsterhaltungseifer und alles religiöse Kreisen um sich selbst preisgibt. Diese einschneidende, alles Bestehende umstürzende Metanoia ist die Voraussetzung, die Bonhoeffer in seinem theologischen Interesse an der Ethik zeit seines Lebens entscheidend war. Religionskritik ist darum keinen Augenblick zu trennen von der Krisis der Metanoia, die eine neue Theorie und Praxis in der Christenheit zur Folge hat. *Aus dem religiösen Sein-für-sich-selbst ist die Kirche in das Dasein-für-andere gerufen.* So konnte Bonhoeffer schon 1932 erklären, die Kirche sei den Opfern jeder Gesellschaftsordnung in unbedingter Weise verpflichtet, auch wenn diese nicht der christlichen Kirche angehören. Dietrich Bonhoeffer war einer der wenigen, die wußten, was eine solche Erkenntnis an Konsequenzen in sich schließt in der Zeit der Verfolgung der Juden, aber auch der Sozialisten und Kommunisten. Das Dasein-für-andere ist das Kennzeichen, in dessen Rückseite die nicht-religiöse Interpretation eingetragen ist. Dieses Kennzeichen rückt in der Theologie Bonhoeffers in den Rang und in die Bedeutung einer *nota ecclesiae.* Kirche ist *nur* Kirche, wenn sie für andere da ist. »Unser Verhältnis zu Gott ist ein neues Leben im ›Dasein-für-andere‹, in der Teilhabe am Sein Jesu. Nicht die unendlichen, unerreichbaren Aufgaben, sondern der jeweils gegebene erreichbare Nächste ist das Transzendente« (WuE, 414). Damit werden alle Verhältnisse einer auf Religion und Transzendenz gegründeten Kirche qualitativ verändert. Es sind jedoch die beiden Seiten des Erkennungszeichens die unlöslich zusammengehörigen Aspekte ein- und derselben Sache. Teilhabe am Sein Jesu, und also Dasein-

[handwritten annotation: Taking Part in the being of Jesus is a non religious concept of God.]

für-andere, ist ein neues, ein nicht-religiöses Verhältnis zu Gott, dem eine religionslose Rede zugeordnet ist. Theorie und Praxis werden korrelativ aufeinander bezogen. Dabei hat in der Theorie die Praxis eine unbedingte Prävalenz, denn nur, wer »aus der Wahrheit *ist*« (Joh 18,37) und »die Wahrheit *tut*« (Joh 3,21), der hört die Stimme dessen, der mit seinem Wort, und folglich mit einer neuen Sprache, die Welt erneuern und verändern will. Die Teilhabe am Sein Jesu, das »Bleiben in ihm« (Joh 6,56; 15,4ff.) ist schlechterdings entscheidend. Wer Gott in der Transzendenz sucht, steht auf Erden vor unendlichen, unerreichbaren Aufgaben und »religiös-ethischen Verpflichtungen«. Jesus aber ist Gott in der Nähe, das Sein in ihm somit Gabe und Erreichbarkeit des Nächsten. Wie Jesus für andere Nächster war (Lk 10,36f.), so ist durch die Partizipation an seinem Sein und Tun das Leben der Christen in dieser Welt bestimmt.

Zum Thema »Dasein-für-andere« vgl. auch: *E. Lange,* Was heißt: Kirche für andere? Überlegungen zu Dietrich Bonhoeffers Kirchenverständnis: PTh 58, 1969, 94ff.

Was es konkret heißen kann, ja sogar in ersten Schritten bedeuten muß, »*Kirche für andere*« zu sein, kommt am deutlichsten in den folgenden Sätzen zum Ausdruck: »Die Kirche ist nur Kirche, wenn sie für andere da ist. Um einen Anfang zu machen, muß sie alles Eigentum den Notleidenden schenken. Die Pfarrer müssen ausschließlich von den freiwilligen Gaben der Gemeinden leben, evtl. einen weltlichen Beruf ausüben. Sie muß an den weltlichen Aufgaben des menschlichen Gemeinschaftslebens teilnehmen, nicht herrschend, sondern helfend und dienend. Sie muß den Menschen aller Berufe sagen, was ein Leben mit Christus ist, was es heißt, ›für andere dazusein‹. Speziell wird *unsere* Kirche den Lastern der Hybris, der Anbetung der Kraft und des Neides und des Illusionismus als den Wurzeln allen Übels entgegentreten müssen. Sie wird von Maß, Echtheit, Vertrauen, Treue, Stetigkeit, Geduld, Zucht, Demut, Genügsamkeit, Bescheidenheit sprechen müssen« (415f.).

Diese Sätze bedürfen einer sehr genauen Analyse und Reflexion; ihre Aussage wird sich in gegenwärtiger Rezeption zu bewähren haben. Doch bevor in dieser Sache Punkt für Punkt vorgegangen wird, muß zuerst eine das Ganze betreffende, grundsätzliche Stellungnahme Beachtung finden. *Gerhard Ebeling* kommentiert den zitierten Abschnitt so: »Begreiflich in jener Situation! Ausgezeichnet als Test, wie es mit der Kirche in Wahrheit bestellt ist, auch ohne daß dieses Experiment durchgeführt wird! Ernst zu nehmen in der Tat als Stachel im Gewissen der Kirche! Doch inwiefern wäre das wirklich ein Anfang dessen, daß die Kirche als Kirche für andere da sei? Daß sie mit ihrem *Eigentum* für andere da ist in einer aufsehenerregenden Demonstration, könnte nur noch tiefer verschleiern, daß sie mit ihrer *Existenz*, und d.h. mit der Verkündigung als ihrem eigenen Existenzgrund nicht für andere da ist« (Wort und Glaube, ³1967, 118). Dieses Votum ist ein erschütterndes Plädoyer für das Sosein der Volkskirche und ein Tiefpunkt des Mißverstehens der theologischen Religionskritik Bonhoeffers. Zuerst das distanzierte, sich distanzierende Fragen nach dem »Sitz im Leben« mit verstehender Akklamation: »Begreiflich in *jener* Situation!« Dann die Umpolung einer von Bonhoeffer ernst gemeinten und als *Anfang* (!) angezeigten ersten Tat des Daseins-für-andere in einen internalisierten Testfall, der als Stimulans und Stachel des Gewissens »durchlitten« werden muß – selbstverständlich »ohne daß dieses Experiment durchgeführt wird«! Im unbegreiflichen Widerspruch zu allem, was Bonhoeffer ausführt, wird ein konkretes Handeln religiös verinnerlicht, aus der Tat in ein »Als-Ob« verlagert. Aber dann kommt an den Tag, wo der eigentliche Stein des Anstoßes liegt: Das bürgerliche *Eigentum* wird angetastet. Das Schenken des Eigentums, das Geben an die Notleidenden wird als »aufsehenerregende Demonstration« bezeichnet, die den Notstand der *Existenz* der Kirche verschleiert – den Notstand, daß die Kirche mit ihrem »eigenen Existenzgrund«, nämlich dem ihrer Verkündigung, »nicht für andere da ist«. Kierkegaards beißende Kritik hätte sich mit Ironie auf diese pseudokierkegaardsche Argumentationsweise gestürzt! – Aber es geht um Bonhoeffer. Wie kann angesichts der scharfen religionskritischen Analysen, die Bonhoeffer in der Auseinandersetzung mit der Verkündigung der Kirche in ihrem Sosein unternommen  hat, so unbehrrt und sicher von dieser Verkündigung als dem eigenen Existenzgrund der Kirche gesprochen werden?! Wie kann eben die Tat, die im Dasein-für-andere eine wahre, glaubwürdige Verkündigung zu werden beginnt, als spektakuläre »Demonstration« disqualifiziert werden?! In der Argumentationsweise Ebelings ergreift eine – angesichts der Analysen Bonhoeffers – obsolet gewordene Kerygma-Theologie Partei für das ökonomisch-soziale Pseudos der Volkskirche. Dabei bedient sie sich jener durch Bonhoeffer längst problematisierten religiösen Innerlichkeits-Instanz des *Gewissens*, um sich alles vom *Leib* zu halten, was die doketische Kerygma-Existenz der Kirche stören oder beeinträchtigen könnte. – Freilich, es wäre sinnlos und vom Pseudos der blinden Radikalität gezeichnet, wenn man sich über diese »Blitzableiter-Manipulation« Ebelings ereifern würde, ohne sich selbst vom Einschlag der harten Sätze Bonhoeffers treffen und betreffen zu lassen. Und das ist wahrhaftig nicht ungefährlich. Dazu bedarf es aber auf jeden Fall einer wichtigen Voraussetzung, nämlich der, daß man sich nicht in die Distanz des historisierenden Systematikers begibt, der, um den »Sitz im Leben« wissend, die Wahrheit und die angreifende Macht der fremden Aussage wohl würdigen und mit verstehenden Akklamationen bedenken kann, sie aber eben darum auch um so entschlossener abzuweisen bzw. mit Rezeptionsmechanismen abzulenken vermag. Rechtes Verstehen ist Betroffenheit; es äußert sich wenigstens in dem Versuch, die Wucht einer so scharf zielenden und treffenden Aussage wie der Bonhoeffers zu erkennen und sich ihr auszusetzen. Dazu wird im einzelnen das Folgende auszuführen sein.

1. Die nota ecclesiae »Kirche ist nur Kirche, wenn sie für andere da ist« hat eine den ökonomischen Lebensgrund dieser Kirche verändernde und er-

neuernde Konsequenz: *Sie kann und darf keine reiche Kirche sein.* Wie
könnte auch die Teilhabe am Sein Jesu verbunden sein mit der selbstzweck-
lichen, selbstbezogenen Macht des *Eigen*tums?! Wie sollte es auch nur entfernt vorstellbar sein, daß dem unabsehbar großen Heer der Hungernden
und Notleidenden, der Armen und Ausgebeuteten in unserer Welt eine
opulente Kirche gegenübersteht?! Der schon seit langer Zeit überfällige
Bruch mit dem vertrauten bürgerlichen Eigentumsverständnis hat in der
Kirche zu beginnen – in der Kirche, die *nur* Kirche ist, wenn sie für andere
da ist. Längst hat der Sozialismus und Kommunismus die Kirche beschämt
und diskreditiert. Ihre mild-ausgleichenden Erklärungen zu einer neuen Ei-
gentums-Ordnung sind doch fortgesetzt nur Kompromißformeln und An-
passungsbemühungen im Verhältnis zu der sie umgebenden, vom Kapi-
tal-Denken geprägten Gesellschaft. Sie findet ihren »eigentlichen Existenzgrund« nicht, der Jesus Christus heißt und vorbehaltloses Dasein für andere
zur Folge hat.

Im theologischen Werk Dietrich Bonhoeffers hat das angeschlagene Thema eine Vorgeschichte. Nach »Sanctorum Communio« ist die Kirche der »neue Wille Gottes mit den Menschen« (ThBü Bd. 3, 1954, 93). Sie ist »Christus als Gemeinde existierend« (218). Sie ist »Ar-
chetyp menschlicher Sozietät«: »Kirche ist Gemeinschaftsgestalt sui generis, Geistgemeinschaft, Liebesgemeinschaft. In ihr sind die soziologischen Grundtypen Gesellschaft, Gemeinschaft und Herrschaftsverband zusammengezogen und überwunden . . . Die Beziehung der
Personen untereinander ist geistgemeinschaftlich, nicht gesellschaftlich« (203). Auch in der
»Nachfolge« wird auf die Geistgemeinschaft und die in ihr beschlossene Gütergemeinschaft
eingegangen, unter Bezug auf Apg 2,42ff. Doch in »Widerstand und Ergebung« öffnet sich alle
Interaktion der Gemeinde nach außen – *im Dasein für andere*, in der Hingabe allen Eigentums. – Es soll an dieser Stelle erwähnt werden, daß Rudi Dutschke in der Mitte der siebziger
Jahre in einer Diskussion erklärt hat, die Kirche solle sich einmal auf jenen in Apg 2,44 belegten
»*urchristlichen Kommunismus*« zurückbesinnen und ihn auch zur Welt hin betätigen. So
könne sie »Licht der Welt« und »Salz der Erde« sein. Sie solle es aber unterlassen, unter Abwendung von ihren ureigensten Aufgaben große Worte und Engagements im Bereich des politischen Sozialismus zu proklamieren. – Vgl. auch *H.-J. Kraus*, Aktualität des ›urchristlichen
Kommunismus‹: Freispruch und Freiheit, 1973, 306ff. – Wenn auf der anderen Seite von den
leitenden Gremien der Volkskirche ständig geklagt wird »wir haben kein Geld«, dann zeigt das
Defizit keineswegs Armut an, sondern Brüchigkeit des Systems einer reichen Kirche, die unablässig bestrebt ist, mit den ökonomischen Strukturen der sie umgebenden Umwelt in einem
Verhältnis perfekten Abgestimmtseins zu koexistieren.

2. Die Forderung Bonhoeffers, *die Pfarrer müßten ausschließlich von
den freiwilligen Gaben der Gemeinden leben,* evtl. einen weltlichen Beruf
ausüben, ist so absurd und weltfremd gar nicht, wie es eine funktionierende
Amts- und Versorgungskirche anzunehmen geneigt ist. Längst wird dieses
Verfahren in den Freikirchen und in den vom Staat unabhängigen Kirchen-
gemeinschaften praktiziert. Es deutet alles darauf hin, daß Bonhoeffers Kirchenkritik mit dem Ziel eines neuen Lebens im Dasein-für-andere das Zerbrechen der in Religion dahinvegetierenden und sich selbst fördernden
Volkskirche unvermeidbar heraufkommen sieht. Dann aber werden die
Pfarrer in einem völlig neuen Berufs- und Bezugsverhältnis stehen. Die

Tatsache, daß derartige Veränderungen in der Kirche weithin entweder als apokalyptische Schreckensvisionen oder als schwärmerische Leitvorstellungen abgetan werden, zeigt, wie verhärtet die im Umkreis der klerikalen Gegebenheiten gewachsenen Bewußtseinsinhalte sich äußern.

Möglicherweise könnte die sog. »*Theologenschwemme*« unserer Tage ein erstes Verständnis der Forderung Bonhoeffers erschließen. Dies wäre ja doch ein Weg, die große Zahl der zum kirchlichen Dienst willigen Theologen in die Arbeit der Gemeinden aufzunehmen, daß sie als Angestellte der Einzelgemeinden von »freiwilligen Gaben« ihren Unterhalt bekommen oder in einer anderen Berufsausübung dem kirchlichen Dienst zur Verfügung stehen. – Wie sehr übrigens die alten Kirchenordnungen den von Bonhoeffer vorgeschlagenen Weg bedacht und auch im Finanzausgleich zwischen ärmeren und relativ reicheren Gemeinden vorgesehen haben, zeigen die »Discipline ecclésiastique« (1559) und die »Emdener Kirchenordnung« (1571).

3.   Die von Bonhoeffer geforderte *Teilnahme der Kirche an den weltlichen Aufgaben des menschlichen Gemeinschaftslebens* ist unter unerläßliche Voraussetzungen und Bedingungen gestellt. Diese Teilnahme und Mitarbeit hat helfend und dienend, nicht aber herrschend und bevormundend zu geschehen. Sie ist eine gesellschaftlich und politisch konkrete Ausübung des Daseins-für-andere. Menschen aller Berufe werden in diese Bewegung hineingezogen. Was hier zur Rede steht, läßt sich nicht an ein »Öffentlichkeitsamt« oder eine »Kammer für Fragen von Kirche und Öffentlichkeit« delegieren. Auch das allgemeine Gerede von der Verantwortung der Kirche für die Öffentlichkeit hat nur entlastenden, das religiöse Binnenleben stabilisierenden Effekt. Bonhoeffer denkt an erste Anfänge, die in den Einzelgemeinden zu beginnen haben. Allein darum geht es, daß diese Gemeinden anfangen, in ein »Leben mit Christus« einzutreten, das alle traditionellen und religiösen Leitvorstellungen vom »christlichen Leben« zerbricht und in das »schmutzige Geschäft« der Politik und Wirtschaft mitten im Alltag des Lebens hineingeht. Wieder äußert sich Bonhoeffers Religionskritik in einer akuten Kirchenkritik, die den das neue Leben verhindernden und zerstörenden »Wurzeln allen Übels« entgegentritt: Den Lastern des Hochmuts und der frommen Überheblichkeit, der Anerkennung und Anbetung alles dessen, was Macht und Kraft ausstrahlt, des Neides, der am Erfolgdenken orientiert ist, und des Illusionismus, d.h. der frommen Wahnvorstellungen und der ideologischen Verschleierung der Wirklichkeit. Dies ist wirklich ein aktueller Lasterkatalog! Ihm steht keine kirchliche Tugendlehre gegenüber, sondern eine konkrete Explikation des Lebens mit Christus, angezeigt mit den Begriffen: Maß, Echtheit, Vertrauen, Treue, Stetigkeit, Geduld, Zucht, Demut, Genügsamkeit, Bescheidenheit. Das Dasein-für-andere im menschlichen Gemeinschaftsleben hat seine auf Christus verweisenden Kennzeichen. Es ist unschwer zu erkennen, daß Bonhoeffer eine Übersetzung der apostolischen Kontrast-Listen (z.B. in Gal 5,19f. bzw. 5,22) vornimmt. In allem aber handelt es sich um das »Tun des Gerechten unter den Menschen«, das jetzt zu geschehen hat, nicht zu vertagen ist und in unmittelbarem Kontext mit dem Gebet der Christen steht.

Es muß immer wieder daran erinnert werden, daß die Ausführungen Bonhoeffers von dem neuen Leben der Kirche den *gänzlichen Verzicht auf jede Position der Stärke* erwarten, auf alle Superioritäts- und Absolutheitsansprüche für das eigene Religionswesen (WuE, 416). Denn Teilhabe am Sein Jesu bedeutet: »Gott läßt sich aus der Welt herausdrängen ans Kreuz, Gott ist ohnmächtig und schwach in der Welt, und gerade und nur so ist er bei uns und hilft uns« (394). »Der Jünger ist nicht über seinen Meister noch der Knecht über den Herrn« (Mt 10,24). Vgl. H. E. *Tödt*, Gottes ohnmächtige Macht in der Welt. Kommentar zu einem Text von D. Bonhoeffer: Naturwissenschaft und Theologie, Grenzgespräche 6 (1974; [4]1981) 177–184.

Es müßte nun eigentlich ausführlich von der *Bedeutung des Gebets* in der Theologie Bonhoeffers gehandelt werden. Hier mag es genügen, einige wenige Stellen aus früheren Opera anzuleuchten. Eingehend hat Bonhoeffer sich in einer Predigt vom 8. Mai 1932 mit dem Gebet als der Voraussetzung alles Tuns der Christen befaßt. Der Text steht in 2 Chr 20,12: »Wir wissen nicht, was wir tun sollen, sondern unsere Augen sehen nach Dir.« Die *ignorantia ethica,* auf die der Prediger zu sprechen kommt, bricht nicht nur in Ausnahme-Situationen auf. Christen handeln nicht nach Normen und Prinzipien; sie leben in der Anrufung Gottes. Aber unsere Auffassung in dieser Sache ist eine dem Text entgegengesetzte: »Wir wissen, was wir tun sollen, aber unsere Augen sehen auch noch nach Dir!« Alles jedoch verhält sich für diejenigen, die unter der Verheißung Gottes in das Gebet eintreten, völlig anders: »Wir erkennen mit Beben, daß Gott uns sein Gebot verborgen hat, und wir wissen in all unserem Nichtwissen, daß das Gottes Zorn ist, der über uns gekommen. Wir kennen Gottes Gebot nicht mehr, wir sind im Dunkel. Wir wissen nicht, was wir tun sollen« (Ges. Schr. I, 133ff.). – Insbesondere in der »Nachfolge« spricht Bonhoeffer sich gegen alle Normen und Prinzipien der Ethik aus. Nachfolge ist kein Lebensprogramm, kein Ziel, kein Ideal, dem nachgestrebt werden könnte. »Hinter ihm hergehen, das ist etwas schlechthin Inhaltsloses« ([9]1967, 49). Nur im je neuen Hören, Bitten und Gehorchen wird der konkrete Wille Gottes bekannt. Er kann tief verborgen liegen unter vielen sich anbietenden Möglichkeiten; darum muß – wo anders als im hörenden Gebet?! – immer wieder geprüft werden, was der Wille Gottes sei (Ethik, 41). Vor allem das Bußgebet und das Schuldbekenntnis werden zu bedenken sein: »Das freie Schuldbekenntnis ist ja nicht etwas, das man tun oder auch lassen könnte, sondern es ist der Durchbruch der Gestalt Jesu Christi in der Kirche, den die Kirche an sich geschehen läßt, oder sie hört auf, Kirche Christi zu sein. Wer das Schuldbekenntnis der Kirche erstickt oder verdirbt, der wird in hoffnungsloser Weise schuldig an Christus« (123).

In der »Ethik« entwirft Bonhoeffer ein klares Bild von der *Verantwortung der Christen.* Gilt es in der Kirche: »Christus ist mein Leben« (Phil 1,21), dann kann das Leben der Christen nur Antwort auf das Leben Jesu Christi sein, permanente Antwort, Verantwortung. »Angesichts des Lebens, das uns in Jesus Christus begegnet, kommen wir mit . . . Teilantworten nicht aus, kann es vielmehr um die ganze und eine Antwort unseres Lebens gehen. Verantwortung bedeutet daher, daß die Ganzheit des Lebens einge-

setzt wird, daß auf Leben und Tod gehandelt wird« (236). Mit meinen Worten und mit dem Einsatz meines Lebens verantworte ich, was durch Jesus
Christus geschehen ist. Das bedeutet aber: Nicht mich selbst habe ich zu
verantworten, denn das hieße doch Rechtfertigung meines eigenen Tuns.
Im Neuen Testament lernen wir: Ich verantworte – in dem besagten Sinn
permanenten Antwortens – Jesus Christus und damit allerdings auch den
mir von ihm gegebenen Auftrag (vgl. 1Kor 9,3; Ethik, 237). Bonhoeffer
entwickelt aus diesem Ansatz Gedanken über das Thema »Bindung und
Freiheit«, das ihn bis zuletzt beschäftigt hat. Dabei trägt – und darauf ist an
dieser Stelle besonders zu achten – Bindung die Gestalt der Stellvertretung
und der Wirklichkeitsgemäßheit. Weil Christus das Leben ist und wir zur
Teilhabe an seinem Wirken berufen sind, ist »durch ihn alles Leben zur
Stellvertretung bestimmt« (239). Der Gedanke des Daseins-für-andere tritt
in diesem Zusammenhang und also in der »Ethik« zuerst heraus: »Stellvertretung und also Verantwortlichkeit gibt es nur in der vollkommenen Hingabe des eigenen Lebens an den anderen Menschen« (240). Freiheit erweist
sich in Selbstprüfung des Lebens und Handelns, in Eigenverantwortlich-
keit, im Wagnis der konkreten Entscheidung, die auch Schuldübernahme
nicht scheut, vielmehr im Zeichen der Stellvertretung zur Schuldübernahme herausgefordert ist. Dies alles sind die unter dem Thema »Verantwortung« stehenden Prolegomena zum Verständnis des Daseins-für-andere in den letzten Aufzeichnungen Dietrich Bonhoeffers.

Gebet und Verantwortung sind der Grund der *Ermächtigung.* »Ein zeit- und ortloses ethisches Reden entbehrt der konkreten *Ermächtigung,* deren jedes echte ethische Reden bedarf«
(Ethik, 286). Bonhoeffer weist das jugendliche, anmaßende, usurpatorische Deklamieren ethischer Prinzipien zurück und stellt damit sich selbst und alle, die sich auf seine Aussagen beziehen, unter eine unübersteigbare Grundvoraussetzung. Es gibt eine Prämisse theologischer
Ethik. Subjektiver Ernst, Tiefe der Nachempfindung und Elan des Mitdenkens wiegen zu
leicht. Autor und Leser sind in letzte Zusammenhänge der »Ermächtigung« gewiesen.

Wenn Bonhoeffer vom Tun des Gerechten unter den Menschen, vom
Gehorsam gegenüber Gottes Willen, vom Dasein-für-andere spricht und in
diesen Zusammenhängen *Forderungen* stellen, ja sogar mit Formulierungen wie »die Kirche muß . . .«, »die Christen müssen . . .« aufwarten
kann, dann ist es völlig ausgeschlossen, eine gesetzliche oder irgendwelchen
Idealbildern zustrebende Verhaltensanweisung zu unterstellen. Wenn
stattdessen erklärt werden muß, alles Fordern und Gebieten stehe im *Zeichen des Evangeliums,* so bedarf eine solche an Luthers Unterscheidungslehre sich orientierende Auskunft differenzierter Explikation im Blick auf
den Kontext der Werke Bonhoeffers. Doch auch hier kann nur ein Ausschnitt für das Ganze sprechen.

Beginnen wir mit einer Grundsatzerklärung zum Verständnis der Gebote
des Dekalogs: »Der Dekalog ist das von Gott geoffenbarte Lebensgesetz alles
unter der Christusherrschaft stehenden Lebens. Er ist die Befreiung von
Fremdherrschaft und von eigengesetzlicher Willkür. Er enthüllt sich den

Glaubenden als das Gesetz des Schöpfers und des Versöhners. Der Dekalog ist der Rahmen, innerhalb dessen ein freier Gehorsam des weltlichen Lebens möglich wird. Er befreit zum freien Leben unter der Christusherrschaft« (Ethik, 349). Damit ist der Grundton angeschlagen: ». . . befreit zum freien Leben unter der Christusherrschaft«. *Freiheit und Herrschaft sind in Christus keine Gegensätze.* Ihm allein eignet Freiheit, die Freiheit des Sohnes Gottes. Wer in seinen Herrschaftsbereich kommt, hat Anteil an der Freiheit des allein Freien, lebt in einem freien Gehorsam. Denn das Gebot kann nirgend anders herkommen, als wo die Verheißung und Erfüllung herkommt, von Christus (Ges. Schr. I, 150). »*Teilnahme am Sein Jesu*« (WuE, 414) bedeutet: »Die Liebe Christi treibt uns an« (2Kor 5,14); sie treibt die Christen an, der Hingabe des Christus entsprechend, für andere da zu sein. So ist der Satz des johanneischen Christus »ohne mich könnt ihr nichts tun« (Joh 15,5) »ganz streng zu verstehen« (Ethik, 47). *Es gibt kein Tun der Christen ohne Christus.* Alles, was ohne ihn, außerhalb des Herrschaftsbereiches seiner Freiheit getan wird, alle Geschäftigkeiten und Verrichtungen, alle dringenden Unternehmungen und unbedingten Verpflichtungen, »sind im Urteil Jesu, als wäre nichts getan« (47). Niemand wird zu den oft als ungeheure Forderung erscheinenden Aussagen Bonhoeffers auch nur von ferne eine Annäherung, geschweige denn einen Zugang finden, der sich nicht diese Grundvoraussetzungen bewußt macht und von diesen Grundvoraussetzungen aus zu denken und zu leben beginnt. Aber wie realisiert sich Teilhabe am Sein und Wirken Jesu? Hier ist erneut vom *Hören* seines Wortes zu sprechen: »Ein Hören, das nicht im selben Augenblick zum Tun würde, wird schon wieder zu jenem ›Wissen‹, aus dem das Richten und also die Auflösung jedes Tuns hervorgeht« (Ethik, 49). Diese unmittelbare, durch keine Reflexion zu störende *Sequenz von Hören und Tun* ist der von Bonhoeffer so nachdrücklich verfochtenen Korrelation von Theorie und Praxis immer schon voraus. Dies muß bedacht werden, wenn – zu Recht, aber oft unbegründet, grundlos – vom Verhältnis »Theorie und Praxis« im Werk Bonhoeffers geredet und geschrieben wird. Zwischen Hören und Tun eingeschaltete Reflexionen tendieren auf Anpassung des Gehörten an religiöses, theologisches Vorwissen; solche Reflexionen schalten das menschliche Urteilsvermögen ein und wirken sowohl der Freiheit des Wortes wie auch der Herrschaft Christi entgegen; sie lösen das dem Wort gemäße und folgende Tun auf. Teilhabe am Sein Christi ist das unmittelbar zum Tun werdende Hören seines Wortes. Aber nicht menschliches Folgsamkeitsvermögen, sondern »die Liebe Christi treibt uns an« (2Kor 5,14): Sein Dasein-für-andere wird in unserem Sosein wirksam.

Man kann sich nicht klar genug vor Augen stellen, welche Bedeutung in der Wort-Gottes-Theologie Dietrich Bonhoeffers die unmittelbare *Sequenz von Hören und Tun* ausstrahlt. Vor allem in der »Nachfolge«, in der »Ethik« und dann zuletzt auch in »Widerstand und Ergebung« wird das Thema angeschlagen und ohne die geringste Abweichung oder Aufweichung durchgehalten. Der religiöse Mensch meint, im Besitz des Wortes zu sein; er hört nicht mehr wirklich, läßt sich nicht mehr in die Metanoia führen, wahrhaft verändern und erneuern. Christliche Religion äußert sich im Wortbesitz, der folgenlos bleibt hinsichtlich des Tuns. Es ist ein religionskritischer Satz, den Bonhoeffer in der »Ethik« vorträgt: Wer »sich wissend im Besitze des Wortes Gottes glaubt, hat es bereits wieder verloren, weil er meint, man könne das Wort Gottes auch nur einen Augenblick lang anders haben als im Tun« (49f.).

Wird daran festgehalten, daß die unmittelbare Sequenz von Hören und Tun aller *Wechselbeziehung von Theorie und Praxis* in unbedingter Weise voraufgeht und voraus ist, dann wird um so deutlicher diese Wechselbeziehung ins Visier zu nehmen sein. Was zur Diskussion steht, kann zunächst ein Abschnitt aus »Widerstand und Ergebung« verdeutlichen: »Etwas zu spät haben wir gelernt, daß nicht der Gedanke, sondern die Verantwortungsbereitschaft der Ursprung der Tat sei. Denken und Handeln wird für Euch in ein neues Verhältnis treten. Ihr werdet nur denken, was Ihr handelnd zu verantworten habt. Bei uns war das Denken vielfach der Luxus des Zuschauers, bei Euch wird es ganz im Dienste des Tuns stehen. ›Es werden nicht die, die zu mir *sagen:* Herr, Herr! in das Himmelreich kommen, sondern die den Willen *tun* meines Vaters im Himmel‹, sagte Jesus (Mt 7,21)« (WuE, 325). Man wird diesen Passus in einem doppelten Sinn logisch verknüpfen müssen. Einmal mit dem, was zum Thema »Hören und Tun« ausgeführt wurde, sodann mit den in den Fragmenten zur »Ethik« geäußerten Gedanken über »Verantwortung«. Die Verknüpfung der beiden Gedankenreihen führt an die Korrelation von Theorie und Praxis heran. »Verantwortungsbereitschaft« läßt Denken und Handeln in ein neues Verhältnis treten. Das Denken wird ganz auf das Handeln, die Theorie ausschließlich auf die Praxis bezogen. Ein solches handlungsbereites, handlungsangewiesenes Denken empfängt aber seine Impulse nicht von »der Praxis als solcher« oder auch von einer »bestimmten Praxis« her, es steht – davon wird immer auszugehen sein – unter dem Antrieb des in konkretem Hören konkret Getanen. Doch im Tun ist ja zu *antworten,* zu *verantworten* (s.o.). Und diese Verantwortung wirkt zurück ins Denken; sie limitiert den Denkprozeß in exklusiver Weise: *Nur das zu denken, was handelnd verantwortet werden kann.* Wenn Bonhoeffer in diesem Zusammenhang jenes Denken apostrophiert, das sich den Luxus des Zuschauers zu leisten vermochte, dann klingen zwar Gedanken Sören Kierkegaards an, der in ähnlichen Vorstellungen das »reine Denken« attackierte, um der existentiellen, Existenz-zentrierten Wahrheit die Bahn zu brechen, doch bei Bonhoeffer, der – z.B. im Buch »Nachfolge« – sehr stark unter dem Einfluß Kierkegaards stand, entbirgt der zitierte Abschnitt eine ganze neue, an der Theorie-Praxis-Relation orientierte Konzeption. Nun sollte man allerdings die Zusammenhänge, die bei Bonhoeffer fragmentarisch zutage treten, nicht mit marxistischen oder anderen Entwürfen zum Verhältnis von Theorie und Praxis zu komplettieren versuchen. Die wenigen Andeutungen lassen allenfalls ahnen, wie grundstürzend sich die neue Erkenntnis auf die gesamte theologische Theorie auswirken muß. Bemerkenswert ist der ständige Rückbezug auf die

Grundvoraussetzung der Sequenz von Hören und Tun: »Wer hält stand? Allein der, dem nicht seine Vernunft, sein Prinzip, sein Gewissen, seine Freiheit, seine Tugend der letzte Maßstab ist, sondern der dies alles zu opfern bereit ist, wenn er im Glauben und in alleiniger Bindung an Gott zu gehorsamer und verantwortlicher Tat gerufen ist, der Verantwortliche, dessen Leben nichts sein will als eine Antwort auf Gottes Frage und Ruf. Wo sind diese Verantwortlichen?« (WuE, 14).

In diesem Zusammenhang weist Bonhoeffer auf die »*Civilcourage*« hin. Sie ist ein Kennzeichen wahren Verantwortungsbewußtseins. »Civilcourage . . . kann nur aus der freien Verantwortlichkeit des freien Mannes erwachsen« (15). Wenn es in der Bibel heißt, daß die Furcht Gottes der Anfang der Weisheit sei (Ps 111,10), dann ist damit gesagt, »daß die innere Befreiung des Menschen zum verantwortlichen Leben vor Gott die einzige wirkliche Überwindung der Dummheit ist« (18). Es ist bemerkenswert, daß Bonhoeffer »Furcht Gottes« als »innere Befreiung des Menschen zum verantwortlichen Leben« deutet und daß der »Anfang der Weisheit« als »*Überwindung der Dummheit*« verstanden wird. Die beiden Beispiele (»*Civilcourage*« und »*Überwindung der Dummheit*«) zeigen, welche konkreten Auswirkungen die »freie Verantwortlichkeit« hat.

Deutlich wird die Unfähigkeit der meisten Menschen zu *präventivem Handeln* von Bonhoeffer herausgestellt (23): »die Stumpfheit gegenüber fremdem Leiden«, der Mangel an hilfsbereiter Phantasie, an Sensitivität und innerster Bereitschaft. Erstarrung, Gelassenheit und das Sich-nicht-Störenlassen sind die absperrenden Riegel. Doch »tatenloses Abwarten und stumpfes Zuschauen sind keine christlichen Haltungen« (24); sie stehen in einem strikten Widerspruch zum Dasein-für-andere. Es mangelt nicht nur an Weite des Herzen und Freiheit für den anderen; es ist auch die Sichtweise, das Kriterium des Sehens und Urteilens anderer Menschen verzerrt und inhuman. Prinzipien der Moral und der Religiosität werden als Maßstäbe zwischen Mensch und Mensch aufgerichtet. Da würde es gelten: »Wir müssen lernen, die Menschen weniger auf das, was sie tun und unterlassen, als auf das, was sie erleiden, anzusehen. Das einzig fruchtbare Verhältnis zu den Menschen – gerade zu den Schwachen – ist Liebe, d.h. der Wille, mit ihnen Gemeinschaft zu halten. Gott selbst hat die Menschen nicht verachtet, sondern ist Mensch geworden um der Menschen willen« (19). Später geht Bonhoeffer noch einmal auf das ihn offensichtlich stark beschäftigende »Abstumpfen gegen schwere Eindrücke« und fremdes Leiden ein (301). Er verwirft die Auskunft, dies sei ein Selbstschutz der Natur und fährt fort: »Ich glaube vielmehr, daß es sich dabei auch um ein klareres, nüchterneres Erfassen der eigenen begrenzten Aufgaben und Möglichkeiten und dadurch um die Ermöglichung wirklicher Liebe zum Nächsten handeln kann. Solange die Phantasie erregt und aufgepeitscht ist, bleibt die Liebe zum Nächsten etwas sehr Vages und Allgemeines« (301). So sollte an die Stelle der Abstumpfung die Klärung, die Aufklärung treten.

Kommen wir noch einmal auf das »präventive Handeln« zurück, das Bonhoeffer vergeblich sucht. Es sollte gerade in unseren Tagen, in denen die

Nutzung der Atomkraft für die Energiewirtschaft eine solche große Rolle spielt und in denen es in der theologischen Ethik an hilfreicher Weisung zu dieser Frage weithin fehlt, zum Nachdenken Anlaß geben, was Bonhoeffer vom »präventiven Handeln« schreibt. Dasein-für-andere bedeutet auch und vor allem: Dasein für künftige Geschlechter, »denken und handeln im Blick auf die kommende Generation« (25).

Es ist bedrückend, immer wieder feststellen zu müssen, wie die religiöse Kirchlichkeit nicht zu sehen und zu begreifen vermag, daß bei Bonhoeffer »nicht-religiöse Interpretation des Evangeliums in einer mündig gewordenen Welt« und *politische Teilnahme an der Konspiration gegen Hitler* eng und unauflösbar zusammengehören. Beide Komplexe »verhalten sich wie die Theorie zur Praxis . . . Auf beiden Feldern kämpfte Bonhoeffer . . . gegen die gleiche Auffassung und Praxis des christlichen Glaubens als einer vom Lebensganzen abgetrennten Provinz.« »Der Glaube läßt sich auf ausgesparte Provinzen des Lebens nicht beschränken« (*E. Bethge*, Dietrich Bonhoeffer, 34). Dieser Deutung Eberhard Bethges wird man nur zustimmen können. Doch enthält sie eine Fülle von Fragen und Infragestellungen, die das Bestehende und allgemein Gültige in der Kirche betreffen. Es genügt nicht, ja es würde allen Aussagen Bonhoeffers widersprechen, wenn die politische Verantwortung dem einzelnen zugeschoben wird. Die pietätvolle Würdigung der einsamen Gewissensentscheidung des Mannes Dietrich Bonhoeffer kommt einer Absage an seine Theologie gleich. Denn auf der ganzen Linie ist es die Kirche, die zum Tun des Gerechten, zur Teilnahme an Politik und Gesellschaft, zum Dasein-für-andere, von ihm aufgerufen wird. Man mogelt sich aus der Entscheidungsfrage heraus, wenn die politische Aktivität dem einzelnen zugespielt wird, die Kirche aber – und selbstverständlich denkt man an die Volkskirche – ihren uferlosen Pluralismus religiöser Provenienz behauptet, jedem das Erwünschte und darum allen nur verschwommene Kompromißformeln anbietet. Das große Institut zur Befriedigung religiöser Bedürfnisse und zur Animierung politischer Verantwortung kühner Einzelgänger wird von Bonhoeffers Wort und Leben in toto in Frage gestellt. Die Kirche, die nicht vorbehaltlos für andere da ist, die nicht unablässig danach fragt, wo und wie sie ihre Verantwortung im Alltag der Welt wahrzunehmen hat, ist keine Kirche mehr. Sie verleugnet mit ihrem für-sich-selbst-Sein das Sein Jesu, das nur Dasein-für-andere ist.

Sieht man von wenigen Theologen ab, die sich allen so unangenehmen Aussagen und Konsequenzen der Schriften Bonhoeffers wirklich ausgesetzt haben, so wird doch mit Bedauern und Schmerz festzustellen sein, *daß die breite Front evangelischer Theologie sich zum Schutz bestehender volkskirchlicher Verhältnisse berufen und postiert weiß.* Da gibt es zwar Bezugnahmen, die auf das Stimulierende, auf den »Stachel im Gewissen« und andere beunruhigende Internalien nicht verzichten möchten, die auch willens sind, »ein Stück weit« mitzugehen; doch irgendwo und irgendwann reißt die Geduld ab. Beklagt und kritisiert wird der »viel zu weite« oder »viel zu enge«, der »willkürliche«, der den »religionswissenschaftlichen Forschun-

gen« und den »empirischen Feststellungen« nicht standhaltende Religionsbegriff Bonhoeffers. Zu allen diesen Vorwürfen wurde in den hier vorgetragenen Darstellungen und Deutungen fortgesetzt Stellung genommen. Die
Metakritik wurde – oft implizit – vorgetragen. Es könnten Bände gefüllt
werden mit einer ins einzelne gehenden Auseinandersetzung und Diskussion. Darum sei zum Schluß nur der neueste Beitrag erörteret. Er liegt vor
im III. Band der Dogmatik *Helmut Thielickes* »Der evangelische Glaube«.
In den »Paradigmen zur Auseinandersetzung um die Frage ›Evangelium
und Religion‹« (411 ff.) wird auch auf Bonhoeffer eingegangen (441 ff.). Ungleich genauer als im Abschnitt über Barths Religionskritik wird der Religionsbegriff Bonhoeffers erfaßt. Dann setzt die Kritik ein, aus der die
Hauptphasen ins Licht gerückt werden sollen.

Thielicke schreibt: »So recht Bonhoeffer haben mag, wenn er sich gegen
den Religiositätskult Schleiermachers und gegen den religiösen Subjektivismus in der Theologie des 19. Jh.s wendet, so steht doch außer Frage, daß
der Glaube an das Evangelium *ebenfalls* auf eine Weise des Fromm-Seins
und auf eine von ihm erfüllte Innerlichkeit drängt. Wie könnte dann, wenn
Christus die Ganzheit unserer Person will und wir ungeteilte Glieder an seinem Leibe werden sollen, ein wesentlicher Sektor unseres Person-Seins –
eben unsere Innerlichkeit, unsere Phantasie, unser Gefühlsleben – ausgeklammert bleiben?« (443). Thielicke, der einen Unterschied im Religionsbegriff und in der Religionskritik zwischen Bonhoeffer und Barth deutlich
herausstellt, hat sich mit dem auf Würdigung der Verdienste Bonhoeffers
abzielenden Einsatz offensichtlich in der Adresse geirrt. In »Widerstand
und Ergebung« fällt kein Wort gegen den »Religiositätskult Schleiermachers« (der Name wird nie erwähnt), und von einer Attacke gegen den
»Subjektivismus« (auch dieser Begriff kommt nicht vor) in der Theologie
des 19. Jh.s kann überhaupt keine Rede sein. Was Thielicke schreibt, träfe
allenfalls für Barth zu. Barth hat sich eingehend mit Schleiermacher und
dem religiösen Subjektivismus auseinandergesetzt (vgl. KD I,2:313 ff.).
Auf die kulturgeschichtliche Analyse Bonhoeffers, die eine ganz andere
Fragestellung verfolgt, wird von Thielicke nicht näher eingegangen. Aber
dann will die Kritik ins Schwarze treffen. Sie beruft sich auf den »Glauben
an das Evangelium«, der doch im Neuen Testament »auf eine Weise des
Fromm-Seins und auf eine von ihm erfüllte Innerlichkeit drängt«. Zur Ab-
deckung dieser These wird das anthropologische Diktum von der »Ganzheit
der Person« in Erinnerung gerufen, aus der Innerlichkeit, Phantasie und
Gefühlsleben als wesentliche Sektoren nicht ausgeklammert bleiben können. Offensichtlich waltet – wie im Ansatz, so nun auch in der Fortsetzung –
ein verhängnisvolles, das Ganze verzerrendes Mißverständnis. Wer Bonhoeffers Aufzeichnungen in »Widerstand und Ergebung« aufmerksam
liest, der wird Begriffen wie »Phantasie«, »Sensitivität«, »Frömmigkeit«,
»Glaube« usw. im zustimmenden Sinn begegnen, vor allem aber Aussagen
über die Bedeutung des Gebets und des wirklichen Hörens. Wie könnte in
solcher Lektüre übersehen werden, wie doch sehr persönliche Aussagen

darüber gemacht werden, »daß für mich die Führung meiner ganzen Angelegenheit ganz entscheidend eine Glaubensfrage ist . . .« (WuE, 194)?! »Ich
muß die Gewißheit haben können, in Gottes Hand und nicht in Menschen-
händen zu sein. Dann wird alles leicht, auch die härteste Entbehrung«
(195).

*Nie und nirgendwo hat Bonhoeffer den »persönlichen Glauben« und al-
les das, was in Lied und Gebet, Bibellese und stillem Hören geschieht, mit
irgendeinem abwertenden Akzent versehen.* Wer in dieser Hinsicht ein Defizit feststellen wollte, der hätte am Entscheidenden vorbeigelesen. Die »Innerlichkeit« aber, die tatsächlich ins Schußfeld der theologischen Religionskritik Bonhoeffers gerät und auf die Thielicke sich nicht einzustellen vermochte, befindet sich in einem ganz anderen Kontext. Sie wird in den kulturkritischen Analysen aufgewiesen, die wirklich genauere Beachtung verdient hätten als das religiöse Korrespondenzphänomen zum in die Transzendenz separierten »Gott«. Diese »Innerlichkeit« religiöser Provenienz,
wo immer sie auftritt, hat gerade nichts mit der »Ganzheit der Person« zu
tun; sie stellt sich dar als eine Provinz im Menschen, als ein Reservat, das
auf das Jenseits bezogen ist. Doch die anthropologische Formel »Ganzheit
der Person«, auf der Thielicke insistiert, macht stutzig. In der Kritik an
Bonhoeffer stimmt sie deswegen so bedenklich, weil doch alles daran gele
gen ist, in »Widerstand und Ergebung« sich der Erkenntnis zu öffnen: »Unser Verhältnis zu Gott ist ein neues Leben im ›Dasein-für-andere‹, in der
Teilnahme am Sein Jesu« (414). Tendiert etwa »Ganzheit der Person« bei
Thielicke auf »Geschlossenheit der Person«, auf Zentriertheit des »Person-Seins« im »wesentlichen Sektor« (!) unserer Innerlichkeit? Sollte dies
der Fall sein – und dem wird weiter nachzugehen sein –, dann freilich würde
von der theologischen Religionskritik Bonhoeffers auch Thielickes
Relevanzerklärung der frommen Innerlichkeit mitbetroffen, und die – im
Grunde mißverstandene – Gegenwehr wäre ein Symptom sachlicher »Betroffenheit«.

Thielicke geht bedauerlicherweise in seiner Kritik ständig davon aus, daß
bei Bonhoeffer ein in sich geschlossener, religionswissenschaftliche An-
sprüche erhebender *Religionsbegriff* zugrunde liegt. Er hat sich weder in
den Intentionen noch in den Nuancen auf die jeweiligen Äußerungen zum
Thema »Religion« wirklich eingelassen. Auch ist es absurd, Bonhoeffers
Konzeption nur dann als verständlich zu bezeichnen, »wenn man ihre Ge-
zieltheit auf gewisse treiberische Bekehrungspraktiken mit ihrer
Schwarz-Weiß-Malerei in Rechnung stellt« (445). Wer die zahlreichen,
nuancierten Aussagen in »Widerstand und Ergebung« in dieser Weise als
großkalibrigen »Beschuß« eines extremen Bekehrungsrummels deuten
will, verfehlt alle Intentionen der *als akute Kirchenkritik vorgetragenen
theologischen Religionskritik.* So leicht und so großzügig läßt sich das
Ganze nicht abfertigen! Doch weil de facto den bestimmenden Intentionen
ausgewichen wird, läßt sich auch der Zugang zu den Einzelthemen nicht
finden. So steht Thielicke verständnislos vor der Forderung »nicht-religiö-

ser Interpretation« biblischer Begriffe: »Wie diese aussehen soll – abgesehen von der Vermeidung der Sprache Kanaans und der Bemühung um ›normale‹ Redeformen –, bleibt unklar« (446). Es soll an dieser Stelle nicht wiederholt werden, was zum Thema der »nicht-religiösen Interpretation« referierend und erklärend vorgetragen wurde. Natürlich kann auch gar nicht erwartet werden, daß das Spezifikum dieser Forderung Bonhoeffers verstanden wird, wenn sein »Religionsbegriff« als willkürlich und unhaltbar abgetan wird (446). In jedem Fall aber sollte es die zu Verständnis und Betroffenheit unfähige Theologenschaft unterlassen, Bonhoeffer »mildernde Umstände« zuzubilligen. Thielicke schreibt: »Um Bonhoeffer gerecht zu werden, muß man bei alledem die Situation seiner Haft in Rechnung stellen« (446). Wer einen solchen Satz formuliert, der wird zu fragen sein, welche Vorbehalte er bei der Lektüre und Interpretation des Philipperbriefes einzuführen gedenkt.

Auch Thielicke hält – wie viele andere Kritiker – Bonhoeffers »Prognose«, der »Religionsschwund werde in ein weiteres Gefälle auf den Nullpunkt hingerissen«, für unhaltbar (446). Er beobachtet innerhalb und außerhalb des Christentums ein *»eskalierendes Interesse am Religiösen«* (446f.). Und dann heißt es: »Wichtiger aber ist, daß die religiöse Frage auch außerhalb des so ausdrücklich etikettierten Bezirks in chiffrierter Form auftaucht: Als Frage nach dem Sinn oder als Verzweiflung am Sinn, jedenfalls als der Versuch, die Welt vorläufiger Zwecke zu transzendieren. In dieser offen geübten Praxis der Religion oder in der chiffrierten Frage nach ihr scheint sich so etwas wie der character indelebilis der Religion zu bewähren« (447). Zu der »offen geübten Praxis der Religion« innerhalb und außerhalb der Kirche, die allenthalben beobachtet und offenkundig mit freudiger Zustimmung begrüßt wird, ist in II.5 Infragestellendes bereits ausgeführt worden. Zur chiffrierten Frage nach dem Sinn des Lebens oder der Verzweiflung an diesem Sinn wäre darüber nachzudenken, ob eine Dechiffrierung in Richtung auf Religion bzw. eine religiöse Beantwortung dieser Frage dem Evangelium gemäß ist. Thielicke bewegt sich tatsächlich unbeirrt auf der Linie einer individualistischen, die Innerlichkeit suchenden und ansprechenden »religiösen Seelsorge«, die zwar in ihrem biblischen Bezug der Konzeption Bonhoeffers gar nicht widersprechen kann (s.o.), die aber am Entscheidenden vorbeisieht – nämlich an allem, was das »Dasein-für-andere« an menschlichen, weltlichen, gesellschaftlichen und politischen Implikationen in sich trägt. »Sinn« wird doch nicht in Religion gefunden, sondern – und da liegt der Nerv des Ganzen – im *Dasein-für-andere,* in dem Christen in der Kirche Teilhabe am Sein Jesu erfahren! *»Sinn« wird nur in solcher Sendung verwirklicht.* So ist es eben tief bedenklich, daß Thielicke für die von Bonhoeffer so provokativ verfochtene Infragestellung der Kirche in ihrem Sosein, für die neue Gestalt christlichen Lebens in der Teilnahme am gesellschaftlichen und politischen Alltag der leidenden Welt, für die Korrelation von Theorie und Praxis überhaupt kein Empfinden zu haben scheint. Er ignoriert die scharfe Kirchenkritik Bonhoeffers, die doch die Konkretisierung der gesamten Religionskritik darstellt. Wie gegenüber Karl Barth, so hat Thielicke auch im Blick auf Dietrich Bonhoeffer das ekklesiologische Zentrum der theologischen Religionskritik völlig verfehlt. Er hat sich dazu verleiten lassen, mit einem extrapolierten, absolut gesetzten Religionsbegriff zu operieren und Bonhoeffers im Interesse einer neuen Kirche geübte theologische Religionskritik als »willkürlich« abzutun. Dies alles geschieht mit dem Ziel einer eigenen, höchst problematischen Definition von »Religion« (460ff.).

Die kritische Stellungnahme Thielickes zu Dietrich Bonhoeffers Religionskritik ist *charakteristisch und typisch*. Sie kann für viele ähnliche Unternehmungen stehen. Darum mußte ihr – in der im Rahmen dieses Kapitels möglichen Kürze – Aufmerksamkeit zugewandt werden.

Auf Bonhoeffer aber wird immer wieder zurückzukommen sein, wenn im Kapitel V *systematische Folgerungen* gezogen und die neuen Aspekte theologischer Religionskritik zur Darstellung und Entfaltung gelangen werden. Das gleiche gilt für Barths Konzeption. Doch wird zunächst – vielen bereits gegebenen Hinweisen und Rückverweisen entsprechend – auf die reformatorische Theologie einzugehen sein.

III

Die Reformatoren als Wegbereiter neuzeitlicher Religionskritik

In diesem Kapitel soll die Bedeutung und die Auswirkung reformatorischer Theologie hinsichtlich des Themas »Religionskritik« zur Darstellung gelangen. Dazu bedarf es zunächst einer einführenden Orientierungsskizze, die unter das Thema »Zur Geschichte des Religionsbegriffs und der Religionskritik« gestellt ist. Sodann soll auf die Theologie Luthers und Calvins mit der angezeigten Fragestellung eingegangen werden. Den Abschluß bildet ein Abschnitt, der an die im Zeitalter des Rationalismus und der Aufklärung sich herausbildende »Vernunftreligion« heranführt. Was also im Kapitel III ausgeführt werden soll, steht in doppelter Relation. Zum einen ist die im I. und II. Kapitel mehrfach berührte Relevanz reformatorischer Theologie für die theologische Religionskritik Barths und Bonhoeffers näher zu beleuchten; zum anderen ist der Aspekt der Wegbereitung neuzeitlicher Religionskritik zu eröffnen. Alle diese Ausführungen haben ein die Theologie- und Geistesgeschichte systematisch rezipierendes Gepräge und sind als Grundlegung dessen zu betrachten, was in den folgenden Kapiteln, vor allem in den Kapiteln VI und VII, dargelegt werden soll.

1. Skizze zur Geschichte des Religionsbegriffs und der Religionskritik

»Theologie« ist ein griechisches Wort, eine spezifisch griechische Schöpfung. »Denn was könnte griechischer sein als die Kühnheit, die sich vermißt, mit der Kraft des Logos auch das höchste und schwierigste aller ›Probleme‹, das Sein Gottes, zu erforschen« (W. Jaeger, Die Theologie der frühen Griechischen Denker, 1953, 12). In der Übergangsphase vom »Mythos zum Logos« dürfte der Begriff »Theologie« aufgekommen sein; bei Platon ist er zuerst nachweisbar. Es liegt nahe, in dieser Übergangsphase, die bei den sog. »Vorsokratikern« anhebt, auch die ersten religionskritischen Aspekte zu suchen. Bruno Snell erklärt: »Jeder Primitive hält sich für gebunden an die Götter und ist noch nicht erwacht zum Bewußtsein eigener Freiheit. Die Griechen haben diese Gebundenheit durchbrochen und dadurch unsere abendländische Kultur gestiftet« (B. Snell, Die Entdeckung des Geistes. Studien zur Entstehung des europäischen Denkens bei den Griechen, 1955 [⁴1975], 52). Diese Züge lassen sich schon bei Homer nachweisen. Das Grauenhafte und Unheimliche, das dem Menschen als das Numinose und Dämonische entgegentritt, ist in den Dichtungen »Ilias« und

»Odyssee« überwunden. Es fehlt der Schauder vor dem Unheimlichen. Die griechischen Götter gehören zur natürlichen Ordnung der Welt, die alle Grenzen und Gruppen transzendiert.

Aber hat es nicht auch *Gottesleugner* gegeben? Anaxagoras und Diagoras wurden des Landes verwiesen, Sokrates wegen »Gottesleugnung« hingerichtet. *Snell* deutet die Vorgänge: »Fast alle gerichtlichen Verfolgungen von Gottlosigkeit, über die wir aus der Antike hören, fallen in die kurze Zeit vom Anfang des peloponnesischen Krieges bis zum Ende des 5. Jh.s, also in eine Spanne von dreißig Jahren und in eine Zeit, in der das eigentliche Leben der olympischen Götter schon erlischt. Diese Prozesse führt nicht die jugendliche Intoleranz einer kräftigen und selbstbewußten Religiosität, sondern die Nervosität, zu der die Verteidigung eines verlorenen Postens aufreizt. Für den Glauben der noch eigentlich frommen Zeit sagen sie nichts aus« (45). »Diese Prozesse wegen Gottlosigkeit galten nie ›Andersgläubigen‹, d.h. Anhängern einer anderen Religion oder eines anderen Glaubens, sondern Philosophen« (46).

Man kann sagen, daß bei Homer alles Übernatürliche nach festen Ordnungen verläuft. Man kann Regeln oder doch wenigstens Anhaltspunkte gewinnen, nach denen sich die Götter ins irdische Leben einmischen. Stets gibt das höhere Leben der Götter dem menschlichen Handeln Impuls und Ziel, dem irdischen Dasein seinen Sinn. Bei Homer »fühlt sich der Mensch noch nicht als Urheber seiner eigenen Entscheidung: das gibt es erst in der Tragödie« (*Snell*, 51). Doch leuchtet *Freiheit* auf. Erscheint der Gott, dann wirft er den Menschen nicht in den Staub, sondern erhöht ihn, macht ihn frei, stark, mutig und sicher. »Bei Homer sind nicht die Armen und Schwachen Gott am nächsten, sondern umgekehrt die Starken und Mächtigen« (*Snell*, 53). Das Grundverhalten in der religiösen Lebensäußerung wandelt sich auf der ganzen Linie: Nicht Schaudern, Schrecken oder Furcht, auch nicht Ehrfurcht oder Respekt herrschen vor, geschweige denn Demut oder Liebe, sondern Staunen, Wundern, Bewundern. Die Einsicht liegt nahe: »Staunen und Bewundern ist kein spezifisch religiöses Gefühl, auch bei Homer nicht. Auch schöne Frauen und starke Helden werden bewundert, kunstvoll gefertigte Geräte sind ›ein Wunder zu sehen‹« (*Snell*, 54).

»Und doch schwingt bei dem Gefühl, das der Grieche vor dem Schönen hat, immer etwas von religiösem Schauder mit; es ist ihm nie ganz verloren gegangen, daß das Bewundern ein sublimiertes Grausen ist. Diesem Bewundern waren die frühen Griechen besonders empfänglich. Bewunderung trägt man Dingen entgegen, die nicht radikal fremd sind, die nur schöner und vollkommener sind als das Alltägliche. Das griechische Wort für Bewundern, θαυμάζειν, ist von θεᾶσθαι abgeleitet, das ›schauen‹ bedeutet. Bewundern ist ein staunendes Ansehen; es packt nicht den ganzen Menschen an wie das Schaudern. Das Auge gibt den Dingen Distanz, erfaßt die Gegenstände als Objekte« (*Snell*, 54).

Bewundert werden die Götter als die »Leichtlebenden«. Ihr Leben ist in eminentem Sinn lebendig, unberührt vom Dunkel und Unvollkommenen menschlicher Existenz. Alles Widerwärtige steigert und verherrlicht ihr Sein. In höchster Bewußtheit ist den Göttern Sinn und Ziel ihres Waltens stets gegenwärtig. Sie stehen im Licht. Das Chthonische, die Verehrung der

Mutter Erde und der Tiefe, tritt in den homerischen Dichtungen ganz zurück. *Das erleuchtet Natürliche wird ansichtig.* Im Schauen enthüllt sich dem Griechen die göttliche Erfüllung des Daseins. »Theoria« ist verwandt mit »Theos«. In den Göttern deutet sich den Griechen das Dasein. Was immer als lebendig in der Natur begegnet, ist eine göttliche Macht. »Alles ist voll von Göttern«, sagte Thales zu Milet (*W. Jaeger*, 31). Die Naturphilosophie hat einen »theologischen« Hintergrund. Doch die Götter des Thales wohnen nicht an abgeschiedenen und unzugänglichen Orten: *Alles* ist erfüllt von rätselhaften lebendigen Kräften. Auf dem Weg vom Mythos zum Logos wahrt der Mythos sein Recht – auch bei Platon. »Der Mythos ehrt das Geheimnis, das der Logos aufhellen will, und indem Platon das Mythische so breit in seine Philosophie eintreten läßt, neigt auch er sich vor dem Mysterium des Seins. Diese Verneigung ist es, die ihn vor der Unechtheit des dogmatischen Wissens bewahrt und seinem Denken die Wahrheit des Trümmerhaften, Fragmentarischen, Schwankenden und Spielenden verleiht« (*G. Nebel*, Griech. Ursprung I, 1948, 156).

Aber der Naturphilosophie gelang der Durchstoß, der Vorstoß in das neue Terrain, in dem nicht Religion herrscht, sondern *der Glaube, daß unsere Welt vernünftig sei und sich dem menschlichen Denken und Forschen erschließe.* Bei den Vorsokratikern vollzieht sich der Übergang vom Mythos zum Logos in einem noch vom Mythischen berührten, philosophische Sprache erst schaffenden Denkversuch – in zahlreichen Denkversuchen, in denen die kosmologischen und ontologischen Probleme aufgerollt werden. Die Außenwelt Natur ist in der Weise zu durchforschen und zu erklären, daß alles auf die grundlegenden Naturursachen zurückgeführt wird. Die letzten Seins-Gründe und damit das Wesen aller Dinge sollen aufgedeckt werden. Welches ist der Urstoff? Das Urprinzip? Das »Sein selbst« in den seienden Dingen? Naturphilosophische »Entmythologisierung« führt von den alten Aspekten fort, in immanenter Kritik. Der religiöse Hintergrund blaßt ab. Relevant werden Feuer, Wasser, Luft, Atome.

Daß Aristoteles den religiösen Hintergrund neu stabilisierte, wird nicht unerwähnt bleiben dürfen. Er nennt die fundamentale philosophische Wissenschaft »Theologik«; sie ist für ihn die »erste Philosophie«, die »Wissenschaft der höchsten Prinzipien«. Die Nachfolger nannten diese »Theologik«: »Metaphysik«. Sie meinten, mit diesem Begriff ihre Eigenart im gesamten System des Aristoteles besser kennzeichnen zu können.

Aus der Schule der Eleaten ging Xenophanes hervor (ca. 570–477). *Religionskritik* wird explizit. Xenophanes erklärt den Göttern der Religion offen den Krieg. Aber auch er wahrt »theologische« Positionen: »*Ein* Gott ist der größte unter Göttern und Menschen, er ist weder an Gestalt noch an Geist den Sterblichen gleich« (*W. Jaeger*, 55). Das Aussprechen dieser Negation und pantheistische Weitungen geben der Kritik Richtung und Stoßkraft. »Alles haben Homer und Hesiod den Göttern angehängt, was nur bei Menschen Schimpf und Schande ist: Stehlen und Ehebrechen und sich gegenseitig betrügen . . . Doch wähnen die Sterblichen, die Götter würden geboren

und hätten Gewand und Stimme und Gestalt wie sie . . . Doch wenn die
Ochsen und die Rosse und Löwen Hände hätten oder malen könnten mit ihren Händen und Werke bilden wie Menschen, so würden die Rosse roßähn-
liche, die Ochsen ochsenähnliche Göttergestalten malen und Körper bilden,
wie jede gerade das Aussehen hätte« (*H. Diels,* Die Fragmente der Vorso-
kratiker, ed. *W. Kranz,* ⁶1951, 132ff.). Xenophanes kritisiert, die Menschen hätten sich selbst zum Maß Gottes gemacht. Die Thraker, blond und
blauäugig, halten ihre Götter für blond und blauäugig; die Äthiopier halten
ihre Götter für schwarz. Alle Menschen haben den wahren Gott verfehlt,
weil sie *sich selbst zum Urbild ihrer religiösen Schöpfungen* setzten. Ihre
eigene Endlichkeit haben sie den Göttern angedichtet. Die erste explizite
Religionskritik ist durchströmt von Erregung darüber, wie naiv Menschen
ihre beschränkte Erfahrung auf »Gott« übertragen, wie selbstverständlich
sie über die Gestalt Gottes verfügen und wie anthropomorph sie daherre-
den. Die scharfe Kritik des Xenophanes blieb ein Sonderfall, allerdings im
symptomatisch zu wertenden Kontext der großen Bewegung vom Mythos
zum Logos.

Vergleichsweise sanft wirkt die späte »religionskritische« Äußerung des Epikur (Brief an
Menoikus), 130f.). »Denn es gibt Götter, ihre Erkenntnis ist deutlich. Aber so, wie sie sich die
Menge vorstellt, sind sie nicht. Denn sie wahrt ihnen die Eigenschaften nicht, die sie ihnen in
ihrer Vorstellung zuschreibt. Gottlos ist nicht, wer die Götter der Menge beseitigt, sondern
wer die Anschauungen der Menge auf die Götter überträgt.« Die elitäre Religiosität ist hier der
Maßstab.

Es gibt Götter. Die Stoa äußert sich in religiösen Affirmationen. Kultus
und Ethos sind Erweise der Existenz von Göttern. Zeno lehrt: »Mit gutem
Grund ehrt man doch wohl die Götter. Nicht vorhandene würde man aber
nicht mit gutem Grund verehren. Also gibt es Götter« (Fragmente
162, 152). Ein seltsamer Zirkelschluß!

Mehr und mehr gewinnt die Frage an Gewicht: *Wie entstand Religion?*
Aristoteles vertrat die Theorie, die Vorstellung der Menschen von den Göttern sei einer doppelten Quelle entsprungen: den Erlebnissen der Seele, die
z.B. im Schlaf sich erhebt und Zeitübergreifendes wahrnimmt, *und* der Anschauung der Gestirne, ihrer schönen Bewegung und herrlichen Ordnung.
Dann zersplittern die Theorien. Von den verschiedensten Seiten wurde das
Problem angegangen. Bekannt ist die These des Lukrez, die Furcht habe die
Götter erzeugt. Interessanterweise findet sich diese These in einem religionskritischen Gesamtbild. »Trostlos bot sich dem Blick das menschliche
Leben auf Erden unter der Religion schwer lastendem Druck sich schlep-
pend« (Lukrez, Über die Natur der Welt I, 62ff.). Erst des »Geistes lebendige Kraft« führt den Menschen zum Sieg, die »hohe Erkenntnis«: »Und
überwunden liegt die Religion nun am Boden«.

Cicero befaßte sich eingehend mit dem *»Phänomen Religion«*. Er nannte
diejenigen Menschen »religiös«, »die alles, was für die Verehrung der Götter wichtig ist, sorgfältig bedenken und gleichsam immer wieder durch-

nehmen (relegere)« (De natura deorum 2,72). Es spiegelt sich in dieser Erklärung eine etymologische Definition von »religio«. Die Religiösen sind »religiosi ex relegendo« (*A. M. Ritter*, Alte Kirche: Kirchen- und Theologiegeschichte in Quellen I, 1977, 1).

In allen Analysen und Kritiken aber gilt es: Nie reicht die Kraft so weit, Religion und Götter zu leugnen. Was immer geschah – von Homer bis Epikur, vom griechischen Ursprung hineinreichend in die römische Welt –, es waren *Durchbrüche vom »Mythos zum Logos«*. Doch wer oder was ist der »Logos«?

In der hellenistischen Welt greift das Neue Testament den Logos-Begriff auf, setzt ihn unter neue Voraussetzungen und in neue Zusammenhänge, bezieht ihn auf den Gott Israels und – vor allem – auf den Mensch-gewordenen Gottessohn: »Im Anfang war der Logos, und der Logos war bei Gott und Gott war der Logos«; »und der Logos ward Fleisch und wohnte unter uns, und wir sahen seine Herrlichkeit, eine Herrlichkeit als des einzigen Sohnes vom Vater, voller Gnade und Wahrheit« (Joh 1,1.14). Daß dieser Eine Logos der Weg Gottes zu den Menschen, *die Wahrheit* und der Inbegriff des Lebens ist (Joh 14,6), steht für das Neue Testament außer jeder Frage.

Sehr bald zur Frage aber wurde das Verhältnis des im Neuen Testament verkündigten Logos zur Gottes- und Welterkenntnis der griechisch-römischen Geisteswelt, mithin auch zur »Religion«, wie sie außerhalb des christlichen Lebensbereiches in Geltung stand und auf uralte Traditionen zurückblicken konnte. Das Problem wurde in der Alten Kirche zuerst den sog. Apologeten bewußt, jener theologisch-philosophischen Schulgruppe des 2. Jh. n.Chr., die in Justinus Martyr (ca. 110–165) ihren bedeutendsten Repräsentanten hatte. Auf christlichem Boden bildet sich die erste bedeutende Religions-Theorie heraus. Dabei werden Philosophie und Theologie der griechischen Geisteswelt in einem positiv wertenden System voll eingegliedert. »Keime der Wahrheit« gibt es in aller Welt. Der *Logos spermatikos* wirkt in den nicht-christlichen Religionen und philosophischen Auffassungen nicht nur flüchtige Erkenntnismomente, sondern eine erstaunliche Erkenntnisfülle. *Kriterium* aber ist der neutestamentliche Logos, Ursprung aller religiösen Phänomene der in der Bibel verkündigte Gott. Er hat dem ganzen Menschengeschlecht den »Samen des Logos eingepflanzt« (*F. Loofs*, Leitfaden zum Studium der Dogmengeschichte, ed. *K. Aland*, [7]1968, 93). Das Wort »Gott« ist ein der menschlichen Natur eingepflanzter Begriff einer an sich unaussprechlichen Sache (Justin, Apologie II,6,3). Alle haben nach dem Maß des keimartig in ihnen vorhandenen göttlichen Logos Anteil an der Wahrheitserkenntnis, denn der Logos war »im Anfang« (Joh 1,1). Allerdings wird in der Begegnung und in der Auseinandersetzung mit den fremden Religionen und Philosophien ein Streit auszufechten sein – dialogisch und in philosophischer Manier –, wie sich die »Keime« zum wahren Logos, zum Logos selbst, verhalten. Justin ist überzeugt, daß er seine nicht-christlichen Gesprächspartner widerlegen kann, daß er ihnen das Widersprüchliche, Rudimentäre, Verfälschte nachzuweisen vermag. Die Wahrheitsfrage steht auf dem Spiel. Unterschied und Gegensatz von wahrer und falscher Gotteserkenntnis zeichnen sich ab. Doch gemeinsam sind die – verschiedenen – *Wirkungen des Logos*. Die erste Religions-Theorie der christlichen Theologie ist zwielichtig. Vor allem erweist sie sich als ausgesprochen rational. Mit Recht erklärt Hendrik Kraemer: »Dieser *logos spermatikos-*Theorie wohnt eine Tendenz inne, den zentralen Punkt in der christlichen Offenbarung zu verdunkeln, daß diese nämlich darauf abzielt, daß der Mensch in und durch Christus in ein neues *Lebens-*Verhältnis mit Gott eintritt. Statt dessen wird der Nachdruck auf die Erlangung eines reicheren rationalen Gott-Wissens verschoben« (*H. Kraemer*, Religion und christlicher Glaube, 1959, 150).

In der Alten Kirche meldet sich aber auch der Widerspruch gegen die Auffassung, »Gott« sei ein der menschlichen Natur eingepflanzter allgemeiner Begriff. Das Unscharfe, Verschwimmende, die Exklusivität der biblischen Offenbarung Preisgebende wird attackiert mit der Formulierung »*Deus non est in genere*«: Der von der Bibel Alten und Neuen Testaments bezeugte Gott läßt sich nicht subsumieren unter einen Allgemeinbegriff »Gott«. Die *Wahrheitsfrage* gelangt zu dieser Antwort und Einsicht. Augustinus unternimmt es schließlich, systematisch konsequent zwischen »wahrer« und »falscher« Religion zu unterscheiden, obwohl auch er zu apologetischen Aspekten neigt. Für die Anthropologie bedeutet diese Unterscheidung, daß der homo naturalis durch den christlichen Glauben, und also durch die vera religio, in den Stand des homo religiosus erhoben wird. Augustinus ist der Auffassung, daß es die in der christlichen Religion zur Erfüllung gelangte Religion von allem Anfang her gegeben habe: »Die Sache selbst, die jetzt ›christliche Religion‹ genannt wird, gab es schon bei den Alten und hat es schon vom Anfang des Menschengeschlechts an immer gegeben, bis Christus im Fleisch erschienen ist. Von da an begann man die wahre Religion, die schon da war, die christliche zu nennen« (Retractiones I,12,3: CSEL 36,38).

Kam in der Tradition der Kirche später das Thema »Religion« zur Sprache, so bezog man sich auf die von Augustinus vollzogene *Unterscheidung zwischen »vera et falsa religio«*. So nimmt Zwingli in seinem »Kommentar über die wahre und falsche Religion« (1525) die längst bewährte Unterscheidung auf: »Wahre Religion oder Frömmigkeit besteht darin, daß man dem einen, alleinigen Gott anhangt.« Was aber aus menschlichem Gesetz und menschlicher Erfindung hervorgeht, ist »falsche Religion«. Dieses Urteil erstreckt sich in aktueller Zuspitzung auf die römisch-katholische Kirche; sie lehrt und betreibt eine »falsa religio«.

Unter Zustimmung zur *Religions-Definition Ciceros* erklärt Zwingli: »Ich verstehe unter Religion die ganze Frömmigkeit der Christen, nämlich Glauben, Leben, Gebote, gottesdienstliche Ordnungen, Sakramente. Wenn ich aber durch Beifügung der Worte ›wahr‹ und ›falsch‹ die Religion vom Aberglauben unterscheide, so geschieht das zu dem Zweck, um, nachdem ich die Religion aus den wahren Quellen des Wortes Gottes dargereicht habe, gleichsam in einem zweiten Becher auch den Aberglauben darzubieten; nicht damit einer daraus trinke, sondern daß er ihn ausschütte und zerbreche« (Hauptschriften: Zwingli, der Theologe, Bd. I, 1941, 18).

Wenn Calvin sein Hauptwerk »Institutio christianae religionis« betitelt, dann steht der thematisch eingeführte Religionsbegriff in den traditionellen, durch Augustinus geprägten Zusammenhängen. Auch Luther bezieht sich auf einen solchen *religio-Begriff.* Es wird jedoch auf Luther und Calvin noch ausführlicher zurückzukommen sein.

Die protestantische Orthodoxie prägte die der christlichen Tradition und der reformatorischen Präzisierung entsprechende Formulierung: »Vera religio est, quae verbo divino est conformis« (Hollaz, Examen theologiae acroamaticae, 1707, 34). Doch wird im Verständnis der Offenbarung eine Unterscheidung akut, deren Ursprung bis zur Sapientia Salomonis (13,1ff.) herabreicht und deren Relevanz insbesondere von den Apologeten und von den Scholastikern betont wurde: Voneinander abgehoben werden *revelatio naturalis* und *revelatio supernaturalis et specialis.* Damit wird der Grundstein gelegt für Religions-Theorien, für die sich die Wahrheitsfrage mit einer Unterscheidung von natürlicher und übernatürlicher Offenbarung lösen und klären soll. Logische und erkenntnistheoretische Konzeptionen, die von Aristoteles herrühren und durch die Scholastik vermittelt worden waren, werden dominant.

2. Ansätze der Religionskritik in Luthers Theologie

»Theologie« ist dem Ursprung nach – so sahen wir – ein griechischer Begriff, entstanden im Prozeß vom Mythos zum Logos. Die christliche Lehre hat diesem griechischen Begriff ein neues Gepräge gegeben – durch die biblisch gegründete Rede von Gott und seiner Offenbarung im Logos Christus. *Theologische* Religionskritik wird bemüht sein müssen, das christliche Grundverständnis von »Theologie« so deutlich wie möglich herauszubilden. Wird also der Frage nachgegangen, ob und in welcher Weise die Reformatoren als Wegbereiter neuzeitlicher Religionskritik einzuschätzen sind, so kann es nicht unterlassen werden, in der Lehre Luthers zuerst und vor allem das bestimmende Theologie-Verständnis zu umreißen, das, wie sich alsbald zeigen läßt, auf das Wort Gottes stringent bezogen ist.

Aber bedenken wir den Einspruch gegen unser Vorgehen: Wäre es nicht eine fremde und möglicherweise sogar falsche Fragestellung, die mit dem Begriff »Religionskritik« an die Theologie des Reformators herangetragen wird, motiviert durch die entsprechenden Rückverweise bei Barth und Bonhoeffer? Soll Luthers Theologie, die schon so zu manchen aktuellen Aussagen als Argumentationsbasis fungieren mußte, nun in diesem neuen Kontext in Anspruch genommen werden? Wäre es nicht angemessen, z.B. das Thema »Rechtfertigung« in der orthodoxen Begriffs- und Deutungstradition zu belassen und die iustificatio *impii* vor allen religionskritischen Zugriffen, wie sie insbesondere Karl Barth unternommen hat, zu bewahren? Eine sehr grundsätzliche Erklärung ist hier am Platz. Sie betrifft *die Rezeption reformatorischer Theologie.* »Wir betrügen uns über unsere faktische Lage, indem wir uns in Formeln und Bekenntnisse früherer Zeiten flüchten. Indem wir die Sprache der Reformation ›nachsprechen‹, bezeugen wir, daß wir heute nicht mehr zu sagen vermögen, was gesagt werden müßte, wenn wir wirklich – im Geist – die Erben der Reformation wären« (*H. J. Iwand*, Predigt-Meditationen, 1963, 578). Es ist leicht, »die Gräber der Propheten« zu schmücken, indem man ihnen die Reverenz begrifflich exakten Nachsprechens ihrer theologischen Formulierungen erweist. Es war darum hilfreich und zukunftsweisend, daß bei der mit dem Thema »Rechtfertigung« befaßten Tagung des Lutherischen Weltbundes in Helsinki (1963) die Anregung gegeben wurde, das Kernstück reformatorischer Lehre einmal im Kontext der modernen Frage nach dem »Sinn des Lebens« zu rezipieren. *Helmut Gollwitzer* hat auf diesem Weg einen allseitig beachteten, bedeutsamen Vorstoß unternommen (Krummes Holz – aufrechter Gang. Zur Frage nach dem Sinn des Lebens, 1970). Warum sollte also nicht nach allem, was in der theologischen Religionskritik Barths im Rekurs auf Luther interpretationsweisend ins Bild trat, eine entsprechende Rezeption versucht, vor allem aber nach den Ursprüngen und Wegbereitungen neuzeitlicher Religionskritik gefragt werden? Zumal – wie bereits angedeutet wurde – Ludwig Feuerbach sich nachdrücklich auf Luthers Theologie bezieht?!

Wir setzen mit dem Theologie-Verständnis Luthers ein, um damit nicht nur für die Interpretation reformatorischer Theologie, sondern auch für später zu vollziehende systematische Aktualisierungen eine Orientierungsbasis zu gewinnen. Da gilt es zuerst – und also auch im Bezug auf die ersten Überlegungen dieses Abschnitts: »Incipere sine proficere, hoc ipsum est deficere, proficere est nihil aliud nisi semper incipere« (WA 4, 350). *Theologie steht im Zeichen immer neuen Anfangens und jeweils folgenden unermüdlichen Fortschreitens.* Wer meint, er habe etwas ergriffen, der weiß nicht, daß er sich erst im Beginn befindet. Wir sind stets unterwegs. Das heißt aber: mit jedem Schritt haben wir hinter uns zu lassen, was wir haben und wissen. Mit jedem Schritt ist dem entgegenzugehen, was wir noch nicht wissen und noch nicht haben (WA 4, 342). Theologie ist Vorstoß, Durchstoß durch alles, was religiös begriffen, gewußt und gehabt bzw. gehandhabt wird. So trägt theologisches Denken die Signatur unablässigen Voranschreitens (proficere). Sie ist *theologia viatorum*, jedoch nicht nach dem Vorstellungsmuster eines bürgerlichen Sonntagsspaziergangs und auch nicht unter dem emanzipierter Pfadfinder. Der biblische Wanderer hat den Sand der Sinai-Wüste unter seinen Füßen. Doch worauf bezieht sich das theologische Voranschreiten und Immer-neue-Anfangen? Wo liegen Ausgangspunkt und Ziel der Theologie als eines permanenten Prozesses? In seiner Römerbriefvorlesung (1515/16) erklärt Luther zu Röm 3,11 unter Bezug auf Joh 1,14 (»Das Wort ward Fleisch«), auch die Weisheit (sapientia) sei »Fleisch geworden« und eben damit in tiefe Verborgenheit eingegangen.

Und wie Christus nur durch seine Selbstoffenbarung erkannt werden könne, so gelange auch die verborgene Weisheit nur durch Selbsterschließung zur Mitteilung. Damit steht eines unverrückbar fest: »Deus locutus est nobis in filio« (WA 10^I,146f. ; zu Hebr 1,1f.). Dies ist ein eschatologisches und exklusives Ereignis. »Darum sagt er auch: *Zuletzt!* Denn es wird keine andere Weise der Mitteilung sich ereignen vor dem jüngsten Tag.« Der Logos Christus, die verborgene und sich selbst mitteilende Weisheit – Ursprung und Wegweisung aller Theologie –, ist Gottes letztes und einziges Wort.

Die »Fleisch gewordene« Weisheit Gottes, der Logos Christus, begegnet nicht anders als im *verbum externum* des apostolischen Zeugnisses von ihm. »In diesen Stücken, die das mündliche, äußere Wort betreffen, ist fest dabei zu bleiben, daß Gott niemandem seinen Geist und seine Gnade gibt außer durch oder mit dem vorhergehenden äußerlichen Wort (verbum externum), damit wir bewahrt werden vor den Enthusiasten, das ist den Freigeistern, die sich rühmen, ohne oder vor dem Wort den Geist zu haben, und dann entsprechend die Schrift und das mündliche Wort beurteilen, deuten und dehnen nach ihrem Belieben . . . Auch das Papsttum ist nichts als (solcher) Enthusiasmus, in welchem der Papst sich rühmt, alle Rechte seien im Schatzkasten seines Herzens, und was er mit seiner Kirche urteilend anstellt und befiehlt, das (allein) soll Geist und Recht sein, wenn es auch über und gegen die Schrift und das mündliche Wort ist . . . Summa: Der Enthusiasmus steckt in Adam und seinen Kindern vom Anfang bis zum Ende der Welt . . .« (WA 50,245f.). *Das verbum externum ist demnach für Luther der Fleisch-gewordene, im Logos Christus menschlich-konkrete Widerspruch gegen jeden religiösen Erkenntnisbesitz, der sich auf das Apriori des Geistbesitzes bezieht.* Bonhoeffer nannte eben dies die »Innerlichkeit«, die aber keineswegs nur an den Extremen zur Rechten und zur Linken, an Papsttum und Schwärmerei (Luther denkt vor allem an Thomas Müntzer), aufweisbar ist, sondern in zahllosen Spielarten in jedem Menschen in Erscheinung tritt: »Der Enthusiasmus steckt in Adam und seinen Kindern vom Anfang bis zum Ende der Welt.« Wer angesichts dieses Satzes das verfügte, selbstsichere und urteilsbeflissene *religiöse Apriori des Geistbesitzes* nur in der extremen Rechten oder der extremen Linken (in reformatorischer Orientierung) repräsentiert sehen will, hat im Ansatz einen wesentlichen Aspekt reformatorischer Theologie verkannt.

Für Luther sind Gott und sein (Fleisch-gewordenes, als sapientia im verbum externum begegnendes) Wort identisch. Allein dieses Wort ist Gottes Gegenwart und Wirken. Alle menschlichen Internalien (»verba interna«) sind außer Kraft gesetzt. *Es gibt kein anderes Dasein Gottes in unserer Welt als das seines in Jesus Christus zu uns kommenden Wortes.* Wann immer und wo immer die Selbstmitteilung dieses Wortes sich ereignet, da geht in der Finsternis, die als solche überhaupt erst wahrnehmbar wird, das Licht auf. Da ist dann von der claritas scripturae zu sprechen: »Die rechten, größten und trefflichsten Geheimnisse sind nicht mehr im Hintergrund und tief verborgen, sondern klar, öffentlich am Tag. Denn Christus hat uns den Sinn aufgetan, daß wir die Schriften verstehen und das Evangelium ist kundgetan unter aller Kreatur. Sein Schall ist ausgegangen in alle Lande. Denn alles, was geschrieben ist, ist zu unserer (erhellenden) Belehrung geschrieben (Röm 15,4)« (WA 18,607). Wort Gottes heißt darum nicht: Es werden menschliche Worte »über Gott« als einleuchtend und überzeugend wahrgenommen, sondern: Gott selbst bezeugt im Logos Christus, im testimonium verbi externi (und nur auf diesem Weg zugleich im testimonium Spiritus sancti internum), seine Gegenwart. Damit geschieht eine jeder religiösen Rezeptionsweise entgegengesetzte Verwandlung des hörenden Menschen: ». . . nos in verbum suum, non autem verbum suum in nos mutat« (WA 56,227). *Gott verwandelt uns in sein Wort hinein, nicht aber überläßt er sein Wort unserem anpassungsbeflissenen religiösen Rezeptionsvermögen.* Er zieht uns hinein in sein Reich, in seine Geschichte, in seine Herrschaft. Dies ist der entscheidende religionskritische Aspekt der Theologie Luthers.

Dazu der Kommentar *H. J. Iwands:* »Bei aller Verwandlung muß ja etwas Gleichbleibendes sein, sonst könnten wir nicht von Verwandlung reden. Entweder ist das Ich konstant und es wechselt das ›Wort‹, das heißt es wechselt das Verständnis des Wortes, dann muß ich aber eine gewisse Konstante im ›Ich‹ haben. Oder das Wort ist das Konstante, und der Mensch wird neu geboren. Wenn es lediglich um das Verstehen des Wortes Gottes ginge, dann wäre der Mensch das Konstante« (*H. J. Iwand*, Luthers Theologie: Nachgelassene Werke V, 1974, 207f.). Von Bedeutung ist, was Iwand zu der Größe »*eine gewisse Konstante im* ›*Ich*‹« bemerkt. Auch hier wird daran zu erinnern sein: Bonhoeffer nannte diese »Konstante« – »Innerlichkeit« und setzte seine Religionskritik genau an dieser Stelle an. Er bezog sich auf das religiös konstante Innere, das sich der Veränderung und Erneuerung durch die Christuswirklichkeit entzog bzw. »Mutation-Surrogaten« inwendig Raum zu geben bestrebt war, indem es sich Gott »draußen«, in der Transzendenz, vom Leib hielt.

»Wort Gottes« ist in der reformatorischen Theologie keine überzeitliche, dem Mythos oder der Metaphysik vergleichbare Größe. Dieses Wort ist vielmehr eine höchst konkrete, situationsgerichtete und Person-bezogene Macht. »Gottes Wort hin, Gottes Wort her, ich muß wissen und achthaben, zu wem das Wort Gottes geredet wird« (WA 16,384). Das unablässige, aufmerksam hinhorchende Fragen, das bereite Sich-dem-Wort-Aussetzen und Sich-Betreffenlassen ist die schlechterdings entscheidende Einstellung. Denn ich kann die ganze Schrift kennen und auswendig wissen – und doch fortgesetzt am Wort Gottes vorbeigehen. Jedoch: *Ich* kann mir dieses Wort *nicht* zuwenden und aneignen. Die Ereignisinitiative der Mitteilung liegt und bleibt bei Gott. *Sein Wort ist frei in seinem Kommen.* Es ist weder an die Schrift gebunden (im Sinne der orthodoxen Formel: »scriptura sacra *est* verbum Dei«) noch bezogen auf irgendeine religiöse Präferenz frommer Hörer oder kirchlicher bzw. theologischer Interpretationsinstanzen. Das Bekenntnis »sola scriptura« steht im Zeichen der Erinnerung und der Erwartung freier Selbstmitteilung des göttlichen Wortes; es begründet keinen Bibelkult. Indem dieses Bekenntnis die Freiheit Gottes bezeugt, bekundet es die Befreiung von allen religiösen Autoritäten, die bevormundend das Wort Gottes interpretieren, reglementieren und applizieren wollen. Was zu Luthers Zeiten der Papst war – und wohl auch noch heute zu sein sich anmaßt –, sind im protestantischen Lager die Orthodoxen, die Konservativen, die Fundamentalisten, die Supranaturalisten . . . Nein! Wer in der Kirche bzw.

in der Theologie wäre nicht betroffen?! Wer könnte sich davon freisprechen, die Rolle einer zuverlässig hörenden und verstehenden Interpretationsinstanz spielen zu wollen?! Auch in dieser Sache ist die Krisis keine partielle und die diese Krisis abschattende Kritik nicht auf Sonderfälle beschränkt. Allerdings muß in diesem Zusammenhang dann auch die reformatorische Formel »scriptura sacra sui ipsius interpres«, jenes »Jagdopfer« übereifriger, das reformatorische Schriftprinzip »historisch-kritisch« demontierender Gelehrter, neu ins Visier genommen werden. Diese Formel will ja doch keineswegs einen der Bibel immanenten hermeneutischen Mechanismus und dessen bibeltreue Handhabung ins Zauberlicht einer als selbstverständlich vorausgesetzten »claritas scripturae sacrae« rücken, sondern sie kann als eine dem Hören und Forschen anempfohlene Konsequenz der *freien Selbstmitteilung Gottes* – in Erinnerung und Erwartung – begriffen werden.

»Das Wort ist nur dadurch recht zu verstehen bei Luther, daß es durch sich selbst da ist. Nur dadurch legt sich das Wort selbst aus. Das ist nichts anderes als eine Folge davon, daß ich die Schrift auf das Wort Gottes hin lese. Darum die These, daß die ›Schrift sich selbst auslegt‹. Das tut sie nicht einfach von sich aus, sondern darum, daß und insofern sie Wort Gottes ist. Es gibt keine Analogie, keinen Ansatzpunkt, es gibt keine Norm, von der aus ich sagen könnte: Das ist Gottes Wort. Wir haben solche Normen ausgestellt, wir haben gesagt: Was dich im Gewissen anspricht, was dich aus dem Gesetz rettet, das ist verbum Dei. Wir haben experientia (Erfahrung), conscientia (Gewissen), persona – alle Funktionen haben wir herangeführt, um von da aus festzustellen, was Wort Gottes ist und was nicht Wort Gottes ist. Aber das ist unmöglich. Denn dann haben wir schon wieder Kategorien der geschaffenen Welt gewonnen, um daran Gottes Wort zu messen, dann lassen wir Gott nicht selbst Richter sein« (*H. J. Iwand*, Luthers Theologie: Nachgelassene Werke V, 1974, 208f.).

Wo es um Gott geht, da sind alle empirischen Feststellungen und die Konstatierungen von Erfolg oder Mißerfolg hinfällig. *Dem Wort korrespondiert zuerst und zuletzt der Glaube, das Hören, und nicht die mit den Augen gewonnene Einsicht.* In dieser Sache betont Luther immer wieder, man müsse erst hören und dann sehen, erst glauben und dann verstehen, erst ergriffen werden, dann begreifen, erst erfaßt werden, dann erfassen, erst lernen, dann lehren (WA 4, 94f.). Hier geht es nicht um die den zahlreichen religiösen Kulten entgegengestellte Kategorie der »Unsichtbarkeit«, sondern allein um die dem Wort und seiner Selbstmitteilung entsprechende »Kategorie« des *Hörens*, die alle Verhältnisse qualitativ verändert und neue Zuordnungen vornimmt, die dem homo naturalis, aber auch – wie zu zeigen sein wird – dem homo religiosus entgegenstehen. Es verfängt an dieser Stelle nicht, wenn der Religionswissenschaftler das »Ergriffenwerden« oder »Erfaßtsein« als ein allgemein aufweisbares, vom »Numinosum« ausgehendes Phänomen konstatiert. Das Hören des Wortes Gottes, des Logos Christus, hat in seiner »personalen« Exklusivität religionskritische Konsequenzen von unabsehbaren Ausmaßen. Dies wird noch genauer aufzuzeigen sein. Jedenfalls ist der Intellekt des christlichen Theologen nicht bindungslos seinen Emotionen oder irgendwelchen vorgewiesenen Aneignungsprinzipien überantwortet. Das Hören des Wortes Gottes führt in die Bindung und Freiheit des Glaubens. »Fides est in intellectu . . . Fides dictat et dirigit intellectum . . .« (WA 40^{II},26f.). *Der Glaube prägt die Erkenntnis.* Aber er konzipiert die Credenda nicht in einliniger Hörigkeit, sondern »Fides est igitur Dialectica« (WA 40^{II},28). Es geht ein διαλέγεσθαι, ein explikativer »Dialog«, aus der fides hervor. Was hier auf dem Spiel steht, hat Luther schon sehr früh formuliert. Die fides befindet sich nie in Wortbesitz und Gotteserkenntnis, so daß das διαλέγεσθαι des »intellectus ex fide« etwa von Gegebenheiten des Inneren ausgehen könnte. In der Auslegung des Römerbriefs (1515/16) weiß Luther sich getroffen von der Aussage »Da ist niemand, der nach Gott fragt!« (Röm 3,11; vgl. Ps 14,2). »*Niemand!*« Luther nimmt den Christen und Theologen nicht aus. Die biblische Enthüllung führt in eine unentrinnbare Krisis, deren religionskritische Spitze in der folgenden Erklärung scharf hervortritt: »Denn dieses Lebens Stand wird nicht darin verbracht, daß man Gott hat, sondern darin, daß man ihn sucht. Immer muß man ihn suchen und wieder suchen, immer wieder von neuem suchen, so wie der Ps 105,4 sagt: ›Sucht sein Angesicht allezeit‹ . . . So führt der Weg empor von Kraft zu Kraft, von Klarheit zu Klarheit, hinein in dasselbe Bild. Denn nicht, der anhebt und sucht, sondern ›der beharrt‹ (Mt 10,22) und weitersucht ›bis ans Ende, der wird selig werden‹, immer beginnend und suchend und suchend das Gesuchte wieder suchend. Denn wer auf dem Weg Gottes nicht voranschreitet, der geht zurück, und wer nicht sucht, der verliert das schon Gesuchte, weil man auf dem Weg Gottes nicht stehenbleiben darf« (WA 56,237ff.).

Der Theologe erkennt den unsichtbaren Gott *nicht* aus den Werken der Schöpfung und göttlichen Machtmanifestationen in der Welt. Er begreift, was von Gottes Wesen wirklich der Welt zugewandt ist, als *im Leiden und Kreuz Jesu Christi dargestellt* (WA 1,334). In den »Heidelberger Disputationen« (1518) wird christliche Theologie, die dem Logos Christus im λόγος τοῦ σταυροῦ (1Kor 1,18) begegnet, grundlegend als »*theologia crucis*« bestimmt. Ihr wird die verderbliche (scholastische), über Gottes Allmacht spekulierende und meditierende »theologia gloriae« kontrastierend gegenübergestellt. Gottes Macht begegnet allein in seiner Ohnmacht, seine Herrlichkeit im Kreuz. Wer dies erkennt, dem entschwinden alle religiösen Wege und Orientierungspunkte, ihm zerbrechen die theologischen Systeme und wohlausgewogenen Gedankengefüge frommer Lebensgestaltung. Es kann darum »theologia gloriae« nicht nur in der Kontroverse gegen die scholastische Lehre der römisch-katholischen Theologie akut sein; »theologia gloriae« wird jeder dogmatische und ethische *Erkenntnisbesitz* und somit *alles religiöse Haben,* auch wenn es sich demütig als ein Nicht-Haben darstellt. Wahrheit ersteht in der desperatio crucis.

»Es ist ein hartes Ding und ein enger Weg, alles Sichtbare zu verlassen, ausgezogen zu werden in allen Sinnen, alles Gewohnte zu entbehren, ja es bedeutet geradezu Tod und Höllenfahrt. Es scheint so, als ob die Seele zugrunde gehen müßte, wenn ihr alles entzogen wird, wovon sie lebte, worin sie weilte, woran sie hing, sie berührt weder Himmel noch Erde, sie weiß nichts von sich noch von Gott. Meldet meinem Geliebten, sagt sie, daß ich vor Liebe verschmachte, gleich als ob sie sagen wollte: Ich bin wieder ins Nichts zurückgeworfen und ich weiß von nichts, ich bin hineingeschritten in Finsternis und Dunkel und sehe nichts, allein in Glauben, Hoffnung und Liebe lebe ich und vergehe vor Schwachheit. Wenn ich schwach bin, dann bin ich stark. Diesen Weg nennen die Mystiker ins Dunkel gehen, jenseits von Sein und Nichtsein emporsteigen. Aber ich weiß nicht, ob sie sich selbst recht verstehen, wenn sie das ihrer eigenen Übung zutrauen, während doch vielmehr damit die Leiden des Kreuzes, des Todes und der Hölle bezeichnet werden. *Das Kreuz allein ist unsere Theologie*« (WA 5,176).

Christen sind Menschen, die in die Passion Christi hineingezogen worden sind. Ihre Teilhabe an Christus ist nicht dem von den Mystikern inaugurierten seelischen Nachempfinden, der imitatio und den von religiösen Experten unternommenen Entsagungsexerzitien vergleichbar. *Alles* ist in Krisis und Ende geworfen, in »Tod und Höllenfahrt«. Wir würden sagen: in totale Verzweiflung und Sinnlosigkeit. Christen verfügen nicht über die große, glorreiche Erkenntnis der Sinnerfüllung des Daseins, die sie aus dem Füllhorn ihres Glaubensschatzes austeilen könnten; sie nehmen teil an der Ohnmacht Gottes, an seinem Leiden in der Welt. Entsprechend ist die Theologie geprägt. Ihr Inhalt, ihr Richtungssinn und ihre Kennmarke ist allein das Kreuz. Nur in der Partizipation am Leiden Gottes in Christus kann sich die Kirche in Wahrheit mitteilen. So ist denn auch das Hören des Wortes Gottes, aus dem Theologie allein zu existieren vermag, vom »Kontext« des Leidens, der desperatio und tentatio, gezeichnet. Die – philologisch übrigens nicht zutreffende – Übersetzung von Jes 28,19 hat in der »Hermeneutik« Luthers eine eminente Bedeutung: »Allein die Anfechtung lehrt auf das Wort merken.« Was »Anfechtung« (tentatio) ist, vermag der eben zitierte Text (WA 5,176) anzudeuten. Der Grund des Glaubens ist betroffen, nicht irgendeine kleine oder große Angelegenheit, die »mich anficht«, irritiert oder gar »tief erschüttert«. »Anfechtung« heißt: »Mein Gott, mein Gott, warum hast du mich verlassen?« (Mk 15,34). In der Theologie ist der Theologe selbst betroffen. »Vivendo, immo moriendo et damnando fit theologus, non intelligendo, legendo aut speculando« (WA 5,163). Jede natürliche Erkenntnis und Weisheit bringt stolze und vermessene Menschen hervor. »Impossibile enim est, ut scientia non ficiat sibi placere, et sic Dei oblivisci et ingratum fieri . . .« (WA 4,647). Auch gibt Gott nicht einem einzigen alle Gaben, noch können alle alles. Die Gnadengaben sind ausgeteilt (WA 18,602). Luther berührt hier die Charismenlehre des Neuen Testaments, nach der Theologie in der Gestalt von διδαχή, γνῶσις oder σοφία eine *Gabe des Geistes* und damit in Ursprung und Ansatz dem Verständnis und den Lebensäußerungen der scientia oder philosophia entnommen ist. In solcher Grundbeziehung, die stets von Christus herkommt und zu Christus zurückführt, ersteht eine neue Sprache: »Omnia vocabula in Christo novam significationem accipere in eadem re significata« (WA 39^{II},94). Wie konsequent aber in alledem eine »religionskritische« Intention waltet, das zeigt am deutlichsten ein Satz aus dem »Großen Galater-Kommentar« (1531): »Unsere Theologie ist gewiß, denn sie stellt uns außerhalb unserer selbst: Ich soll mich nicht stützen auf mein Gewissen, mein persönliches Empfinden (sensuali persona), meine Werke, sondern auf die göttliche Verheißung und Wahrheit, die nicht trügen kann« (WA 40^I, 589). Doch damit werden die Grundakkorde der Rechtfertigungslehre vernehmbar, in denen das »extra nos«, das bei Luther eine klar abweisende Funktion hinsichtlich der selbstzentrierten *Innerlichkeit*, und zwar gerade der *frommen* Innerlichkeit, zutage treten läßt, eine erhebliche Rolle spielt.

Wie bereits in allem, was bisher zur Theologie Luthers ausgeführt wurde, so können auch jetzt, wenn das Thema *iustificatio impii* auf seine religionskritischen Implikationen hin befragt wird, nur einzelne Akzentuierungen vorgenommen werden. Daß es sich in solchem Verfahren aber nicht um einen tendenziösen Eklektizismus handelt, wird im jeweiligen Kontext der im folgenden zu zitierenden Stellen und Hindeutungen überprüft werden können.

Das Wort Gottes ergeht als Gesetz und Evangelium. Das Gesetz sagt »Tu dies!«, aber es geschieht nie, denn das Gesetz Gottes ist unerfüllbar. Das Evangelium sagt »Glaube an Jesus Christus«, und schon ist alles erfüllt (WA 1, 354). Jesus Christus ist die »lex impleta«, die sich im Evangelium dem Glaubenden mitteilt und in ihm durch den Heiligen Geist wirksam wird. Solange sich aber der Mensch unter der lex implenda befindet, existiert er auf einem in sich hoffnungslosen, von Anklagen, Urteilen, Scheitern und Sterben gezeichneten Vorfeld. Unter dem Gesetz werden – bestenfalls – die Fragen virulent: Wo ist Weisheit? Wo ist Gerechtigkeit? Wo ist Wahrheit? Wo ist Tugend? Das Evangelium antwortet: »Non in nobis, sed in Christo, extra nos in Deo« (WA 1,139). Die unerreichbare »Gerechtigkeit«, in der der Mensch vor Gott, dem Herrn und Richter alles Lebens, nicht nur *Sinn und Bestimmung seiner humanitas* erfüllen würde, die vielmehr auch den *Inbegriff des Rechtes Gottes* als des Schöpfers aller Menschen enthält, zeigt das Gesetz an. Dieses Gesetz ist jedoch nicht nur teleologisch auf das Evangelium bezogen (»usus elenchticus«), es wirkt auch außerhalb der relatio legis et evangelii überall dort, wo »natürliche« und »religiöse« Forderungen, Verpflichtungen, Bindungen oder Ordnungen manifest sind. Luther kann – der in III.1 aufgezeigten Tradition entsprechend – und insbesondere in Anlehnung an Augustins Sprachgebrauch – den christlichen Glauben als »religio«, als »vera religio« im speziellen Sinn bezeichnen; im generellen Verständnis jedoch erscheint »Religion« bei ihm als ein unter die lex subsumiertes Phänomen.

In dieser Hinsicht wird *H. Halbfas* (Religion, 1976, 191) zuzustimmen sein, wenn er, nach den Ursprüngen der theologischen Religionskritik Karl Barths fragend, feststellt, daß bei Luther im Rahmen der Lehre von der Rechtfertigung aus dem Glauben »Religion« dem Gesetz unterstellt wurde. Allerdings – so wird zu präzisieren sein – in dem besagten *generellen Verständnis*, dem ein spezielles Verständnis vorausliegt. Man wird also nicht erklären können, daß Calvin »Religion« traditioneller gesehen habe als Luther. Auch Luther folgt dem bestehenden Sprach- und Vorstellungsmodus. Doch löst sich bei ihm, unter der Lehre von »Gesetz und Evangelium« (bzw. im Kontext der Rechtfertigungslehre) ein neues religio-Verständnis heraus, das noch genauerer Beachtung bedarf.

Gottes Gerechtigkeit, als lex impleta mit Jesus Christus identisch, im Evangelium kundgegeben und »ex auditu« geglaubt, *tritt in der Theologie Luthers als das schlechthin Neue, Kontingente und Inkoordinable ins Licht.* Diese Tatsache bewirkt, daß auch die bisher gültige Kategorie der »religio« gesprengt wird. Im speziellen Sinn galt christlicher Glaube als »vera religio«. Nun tritt »Wahrheit« in einen neuen Bezug. »Ubi veritas? . . . In Christo, extra nos in Deo« (WA 1, 139). Tut sich aber die Wahrheit und die Gerechtigkeit »außerhalb von uns« in Christus kund, dann ist der geläufige, das Verhältnis zu Gott kennzeichnende Begriff »religio« nicht mehr angemessen und geeignet, das den christlichen Glauben bestimmende Ereignis der iustificatio impii zu erfassen, dann rückt »Religion« in den Schatten und in das Kraftfeld des Gesetzes. Da zudem »religio« herkömmlich in erster Linie als fromme *Aktivität* verstanden wurde, mußte sich die Erkenntnis der »iustitia *passiva*« vom traditionellen Begriff strikt distanzieren. Daß damit aber nicht nur eine situationsbedingte »Sprachregelung«, sondern eine dem Religionsverständnis an die Wurzeln gehende Ausrodung verbunden war, das werden die weiteren Darlegungen zeigen. Es ist für Luther unmöglich geworden, »Rechtfertigung« als ein Sonderthema – vielleicht als das höchste und bedeutsamste – zu betrachten. Die in Christus sich mitteilende »Gerechtigkeit« ist der eigentliche Inhalt der Offenbarung Gottes (Röm 1, 17). Wer darum nicht weiß, was bzw. wer »Gerechtigkeit Gottes« ist, der kennt Gott nicht. Somit hängt alles, was den christlichen Glauben betrifft, an der viva vox evangelii, an der lebendigen, vom Geist Gottes bewegten Mitteilung der »Gerechtigkeit Gottes«, die mit der lex impleta, die Jesus Christus heißt, nichts anderes und Geringeres bringt als Freispruch, Vergebung der Sünden.

Es ist darum – wie Luther erklärt – *das Wort Gottes als Evangelium* »ein Wort der Kraft und der Gnade: wenn es die Ohren trifft, gibt es inwendig den Geist ein. Wo es aber den Geist nicht eingibt, da unterscheidet sich, der hört, in nichts von dem, der taub ist . . . Der Apostel spricht: Nicht durch (des Gesetzes) Werke, sondern durch die Verkündigung des Wortes (ex auditu fidei), d.i. wenn du das Wort erleiden willst, dann sei du stille und feire von deinen Werken los einen Sabbath des Herrn, auf daß du hörest, was der Herr dein Gott in dich hinein spricht . . . Willst du die Gnade erlangen, so siehe zu, daß du das Wort gespannt hörst oder sorgfältig bedenkst. Das Wort, sage ich, das Wort allein ist das Gefährt der Gnade Gottes (vehiculum gratiae Dei). Denn was du ›annehmbare Werke‹ nennst (opera congrui), das sind entweder böse Dinge, oder die Gnade, die sie tut, ist notwendig schon vorher gekommen. Der Satz steht fest, daß der Geist durch die Verkündigung vom Glauben (ex auditu fidei) empfangen werde« (WA 2, 509).

Im Empfang der »iustitia passiva« ist das Erleiden des Wortes Gottes, also das dem Evangelium Sich-Aussetzen und Sich-Ausliefern des Menschen, das alles entscheidende Geschehen. Aber dieser Akt kann nicht einfach unter die Rubrik religiös-meditativen Verhaltens subsumiert werden. Denn *es geschieht am Menschen ein gegen ihn gerichteter Angriff und Eingriff, der nur als Inbegriff der Krisis und als höchst konkrete Religionskritik bezeichnet werden kann.* »Sed vere verbum Dei, si venit, venit contra sensum et votum nostrum. Non sinit stare sensum nostrum, etiam in iis, quae sunt sanctissima, sed destruit ac eradicat ac dissipat omnia« (Röm II,249). Wir übersetzen: »Doch wenn das Wort Gottes kommt, dann kommt es im Widerspruch zu unserem Sinnen und Meinen. Es läßt unsere Meinung nicht bestehen, auch nicht in Dingen, welche die allerheiligsten sind, sondern es reißt ab, tilgt aus und vernichtet alles.« Das Wort Gottes führt einen radikalen und totalen Angriff auf den Menschen in seiner Religiosität aus. Die iustificatio gilt dem impius, dem Gottlosen, dessen Gottlosigkeit, wie sogleich zu zeigen sein wird, dort am schrecklichsten ist, wo sie sich hinter den sanctissima der Religion verbirgt und tarnt. Der dem Menschen begegnenden iustificatio impii antwortet der Glaube mit einem »Deum iustificare«. Der Glaubende gibt Gott recht, er macht sich Gottes Urteil zu eigen; das ist seine erste Reaktion. »Iustus enim in principio est accusator sui« (WA 3,29; 5,102). Die »Selbstanklage«, von der hier die Rede ist, schattet sich ab in einer – auch und gerade das Religiöse betreffenden – Selbstkritik, in Religionskritik. Ein solcher »accusator sui« würde dem »opus alienum«, dem »fremden Werk Gottes« entsprechen, das auf das »opus proprium«, das eigentliche Tun Gottes abzielt. Der religiöse Mensch möchte Gott erleben; in der iustificatio muß er an ihm sterben, bevor er zu neuem Leben erweckt wird. »Religionskritik« würde bedeuten, daß die Krisis dieses Sterbens ernst genommen wird – bis auf den Grund des Lebens, Denkens und Erkennens; daß sich also der homo religiosus nicht mit dem »Als-Ob« doketischer Rituale an der Teilhabe an Tod und Auferstehung Jesu Christi, deren er gewürdigt wird (vgl. Röm 6,1ff.), vorbeischleicht. Gott rechtfertigt nicht »gemalte«, »fingierte«, sondern wirkliche Menschen in ihrer Gottferne und Sünde. »Zu Christus kommen«, »glauben« heißt: »exire de se ipso« (herausgehen aus sich selbst) – und das ist eine große crux (WA 1,140).

Aber was in Kreuz und Auferstehung Jesu Christi geschehen ist, hat nicht jene viel beschworene »Bedeutsamkeit« und »Gültigkeit« für individuelle und existentielle Erneuerung. Auch wenn Luther, in der Tradition Augustins stehend, von dem Gegenüber »Gott und die Seele, die Seele und Gott« (»Wie kriege ich einen gnädigen Gott?«) ausgegangen ist, so weitet sich doch die – zu keinen doketischen Bedeutsamkeits- und Gültigkeitsreflektionen Anlaß gebende – Rechtfertigungslehre zu einer *universalen Sicht der Weltversöhnung*, die alle philosophischen und religionsphilosophischen, und zuerst sämtliche empirischen Erhebungen, zunichte macht. Was heißt es denn: »Gott war in Christus und versöhnte die Welt mit sich selbst« (2Kor 5,19)? Kann *ein* Gedanke, kann *eine* religiöse Idee auch nur von ferne ermessen, was am Kreuz geschehen ist? *Die ganze Welt der Sünde, der Entfremdung von Gott, der Bosheit, der Leiden und des Todes – diese korrum-*

pierte Welt, mit der alle Religionen in Auseinandersetzungen und Kampf liegen, ist überwunden. Luther erklärt: »Die Sünden der ganzen Welt sind nicht dort, wo sie anschaulich sind und empfunden werden. Denn für die Theologie gibt es keine Sünde, keinen Tod in der Welt. Aber für die Philosophie und die Ratio sind die Sünden nirgendwo sonst als in der Welt . . . Das alles ist ganz und gar gottlos. Die wahre Lehre besagt, daß in der Tat keine Sünde in der Welt ist, weil Christus die Sünde besiegt hat an seinem Leib« (WA 40^{II},29). Die in dieser Weise argumentierende Theologie ist nicht wirklichkeitsblind; sie geht nicht mit Illusionen an den harten Tatsachen vorüber, die für die Religionen der eigentliche Ansatzpunkt ihrer Existenz sind. Das Kreuz hat eine neue Wirklichkeit heraufgeführt. Die Welt *ist* versöhnt. Sie bedarf keiner Erlösungsriten, keiner Opfer, keiner die ganze Misere überwindenden Kulte und Weisheiten mehr. Wer davon ausgeht, daß Sünde in der Welt vorhanden ist, die noch beseitigt und überwunden werden muß, der hat sich in ein Gott-loses, den gekreuzigten Christus verleugnendes religiöses Verfahren verstricken lassen. Eine solche Religion wäre Gottlosigkeit.

Man wird dieser Deutung nicht entgegenhalten können, Luther überspanne eine bestimmte, durch Versöhnung geprägte »Sicht« der Welt, der doch auch ganz andere Aspekte einer von Sünde und Teufel regierten Welt gegenüberstünden. Die vorliegende Argumentation verweist in tiefere Schichten, welche die bei Luther oft aufleuchtende neue Wirklichkeit betreffen, die durch Kreuz und Auferstehung Jesu Christi *schon angebrochen ist.* Luther nimmt damit das »schon jetzt« der neutestamentlichen Eschatologie auf, stellt es aber nicht – dialektisch – in ein Spannungsverhältnis zum »noch nicht«, sondern gibt ihm vollen, rückhaltlosen Ausdruck – in der gezielten Auseinandersetzung mit den hoffnungslosen allgemeinen Feststellungen, die durch Beobachtung, philosophische Analyse und rationale Einsicht besiegelt sind.

Die iustificatio impii enthält eine einschneidende Wandlung der Anthropologie. Nicht der »pius«, sondern der »impius«, der Gott-lose, empfängt im Glauben die Gerechtigkeit Gottes (Röm 4,5). Doch seine Existenz rückt damit nicht in den Rang eines homo religiosus, vielmehr ist und bleibt sie bestimmt durch die Realität »simul iustus – simul peccator«. Luther hat erkannt, daß Sünde und Gnade nicht in einem Nacheinander wirksam, sondern zugleich gegenwärtig sind, denn dem Glaubenden wird beides eröffnet: Daß sein Leben verloren ist in Sünde und Tod (Röm 7,24) und daß Gott in Christus ihm gerade darum nahe ist, daß der Kreuzestod »mors contra mortem« (WA 40^I,273), Leben und »alle Seligkeit« bringt. Aber die Realität »simul iustus – simul peccator« zeigt kein unentschiedenes Ringen an. Die Sünde weicht, die neue Gerechtigkeit zieht herauf! Der Glaubende ist »peccator in re«, »iustus in spe« (Gal 5,5). Dieser Weg des Glaubens aber ist total unterschieden von jedem am Läuterungsprozeß eines homo religiosus geformten Menschenbild. Denn die *iustificatio impii* macht nicht aus einem »homo impius« einen »homo pius seu religiosus«, sondern sie führt den *homo humanus* heraus, den wahren Menschen. Die Lebensweise eines *homo religiosus* gehört zur Gottlosigkeit hinzu; denn der impius verbirgt und tarnt sich mit Hilfe seiner Religiosität. *Im Glauben gelangt der Mensch mit all seiner frommen Gottlosigkeit und gottlosen Religiosität unter das »regnum humanitatis Christi«, unter die Herrschaft der Menschlichkeit des wahren Menschen Jesus Christus.* »Durch das Regiment seiner Menschlichkeit und seines Fleisches, in dem wir durch den Glauben leben, macht er uns sich gleichförmig und kreuzigt uns, indem er aus unglücklichen und stolzen Göttern wahre Menschen macht, d.h. Menschen in ihrem Elend und ihrer Sünde. Weil wir nämlich in Adam zur Gottähnlichkeit emporgestiegen sind, darum stieg er herunter zur Ähnlichkeit mit uns, um uns zur Erkenntnis unserer selbst zurückzuführen. Das nämlich ist der Sinn der Inkarnation. Das ist das Reich des Glaubens, in dem das Kreuz Christi regiert, welches die Gottheit, die wir perverserweise erstrebten, zunichte macht und die Menschlichkeit und verachtete Schwachheit des Fleisches, die wir perverserweise verlassen haben, wieder zurückbringt« (WA 5,128). Diese Sätze bekunden die kopernikanische Wende im Verständnis von Religion; sie stellen alle bisherigen anthropologischen Kategorien religiöser Betrachtung auf den Kopf. Die humanitas Christi zerbricht sämtliche allgemein gültigen Maßstäbe: *Nicht wird der homo humanus in der Begegnung mit Gott zu einem homo religiosus, sondern dem homo religiosus in seiner adamitischen Hybris und Gottlosigkeit wird im Glauben durch die Hingabe am Kreuz Anteil an der humanitas Christi gegeben; er wird zu einem homo humanus, zu einem wahren Menschen.* Deutlicher kann das Ende der Religion gar nicht angezeigt werden! Vor allem die Religionskritik Bonhoeffers mit den bestimmenden Themen der »Christuswirklichkeit«, der Menschlichkeit und des Kreuzes Jesu Christi hat hier ihre Wurzeln. Es hängt aber alles an der humanitas des Christus, der erniedrigt wurde zum elenden, verlassenen Menschen vor Gott und vor sich selbst (WA 5,271): »pro nobis«, für uns.

In einer Predigt über Ps 8,5 vom 1.11.1537 kommt Luther auf den Ausruf am Kreuz zu sprechen »Mein Gott, mein Gott, warum hast du mich verlassen?« (Mk 15,34): »Er ist auch in der Wahrheit von Gott verlassen gewesen. Nicht daß die Gottheit von der Menschheit geschieden sei (denn Gottheit und Menschheit in dieser Person, welche ist Christus, Gottes und Marien Sohn, so vereinigt sind, daß sie in Ewigkeit nicht mögen getrennt noch geschieden werden), sondern daß die Gottheit sich eingezogen und verborgen hat, daß es scheint, und wer es liest, sagen möchte: *Hier ist kein Gott, sondern lauter Mensch, dazu betrübter und verzagter Mensch. Die Menschheit ist allein gelassen . . .«* (WA 45,239). Indem Gott also ganz Anteil nimmt am wirklichen menschlichen Geschick, wird dem in unwirklicher Existenzweise entfremdeten Menschen Partizipation an der *vera humanitas Christi* geschenkt. Damit wird er nicht in eine religiöse Überhöhung oder Vertiefung geführt, sondern *in die Wahrheit und Eigentlichkeit seines armen, verlorenen Lebens.* Jesus Christus »ist Gott und Mensch, der Höchste und der Unterste, der Menschliche und Endliche, in einer Person, der alles frei macht und alles erfüllt« (WA 43,580). Wichtig ist für Luther die *communicatio idiomatum* der geminae substantiae. Da auf diesen Aspekt zurückzukommen sein wird, seien an dieser Stelle Thesen

»De divinitate et humanitate Christi« (1540) zitiert: »Also daß das, was des Menschen ist, mit Recht von Gott, und wiederum, was Gottes ist, vom Menschen gesagt werde.« »So müssen notwendig die Vokabeln Mensch, Menschheit, gelitten usw. und alles, was man sonst von Christus sagt, neue Vokabeln sein.« »Es bleibt dies: die Naturen sind unterschiedlich (discretae), aber nach jener communicatio ist eine Verbindung (coniunctio) da, d.i. *Eine* Person. Es sind nicht zwei Personen. Aber solche Person ist Gott und Mensch.« »Es ist eine communicatio idiomatum. Das, was Christus gelitten hat, wird auch Gott zugeschrieben, denn sie sind Eines« (WA 39^{II}, 93ff.). – Zur Erweckung des »wahren Menschen« durch die iustificatio impii vgl. *E. Wolf*, Martin Luther. Das Evangelium und die Religion: ThEx 6, ^{2}1934.

Der Mensch, wer der auch sei und in welchen Zusammenhängen er auch leben möge, ist ein *homo incurvatus in se ipse:* ein in sich selbst gekrümmtes, auf sich selbst bezogenes Wesen, das immer nur das eigene sucht. Luther verschärft Augustins Kennzeichnung der Sünde als eines *amor sui*. Und was Augustinus »concupiscentia« nannte, die den Menschen als Sünder charakterisierende maßlose Begierde, das trägt Luther nun auch in den geistlichen Bereich des Glaubens und des Lebens vor Gott hinein: Die concupiscentia des natürlichen Menschen wandelt sich zur *concupiscentia spiritualis*, zur geistlichen Begierde. Der homo naturalis, der sich mit dem Mantel der Frömmigkeit umhüllt, ist der wahrhaft verlorene Mensch, der Sünder *kat' exochén.* Für ihn wird das gesamte religiös-spirituelle Leben zu einer Begierde und zu einem Streben, um alle eigenen Wünsche und Neigungen zu erfüllen. Gott wird dabei zum Mittel. Gott wird nicht um seiner selbst willen gesucht, geehrt und gelobt. Das Ziel des homo religiosus in seiner concupiscentia spiritualis ist nicht die Bitte »Dein Reich komme!«, sondern der Wunsch, daß die eigene Lebenslage in Frieden und Seelenruhe, in Frömmigkeit und Heiligkeit erfüllt werde. *Daß Religion »Wunschwesen« (L. Feuerbach) ist, hat Luther zuerst erkannt und deutlich herausgestellt.*

»Darum ist die menschliche Frömmigkeit nichts als Gotteslästerung und die allergrößte Sünde, die ein Mensch tut. Also ist das Wesen auch, damit jetzt die Welt umgeht und das sie für Gottesdienst und Frömmigkeit hält, (es) ist für Gott ärger denn keine andere Sünde, als da ist (der) Pfaffen und Mönche Stand, und was vor der Welt gut scheint und doch ohne Glauben ist. Darum, wer nicht durch das Blut von Gott will Gnade erlangen, dem ist (es) besser, daß er nimmer vor Gottes Augen trete. Denn er erzürnt nur die Majestät je mehr und mehr damit« (WA 12, 291). Die *concupiscentia spiritualis* sucht Gott nicht um seiner selbst willen, also mit dem Ziel, daß Gott Gott sei, sondern sie sucht Gott, weil der Mensch ihn braucht, weil er seiner bedarf – zur Erlangung seiner Geistigkeit und Spiritualität.

Der Urwille der Menschen ist die »*annihilatio Dei*«, die Vernichtung Gottes (Röm II, 197). »Gott« ist nur noch eine Bezeichnung für den Menschen, der selbst Gott sein möchte. »Non potest homo naturaliter velle deum esse deum. Immo vellet se esse deum, et deum non esse deum« (WA 1, 225). Natürlicherweise kann der Mensch nicht wollen, daß Gott Gott sei; vielmehr will er selbst Gott sein und nicht, daß Gott Gott sei. *Der Mensch ist ein geborener Atheist*, Religiosität ist nur die Maske, hinter der sich die in Wahrheit wirksame »annihilatio Dei« verbirgt. Das Gegenbild zu dieser Desillusionierung der Frömmigkeit des homo religiosus ist das Kreuz Christi, die Lebenshingabe Gottes an die ihr Leben verwirkte, auf den Schleichwegen der Religion die geistlichen Surrogate suchende Menschheit. Das Gegenbild ist der Glaube, der Gottes Gabe empfängt. »Denn alles, was nicht aus dem Glauben heraus geschieht, ist Sünde« (Röm 14,23). »Von dem Glauben und keinem anderen Werk haben wir den Namen, daß wir Christusgläubige heißen, als vom Hauptwerk. Denn alle Werke mag ein Heide, Jude, Türke, Sünder auch tun. Aber trauen festiglich, daß er Gott wohlgefalle, ist nicht möglich denn einem Christen, mit Gnaden erleuchtet und befestigt« (WA 6,206). Diese Feststellung gilt exklusiv und prägt bei Luther dann noch einmal – und zwar eben im Sinne der Exklusivität – das Auftreten eines durch die Begriffe »wahr« und »einzig« geprägten (traditionellen), aber nur noch sporadisch auftauchenden »Religions«-Begriffs: »Darum ist die wahre und einzige Religion, der einzige (wahre) Gottesdienst: Glauben an die freie Vergebung der Sünden, ohne Werke, aus reiner und bloßer Gnade . . . Diesem Gott, der uns umsonst gnädig ist und wohltut, vertrauen, das ist die wahre Religion und die wahre Gerechtigkeit« (WA 25,287).

Hier ist es an der Zeit, *die Frage zu stellen, wie Luther die natürliche, allgemeine Religiosität außerhalb des Glaubens, in der Völkerwelt, sieht und beurteilt.* Anlaß zur Beantwortung dieser Frage gibt Röm 1,23: »Sie haben verwandelt die Herrlichkeit des unvergänglichen Gottes in ein Gleichnis eines Bildes des vergänglichen Menschen.« Luther weiß – entsprechend Röm 1,19f. –, daß allen Menschen Gottes unsichtbare, ungreifbare Majestät von außen in der Schöpfung und von innen (Röm 2,14) durch die »lex naturalis« entgegentritt, daß aber eben dieser Mensch sofort seine eigenen Dichtungen und Bilder aufbringt, um in und mit ihnen »Gott« zu erfassen. *Die »Theologie« des homo religiosus ist Anthropologie.* Er schafft sich Gott nach menschlichem Vorbild und Maß. Er entwirft Bilder und Götzen, tote, starre und feststehende Vorstellungen, an denen er hartnäckig festhält und die er im Tempel seines Herzens aufrichtet. Für Luther ist die Verwechselung Gottes mit den Manifestationen seiner schöpferischen Macht *die* Sünde, und in ihr vor allem das Eintreten des Menschen in die Stelle Gottes. Darum ist zu erklären: »Jeder Aufstieg zur Erkenntnis Gottes ist gefährlich, es sei denn, er geschehe durch die Herabneigung Christi hindurch, weil dies die ›Jakobsleiter‹ ist« (WA 4,647). »Ergo in Christo crucifixo est vera theologia et cognitio Dei«, heißt es in der These XX der Heidelberger Disputationen (1518). Es tritt an die Stelle der apriorischen, natürlichen Gotteserkenntnis die Glaubenserkenntnis, die auf die Verborgenheit Gottes im Menschgewordenen und Gekreuzigten allein bezogen ist. Doch die natürliche Religion ist für Luther keine Abstraktion, sondern eine Wirklichkeit des menschlichen Lebens, unablösbar von seinem Wesen, jedermann erfahrbar, *der Kern jeder Religion* (vgl. E. Wolf, Martin Luther: ThEx 6, ²1934, 9). Diese natürliche Religion, von der Vernunft begriffen und forciert, weist in die falsche Richtung; sie führt fort von der in Christus offenbar gewordenen Wahrheit Gottes, sie ist falsa religio (WA 40^I, 603). »Alle Menschen haben ein allgemeines Wissen, nämlich, daß Gott ist, daß er Himmel und Erde geschaffen hat, daß er gerecht ist, daß er die Gottlosen straft usw. Aber was Gott über uns denkt, was er geben und tun will, daß wir von den Sünden und vom Tod befreit und gerettet werden (welches die besondere und wahre Erkenntnis Gottes ist), haben die Menschen nicht erkannt« (WA 40^I, 607). Das Nicht-Erkennen wirkt dem Herabkommen Gottes entgegen – in der Form von aufschießenden »Projektionen«, in denen behauptet wird, »Gott sei so oder so« (zu Röm 1,25). Alle erheben sie ihre eigene Meinung und Vorstellung in den Himmel hinauf. Das ist Religion!

Problematisch wird die anthropozentrische »Projektionstheorie« Luthers in der viel diskutierten Erklärung zu Röm 3,5 (Römerbriefvorlesung 1515/16): »Gott ist im höchsten Grade veränderlich. Das ist daraus zu ersehen, daß er gerechtfertigt und gerichtet wird. Ps 18,27: ›Bei den Auserwählten wirst du auserwählt sein und bei den Verkehrten wirst du verkehrt sein‹. So wie ein jeder sich selbst ist, so tritt ihm auch Gott gegenüber (qualis est unusquisque in se ipso, talis est ei deus in obiecto)« (*J. Ficker*, Röm II, 72). Luther sieht demnach – so würde man zunächst meinen – das »Gottesbild« jeweils durch die Grundsituation des Menschen bestimmt. Die subjektive qualitas des Menschen würde also das Sein Gott »in obiecto« prägen. Aber es wird zu fragen sein, ob man das doppelte *est* »ontologisch« überspannen darf, wie es später Feuerbach unter Berufung auf Luthers Aussage getan hat, ob nicht vielmehr der Aspekt der *Begegnung* bestimmend ist. Die zitierten Sätze haben zwei Angeln, um die die Aussage schwingt: »Erwählung« und »Rechtfertigung Gottes«. Für den von Gott Erwählten ist Gott »auserwählt«, ist er der Eine und Einzige. Der Erwählte antwortet in der »iustificatio Dei«, er gibt Gott recht. Der »Verkehrte« aber, der Nicht-Erwählte, vollzieht den Akt der »iustificatio Dei« im negativen Urteil über Gott. Was sich also in den zwei verschiedenen Reaktionen abspielt, kann *nicht* in der Weise verstanden werden, daß die Realität Gottes von der jeweiligen Sicht des Menschen *abhängig* ist, daß sie der »Projektion« ihre Existenz verdankt. Die fraglos überspitzte Formulierung wird von den beiden »Angeln« her zu deuten sein, um die sie schwingt. Die »Korrelation« von Glaube und Gott ist bei Luther eine ganz innige, unauflösbare. »Denn die zwei gehören zu Haufe, Glaube und Gott . . .« (WA 30^I, 132). Der Glaube kann darum in der großen Galaterbrief-Vorlesung (1531) sogar als »creatrix divinitatis«, als »Schöpfer der Gottheit«, bezeichnet werden (WA 40^I, 360). Ludwig Feuerbach hat sich, wie zu zeigen sein wird, nachdrücklich auf diese Aussage des Reformators bezogen. Nur heißt es im Kontext bei Luther, der Glaube sei »Schöpfer der Gottheit, nicht in Person, sondern in uns«, denn »außerhalb des Glaubens verliert Gott seine Gerechtigkeit, Herrlichkeit, Reichtum . . .« Man kann ergänzen: Er verliert sie nicht »in Person«, sondern »in uns«. M.a.W. Luther will mit der – wiederum überspitzten – Aussage *die alles entscheidende Bedeutung des Glaubens* herausstellen. Daß jedoch dieser Glaube in der Theologie Luthers nie als ein »Werk des Menschen« verstanden werden kann, ist vorauszusetzen und relativiert die Formulierung. Es wird allerdings erforderlich sein, angesichts der Rezeption der Erklärungen Luthers durch Feuerbach auf die problematischen Aussagen des Reformators noch einmal zurückzukommen.

Eine Kooperation zwischen Mensch und Gott findet bei der Rechtfertigung des Sünders nicht statt; sie ist aber deren unbedingte Konsequenz. »Fide autem nobis iustificatis, egredimur in vitam activam« (WA 40^I, 447). Die wahre Theologie ist eine theologia practica; die spekulative, in Inaktivität auslaufende Lehre »gehört in die Hölle zum Teufel«. War schon 1520 in der Schrift »Von den guten Werken« die Unabdingbarkeit der Werke für den Glauben unterstrichen worden, so ist Luther stets bemüht gewesen, *die Notwendigkeit des Tuns im Glauben, und also in der befreienden Macht des Heiligen Geistes, zu betonen.* Er unterscheidet zwischen Lehre und Leben in einem deutlich erkennbaren Gefälle: »Die Lehre gehört auf Gottes Seite, das Leben auf unsere Seite. Die Lehre gehört nicht uns, das Leben gehört uns . . .« (WA 40^{II}, 46). Denn am Jüngsten Tag wird Christus nicht fragen, wie oft und wieviel ein Mensch gebetet, gefastet, gewallfahrtet, dies und das getan, sondern wie er gelebt und den Allergeringsten beigestanden hat (WA 6, 242). Dabei ist alles Gute, das von uns ausgeht, Gott zuzuschreiben (»totum bonum nostrum Deo adscribendum est«; WA 18, 614). »Was hast du, was du nicht empfangen hast?« (1 Kor 4,7). Nur der protzige und verstockte homo religiosus hat stets die Erklärung auf den Lippen oder in der Verborgenheit seines Herzens: »Hoc ego feci!« Die passive und fremde Gerechtigkeit allein ist die schöpferische Kraft, aus der Christen leben. Hören und Tun sind für den Glaubenden *ein* Akt. »Wer nicht von Stund an und sofort aufsteht, wenn der heilige Geist ruft, der wird ihn nie ergreifen. Denn er kommt nicht wieder, wenn er einmal weggegangen ist« (WA 43, 349). Dieser Satz schärft die Unwiederbringlichkeit der Situation des Hörens ein. Das Geist-erfüllte Wort will in die durch Liebe gekennzeichnete Freiheit führen (Gal 5, 13f.).

Wir haben jetzt nicht zu fragen, ob und wie das Handeln der Christen in der Welt durch *die Lehre von den beiden Reichen* limitiert ist. Es ergeben sich in dieser Hinsicht zahlreiche Fragen, auf die später einzugehen sein wird. Viele Unternehmungen, die Unterscheidungslehre in ein dualistisches Scheidungsverfahren zu verwandeln, sind in den letzten Jahren in ihrer Problematik ins Licht gerückt worden. Auch ist zu fragen, ob Luther tatsächlich das Reich der Welt kategorisch dem Gesetz, das Reich Christi aber dem Evangelium zugeordnet hat; ob nicht vielmehr zuerst und grundsätzlich von der *Herrschaft Christi in den beiden Reichen* zu sprechen ist (vgl. E. *Wolf*, Peregrinatio II, 1965, 207ff.). Wie anders könnte Luther erklären, die weltliche Herrschaft sei »ein Bild, Schatten und Figur der Herrschaft Christi« (WA 30^{II}, 554ff.)?!

Für die spätere Orientierung dürfte es von Wichtigkeit sein, auf *die Einheit von Christperson und Weltperson in der Liebe* zu achten. »Bei Luther hat der Einzelne als Einzelner seinen Platz allein im Aspekt coram deo, während das ethische Handeln coram mundo selbst dort, wo es im rechtlichen status des privatus sich vollzieht, immer politisches, weil vom Nächsten im Gesamtkonzept des gesellschaftlichen Lebens her konzipiertes Handeln ist« (*U. Duchrow*, Christenheit und Weltverantwortung, 1970, 548). Und weiter wäre zu beachten: »Genau wie Augustin versucht er (sc. Luther) also, das *Handeln nach der Bergpredigt als optimales politisches Verhalten* zu charakterisieren – optimal, weil Eintracht und Frieden im letzten Grund den Bestand des Gemeinwesens und das Wohl des Nächsten bedingen. Dem liegt die Überzeugung zugrunde, daß die *Liebe die Wahrheit der Vernunft* ist. Diesem für Luthers politische Ethik fundamentalen Gedanken entspricht in der Gesetzesauffassung, soweit sie jedenfalls das Welt- und Nächstenverhältnis betrifft, die Identifikation von Naturgesetz, der zweiten Tafel des Dekalogs und der Bergpredigt. Vor allem durch die Goldene Regel kann Luther in allen Fällen deutlich machen, daß das Handeln der Liebe das Vernünftige ist« (*U. Duchrow*, a.a.O., 550f.). Dies gilt auch für das Gebot der Feindesliebe: ». . . Der vom Heiligen Geist getriebene Mensch hält die Feindesliebe als vernünftig durch, selbst wenn dies für seine eigene Person unvernünftige Folgen hat. Das Wohl der Mitkreatur im gesellschaftlich-politischen Gesamtzusammenhang erscheint im Rechtsverzicht, im gewaltlosen Rechtbekennen und im öffentlichen Rechts- und Friedensschutz nur in komplementär verschiedenen Aspekten und erfordert in gleicher Weise Menschen, die frei von sich selbst für andere leben, was in dieser Welt nur unter Leiden geschehen kann« (*U. Duchrow*, a.a.O., 552). – Mit diesen Zitaten soll wenigstens die Richtung angedeutet werden, in die hinein das politisch-gesellschaftliche Handeln der Christen nach Luther verläuft. Hier sind viele traditionelle Urteile und Vorurteile zu korrigieren.

Vor allem müßte Luthers Ethik auf ihren *eschatologischen Bezug* hin untersucht werden. Das Reich Gottes wird in diesem Leben und in dieser Welt nicht aufgerichtet. Der Bitte »Dein Reich komme!« entspricht die *Hoffnung*, die mit weit aufgeschlossenen Augen dem zukünftigen, neuen Leben zugewandt und die folglich nur in relativer und vorläufiger Hinwendung dem zeitlichen Leben mit allen seinen Zusammenhängen zugeordnet ist (WA 34^{II}, 110f.).

3. Calvins Verständnis von »Religion«

Das Religionsverständnis der abendländischen Theologie war durch Augustinus geprägt worden. Thomas von Aquino nannte den Gegenstand der Theologie gelegentlich »christiana religio« (so z.B. im Prolog zur »Summa theologica«), oder er sprach von »religio fidei«; er unterschied aber auch zwischen der allgemeinen (moralischen) Tugend der »religio« und der speziell mönchischen »religio« (S. Theol. II,2 qu. 81f.; 186f.). Außerhalb des Gesichtskreises jedenfalls lag die Vorstellung von einer »nicht-christlichen« Religion. Auch ein abstrakter Allgemeinbegriff »religio«, dem die christliche Religion zu subsumieren wäre, war Thomas unbekannt.

Nicht anders liegen die Voraussetzungen bei *Calvin*, der – im Begriff ganz traditionell – die Formulierung »christiana religio« in den Titel seines Hauptwerkes aufnahm, allerdings die von Thomas vorgenommene Unterscheidung zwischen allgemeiner und besonderer »religio« selbstverständlich nicht nachvollzog.

Aber es treten zwei neue Aspekte in die überkommene Begrifflichkeit und deren Vorstellungswelt ein: 1) *das humanistisch motivierte, wissenschaftliche Interesse an dem in der Menschheit aufweisbaren Phänomen der Religion;* 2) *die reformatorische Erkenntnis der Krisis, in die jede religiöse Lebensäußerung hineingezogen ist.* Der Unterschied zur Lehre Luthers liegt demnach darin, daß der Genfer Reformator die traditionelle religio-Vorstellung nicht sogleich und ausschließlich der reformatorischen Kritik aussetzt, sondern daß er mit systematischer Akribie das Thema »Religion« zuerst einmal im Vorfeld humanistischer Analysen behandelt. Wenn diese Feststellung getroffen wird, dann wird freilich sogleich hinzuzufügen sein, daß Calvin nicht von ferne daran gedacht hat, das Christliche zum Prädikat eines neutralen und allgemeinen Menschlichen zu setzen (vgl. *K. Barth*, KD I,2:310). Vielmehr war er von Anfang an bestrebt, alle Untersuchungen – zum heidnischen wie zum christlichen Verständnis von »religio« – einer biblischen, insbesondere durch Röm 1,19ff. und Röm 2,14ff. gegebenen Norm zu unterstellen. Die »Institutio christianae religionis« wird m.a.W. nicht mit religionsphilosophischen Prolegomena eröffnet, sondern mit einer *Theologia der Religion,* deren Skopus genau beachtet sein will. Zu bedenken sind aber auch die so weit und umfassend ausgespannten Eingangsworte der »Institutio«: »Unsere ganze Weisheit, soll sie wirklich den Namen ›Weisheit‹ verdienen und wahr und zuverlässig sein, dann enthält sie wesentlich zwei Themen: die Erkenntnis Gottes und unsere Selbsterkenntnis« (Inst. I,1,1). Dieser Satz führt in eine Korrelation hinein, deren Initium die Erkenntnis Gottes ist. So gehen alle Überlegungen auf die Frage aus: Was ist wahre Gotteserkenntnis – und wo wird sie gefunden?

»Religion« ist ein allgemein-menschliches Phänomen. Nach Calvin hat der menschliche Geist ohne allen Zweifel durch »natürlichen Instinkt« so etwas wie einen »Sinn für Göttliches« (divinitatis sensus). »Denn allen Menschen hat Gott selbst eine Wahrnehmungsfähigkeit seines geheimnisvollen Wesens (sui numinis intelligentiam) gegeben« (Inst. I,3,3). Doch diese religiöse Sensitivität tritt für Calvin sogleich in einen teleologischen Bezug zur *Krisis* alles dessen, was den Menschen da anweht und angeht: *Niemand kann also den Vorwand der Unwissenheit als Entschuldigung anführen.* Mit diesem Hinweis auf Röm 1,20 wird schon im Anfang der »Institutio« angezeigt, welches Ziel alle Darlegungen haben. *Calvins Theologie der Religion ist in ihrer alles entscheidenden Intention – Religionskritik.* Und zwar eine Kritik, die ausgeht von der von Gott selbst verhängten Krisis »über alles gottlose Wesen und Ungerechtigkeit der Menschen, die die Wahrheit in Ungerechtigkeit gefangenhalten« (Röm 1,18). Gottes Wahrheit ist in alle Welt ausgegangen. Niemand kann sich für unwissend erklären. Kein Volk – so meint Calvin – sei so barbarisch, daß in ihm nicht doch die Überzeugung existiere: Es gibt einen Gott (Inst. I,3,1 unter Berufung auf Cicero, De natura Deorum I,16,43). Der »Same der Religion« (semen religionis) ist demnach in die gesamte Menschheit ausgestreut worden. Auch der Götzendienst sollte als sprechender Beweis für die empfangene Anlage gelten. Auf keinen Fall kann das Vorhandensein von »Religion« auf tendenziöse Erfindungen einiger weniger Menschen zurückgeführt werden, die das wilde Volk mit göttlichen Banden in Zucht halten wollten (Inst. I,3,2). Die Erfahrung erweist vielmehr, daß Gott in *alle* Herzen den Samen der Religion eingelegt hat (Inst. I,4,1). Calvin insistiert darauf, daß Röm 1,19 durch empirische Beobachtungen belegbar ist. Doch hat für ihn die Kritik sogleich einzusetzen: Es ist unter hundert kaum einer, der hegt und pflegt, was ihm gegeben war. Der Same geht nicht auf; geschweige denn, daß er Frucht bringe! Um jedes naturalistische Mißverständnis auszuschalten, erklärt Calvin unverzüglich: *Dieser »Mißerfolg« hat seinen Grund in der Rebellion gegen Gott und in einem durch Aberglauben oder bösen Vorsatz geleiteten Ausscheren aus der so nahe-gelegten, wahren Gotteserkenntnis.* Darum kann es in der Welt keine wahre Frömmigkeit geben (Inst. I,4,1). Die Mikroben, die das »semen religionis« zersetzen, sind Irrtum, Blindheit, Aberglaube, Torheit, Eitelkeit, Trotz. In seinem Kommentar zum Römerbrief kommentiert Calvin Röm 1,22 (»da sie sich für weise hielten, sind sie zu Narren geworden«) mit den Sätzen: »Es ist nicht nur eine den Philosophen eigentümliche Schwäche, sich hinsichtlich der Erkenntnis Gottes für weise zu halten, vielmehr ist dies allen Völkern und Gruppen eigen. Denn es gibt keinen einzigen Menschen, der Gottes Majestät nicht in seine Denkvorstellungen einschließen und sich Gott so bilden möchte, daß er ihn mit seinem Verstand fassen kann« (CR 49,25). Wer aber in dieser Weise mit selbstersonnenen Vorstellungen und Mitteln Gott verehren will, der betreibt »Dienst und Devotion der Objekte seiner Delirien« (Inst. I,4,3). In der Religion »wehrt und verschließt sich der Mensch gegen die Offenbarung dadurch, daß er sich einen Ersatz für sie beschafft, daß er sich vorwegnimmt, was ihm in ihr von Gott gegeben werden soll« (*K. Barth*, KD I,2:330f.).

Als Schöpfer tut Gott sich kund, erzeigt er seine wunderbare Weisheit im Himmel und auf Erden (Inst. I,5,2). Doch alle Menschen reagieren in schmählicher Undankbarkeit. Sie verwechseln die Geschöpfe mit dem Schöpfer. Aus den Werkstoffen der geschaffenen Welt fabrizieren sie sich Schattengötzen, um den wahren Gott gründlich loszuwerden (Inst. I,5,5). Dies aber sind nicht versehentliche Abirrungen, sondern *bewußte und gewollte Äußerungen der Gott-losigkeit.* Die Folgen stellen sich ein: Ein Schlamm von Irrtümern bedeckt die Welt, und jedem ist sein eigener Verstand ein ausweglose Labyrinth (Inst. I,5,12). Gottes Manifestationen erreichen ihr Ziel nicht. Die »reine Religion« (pura religio) kommt nirgendwo zum Austrag, sie wird von allen verfälscht; alle begeben sie sich in die Rebellion. Und niemand kann sich entschuldigen, er habe keine Ahnung gehabt, daß es einen Gott gebe! So hält also auch Calvin – wie Luther – den natürlichen Menschen für einen ausgemachten »Atheisten«. Die Aussage »Es ist kein Gott« (Ps 14,1) bezieht sich nach Calvins Meinung auf Menschen, die sich mutwillig selbst betäuben und ihr Innerstes verriegeln (Inst. I,4,2). Wer könnte sich ausschließen?! Die Misere sitzt tief: Kein Mensch hat von Natur die Fähigkeit (naturalis facultas) zur reinen und lauteren Erkenntnis Gottes (Inst. I,5,15). Dieses totale Unvermögen ist jedoch nicht Anlage oder schicksalhafte Gegebenheit, sondern Schuld. Daß die vom Menschen ausgehende »religio« Sünde sei, hat nicht Karl Barth, sondern Calvin zuerst betont. Auch die Akzentuierung »religio« sei *die* Sünde des Menschen, ist dem Kontext der »Institutio« zu entnehmen.

Wirkliche und wirksame Erkenntnis Gottes wird uns nur durch das in der Bibel bezeugte *Wort Gottes* gegeben, durch *das Licht* dieses Wortes, das in der Finsternis aufgeht (Inst. I,6,1). Israel hat zuerst dieses einzigartige Geschenk (singulare donum) empfangen, dann die Kirche. Gott selbst öffnet seinen heiligen Mund, spricht Menschen an und würdigt sie der Gemeinschaft mit ihm. Darum gelangt niemand zur wahren Erkenntnis Gottes, es sei denn, er werde Hörer des Wortes und Schüler der Bibel. Nur auf diesem in Gottes Zuwendung eingeschlagenen, im Logos Jesus Christus zum Ziel gelangten Weg entsteht »wahrer und vollkommener Glaube« und »rechte Gotteserkenntnis«. Denn das Hören wird sogleich zum Gehorchen. Der Same des Wortes bringt Frucht hervor, ein Leben, das in Theorie und Praxis dem lebendigen Gott zugetan ist (Inst. I,6,2f.). Doch knüpft das Ereignis der Offenbarung nicht an eine schon vorhandene oder betätigte Religion des Menschen an; vielmehr steht das Wort Gottes im Widerspruch zu allem, was der Mensch im Bereich von »religio« inszeniert hat. Dieser Widerspruch zielt an auf *»wahre Religion«*, auf die »christiana religio«.

In dieser wichtigen, auf »wahre Religion« ausgehenden Gedankenfolge ist Karl Barth – deutlich erkennbar – ein Schüler Calvins. Doch ist auch nicht zu übersehen, *wie herausfordernd Barth die Religionskritik Calvins verschärft* hat. Neuzeitliche Destruktionsverfahren wirken in sein Konzept hinein. Außerdem wird Barths theologische Religionskritik, wie gezeigt wurde, der »christlichen Religion« zugewandt. Allerdings wird dieses zuletzt genannte Moment ansatzweise auch bei Calvin festgestellt werden können. – Bemerkenswert ist das Urteil *Hendrik Kraemers:* Calvin »behält seinen klaren Kopf und stellt als realistischer Beobachter der Wirklichkeiten der positiven Religion einfach Tatsachen fest, und sein angemessenes Urteil ist: große Möglichkeiten, aber auch große und gräßliche Entstellungen. Seine Unbeirrbarkeit scheint von einer tiefen religiösen Erfahrung auszugehen, die seine religiöse Kritik bestimmt, und ebenso auch von seinem unzweideutigen Vertrauen in das Wort der heiligen Schrift. – Daher ist es falsch, Calvin die Theorie einer religio naturalis unterschieben zu wollen« (Religion und christlicher Glaube, 1959, 169). Ganz gewiß ist es falsch, Calvin als Anwalt einer »natürlichen Theologie« in Anspruch nehmen zu wollen. Doch wird man das Verhältnis von realistischer Beobachtung bzw. Erfahrung und »Vertrauen in das Wort der heiligen Schrift« doch noch genauer bestimmen müssen. Calvin geht in seinen Analysen und kritischen Ausführungen von der Norm, vom Kriterium Röm 1f. aus. Empirisches Material schattet die Wahrheit des biblischen Wortes ab. Die humanistische scientia steht im Dienst einer auf Religionskritik abzielenden Systematik.

Wahre Religion ist mit ernster Gottesfurcht verbundener Glaube (Inst. I,2,2). Calvins Leitfrage nach Erkenntnis Gottes kann nicht intellektualistisch mißverstanden werden. Sie verfolgt ein »humanistisches Interesse«, das dann aber in sich selbst korrigiert wird. Humanistisch ist auch die Frage nach dem »Sinn des Lebens«, mit der im »Genfer Katechismus« eingesetzt wird: »Welches ist der eigentliche Sinn (praecipuus finis) des menschlichen Lebens?« Antwort: »Daß die Menschen Gott, von dem sie geschaffen sind, auch erkennen!« (OS II,75). Man könnte fragen: Wieso und inwieweit ist *Gotteserkenntnis* Sinnerfüllung des Lebens? Nie verharrt Calvin im Nur-Intellektuellen. Ziel und Sinn des Lebens ist die betätigte Erkenntnis, daß Gott als der Schöpfer und Herr des Menschen »in uns verherrlicht wird« (glorificetur in nobis). Dies ist das »höchste Gut« (summum bonum). *»Höchstes Gut« ist demnach nicht ein transzendentes Wesen, sondern der im Menschen zu Ehren kommende, vom Geschöpf verherrlichte Gott.* Gotteserkenntnis heißt: »Gott leben« (Deo vivere). Und diese wahre, rechte und einzige Erkenntnis Gottes wird praktiziert, indem »unser ganzes Vertrauen auf ihn gesetzt wird« (OS II,75). Grund und Mitte der Gotteserkenntnis ist das *Vertrauen* (fiducia), das der Anrede des göttlichen Wortes traut und folgt. Nur das in der Bibel bezeugte Wort Gottes kann uns zu Gott führen. In diesem Wort ist Gott allein der vollgültige Zeuge seiner selbst (Inst. I,11,1). Von diesem Ereignis lebendiger Selbstbezeugung her empfängt die Bibel ihre »Autopistie«, ihre Selbstbeglaubigung (Inst. I,7,5). Darum kann niemand die Geheimnisse Gottes begreifen außer denen, welchen es *gegeben ist.* Gott *gibt* sich zu erkennen. Sein Sich-Mitteilen und Geben ist der Ursprung des Glaubens. Alles, was an diesem Geben vorübergeht, kann ex principio nur Götzendienst sein. Es gilt für den natürlichen Menschen, der dem »semen religionis« begegnet, ebenso wie für den in der Kirche lebenden Christen, »daß der Menschengeist zu allen Zeiten gleichsam eine Götzenfabrik (idolorum fabrica) gewesen ist« (Inst. I,11,8). Dies ist ein religionskritischer Grundsatz erster Ordnung: *Der Geist des Menschen fungiert als Werkstatt göttlicher Objekte, die dem Einen, in seinem Wort sich mitteilenden Gott entgegengestellt werden.* In der Theologie Calvins wird diese Einsicht in die wahre Bewegung des menschlichen Geistes keineswegs auf den »natürlichen Menschen« beschränkt. In Lehre und Leben der Christen nimmt die unheilvolle Werkstatt immer neu ihre Produktion auf. Wer auch nur einen Augenblick vom Wort Gottes abweicht, verfällt den Machenschaften seines eigenen, Gottesbilder projizierenden Geistes. Wiederum ist alles das, was sich da in den »geistigen Prozessen« abspielt, nicht als schicksalhafte Fehlsteuerung der Gehirntätigkeit zu erklären, sondern *als akuter Ausdruck der Entfremdung von Gott* (abalienatio a Deo), als menschliche Schuld und Sünde.

Gott spricht sein Wort. Dieses Wort ist »zuletzt« (Hebr 1,2) der *Logos Jesus Christus.* Die Sache des Menschen stünde hoffnungslos, wenn die Majestät Gottes nicht zu uns herniedergestiegen wäre. Weil wir nicht zu ihm emporzusteigen vermochten, mußte Christus zum »Immanuel« werden, zum »Gott-mit-uns« (Inst. II,12,1). In der »Institutio« ist die Wende in Kapitel I,13 angezeigt: Gegen alle natürlichen, religiösen und philosophischen

Spekulationen wird die Trinitätslehre zum Ausgangspunkt der wahren Gotteserkenntnis gesetzt. Der wahre Gott ist der Dreieinige.

Nach dem Zeugnis der Evangelien war der Logos Christus von Anbeginn der Welt an »das Leben«; er selbst war »*das Licht der Menschen*« (Joh 1,4.9). In seinem Kommentar zum Johannes-Evangelium erklärt Calvin zu Joh 1,9, »daß die Strahlen dieses Lichtes sich auf die ganze Menschheit verteilt haben.« Er unterstreicht, daß es keinen Menschen gäbe, zu dem nicht irgendeine Ahnung oder Empfängnis des ewigen Lichtes, des Logos Christus, gelangt sei. Was immer auf Erden »Licht« sei, empfange seinen Glanz von Ihm. Es ist erstaunlich zu sehen, wie selbstverständlich nicht nur Calvin, sondern auch Luther alle natürlichen Gaben, mit denen Menschen ausgestattet sind, als Abglanz des in Christus erscheinenden Logos und Lichtes fassen. Alle Menschen sind sozusagen auf dieses Licht bezogen. »Er erleuchtet die Menschen mit seinem Licht also, daß aller Verstand, Witz und Behendigkeit, so nicht falsch und teuflisch ist, von diesem Licht, so des ewigen Vaters Weisheit ist, herfließt« (Luther, WA 46,562). Die Reformatoren haben die Lehre vom Logos spermatikos nicht vertreten. Wohl haben sie sich weitgehend – und für unsere heutigen Erkenntnisse: in gefährlicher Weise – auf Prinzipien der lex naturae eingelassen, doch zeigen die Erklärungen zum Prolog des Johannes-Evangeliums, daß irrige Folgerungen aus natürlichen Deduktionen durch eine christologisch orientierte Logos-Lehre abgefangen werden. – Karl Barth steht mit seiner Lehre vom »Licht und den Lichtern« in reformatorischer Tradition. – Allerdings hat Calvin die Auswirkungen der schöpferischen Macht des Einen, wahren Gottes auf die gesamte Menschheit stärker im dritten als im zweiten Glaubensartikel verankert. Zitat: »Wissen wir, daß Gottes Geist die einzige Quelle der Wahrheit ist, dann werden wir die Wahrheit, so sie uns auch entgegentritt, nicht abstoßen und verachten; wir wären sonst Verächter des Geistes Gottes! Man kann nun einmal die Gaben des Geistes nicht geringschätzen, ohne den Geist selbst zu verachten und schmähen!« (Inst. II,2,15; vgl. W. *Krusche*, Das Wesen des Heiligen Geistes nach Calvin, 1957, 95ff.). – So werden also die theologischen Perspektiven der Reformatoren hinsichtlich der *Wahrheit in den Religionen* genaue Beachtung finden müssen.

Gottes der Welt zugewandte, alle Menschen betreffende Gnade ist im Gottmenschen Jesus Christus als dem Mittler erschienen. Nur dieser Christus, der das Leben aus Gott in Person ist, konnte den Tod überwinden. Nur er, die Gerechtigkeit Gottes, konnte das Recht Gottes unter den Menschen aufrichten, Unrecht und Sünde beseitigen und die verderblichen Mächte, denen wir alle verfallen sind, vernichten. *So hat der barmherzige Gott sich selbst in der Person des einzigen Mittlers zu unserem Erlöser gemacht* (Inst. II,12,1). Aus freier Gnade hat er alle Sünden vergeben. Wir konnten nichts – etwa zum Ausgleich (compensatio) – aufbringen (OS II,90). Rechtfertigung hat den Sinn von Freisprechung (absolutio); ihr Ziel ist »Annahme« (adoptio) in Christus (Inst. III,11,3f.). Aber der Glaube, durch den allein wir die Gerechtigkeit aus Gnaden durch Gottes Barmherzigkeit empfangen, ist nicht quietistisch und inaktiv (Inst. III,11,1). Die Rechtfertigung führt den Glaubenden in die Heiligung.

Wie Luther, so lehrt auch Calvin in der Christologie eine *communicatio idiomatum*, eine wechselseitige Teilhabe und Teilnahme der beiden Naturen aneinander. Doch fügt Calvin eine Kautele hinzu, die von den Lutheranern im 16. und 17. Jahrhundert »*Extra-Calvinisticum*« genannt wurde. Da es sich in dieser Sache um eine für die Religionskritik sehr wesentliche

Grundaussage handelt, müssen die Zusammenhänge in Kürze skizziert werden; später wird auf diesen Punkt zurückzukommen sein. In Inst. II,13,4 unterstreicht Calvin zunächst die Bedeutung der communicatio idiomatum, um dann jedoch von der Vorstellung einer »Einschließung« Gottes im Menschen Jesus Abstand zu nehmen. Gottes Sohn ist vom Himmel herabgestiegen, aber er hat gleichwohl den Himmel nicht verlassen. Damit soll festgehalten werden: »Gott gibt sich hin, aber nicht weg und nicht auf, indem er Geschöpf, indem er Mensch wird. Er hört darin nicht auf, Gott zu sein« (*K. Barth*, KD IV,1:202). Gott wird demnach nicht (in einer »Einschließung«) Gegenstand unseres Urteils und seiner Folgerungen. Er bleibt immer Herr, souveränes Subjekt der Offenbarung. Wo die Kautele des »Extra-Calvinisticum« beachtet wird, kann keine Gott-ist-tot-Theologie aufkommen und sich zum Maß der Religionskritik erheben. Calvin erklärt: »Wenn es heißt (1Kor 2,8), daß der Herr der Herrlichkeit gekreuzigt worden ist, dann ist damit nicht gemeint, daß Christus in seiner Gottheit gelitten habe, sondern daß Jesus Christus, der diesen schändlichen Tod an seinem Leib erlitten hat, selbst der Herr der Herrlichkeit war . . .« (Inst. IV,17,30).

Die Christologie Calvins bringt die bedeutsame *triplex-munus-Lehre*. Als χριστός (»Gesalbter«) ist Jesus durch den Heiligen Geist mit der endzeitlichen Fülle der Gaben des Propheten, des Königs und des Priesters ausgerüstet worden. Aber das dreifache officium (munus) empfing er nicht für sich allein, sondern für seinen »Leib« (σῶμα), die Gemeinde (Inst. II,15,2). Diese Gemeinde antwortet: »Von seiner Fülle haben wir alle Gnade um Gnade empfangen« (Joh 1,16). Calvin konkretisiert Luthers »pro nobis«. Alles, was Jesus Christus durch den Heiligen Geist gegeben ist, wird uns mitgeteilt. So gehören Christus und die Christen aufs engste zusammen. Die Christen leben aus den Gaben des Christus und werden dazu »verordnet«, die officia des Prophetischen, Königlichen und Priesterlichen in der ihnen gemäßen Gestalt auszuüben (1Petr 2,9f.). Die Gaben aber, die Gott in Christus mitteilt, sind nie unser Besitz, sondern Gottes Geschenk (Inst. III,7,4). *Christen leben nicht aus dem religiösen Fundus irgendeines Habens, sondern aus dem je neuen Empfangen; sie leben aus und in Christus.* Die religionskritische Spitze dieser Erklärung kommt – wie bei Luther – aus der Rechtfertigungslehre hervor. Das Bekenntnis *»allein aus Gnade«* (sola gratia) schließt jede religiöse Aneignungsmöglichkeit aus und impliziert das immer neue Empfangen, damit aber auch das Warten und Hoffen als Grundzug wahren Glaubens. Dieser Glaube aber, so wurde schon erklärt, äußert sich nicht in Müßiggang und Inaktivität. Bei Calvin sind Rechtfertigung und Heiligung unlösbar und eng miteinander verbunden (*A. Göhler*, Calvins Lehre von der Heiligung, 1934). Auch hat jede theoretische Lehraussage der aedificatio ecclesiae, dem *»Aufbau«* der Gemeinde, zu dienen (1Kor 14,3f.), sie hat *»Frucht«* (fructus) zu wirken und *»Nutzen«* (utilitas) zu stiften. Die drei Begriffe zeigen an, wie stringent *Theorie und Praxis* im Denken Calvins verkettet sind. Ein im Hören des Wortes Gottes aufgerufenes und in der Kraft des Heiligen Geistes geschaffenes neues Leben ist undenkbar ohne ein dieses ganze Leben erfüllendes *neues Tun*. Es drängt alle Erkenntnis hin zur nie ermüdenden activitas des »Deo vivere« (OS II,75). Anthropologie und Ethik stehen bei Calvin unter der ebenso schlichten

wie bündigen »Hauptsumme«: »Nostri non sumus. Dei sumus« (Inst.
II,7,1). *Wir gehören nicht uns selbst, wir sind Gottes Eigentum.* Er hat ein
Recht auf uns – als unser Schöpfer und Erlöser. Dieses Recht Gottes bzw.
der neue Rechtsstand des Menschen prägt das ganze Verhalten und Tun. Alles praktische Handeln und Wirken steht im Zeichen der abnegatio nostri,
der Selbstverleugnung und der Übernahme des Kreuzes (Inst. III,7f.). Im
Ansatz ist christliche Ethik eine *Ethik des Kreuzes.* Daß wir nicht uns selbst
gehören, ist keine religiös-altruistische Weisheit und Selbstverleugnung
kein frommer Masochismus. Die Wirklichkeit des Kreuzes wendet das Leben, macht uns zu Gottes Eigentum und schenkt völliges Vertrauen auf
seine Kraft. Das Kreuz läßt uns – aller unserer Untreue und ständigen Verfehlung zum Trotz – Gottes Treue erfahren und gibt Hoffnung für die Zukunft in Geduld und Gehorsam. Calvin reißt in dem allen eine *eschatologische Perspektive* auf. In Inst. III,9 handelt er von der »Hinwendung zum
zukünftigen Leben« (meditatio futurae vitae). Alle Nöte und Leiden dieser
Welt werden im »zukünftigen Leben« überwunden werden. Dem Glaubenden ist nicht die unendliche Aufgabe gesetzt, das Meer der Schmerzen und
des Todes trockenzulegen. Durch alle Abgründe wandert er hindurch, dem
»himmlischen Politeuma« entgegen (Phil 3,20). Diese Hinwendung zum
zukünftigen Leben lehrt die Güter und Gaben des gegenwärtigen Lebens
recht gebrauchen (Inst. III,10). Wer erkennt, daß er sich auf der Wanderschaft befindet, der weiß, daß er die Güter ökonomisch klug dazu einsetzen
muß, daß sie *unseren gemeinsamen Lauf* nicht hemmen, sondern fördern.
Aber dem aus solcher Vorstellung irrtümlich erwachsenden Asketismus
tritt Calvin sofort entgegen. Die Gaben der Schöpfung in ihrer Schönheit
und Farbenpracht, in ihrem Geschmack und Wohlgeruch, sind offensichtlich nicht nur dazu vorgesehen, das Not-wendige darzubieten, sie sollen
auch – in Dankbarkeit und Freude – genossen werden. Dem religiösen Asketismus ist hier ein doppelter Riegel vorgeschoben worden. Zum einen dienen die Güter des Lebens – auch wenn sie nur karg empfangen werden – der
Wanderschaft hin zur futura vita. Zum anderen sind sie als Gaben der
Schöpfung und als Fülle des Gewährten nicht frommen Restriktionen zu
unterwerfen. *Eschatologie und Schöpfung* sind die Pole, zwischen denen
wahrhaft menschliches Leben verläuft. Religiöse Exklaven haben kein
Recht. Andererseits wird aber auch deutlich, daß reformatorische »Theologie der Schöpfung« nicht einfach – von der Eschatologie abgetrennt – im
Sinne einer schrankenlosen Welt- und Lebensbejahung usurpiert werden
kann. Die systematisch strenge Gedankenführung Calvins weist das säkula-
ristische »protestantische Lebensgefühl« energisch ab. Derlei ist auch bei
Luther nicht zu finden. Die Freiheit eines Christenmenschen gründet in anderen Voraussetzungen als denen einer autarken Emanzipation (vgl. Luther, Von der Freiheit eines Christenmenschen, 1520; Calvin, Von der
christlichen Freiheit, Inst. III,19). *Christliche Freiheit wurzelt in der Rechtfertigung* (Inst. III,19,1); *sie ist eine Folge des Freispruchs.* Niemand kann
sich darum Freiheit in ihrem letzten, umfassenden und eigentlichen Sinn

aneignen oder erstreiten. Gott allein ist der wahrhaft Freie. Er gibt in Christus Anteil an seiner eigenen Freiheit. Sein Geist ist ein »Geist der Freiheit«, der jeden Gewissenszwang niederschlägt (Inst. III,19,4). Darum muß gründlich beachtet und bedacht werden, daß die christliche Freiheit eine *pneumatische* Angelegenheit ist (Inst. III,19,9). Sie hat ihren Richtpunkt und ihr Maß in der Liebe. Die Regel kann gelten: »Wir sollen von unserer Freiheit Gebrauch machen, wenn es zur Aufrichtung (aedificatio) unseres Nächsten dient; wird dem Nächsten aber nicht geholfen, so sollen wir auf sie verzichten!« (Inst. III,19,12). Freiheit und Liebe sind die Kennzeichen des Lebens.

In Inst. III,20 handelt Calvin *vom Gebet* als der wichtigsten Funktion des Glaubens, durch die wir jeden Tag neu Gottes Gaben ergreifen. Ohne Anrufung Gottes kann kein Glaube existieren. Denn jeder Schritt, jedes Tun kann, wenn es recht sein soll, nur aus dem Verkehr des Menschen mit Gott, aus Anrufung und Bitte, aus Erhörungsgewißheit und Vertrauen hervorgehen. Aber das Vermögen zum Gebet besitzt niemand. Keine religiösen Exerzitien und keine fromme Regung des Herzens kann die Initiative ergreifen oder den Weg finden. Gott gibt uns bei unseren Bitten den Heiligen Geist zum Lehrer und Helfer. Er sagt uns, was recht ist, und bringt unsere Anrufung in das rechte Maß. Die Tatsache, daß »wir nicht wissen, was wir beten sollen, wie sich's gebührt« (Röm 8,26), schließt es aus, das Gebet den Fähigkeiten eines homo religiosus zuzuschreiben. Für Luther und Calvin gehören Rechtfertigung und Gebet zusammen (vgl. *R. Hermann,* Luthers Theologie, 1967, 98ff.152f.; *U. Smidt,* Das Gebet bei Calvin: RKZ 80, 1930, 97–99.105–107.113–115). Dem Werk des Heiligen Geistes entspricht die wahre und volle Menschlichkeit der Beter, die, wie es Calvin in den Psalmen immer wieder beobachtet und herausstellt, ihr »Herz ausschütten« und nicht so »gefühllos sind wie die Stoiker« (CR 59,299). Sie sind dem diesseitigen Leben voll zugewandt und möchten »schauen die Güte des Herrn im Land der Lebendigen« (Ps 27,13). Im Unterschied zu Luther und vielen traditionellen Exegesen ist für Calvin »das Land der Lebendigen« nicht das »himmlische Erbe« oder das »ewige Leben«, sondern: »praesentem vitam haud dubie designat« (CR 59,279). Vgl. *H.-J. Kraus,* Vom Leben und Tod in den Psalmen: Biblisch-theologische Aufsätze, 1972, 258ff.

In der politischen Ethik (De politica administratione: Inst. IV,20) geht Calvin – wie Luther – von der Zwei-Reiche-Lehre aus. Wer darum das Reich Christi unter den Elementen dieser Welt suchen und aufrichten will, der erliegt einem »jüdischen Wahn« (Inst. III,20,1). In solchen Aussagen ist Calvin – wiederum wie Luther – auf weite Strecken den Konsequenzen der Zwei-Reiche-Lehre Augustins verfallen. Aber es hat die Zwei-Reiche-Lehre für Calvin nun doch nicht den Sinn und das Ziel, die Gestaltung des gesellschaftlichen und politischen Lebens für ein »schmutziges Geschäft« zu halten, das einen Christen nichts angeht (Inst. IV,20,2). Vom *Mandat der politischen Organe* ist dann die Rede; also weniger von »Ordnungen« (ordines), wie bei Luther, als vielmehr von »Anordnungen« (ordinationes). Sieht man von zahlreichen Einzelheiten ab, so ist es bedeutsam, daß die politische Verwaltung dafür Sorge zu tragen hat, daß unter den Menschen *die Menschlichkeit* bestehen bleibt (Inst. IV,20,3) und daß sie *die Freiheit* – auch der christlichen Religion – zu schützen hat. *Gerechtigkeit und Recht* hat sie zu wahren, für *Wohlergehen und Frieden* zu sorgen und *die Grund-*

regel der Liebe in allen gesetzlichen Äußerungen zu beachten (Inst. IV,20,15). Damit ist angedeutet, wie die amtlichen Vertreter zu handeln haben. Was die Privatpersonen (privati homines) betrifft, so »sollen sie nichts wagen, ohne einen Auftrag dazu zu haben« (Inst. IV,20,23). Doch ist auch für sie die Liebe die Richtschnur alles Handelns.

So bliebe nur noch zu erklären, daß in der reformatorischen Theologie der politischen Verantwortung der Gemeinde im Sinne des ihr zukommenden Auftrags auf dem Feld der Öffentlichkeit kaum Raum gegeben wird. Die Kirche hat allenfalls die politischen Amtsträger in ihrer Machtausübung auf die Gott-gewollte Ordnung (ordo) bzw. das Mandat (mandatum) hinzuweisen, zu ermahnen, zu erinnern und – im äußersten Fall tyrannischen Antichristentums – ein Einschreiten einzuleiten. Es bedurfte schon einer völligen Neuorientierung hinsichtlich der Grundlagen des politischen Gemeinwesens, um neue Aspekte politischer Verantwortung zu eröffnen, denen sich freilich die Christenheit in der Neuzeit – im Rekurs auf die Reformation und die traditionelle Ordnungslehre – weitgehend verschloß. Von welcher Macht jedoch die neuen, auch die Christenheit in gewandelte Einstellung führenden Aspekte sein könnten, das kündigte zuerst Theodor Beza mit seiner Schrift »De iure magistratuum« an. Vgl. die lateinische Ausgabe von *K. Sturm* (Texte zur Geschichte der evangelischen Theologie, 1965) und die Monographie von *W. Klingenheben*, Der demokratische Staat und die herrschaftsfreie Kirche bei Theodor Beza: Diss. theol. Göttingen (1973). Es wird darum in der wichtigen, später noch näher zu erörternden Frage der »politischen Theologie« nur mit Vorbehalten auf die reformatorische Theologie verwiesen werden können.

4. Vernunftreligion

Durch Entdeckungs- und Handelsreisen lernte die Christenheit im 16. und 17. Jh. *die Welt der Religionen* kennen. Die in Reformation und Orthodoxie gewahrte Scheidung von wahrer und falscher Religion konnte sich als zureichendes Erkenntnisprinzip nicht mehr behaupten. Maßgebend wurden zunächst zwei Intentionen, die im Zeitalter der Orthodoxie in Geltung standen: 1. Die Unterscheidung zwischen natürlicher und übernatürlicher Offenbarung – mit zunehmendem, oft ausschließliche Hinwendung beanspruchendem Interesse an den *natürlichen Phänomenen;* 2. Die *rationale Systematisierung* und ins Universale strebende Stoffbeherrschung, mit wachsender Herausstellung der Schlüsselfunktion der ratio (vgl. *H. E. Weber*, Reformation, Orthodoxie und Rationalismus, Bd. I–II, ²1937–1951). Herbert von Cherbury (1583–1648), der Begründer des englischen Deismus, stellte dann *die Frage nach dem gemeinsamen Nenner, auf den die Religionen gebracht werden könnten.* Er nahm einen allgemeinen Abfall von der Einfachheit und Klarheit einer natürlichen Urreligion an und suchte die Merkmale »der Religion« in den Religionen. Fünf Grundwahrheiten sah er in allen Religionen aufleuchten: 1. Es gibt einen Gott. 2. Dieser Gott muß verehrt werden. 3. Das ganze Leben hat sich in Frömmigkeit und Tugend auf diesen Gott einzustellen. 4. Die Sünde ist zu verabscheuen. 5. Es ist eine Vergeltung zu erwarten: im Jenseits, gelegentlich schon im Diesseits (De veritate, ³1645, 208ff.).

Die Auswirkungen der Erkenntnis Herbert von Cherburys sind nachzuspüren z.B. in: Michel Le Vassor, De la véritable réligion, 1688, I,7: »Vernünftiger und gescheiter als die Skeptiker und Epikuräer geben einige Deisten unserer Zeit offen zu, daß es Prinzipien einer natürlichen Religion und Moral gibt und daß der Mensch ihnen zu gehorchen hat. Aber diese Prinzipien, fügen sie hinzu, genügen, und wir brauchen weder die Offenbarung noch das geschriebene Gesetz, um uns deutlich zu machen, was uns in bezug auf Gott und unseren Nächsten not tut. Man kann sich von der Vernunft leiten lassen, und Gott wird immer zufrieden sein, wenn wir den religiösen und moralischen Gefühlen folgen, die er in unsere Seelen geprägt hat . . .« (zit. nach: *P. Hazard*, Die Krise des europäischen Geistes, ⁵1939, 192f.).

Der Deismus bringt die Religion nicht nur in Übereinstimmung mit der menschlichen Vernunft – dies unternahmen schon die Apologeten und die Scholastiker –, vielmehr wird die Religion argumentativ aus der Vernunft deduziert angesichts der unausschöpflichen Weite der natürlichen Phänomene. *So wurde »Vernunftreligion« begründet, als Krönung des Systems menschlicher Erkenntnis.* Nicht die Offenbarung, sondern die Vernunft ist die eigentliche Quelle religiöser Wahrheit. Mit dem Deismus beginnt *die Suche nach der Religion in den Religionen*, die Frage also nach dem, was sich in allen Religionen als das spezifische, dem Menschen eigene, vernünftig durchschaubare Religiöse darstellt. Spinoza (1632–1677) übernahm den Standpunkt der in England sich herausbildenden »natürlichen Religion«. Er folgerte aus der Tatsache, daß in allen Religionen gewisse Grundideen vorherrschen, eine dem Menschen eigene angeborene oder natürliche Disposition, religiöse Anschauungen zu entwickeln, und zwar den Glauben an Gott, die unsterbliche Seele sowie den Begriff der Tugend und der Vergeltung (in einem Jenseits nach dem Tod). Hier wird erkennbar, wie stark die deistischen Anschauungen nachwirken und wie der philosophischen Tradition ein vernunftgemäß-natürliches Verständnis von Religion erschlossen und vermittelt wird. Von unabsehbarer Bedeutung war Spinozas Einschätzung: »Religion ist die Metaphysik der Massen, Metaphysik die Religion der Denker.«

»Aufklärung ist der Ausgang des Menschen aus seiner selbst verschuldeten Unmündigkeit« (I. Kant). *Zur Unmündigkeit verurteilt* wurde der christliche homo religiosus durch den kirchlich-dogmatischen Supranaturalismus. Daß Gottes Offenbarung »supernaturalis et specialis« sei, wurde in Lehre und Predigt seit ältesten Zeiten eingeschärft. Damit wurde ein unangreifbares Terrain gesichert, aber auch ein Getto geschaffen, in dem Selbstzufriedenheit und Unmündigkeit gediehen. Deismus und Aufklärung führten einen erbarmungslosen Kampf gegen den kirchlichen Supranaturalismus, gegen das introvertierte Selbständigkeitsgefühl der aus Traditionen und Dogmen lebenden Christenheit – bis hin zu »atheistischen« Protesten.

Wie sich die kirchliche Orthodoxie mit den Vorboten der Aufklärung, dann aber auch mit den aus Deismus und Aufklärung inspirierten »Atheisten« auseinandersetzte, hat *H.-M. Barth* in seinem Buch »Atheismus und Orthodoxie« dargestellt. Allerdings wird zu beachten sein: »Die Auseinandersetzung des 17. Jh. um den Atheismus litt unter einer fortwährenden Verwechslung geistesgeschichtlicher und geistlicher Motive. Die Kritik an einem veralteten theistischen Weltbild hätte nicht in eins gesetzt werden dürfen mit der Auflehnung des Menschen, der Gott-los werden will. Der ›Atheismus‹ Adams war nicht identisch mit dem ›Atheismus‹ der beginnenden Aufklärung. Die Apologeten haben beides mit Eifer bekämpft, ohne sich darüber im klaren zu sein, daß ein Sieg über den ›Atheismus‹ Adams erst den Weg zu einer Bewältigung des ›A-theismus‹ ihrer Zeitgenossen freigemacht hätte« (*H.-M. Barth*, Atheismus und Orthodoxie. Analysen und Modelle christlicher Apologetik im 17. Jahrhundert, 1971, 318).

Ein anderes Angriffsziel bot *die Dämonologie der christlichen Lehre und Botschaft*. Im 17. Jh. wurde die Lehre vom Teufel und von den bösen Geistern zu einem festen Bestandteil kirchlicher Doktrin. »Das ganze Christentum kam dadurch in den penetranten Geruch von Dämonologie – wurde zu einer Dunkelkammer von Drohung, Angst, Schwermut, Bedrückung oder trauriger Aufregung« (*K. Barth*, KD III,3:612). Der Protest der Aufklärung gegen diese dunkle Szenerie erstreckte sich alsbald auf das Christentum als ganzes.

In der Auseinandersetzung mit der gesamten kulturellen und religiösen Tradition und eben insbesondere im Kampf gegen eine so gewaltige, welt- und lebenbestimmende Macht wie das Christentum wuchsen die Kräfte zum *Glauben an die Allmacht des menschlichen Vermögens*. In großartigem Selbstvertrauen wurde die Gesamtheit des in Natur und Geschichte Gegebenen und Überkommenen als ein dem Menschen frei Zugängliches, Eigenes und in seiner Gesamtheit zu Assimilierendes aufgefaßt und ergriffen (*K. Barth*, Die protestantische Theologie im 19. Jahrhundert, ²1952, 62). Der Prozeß einer umfassenden Integration alles Überkommenden und Gegebenen in das Humanum hinein begann. Aber: »Humanisierung mußte bedeuten: nicht die Aufhebung, wohl aber die Einbeziehung Gottes in den Umkreis des souveränen menschlichen Selbstbewußtseins, die Verwandlung der von außen herantretenden und zu vernehmenden in eine innerlich erlebte und verstandene Wirklichkeit« (*K. Barth*, a.a.O., 64). Auch und vor allem die Religion wurde in diesem Sinn »humanisiert« und dem souveränen menschlichen Selbstbewußtsein integriert. Das zuvor als supranatural behauptete »Draußen« ist zu einem vernünftig reflektierten und rezipierten *inneren Erleben* geworden.

Im Anschluß an *W. Goetz*, Propyläen-Weltgeschichte Bd. 6 (1931), spricht K. Barth vom *Lebensideal des »Absolutismus«*, das die Aufklärung gesetzt habe: ». . . ein Lebenssystem, das gegründet ist auf die gläubige Voraussetzung der Allmacht des menschlichen Vermögens. Der Mensch, der seine eigene Kraft, sein Können, die in seiner Humanität, d.h. in seinem Menschsein als solchem schlummernde Potentialität entdeckt, der sie als Letztes, Eigentliches, Absolutes, will sagen: als ein Gelöstes, in sich selbst Berechtigtes und Bevollmächtigtes und Mächtiges versteht, der sie darum hemmungslos nach allen Seiten in Gang setzt, dieser Mensch ist der absolutistische Mensch« (Die protest. Theol., 19). Doch sogleich wird hinzuzufügen sein: Wenn man z.B. die Philosophen der Aufklärung fragt, »wie rechtfertigt ihr den ungeheuerlichen Anspruch, als absolut Wissende auf dem Gipfel der ganzen Weltgeschichte zu stehen?, dann antworten sie: diesen Anspruch haben wir nicht erfunden! Das Christentum hat ihn schon längst erhoben und hat ihn in der Weltgeschichte seit Christus zur Anerkennung gebracht« (*G. Krüger*, Grundfragen der Philosophie, 1958, 60). Die beginnende Neuzeit ist demnach nicht »Säkularisierung«, sondern »*Gegenposition*« – Selbstbehauptung gegen den unerträglich gewordenen »theologischen Absolutismus« (*H. Blumenberg*, Die Legitimität der Neuzeit, 1966, 143). – In dem allen wäre neu zu fragen, welche Bedeutung der These W. *Philipps* zukommt, daß die von England ausgehende physiko-theologische Bewegung mit ihrem Bezug auf *kabod-doxa*-Spekulationen eine starke Auswirkung gehabt haben könnte (Das Werden der Aufklärung in theologiegeschichtlicher Sicht, 1957, 72ff.169ff.).

Von grundlegender Wichtigkeit aber ist die Erkenntnis der neuen methodischen Rangordnung, die in der universalen Denkform der Aufklärung zur Geltung kommt: »Denn was gesucht und was als unverbrüchlicher Bestand vorausgesetzt wird, ist die durchgehende Ordnung und Gesetzlichkeit des Tatsächlichen selbst; diese Gesetzlichkeit aber besagt, daß das Faktische als solches kein bloßer Stoff, keine unzusammenhängende Masse von Einzelheiten ist, sondern daß sich an ihm eine durchgreifende und übergreifende Form aufweisen läßt. Diese Form ist in seiner mathematischen Bestimmbarkeit und in seiner Gestaltung und Gliederung nach Maß und Zahl gegeben . . . Der Weg führt demgemäß nicht von den Begriffen und Grundsätzen zu den Erscheinungen, sondern er führt von diesen zu jenen. Die Beobachtung ist das ›Datum‹; das Prinzip und das Gesetz das ›Quaesitum‹. Diese neue methodische Rangordnung ist es, die dem gesamten Denken des 18. Jh. sein Gepräge gegeben hat« (*Thomas Hobbes*, Leviathan, ed. *I. Fetscher*: Politica 22, 1966, 8).

Mit großem Recht kämpfte *die religiöse Lehre der Aufklärung* gegen den selbstsicheren Supranaturalismus, gegen Unmündigkeit und Obskurantismus in Theologie und kirchlicher Praxis. Aber im Verlauf dieses Kampfes kam es doch auch zu grotesken Einseitigkeiten und Vereinfachungen. Seichte Simplifikationen und platte Rationalismen förderten eine indifferente Religiosität mit optimistisch-eudämonistischen Erwartungen. Die Ideen des Herbert von Cherbury und Spinoza wurden ins breite Allgemeinbewußtsein hinein verwässert: angeborenes Gottesbewußtsein, natürliches Sittengesetz, Willensfreiheit, Unsterblichkeit der Seele, Erziehung zur Humanität. Der Religion wurde ein Platz angewiesen, eine Funktion zugewiesen im individuellen und gesellschaftlichen Leben. Unabsehbar waren die Auswirkungen für die nachfolgenden Zeiten. Moderne Thesen der Religionssoziologie sind unter Hinweis auf das Zeitalter der Aufklärung in ihrer Genesis zu verifizieren. Die *Integrationsthese* besagt, daß die Religion vor allem als verhaltensstabilisierende, sozial integrierende Kraft in der Gesellschaft wirksam wird, ja deren eigentliches Fundament darstellt (»religio praecipuum humanae societatis vinculum«, Francis Bacon). Die *Kompensationsthese* stellt die Bedeutung der Religion für das soziale Verhalten und das Selbstverständnis des Individuums heraus; sie zeigt auf, »daß religiöse Vorstellungen und Handlungen als Ersatz für weltliche Fehl- und Schicksalsschläge dienen können, daß sie die sozialen Probleme in einer imaginären Ebene bewältigen und lösen und dadurch das Individuum von sozialen Konflikten entlasten oder doch wenigstens die irdischen Unvollkommenheiten durch die Aussicht auf einen jenseitigen Ausgleich ertragen helfen« (*F. Fürstenberg* [Hrsg.], Religionssoziologie. Soziologische Texte Bd. 19, 1964, 13ff.). Es ist ohne weiteres ersichtlich, daß diese Thesen den Anreiz zu religionskritischen Provokationen in sich tragen.

Die traditionelle, positive, bestehende Religion wird als ganze oder in Teilen vom Standort der Vernunft aus kritisiert. In diesem Zusammenhang beginnt man damit, *die Entstehung und Entwicklung der Religion* zu erforschen. Diese historischen Untersuchungen gehen zumeist auf David Hume (1711–1767) zurück, insbesondere auf dessen Werke »Naturgeschichte der Religion« und »Gespräche über die natürliche Religion«. Hume vertrat die Auffassung, daß der vernünftig denkende Mensch, um sittlich handeln zu können, keiner besonderen religiösen Motive bedarf. Seine Vernunft leitet ihn. Doch die breite Masse der nicht selbständig Denkenden bedarf der Antriebe zum sittlichen Handeln durch die Religion. Für sie ist »Religion« gleichsam ein Denkersatz. Wir begegneten dieser Auffassung bereits bei Spinoza; sie ist charakteristisch für die im 17. und 18. Jahrhundert sich herausbildende Beurteilung des Verhältnisses von Religion und Philosophie.

Zur Kennzeichnung der *Ideen David Hume's* sei aus »The Natural History of Religion« (Sect. XV) der folgende Passus zitiert, in dem die *religionskritischen Urteile* sich resigniert vor der Gewalt der öffentlichen Meinung zurückziehen und der Denker in die »dunklen Gefilde der Philosophie« flieht. »Welch ein edeles Vorrecht der menschlichen Vernunft ist es, daß sie sich zur Erkenntnis des höchsten Wesens erhebt und daß sie imstande ist, von den sichtbaren Werken der Natur auf ein so erhabenes Prinzip wie ihren höchsten Schöpfer zu schließen! Aber man betrachte die Kehrseite der Medaille. Man überblicke den Gang der Religion bei den meisten Völkern und zu fast allen Zeiten; man prüfe die religiösen Prinzipien, die wirklich in der Welt geherrscht haben. Dann wird man sich schwerlich davon überzeugen können, daß sie etwas anderes gewesen sind als die Fieberträume von Kranken . . . Es gibt keinen noch so großen theologischen Widersinn, der nicht bisweilen von Männern mit dem schärfsten Verstand und von höchster geistiger Kultur verteidigt worden ist; keine noch so strengen religiösen Vorschriften, die nicht ihre Anhänger unter den sinnlichsten und verworfensten Menschen gefunden hätten . . . Das Ganze der Welt ist ein Rätsel, ein unerklärliches Mysterium. Zweifel, Ungewißheit, Enthaltung des Urteils sind das einzige Ergebnis, zu dem die schärfste und sorgsamste Untersuchung dieser Frage uns führen kann. Aber so groß ist die Schwäche der menschlichen Vernunft und so stark ist die unwiderstehliche Ansteckung durch die allgemeine Meinung, daß selbst dieser bewußte und methodische Zweifel sich kaum aufrecht erhalten ließe, wenn wir nicht, indem wir unseren Gesichtskreis erweitern, eine Art des Aberglaubens der anderen entgegensetzen und damit beide, im Streit miteinander, vernichten könnten – während wir selbst, mitten im Toben ihres wütenden Kampfes, uns ihnen entziehen und uns in die ruhigen, wenngleich dunklen Gefilde der Philosophie flüchten . . .« – Zu den geistesgeschichtlichen Entwicklungen: *H. Graf Reventlow*, Bibelautorität und Geist der Moderne, 1980, 161ff.

In der kritischen Rationalität und ihrer Auseinandersetzung mit der traditionellen Religion bzw. deren konfessionellen Exponenten setzte sich im Zeitalter der Aufklärung mehr und mehr die *Idee der Toleranz* durch. Sie entsprang dem humanistischen Erbe, das allen Menschen in ihrer jeweiligen religiösen Bindung achtungsvoll und duldsam begegnete. Hatte schon Calvin nachdrücklich die Gewissensfreiheit gefordert, so trat in John Locke ein Philosoph mit der Forderung religiöser Toleranz auf den Plan. Seine Briefe über die Toleranz (1689) übten einen starken Einfluß aus, der bis in die Schriften Lessings hineinreicht. Es ist der menschlichen Vernunft gemäß, in Sachen der Religion tolerant zu sein. Vor allem – so lehrte Moses Mendelssohn – *die natürliche Religion ist tolerant*, eben weil sie keine anderen ewigen Wahrheiten kennt als die durch die menschliche Vernunft zu beweisenden (Jerusalem oder über religiöse Macht und Judentum, II, 30). Für Mendelssohn war das Judentum eine Naturreligion, die mit der Vernunft erkannt werden kann. Denn das mosaische Gesetz fordert ethisches Verhalten. Weil das Judentum also keinen »Glauben« ausprägt oder aufruft, darum kann es tolerant sein. Derartige Aussagen wurden vom aufgeklärten Moralismus dankbar akzeptiert. Nur Johann Georg Hamann, der übrigens den Juden für den eigentlichen, ursprünglichen Edelmann des ganzen menschlichen Geschlechts hielt, vermochte biblische Einwände gegen Mendelssohn, aber auch und vor allem gegen seine dem »Vernunftwahn« verfallenen christlichen Zeitgenossen vorzubringen: Dem Judentum fehlen – jedenfalls in der Darstellung Mendelssohns – Prophetie und Verheißung; als Vernunftreligion ist das Judentum gesetzlich. Es wird zu beachten sein, daß dieser Einwurf aus einer anderen Ecke als aus der eines überlegenheitsbewußten Christentums herauskommt, das hochmütig auf den jüdischen Nomismus herabschaut. Hamann erkannte die *Koalition von Vernunft und Moral*, aus der nichts als schroffe, tötende Gesetzlichkeit hervorgehen mußte. In diese Koalition war auch Mendelssohn hineingeraten. Er hatte den »Glauben« zugunsten der »Moral« preisgegeben und damit ein umstrittenes Terrain geräumt. Es blieb die natürlich-sittliche Religion in ihrer Unangreifbarkeit und Toleranz.

Die Frage, wie denn »Religion und Vernunft« sich zusammenreimen und ob nicht *das Phänomen der* »*Vernunftreligion*« tiefe Probleme in sich schließt, wirft nicht erst der Mensch unserer Tage auf; schon im 17. und 18. Jahrhundert war die »religio rationalis« von Reflexionen und Fragen umstellt. Doch für die Lösung mag bezeichnend sein, wie F. W. J. Schelling geurteilt hat: Gewiß muß die Offenbarung, mit der es »Religion« zu tun hat, »etwas über die Vernunft Hinausgehendes enthalten«, *aber* dieses »Etwas« kann man doch ohne Vernunft eben nicht haben.

Das problematische Mixtum compositum der Vernunftreligion lockte *Religionskritiker und Atheisten* an. Darauf wurde andeutungsweise schon hingewiesen. Welche Hemmungen und Schwierigkeiten derartige Aggressoren zu gewärtigen hatten, war aus dem Hume-Zitat ersichtlich. Der um die Wende vom 18. zum 19. Jahrhundert ausgebrochene Atheismus-Streit gab den kritischen Kräften Auftrieb. In der französischen Geisteswelt erhob sich schon früher mit dem Materialismus und sozialen Utopismus die religionskritische Stimme. Nicht Karl Marx, sondern der Baron Holbach formulierte zuerst den Satz: »Die Religion ist die Kunst, die Menschen trunken zu machen vor Begeisterung, um sie von den Übeln abzulenken, mit denen die Herrschenden sie überhäufen« (Système de la nature, 1770, 182?, 344). Zur Geschichte des bei Marx auftauchenden Begriffs »Opium des Volkes«: *R. Seeger*, »Religion ist Opium fürs Volk«: ZKG 1940, 425ff.; *H. Gollwitzer*, Die marxistische Religionskritik und der christliche Glaube, 1965, 23ff.

Wie sich aber die am Ende des 18. Jahrhunderts immer lauter hervortretende Religionskritik als konkrete Kirchenkritik darstellt, das zeigt recht deutlich und charakteristisch ein wenig bekannter Text. Novalis schreibt in den Aufzeichnungen »Blütenstaub« (1798): »Den höchsten Grad seines poetischen Daseins erreicht der Philister bei einer Reise, Hochzeit, Kindtaufe, und in der Kirche. Hier werden seine kühnsten Wünsche befriedigt und oft übertroffen. – Ihre sog. Religion wirkt bloß wie ein Opiat – reizend, betäubend, Schmerzen aus Schwäche stillend. Ihre Früh- und Abendgebete sind ihnen, wie Frühstück und Abendbrot, notwendig. Sie können's nicht mehr lassen. Der derbe Philister stellt sich die Freuden des Himmels unter dem Bilde einer Kirmes, einer Hochzeit, einer Reise oder eines Balls vor. Der sublimierte macht aus dem Himmel eine prächtige Kirche mit schöner Musik, vielem Gepränge, mit Stühlen für das gemeine Volk parterre, und Kapellen und Emporkirchen für die Vornehmen« (Novalis, Gedanken, 1947, 28). – Es wird darauf zu achten sein, daß die bei Feuerbach und Marx ans Licht gelangenden religionskritischen Konzeptionen in ihren Ansätzen und Motivationen längst »in der Luft lagen«, daß sich also unter der Decke der das Geistesleben zierenden »Vernunftreligion« bzw. der vernünftigen Gedanken über »Religion« schon seit geraumer Zeit die religionskritische Kontroverse ausgebildet hatte.

Für Gotthold Ephraim Lessing kann die Bibel nicht Inbegriff von Religion sein. Religion war, ehe die Bibel entstand. Was in den biblischen Texten übermittelt wird, sind »*zufällige Geschichtswahrheiten*«, die Religion aber ist eine »*notwendige Vernunftwahrheit*«. Das »immer fortdauernde Wunder« der Religion kann durch geschichtliche Verankerung nicht relativiert werden. In Lessings »Erziehung des Menschengeschlechtes« sind die jeweiligen »positiven Religionen« mythische, bildhafte Formen, durch die hindurch das große, in seiner Erfüllung bald zu erwartende Wunder der reinen Vernunftreligion hindurchfließt. Die Formen passen sich stufenweise dem Bewußtsein des Menschen an, sie haben die Bedeutung »lokaler und temporeller Akkomodationen« (J. S. Semler), bleiben aber transparent zum zeitlosen Wesenskern. Auch die biblische Geschichte untersteht der »höheren Pädagogie« der sich durchsetzenden und ausbildenden »notwendigen Vernunftwahrheit«; sie hat allenfalls die besondere Bedeutung, die allgemeine Erziehung des Menschengeschlechts durch die kraftvollen Schübe der beiden Testamente schneller voranzutreiben. Der Prozeß aber ist ein ganzer, universaler – unmerklich und unfaßlich in allen seinen Schritten, Windungen und Parallelen. Im § 91 heißt es: »Geh deinen unmerklichen Schritt, ewige Vorsehung! Nur laß mich dieser Unmerklichkeit wegen an dir nicht verzweifeln. – Laß mich an dir nicht verzweifeln, wenn selbst deine Schritte mir scheinen sollten, zurückzugehen! – Es ist nicht wahr, daß die kürzeste Linie immer die gerade ist.« Eines ist deutlich: Für Lessing ist »Vernunftreligion« noch nicht vollendet, sie ist ein in Erziehung werdendes, eschatologisches Ziel, das zu erreichen alle Religionen mitgewirkt haben und mitwirken. Die Vernunft allein ist das Organ für das Immer-Gültige, in allen Religionen Wirksame und Heraufgeführte. Darum kann auch ein identischer Kern der jüdischen, christlichen und islamischen Religion festgestellt werden. In der »Ringparabel« im Stück »Nathan der Weise« wird dieser Kern mit der Formulierung erfaßt: »vor Gott und den Menschen gerecht und angenehm zu machen«.

Wohl am deutlichsten wird das Verhältnis von natürlicher und positiver Religion bei Lessing in dem folgenden Abschnitt bestimmt: »Einen Gott erkennen, sich die würdigsten Begriffe von ihm zu machen suchen, auf diese würdigsten Begriffe bei allen unseren Handlungen und Gedanken Rücksicht nehmen, ist der vollständigste Inbegriff aller *natürlichen Religion.* Zu dieser natürlichen Religion ist ein jeder Mensch, nach dem Maße seiner Kräfte, aufgelegt und verbunden . . . Die Unentbehrlichkeit einer *positiven Religion,* vermöge welcher die natürliche Religion in jedem Staate nach dessen natürlicher und zufälliger Beschaffenheit modifiziert wird, nenne ich die innere Wahrheit derselben, und diese innere Wahrheit derselben ist bei einer so groß als bei der andern. Alle positiven und geoffenbarten Religionen sind folglich gleich wahr und gleich falsch. Gleich wahr, insofern es überall gleich notwendig gewesen ist, sich über verschiedene Dinge zu vergleichen, um Übereinstimmung und Einigkeit in der öffentlichen Religion hervorzubringen. Gleich falsch, indem nicht sowohl das, worüber man sich verglichen, neben dem Wesentlichen besteht, sondern das Wesentliche schwächt und verdrängt. Die beste geoffenbarte oder positive Religion ist die, welche die wenigsten konventionellen Zusätze zur natürlichen Religion enthält, die guten Wirkungen der natürlichen am wenigsten einschränkt« (Philosophische Bibliothek 119, ed. *Lorentz,* 1909, 38f.). Aus Lessings philosophischen Gedanken zum Thema »Religion« kann man ersehen, welche Bedeutung der die ganze Entwicklung heraufführende Ansatz im Denken des Herbert von Cherbury gehabt hat. Noch immer geht es um Variationen und Modifikationen der Begriffs- und Vorstellungsrelationen »Religion«, »Vernunft« und »Natur«.

Auf die entscheidenden Begriffe »Religion« und »Vernunft« ist auch Immanuel Kants Schrift »Die Religion innerhalb der Grenzen der bloßen Vernunft« (1793) bezogen. Für Kant besteht *das Wesen aller Religion* darin, Gott als den für alle unsere Pflichten zu verehrenden Gesetzgeber anzusehen. Bei der Bestimmung der Religion und des ihr gemäßen Verhaltens kommt es nun darauf an, zu wissen: »*wie Gott* verehrt (und gehorcht) sein *wolle*« (Kants Werke, Akademie-Textausgabe VI, 1968, 103f.). Nachdem dieser ethische Ansatz fixiert worden ist, schwenkt Kant sogleich zur Vernunft herüber. Denn es »kann ein jeder aus sich selbst durch seine eigene Vernunft den Willen Gottes, der seiner Religion zum Grund liegt, erkennen; denn eigentlich entspringt der Begriff von der Gottheit nur aus dem Bewußtsein dieser Gesetze und dem Vernunftbedürfnisse, eine Macht anzunehmen, welche diesen den ganzen in einer Welt möglichen, zum sittlichen Endzweck zusammenstimmenden Effect verschaffen kann. Der Begriff eines nach bloßen rein moralischen Gesetzen bestimmten göttlichen Willens läßt uns, wie nur einen Gott, also auch nur eine Religion denken, die rein moralisch ist« (Kants Werke VI, 104). Die Vernunft bedarf einer »historischen Religion« nicht, um den »Willen Gottes« zu erkennen – des Gottes, der doch ein Postulat der praktischen Vernunft ist und damit der Vernunft, die in solcher Relation autonom die Gesetze rezipiert. Die Devise lautet »*Ein* Gott, *eine* Religion!«, denn alles richtet sich nach den von der Moral motivierten Vernunftbedürfnissen. Wer die statutarischen Gesetze einer historischen Religion annimmt und ihnen folgt, der tut dies »durch Offenbarung«; er akzeptiert die Kenntnis der Gesetze nicht durch die eigene bloße Vernunft, vielmehr läßt er den »reinen Vernunftglauben« durch »Schrift und Tradition«, jedenfalls durch heteronome Instanzen, überla-

gern. Es ist jedoch »die reine *moralische* Gesetzgebung, dadurch der Wille
Gottes ursprünglich in unser Herz geschrieben ist, nicht allein die unum-
gängliche Bedingung aller wahren Religion überhaupt, sondern sie ist auch
das, was diese selbst eigentlich ausmacht, und wozu die statutarische nur
das Mittel ihrer Beförderung und Ausbreitung enthalten kann« (a.a.O.,
104). Sind bei Lessing die »positiven Religionen« die jeweiligen Formen,
durch welche die »notwendige Vernunftwahrheit« mit eschatologischer
Zielkraft hindurchfließt, so erscheinen bei Kant die »historischen Religionen« als Vehikel einer ursprünglichen, reinen, moralischen Gesetzgebung,
die »in unser Herz geschrieben« ist. Für Kant gibt es darum nur *eine* (wahre)
Religion; aber es kann viele Arten des Glaubens geben. Bedeutsam ist die
aus den Ursprungsverhältnissen sich ergebende Hermeneutik: »Der Kir-
chenglaube hat zu seinem höchsten Ausleger den reinen Religionsglauben«
(a.a.O., 109f.). Dem ethischen Ansatz entsprechend kann der Skopus aller
Interpretation biblischer Texte nur darin bestehen, die »Endabsicht, bessere
Menschen zu machen« (a.a.O., 111), zu erkennen. Was dazu nichts bei-
trägt, gehört zu den Bestandteilen historischer Religion; es ist gleichgültig,
man kann es damit halten, wie man mag. Wo immer aber der allmähliche
Übergang vom Kirchenglauben zur Alleinherrschaft des »reinen Religions-
glaubens« stattfindet, da geschieht – nach Kant – eine »Annäherung des Rei
ches Gottes« (a.a.O., 115f.).

> Damit öffnet sich auch bei Kant eine »eschatologische Perspektive«. »Man kann aber mit
> Grunde sagen: ›daß das Reich Gottes zu uns gekommen sei‹, wenn auch nur das Princip des
> allmählichen Übergangs des Kirchenglaubens zur allgemeinen Vernunftreligion und so zu ei-
> nem (göttlichen) ethischen Staat auf Erden allgemein und irgendwo auch öffentlich Wurzel ge-
> faßt hat: obgleich die wirkliche Errichtung desselben noch in unendlicher Weite von uns ent-
> fernt liegt. Denn weil dieses Princip den Grund einer continuirlichen Annäherung zu dieser
> Vollkommenheit enthält, so liegt in ihm als einem sich entwickelnden und in der Folge wie-
> derum besamenden Keime das Ganze (unsichtbarer Weise), welches dereinst die Welt erleuch-
> ten und beherrschen soll« (a.a.O., 122).

Jede kritische Auseinandersetzung mit der vernunftzentrierten »natürlichen Religion«, vor allem aber mit der herrschenden Rolle der Vernunft als
solcher, wird zuerst einmal in die Schranken des *Respekts* und in die Aufgaben *aufmerksamer Würdigung* zu verweisen sein. Denn welche Rolle
spielte die Vernunft? »Ihr Vorrecht war, klare und wahrhafte Grundsätze
aufzustellen und daraus nicht minder klare und nicht minder wahrhafte
Schlußfolgerungen zu ziehen. Ihr Wesen war, nachzuprüfen, und ihre vor-
nehmste Aufgabe, alles Geheimnisvolle, Unerklärte, Dunkle anzugreifen
und so die Welt durch ihr Licht aufzuhellen. Die Welt war voller Irrtümer:
die trügerischen Kräfte der Seele hatten sie hervorgerufen, unkontrollierte
Autoritäten hielten sie aufrecht, Leichtgläubigkeit und Faulheit halfen sie
verbreiten, und mit der Zeit gewannen sie an Kraft« (so *P. Hazard*, Die
Krise des europäischen Geistes, [5]1939, 149). So mußte die Vernunft das
Aufräumen übernehmen, Irrtümer zerstören, auf morschen Grundsätzen
bestehenden Autoritäten die Fundamente ihrer Existenz zerbrechen. Ange-

sichts des Prozesses und der Ziele der *Aufklärung* sollte der Christ nicht in einen trägen oder erregten Widerspruch einstimmen. »Aufklärung« (illuminatio) hat etwas zu tun mit dem Ruf: »Die Stunde ist da, aufzustehen vom Schlaf!« (Röm 13,11). Alles, was Klarheit schafft und also der Wahrheit dient, kann nur mit Spannung und Freude aufgenommen werden.

Natürlich ist zu fragen, mit welchem Recht der Vernunft die göttliche Würde eines »lumen naturale« zugesprochen werden durfte. Doch wird man *Hans Graß* zustimmen können, wenn er erklärt: »Vernunft gibt es eigentlich nur als geschichtliche oder geschichtlich bestimmte Vernunft. Von dieser geschichtlichen Vernunft wird man sagen müssen, daß sie im Abendland von der christlichen Tradition bestimmt oder mitbestimmt ist . . . Der natürliche Mensch ist der jeweils geschichtliche Mensch, seine ›natürliche‹ Vernunft ist geschichtliche Vernunft . . .« (Christliche Glaubenslehre I, 1973, 53).

Aber – so wird von konservativer Theologie nicht selten gefragt: Widerspricht das in äußerster Schärfe von Kant vertretene Prinzip, *daß der Vernunftglaube als Kriterium für die Verbindlichkeit biblischer Texte einzusetzen sei*, nicht in »hybrider« Gestalt dem »Gehorsam des Glaubens«? Auch dieser Frage wird mit großen Vorbehalten zuerst zu begegnen sein. Bei Kant steht die Vernunft »repräsentativ für die mündige Verantwortung des Menschen schlechthin, dafür also, daß er sein Wesen, seine Humanität nicht veruntreuen dürfe, sondern in die Situation einer zu Antwort und Verantwortung verpflichteten Instanz gerufen sei« (*H. Thielicke*, Der evangelische Glaube I, 1968, 433). Ähnliches gilt für Lessing. Er sieht das Wesen des Menschen in seinem Vernunftbesitz und stimmt auf diesen Grundaspekt seine Aussagen über »Religion« ab.

Kritische Fragen an Kant aber sind von Johann Georg Hamann ausgegangen (Metakritik über den Purismus der Vernunft, 1784). Diesen Fragen des Zeitgenossen wird auch heute noch hohe Aufmerksamkeit zuzuwenden sein, da sie sich, indem sie Kant betreffen, auf die ganze, im Zeichen von »Vernunft« stehende Epoche beziehen. Entwirft die Vernunft als »das ganze obere Erkenntnisvermögen« wirklich die »Architektonik aller Erkenntnis aus reiner Vernunft«? Ist sie »das Vermögen, welches die Prinzipien der Erkenntnis a priori an die Hand gibt«? Gründet in ihr das »Vermögen der Ideen«, das, über Sinnlichkeit und Verstand thronend, wie eine schöpferische Macht tätig ist? Hamann verneint alle diese Fragen. Die Vernunft ist keine »schöpferische« Macht; sie kann nur vernehmen, was ihr vorgegeben ist. *Vernunft ist die Gabe und Aufgabe des Vernehmens im Menschen.* Sie thront nicht über Sinnlichkeit und Verstand. Sinnlichkeit und Verstand erwachsen vielmehr als zwei Stämme der *einen* Wurzel geistleiblicher Einheit des Menschen. Kant vertritt ein vernunftzentriertes Menschenbild, das der Ganzheit des Lebens entgegensteht. Darum ist – so Hamann – gegen den Metapurismus der »reinen Vernunft« zu streiten. »Vernunft« in der philosophischen Konzeption Kants wird in diesem Zusammenhang als »Mystik« bezeichnet, als das Wirken des »Gottes in uns«. »Was ist die hochgelobte Vernunft mit ihrer Allgemeinheit, Unfehlbarkeit, Überschwenglichkeit, Gewißheit und Evidenz? Ein Ölgötze, dem ein schreiender Aberglaube der Unvernunft göttliche Aktivität andichtet« (*Johann Georg Hamann*, Sämtliche Werke. Hist.-krit. Ausgabe von *J. Nadler*, 1949–1953, Bd. III, 225).

Doch Hamann argumentiert nicht ex principio gegen die Vernunft – etwa im Interesse der Irrationalität, die man dem »Magus des Nordens« so gern andichten möchte. Im ganzheitlichen Menschenbild hat die Vernunft die Funktion des wachen, hingebungsvollen, zur Infragestellung ihrer selbst bereiten Vernehmens. Der durch das Evangelium zum Glauben »erweckte« Johann Georg Hamann, jener hochgebildete, in Philosophie und Theologie bewanderte Autodidakt, fällt aus allen Rollen und Zusammenhängen seiner Zeit heraus. Seine Sprache trägt die Züge der Zerbrochenheit und der Glossolalie angesichts des Neuen, das ihm – inkoordinabel – widerfuhr. In dieser Krisis reflektiert Hamann das Geheimnis der Sprache.

Johann Gottfried Herder wandte sich von Kant ab; er wurde der große Schüler des skurrilen Autodidakten. Die Kritik an Kant ertönt bei ihm weiter: In der Zurückweisung der Auffassung, die Vernunft sei ein »angeborenes Automat«, und in der Affirmation: »Theoretisch und praktisch ist Vernunft nichts als etwas Vernommenes, eine gelernte Proportion und Richtung der Ideen und Kräfte, zu welcher der Mensch nach seiner Organisation und Lebensweise geboren worden« (Ideen zur Philosophie der Geschichte der Menschheit: Kröner-Ausgabe Bd. 136, 1957, 215). Es ist evident, daß mit der Neubestimmung der Vernunft als einer Gabe und Aufgabe des Vernehmens auch *die in Vernunft-Abhängigkeit geratene Religion* eine neue Definition erfahren mußte. In solchem Umbruch wurde deutlich, daß der Glaube an die Vernunft mythische Implikationen einbrachte. Was zu diesem Problem kritisch ins Feld zu führen ist, kann mit *Leszek Kolakowski* die Formulierung finden: »Der Glaube an die Vernunft kann keine Gründe besitzen, die durch die bloße Anwendung der Vernunft entdeckt werden. Der Glaube an die Vernunft ist eine mythische Option, geht somit über die Befugnisse der Vernunft hinaus« (Die Gegenwärtigkeit des Mythos, 1973, 58).

Es dürfte bezeichnend sein, daß Karl Barth den von Johann Georg Hamann in das neuzeitliche Denken eingeführten *Vernunft-Begriff* aufnimmt und in das theologische Denken einführt: »Hat Gott ihn (sc. den Menschen) für das Sein in seinem Wort und also zu seinem Partner in diesem Bunde geschaffen, dann ist darüber entschieden, daß er ihn als *vernehmendes* Wesen geschaffen hat. Denn indem er dazu bestimmt und indem es ihm gegeben ist, *Gott* zu vernehmen, ist er dazu bestimmt und ist es ihm gegeben, *überhaupt* zu vernehmen, ein *Vernehmender* zu sein. Vernehmen heißt: Ein Anderes als solches in sein Selbstbewußtsein aufnehmen. Ein Vernehmender sein heißt also: ein solcher sein, der dessen fähig ist, ein Anderes als solches in sein Selbstbewußtsein aufzunehmen« (KD III,2:478f.).

Neue Konzeptionen hinsichtlich des Themas »Religion« treten im Werk Hegels und Schleiermachers auf den Plan. Die durch Herbert von Cherbury

eingeführten »Kategorien« werden durch neue Ansätze und Zusammenhänge überwunden. Nur in einer Skizze können die umwälzenden Aspekte
umrissen werden.

In der *Philosophie Hegels* ist der sich selbst wissende Geist in der Religion
unmittelbar sein eigenes reines Selbstbewußtsein. Was zur »Religion« als
der »Vollendung des Geistes« darzulegen ist, kann nur aus dem geschichtlichen Prozeß und seinem Dreischritt in Thesis, Antithesis und Synthesis
entfaltet werden: »Die erste Wirklichkeit (des Geistes) ist der Begriff der
Religion selbst, oder sie als unmittelbare und also *natürliche Religion* ; in ihr
weiß der Geist sich als einen Gegenstand in natürlicher und unmittelbarer
Gestalt. Die zweite aber ist notwendig dies, sich in der Gestalt der aufgeho-
benen Natürlichkeit oder des Selbst zu wissen. Sie ist also die *künstliche Religion* ; denn zur Form des Selbst erhebt sich die Gestalt durch das Hervor-
bringen des Bewußtseins, wodurch dieses in seinem Gegenstand sein Tun
oder das Selbst anschaut. Die dritte endlich hebt die Einseitigkeit der beiden
ersten auf ; das Selbst ist ebensowohl ein Unmittelbares, als die Unmittel-
barkeit Selbst ist. Wenn in der *ersten* der Geist überhaupt in der Form des
Bewußtseins, in der *zweiten* – das Selbstbewußtsein ist, so ist er in der *dritten* in der Form der Einheit beider ; er hat die Gestalt des An- und Fürsich-
seins ; und indem er also vorgestellt ist, wie er an und für sich ist, so ist dies
die *offenbare Religion* (Phänomenologie des Geistes: Werke Bd. II, 1832,
517). Die offenbare Religion ist die absolute Religion, die sich selbst zu ihrem Inhalt, zur Erfüllung hat. Sie ist die vollendete Religion, in welcher sie
selbst sich objektiv geworden ist – die *christliche*. Unzertrennlich sind in ihr
der allgemeine und der einzelne Geist, der unendliche und der endliche. Es
kann hier die kompakte Erklärung von *Hans Küng* aufgenommen werden:
»Religion hat somit für Hegel von vornherein . . . einen doppelten, gleichsam subjektiv-objektiven Aspekt: Religion ist in einem Bewegung des
Selbstbewußtseins des einzelnen (Individuum und Volk) *und* Bewegung des
absoluten Geistes in der Welt, wobei Religionsgeschichte und Geschichte
des Weltgeistes konsequent zusammenfallen. Jede Religion eines Volkes ist
nur eine Gestalt der einen Religion des Selbstbewußtseins des Geistes. Jede
Religion enthält das Ganze des Geistes, aber doch nur in einer bestimmten
geschichtlichen Gestalt. Jede Religion hat ihre Zeit und ihre Stunde«
(Menschwerdung Gottes, 1970, 261). Hegel statuiert die absolute Notwendigkeit der Religion: »Die Verehrung Gottes oder der Götter befestigt und
erhält die Individuen, die Familien, die Staaten ; Verachtung Gottes und der
Götter löst die Rechte und Pflichten, die Bande der Familien und Staaten auf
und führt sie zum Verderben« (Begriff der Religion, ed. *G. Lasson*: Philos.
Bibliothek Bd. 59, 1966, 177). Diese Sicht schattet die Integrationsthese ab,
die – wie gezeigt wurde – bei Francis Bacon in der Formulierung auftritt:
»religio praecipuum humanae societatis vinculum«. – Es wird auszuführen
sein, daß und wie sowohl Ludwig Feuerbach als auch Karl Marx die Kritik an
Hegels Religions-Verständnis ansetzen.

Schleiermacher, der »Herrenhuter höherer Ordnung«, als der er sich selbst bezeichnete, kann in seinem Religionsbegriff nicht verständlich sein ohne Rekurs auf Herder und die Intentionen des Pietismus. Daß Religion eine »Sache des Gemüts, des innersten Bewußtseins« sei, hatte zuerst Herder betont (Von Religion, Lehrmeinungen und Gebräuchen, 1798). Doch *Schleiermacher legt die Fundamente zu einer Auffassung, in der »Religion« als eine Kategorie sui generis in Erscheinung tritt.* Religion ist überall dort, wo man die endlichen Dinge »sub specie aeternitatis« betrachtet, »anschaut«; wo also die endlichen Dinge dem »Gefühl des Universums« eingefügt sind. Die spezifisch »religiöse« Anschauung der Welt steht zur Rede. In seinen Reden »Über die Religion« (Reden an die Gebildeten unter ihren Verächtern) aus dem Jahre 1799 will Schleiermacher zeigen, aus welchen Anlagen der Menschheit die Religion hervorgeht und in welchen »Stimmungen« sie sich äußert. »Ihr Wesen ist weder Denken noch Handeln, sondern Anschauung und Gefühl« (Über die Religion, ed. *R. Otto*, [3]1913, 26). Mit dem Begriff »Anschauen des Universums« sollen die Hörer sich befreunden; er ist »die Angel meiner ganzen Rede, er ist die allgemeinste und höchste Formel der Religion« (a.a.O., 29). Dabei bedeutet »Universum«: Inbegriff der »Welt, das Eine und Ganze, die ewige Welt, die Welt und ihr Geist, das Unendliche im Endlichen sich darstellend, das Himmlische, das ewige und heilige Schicksal, den hohen Weltgeist, den Geist des Universums, das göttliche Leben und Handeln des Universums, die ewige Vorsehung, die lebendige Gottheit« (a.a.O., XVIII). Für Schleiermacher gibt es ein »Wesen der Religion« oder auch »die Religion in den Religionen«. Das umrissene »Wesen der Religion« liegt allen Religionen zugrunde; es manifestiert sich konkret in vielfältigen historischen Ausprägungen. Keiner Religion, und sei sie noch so primitiv, fehlt der Begriff der Religion völlig. Denn alle Begebenheiten in der Welt als Handlungen eines Gottes sich vorzustellen, das ist das Wesen von Religion. Oder: »Mitten in der Endlichkeit eins werden mit dem Unendlichen und ewig sein in jedem Augenblick, das ist die Unsterblichkeit der Religion« (a.a.O., 68). Auf diese Weise betont Schleiermacher die volle Eigenständigkeit der Religion als eines rational nicht mehr zu begründenden *Gefühls schlechthinniger Abhängigkeit.* Und auf diesem Weg wird die Freiheit der Religion und auch der Theologie von der Umklammerung durch die Philosophie erstritten. Die Religion soll der Diktatur der theoretischen und praktischen Vernunft entzogen werden. Ein freier Ort wird ihr zugewiesen, auf dem sie sich entfalten kann – nicht im Gegensatz zu Wissen und Tun, auch nicht getrennt davon, sondern alle theoretischen und praktischen Lebensäußerungen fundierend und einend. Dieser »Ort« der Religion ist die eigentliche Mitte der Existenz.

Der Untertitel der »Reden« geht darauf aus zu erweisen, daß die Gebildeten befähigt und berufen sind, das »Wesen der Religion« mit neuen Augen zu sehen und besser zu verstehen als bisher. Ihnen soll *Religion als notwendiger Lebenswert* aufgehen. Kultur ohne Religion, ohne christliche Religion, wäre keine wirkliche und vollständige Kultur. Um dies zu erweisen, mußte der Theologe Schleiermacher einen apologetischen Standort einnehmen und allgemeinverständliche Kategorien einführen, in denen die Gebildeten dann auch die christliche Religion besser zu begreifen in der Lage sein konnten. In ihrer freien Selbstbestimmung ist Religion denkmöglich und sogar denknotwendig. Auf keinen Fall kann die auf diese Weise präsentierte Religion, und vor allem das Christentum, im Widerspruch stehen zu den Prinzipien und Methoden der modernen Wissenschaft. Religion erscheint als »eine notwendige Manifestation des menschlichen Geisteslebens« (*K. Barth*, Die protestantische Theologie im 19. Jahrhundert, [2]1952, 401). – Einen sehr instruktiven Überblick über die Geschichte des Religionsverständnisses im 18. Jahrhundert, und dann insonderheit bei Schleiermacher, entwirft *M. Kähler* in der 1962 publizierten Vorlesung »Geschichte der protestantischen Dogmatik im 19. Jahrhundert« (Theol. Bücherei 16).

Hegel und Schleiermacher haben den geläufigen Vorstellungen von »Vernunftreligion« ein Ende gesetzt. Doch die neuen Aspekte von Religion, die damit ins Licht traten, waren alsbald *der härtesten Kritik ausgesetzt*. Diese Kritik beginnt bei Ludwig Feuerbach und wird durch Karl Marx »vollendet«.

Die Darstellungen dieses Abschnitts konnten und sollten nichts anderes sein als eine Heranführung an die Unternehmung philosophischer und marxistischer Religionskritik. Denn es kann keine »theologische Religionskritik« Recht und Raum gewinnen, die nicht ständig auf das nicht-theologische Verfahren bezogen bleibt.

IV

Ludwig Feuerbach

Geboren 1804 in Landshut, studierte Ludwig Feuerbach bei Daub und Hegel, wurde 1828 Privatdozent in Erlangen und starb 1872 als Privatgelehrter in der Nähe von Nürnberg. Als die beiden Brennpunkte des religionskritischen Lebenswerkes sind die Abhandlungen »Das Wesen des Christentums« (1841) und »Das Wesen der Religion« (1851) zu betrachten. Nimmt man den entscheidenden Punkt der gegen Theologie und theologisierende Philosophie gerichteten Kritik ins Visier, so wird zu erklären sein, daß Feuerbach die durch Kant, Hegel und Schleiermacher behauptete Nicht-Gegenständlichkeit Gottes zum Anlaß nahm, den Ursprung des Gottesgedankens und aller Religion exklusiv im Menschen zu verankern, die Theologie in Anthropologie zu verwandeln und das Phänomen der Frömmigkeit und des Glaubens psychologisch auszuloten. Man erinnere sich, stelle sich vor Augen, mit welcher Eindringlichkeit *die Nicht-Gegenständlichkeit Gottes* behauptet worden war! »Gott ist keine äußere Substanz, sondern bloß ein moralisches Verhältnis in uns«, erklärte Kant. Für Hegel gehörte zum Glauben »das Aufhören der äußerlichen Begründung«; der Geist zeugt nur vom Geiste, und »das Zeugnis des Geistes ist in sich lebendig«. Und Schleiermacher betonte: »Wir wissen nur um das Sein Gottes in uns und in den Dingen, gar nicht aber um ein Sein Gottes außer der Welt oder an sich.« Aus dieser prinzipiellen Leugnung der Aseität Gottes zog Feuerbach entschlossen die Konsequenz, daß Name und Idee »Gott« aus dem Herzen des Menschen hervorgegangen sind und daß sich in »Gott« alle höchsten und geschätztesten Vorstellungen und Wünsche des religiös schöpferischen *Menschen* zusammendrängen. »Das Interesse, daß Gott ist, ist eins mit dem Interesse, daß ich bin, und zwar ewig bin, und dieses Interesse kommt in dem Bewußtsein der Gattung, zu dem ich mich erhebe, indem ich Gott als seiend setze, zu seiner Erfüllung. Gott ist meine verborgene, gewisse Existenz, als Glied der menschlichen Gattung« (*K. Barth*, Die protestantische Theologie im 19. Jahrhundert, [2]1952, 485). Es steht außer Frage, daß *Religion* bzw. *Theologie* das alles bestimmende Lebensthema Feuerbachs war und daß also der sich als Philosoph äußernde Religionskritiker als dezidierter »Anti-Theologe« in die Geschichte der Theologie hineingehört. Es sind ja auch seine Intentionen im Grund höchst positiv. Denn im Unterschied zur Religionskritik eines Bruno Bauer und eines David Friedrich Strauß wollte Feuerbach in »Das Wesen des Christentums« keine Destruktion des christlichen Glaubens durchführen, sondern *in der Form einer religiösen Anthropologie* das

Wesentliche am Christentum bewahren. Im Widerspruch zu lebensfeindlicher Frömmigkeit und idealistischer Spiritualität trat Feuerbach für den Menschen ein, für seine Bedürfnisse, Wünsche und Ideale, für die Realität von Ich und Du, die Kommunikation, die Mitmenschlichkeit und den Dialog. Für ihn war die wahre Dialektik kein Monolog eines einsamen Denkers mit sich selbst (wie bei Hegel), sondern ein Dialog zwischen Ich und Du. So sollte das Denken von idealistischen Träumen und spekulativen Selbstübersteigungen befreit werden. Die Überwelten wurden ausgeschaltet. Die gegebene Welt und der wirkliche Mensch allein konnten bedenkenswert sein. Der Mensch will essen, trinken und glücklich sein. Das Sittliche aber stellt sich von selbst ein, wenn die Glückseligkeitstriebe der Menschen in ein rechtes Verhältnis zueinander treten.

Das epochale Bewußtsein, das die Philosophie Hegels durchdrang, ging auf Feuerbach über. Er aber sah die gesamte bisherige Philosophie in die Periode des Untergangs des Christentums verkettet und hineingerissen. Wo immer Hegel das Christliche idealistisch rezipierte, da verdeckte er die tatsächliche Negation des Christentums unter dem Widerspruch zwischen Vorstellung und Gedanke (*K. Löwith*). Feuerbach widersprach der alle wesentlichen Verhältnisse verwischenden Versöhnung von Philosophie und Christentum. Streng ging er mit der Theologie ins Gericht: »Der Theolog auf diesem Standpunkt hat keine Ahnung von wissenschaftlichem Geiste, von theoretischer Freiheit, er ist durch und durch für die Wissenschaft verdorben und verloren; denn er zieht das Theoretische stets in das Gebiet des Religiösen und Moralischen herein: der Zweifel ist ihm Frevel, Sünde; die Wissenschaft hat bei ihm nur eine formale Bedeutung, es ist ihm, so sehr er sie im Munde führen mag, nicht Ernst mit ihr – weil nur Ernst mit seinem Glauben, den Lehren seiner Kirche – sie bleibt bei ihm ein im Grunde wesenloses Spiel, wenn auch äußerlich eine noch so mühevolle Beschäftigung; seine Gelehrsamkeit ist ein übertünchtes Grab . . .« (L. Feuerbach, Pierre Bayle: Kröner-Ausgabe, 19f.). Seine eigene Religionskritik aber führte Feuerbach – wie er selbst erklärte – im »wissenschaftlichen Geist«. Doch gleichwohl wandelte sich – in der ständigen Befassung mit dem religiösen Gegenstand – seine Philosophie in eine *kritische Religionsphilosophie*. Ja, Feuerbach erklärte sogar die Philosophie als solche für Religion. Dabei nahm sein »Atheismus« eigentümliche Formen an. Max Stirner warf ihm einen »frommen Atheismus« vor. Warum? Feuerbach wollte nur das Subjekt der religiösen Prädikate, »Gott«, eliminieren, nicht aber die Prädikate des göttlichen Wesens wie z.B. die Liebe, die Weisheit, die Gerechtigkeit zum Erlöschen bringen. So zielt in diesem Lebenswerk alles ab auf eine »religiöse Anthropologie«, deren Voraussetzungen und Zusammenhänge im einzelnen zu analysieren und zu interpretieren sind.

1. »Das Wesen des Christentums«

Das Thema »Gott« steht am Anfang und im Zentrum der Abhandlung »Das Wesen des Christentums« (Gesammelte Werke, ed. *W. Schuffenhauer*, 1967ff., Bd. 5). Name und Idee »Gott« steigen aus dem Innersten des Menschen hervor: »Das Bewußtsein Gottes ist das Selbstbewußtsein des Menschen, die Erkenntnis Gottes die Selbsterkenntnis des Menschen« (2. Kap.). So ist Gott nichts anderes als das »offenbare Innere«, das sich äußernde Selbst des Menschen. In der Religion öffnet er in feierlicher Enthüllung die Schatzkammer seiner ureigensten Gedanken und Ideen. Was in den früheren Religionen als Objektives, Gegenständliches galt, ist jetzt als etwas Subjektives erkannt. Darin besteht die Entwicklung in den Religionen. Feuerbach versteht sich selbst demnach nicht als von außen an die Religion und an die Religionen herantretender Kritiker, sondern als ein Forscher, der das innerste Wesen alles Religiösen im Aufweis der Selbstentwicklung der Religionen ins Licht rückt. In der Vorrede zur 2. Auflage von »Das Wesen des Christentums« betont Feuerbach, er lasse die Religion *sich selbst ausspre-chen*; er sei nur ihr Zuhörer und Dolmetscher, nicht aber ihr Souffleur. In solchem Zuhören wird endgültig erkannt, was als Erkenntnis immer deutlicher alle Aufmerksamkeit erforderte. Alles, was einst *als Gott* angeschaut und angebetet wurde, ist nun als etwas *tief Menschliches* enthüllt. Feuerbach widerspricht jedem Versuch, »Gott« eine Aseität, ein »esse a se« beilegen zu wollen. Dabei bedient er sich der Kategorie des »pro me«, die in der Theologie Luthers eine so große Rolle gespielt hatte. Die Unterscheidung zwischen »a se« und »pro me« wird auf die Spitze getrieben, wenn es heißt: »Allein diese Unterscheidung zwischen dem, was Gott *an sich*, und dem, was er *für mich* ist, zerstört den Frieden der Religion und ist überdem an sich selbst eine grund- und haltlose Distinktion. Ich kann gar nicht wissen, ob Gott etwas *anderes* an sich und *für* sich ist, als er *für mich* ist, wie er für mich ist, so ist er *alles* für mich« (2. Kap.). Auf dem Weg der Aneignung des »pro me« wird alles Himmlische der Schatzkammer des menschlichen Innersten beigelegt. Zugleich dient dieses »pro me« als erkenntnistheoretische Blockade beim Versuch, etwas über »Gott« an sich und für sich aussagen zu wollen. »Du glaubst an die Liebe als eine göttliche Eigenschaft, weil du selbst liebst, du glaubst, daß Gott ein weises, ein gütiges Wesen ist, weil du nichts Besseres von dir kennst als Güte und Verstand, und du glaubst, daß Gott existiert, daß er also Subjekt oder Wesen ist – was existiert, ist Wesen, werde es nun als Substanz oder Person oder sonstwie bestimmt und bezeichnet – weil du selbst existierst, selbst Wesen bist« (2. Kap.). Wer demnach von »Gott« *Existenz* behauptet, der projiziert sein eigenes Existenzbewußtsein mit allen überschüssigen Kräften der Gattung »Mensch« in die Transzendenz und hängt die hohen Werte des Selbst, Liebe und Weisheit, an ein göttliches »Subjekt«, entäußert und enteignet sich also ureigenster Schätze. Feuerbach apostrophiert die negative, menschenfeindliche Seite des bisherigen Gottesglaubens: »Um Gott zu bereichern, muß der Mensch arm werden; damit Gott alles sei, der Mensch nichts sein« (2. Kap.). In der Negation seiner selbst – man ist geneigt, von einem »religiösen Masochismus« zu sprechen – äußert der Mensch eine Fülle von Affirmationen im Aufblick zu »Gott«. Der Religionskritik stehen vor allem Mönchtum und Askese im Christentum vor Augen. Da wird alles Sinnliche verneint; es wird dem Gott geopfert, der immer deutlicher sinnliche Züge zu tragen beginnt. »Die Religion ist die *Entzweiung* des Menschen *mit sich selbst:* er setzt sich Gott als ein ihm *entgegengesetztes* Wesen gegenüber. Gott ist *nicht,* was der *Mensch* ist – der Mensch *nicht,* was *Gott* ist. Gott ist das unendliche, der Mensch das endliche Wesen; Gott vollkommen, der Mensch unvollkommen . . .« (3. Kap.). Die Selbstentzweiung bringt Extreme hervor: Gott das schlechthin Positive, der Inbegriff aller Realitäten; der Mensch das schlechthin Negative, der Inbegriff aller Nichtigkeiten! In diesem – psychologisch einsichtigen – Prozeß ist zu erkennen, daß das Extrem »Gott« nur Gegenstand des *Denkens* ist, durch Abstraktion und Negation gewonnen. Die »via negationis« christlicher Gotteslehre wird psychologisch-analytisch unterlaufen. »Gott« erscheint als das »*gegenständliche Wesen der Denkkraft*« (3. Kap.). Seine Gegenständlichkeit, sein objektives Wesen verdankt »Gott« demnach nur der aus Selbstentzweiung hervorgehenden Kraft menschlichen Denkens. »Gott ist die als *das höchste Wesen sich aussprechende, sich bejahende Vernunft*« (Kap. 3). Wo man »Gott« als metaphysisches Wesen denkt, da wird die Intelligenz nicht nur in sich selbst befriedigt sein, vielmehr *ist* die als absolutes Wesen sich denkende Intelligenz: »Gott als metaphysisches Wesen«. Es ereignet sich also eine Apotheose und Hypostasierung von Intelligenz und Vernunft.

Vor allem an der Liebe verdeutlicht Feuerbach das Wesen des Christentums. Das Neue Testament verkündigt: »Gott ist Liebe« (1Joh 5,16). Was heißt das? »Ist Gott noch etwas *außer der Liebe?*, ein von der Liebe unterschiedenes Wesen?« (Kap. 5). Davon kann doch angesichts der Identitätserklärung keine Rede sein! Gott *ist* Liebe! Feuerbach will diese Aussage verstanden wissen wie den im Affekt auf eine menschliche Person gerichteten Ausruf: »Sie ist die Liebe selbst!« *Allein die Liebe ist* »*Gott*«. Sie ist die Substanz, das Wesen selbst. Wer im Hintergrund der Liebe ein Subjekt sucht, das auch ohne Liebe noch etwas für sich wäre, der evoziert ein liebloses Ungeheuer, ein dämonisches Wesen – ein »Phantom des religiösen Fanatismus«. Die Liebe hat kein religiöses Subjekt, sie ist als »Göttliches« Inbegriff des Menschlichen. Feuerbach geht konsequent auf die christliche Theologie und ihre Terminologie ein, wenn er auf die Selbsthingabe und Aufopferung Gottes als der Begründung für die Eliminierung des göttlichen Subjekts der Liebe zu sprechen kommt. Dabei wird freilich zu beachten sein, daß der Bogen überspannt wird, wenn aus der Selbst*hingabe* Gottes eine Selbst*aufgabe* wird: »Wie Gott sich selbst aufgegeben aus Liebe, so sollen wir auch aus Liebe Gott aufgeben; denn *opfern wir nicht Gott der Liebe auf, so opfern wir die Liebe Gott auf,* und wir haben trotz des Prädikats der Liebe den Gott, das böse Wesen des religiösen Fanatismus« (5. Kap.). So wird die Liebe zum archimedischen Punkt, von dem aus die Welt Gottes aus den Angeln gehoben und die Welt des Menschen als eine Welt der von allen dämonischen Hintergründen befreiten Liebe ausgerichtet wird. Feuerbach fordert: Es ist Zeit zuzugeben, daß der »persönliche Gott« nichts anderes ist als das eigene persönliche Wesen des Menschen, das sich in Liebe und Mitmenschlichkeit vollendet. Wer Supranaturales glauben und beweisen will, glaubt und beweist doch nur die Über- und Außernatürlichkeit des eigenen Selbst (11. Kap.).

Im 13. Kap. präzisiert Feuerbach die im 5. Kap. anhebende Erklärung zum Thema »Gott ist Liebe«. Es heißt dort: »*Gott ist die Liebe* – dieser Ausspruch, der höchste des Christentums, ist nur der Ausdruck von der *Selbstgewißheit* des *menschlichen Gemütes*, von der Gewißheit seiner als der allein *berechtigten, d.i.* göttlichen *Macht* – der Ausdruck von der Gewißheit, daß des Menschen innere Herzenswünsche unbedingte Gültigkeit und Wahrheit haben, daß es *keine Schranke, keinen Gegensatz des menschlichen Gemüts* gibt, daß die ganze Welt mit aller ihrer Herrlichkeit und Pracht *Nichts ist gegen das menschliche Gemüt*. Gott ist die Liebe – d.i. *das Gemüt ist der Gott* des Menschen, ja Gott schlechtweg, das absolute Wesen. Gott ist das sich gegenständliche Wesen des Gemüts, das *schrankenfreie, reine Gemüt* . . .« Für Feuerbach ist »Gemüt« die Tiefe des menschlichen Inneren, das sich in der Liebe zur Vollendung seiner selbst zu führen vermag – im Dialog von Ich und Du. »Gemüt« ist das schrankenfreie Ich, in dem die »göttliche Macht der Liebe« ihre profunden Wirkungen ausübt.

Die Art und Weise aber, wie Feuerbach im Satz »Gott ist Liebe« das Subjekt im Prädikat aufgehen läßt, ist in der Theologie längst vorgebildet worden – in einer Manier, die sich auch heute noch behauptet und im Bemühen, jeglichen Theismus zu tilgen, Liebe und Mitmenschlichkeit als »Gott« inthronisiert. Die Konsequenzen, Prädikate vom Subjekt »Gott« abzuhängen und anthropologisch zu hypostasieren, werden offenkundig, wenn Feuerbach schreibt: »Der höchste Gedanke von dem Standpunkt der Religion oder Theologie aus ist: Gott liebt nicht, er ist selbst die Liebe; er lebt nicht, er ist das Leben; er ist nicht gerecht, sondern die Gerechtigkeit selbst, nicht eine Person, sondern die Persönlichkeit selbst – die Gattung, die Idee unmittelbar als Wirkliches« (17. Kap.).

Für Feuerbach ist nicht die menschliche Individualität, sondern *die Gattung das letzte Maß der Wahrheit*. Das Individuelle ist zufällig, subjektiv, wandelbar und ohne Verbindlichkeit. Was ich aber denke im Maß der Gattung, das denke ich, wie es der Mensch *überhaupt* nur immer denken *kann* und folglich der einzelne denken muß, wenn er normal, gesetzmäßig und folglich wahr denken will (17. Kap.). So kann als »Gesetz der Wahrheit« formuliert werden: »*Wahr ist, was mit dem Wesen der Gattung übereinstimmt*, falsch, was ihr widerspricht« (17. Kap.). Der Konsens ist das Kennzeichen der Allgemeinheit und Wahrheit der Gedanken, das Allgemein-Menschliche in allem das Verpflichtende. Das Christentum hat dieses Allgemein-Menschliche, die Gattung, verleugnet. Übertriebene Subjektivität strebte nach Lösung und Erlösung, Rechtfertigung und Beseitigung aller Mängel des Individuums. Persönliche, subjektiv gerichtete Hilfe wurde vom persönlichen Gott erwartet. Das Christentum hat die Bedeutung der Gattung und des Gattungslebens getilgt. »Religion« aber beruht doch auf dem wesentlichen Unterschied des Menschen vom Tier. Tiere haben keine Religion.

Es wird also keinen Augenblick vergessen werden dürfen: Wenn Feuerbach vom Menschen, vom Selbst, vom menschlichen Wesen oder Gemüt
spricht, dann betrifft jede seiner Erklärung *die Gattung* ; sie ist die überindi-
viduelle, verpflichtende Größe, Subjekt aller Subjekte, Bezugsphänomen
aller »göttlichen Prädikate«.

In besonderer Weise setzt sich die Religionskritik mit dem *Offenbarungsglauben* als dem Kulminationspunkt des religiösen Objektivismus
auseinander. »Offenbarung« suggeriert die unbezweifelbare, äußere, historische Tatsache, daß Gott existiert. Er hat sich selbst demonstriert und dargestellt. Die subjektive Gewißheit wird durch objektive Substruktionen ge-
festigt. Was sich in der Behauptung der Offenbarung psychologisch abspielt, deutet Feuerbach so: »Der Glaube an die Offenbarung ist die unmittelbare Gewißheit des religiösen Gemüts, daß *das ist, was es glaubt, was es
wünscht, was es vorstellt*« (22. Kap.). Im Offenbarungsglauben unternehmen Wunsch und Vorstellung des Menschen ein Fundierungsverfahren,
welches dem »Glauben« ein objektives Sein unterstellt. Indem jedoch des
Menschen Glaube auf diesem Weg sich selbst transzendieren und meta-
physisch fundieren möchte, verneint der Mensch sein Wesen, setzt er seinem Wissen und Meinen das äußere Faktum »Offenbarung« entgegen und
bringt die Vernunft restlos zum Schweigen. Aber jede Rede von »Offenbarung« diskreditiert ihren Gegenstand, indem sie ihn menschlich relatio-
niert. Feuerbach rekurriert nicht nur auf die Anthropomorphismen biblischer Offenbarungsaussagen, auf von der Theologie behauptete »Akkomodationen« und »Adaptionen«, sondern er macht sich auch spezielle (noch zu
verhandelnde) Aussagen Luthers zu eigen, wenn er erklärt: »Gott ist in dem
Entwurf seiner Offenbarung nicht *von sich*, sondern von der *Fassungskraft
des Menschen* abhängig. Was aus Gott in den Menschen kommt, das
kommt nur *aus dem Menschen in Gott* an den Menschen, d.h. nur aus dem
Wesen des Menschen an den bewußten Menschen, aus der Gattung an das
Individuum« (22. Kap.). Als *kindlicher* Glaube mag der Offenbarungsglaube respektabel sein. Aber dieses kindliche Stadium ist überwunden.
Feuerbach gibt Lessing recht: Man kann die »Offenbarung« eine Erziehung
des Menschengeschlechts nennen – »nur muß man die Offenbarung nicht
außer der Natur des Menschen herauslegen« (22. Kap.). In der Bibel stehen
alle Offenbarungsaussagen im Zeichen »zufälliger Geschichtswahrheiten«.
Damit werden die »notwendigen Vernunftwahrheiten« verdorben und zer-
setzt. Lessings Ideen werden von Feuerbach religions-kritisch aktiviert:
»Der Offenbarungsglaube verdirbt aber nicht nur den moralischen Sinn und
Geschmack, die Ästhetik der Tugend; er vergiftet, ja tötet auch den göttlichen Sinn im Menschen – den *Wahrheitssinn, das Wahrheitsgefühl*. Die
Offenbarung Gottes ist eine bestimmte, zeitliche Offenbarung: Gott hat
sich geoffenbart ein für alle Mal anno soundsoviel, und zwar nicht dem
Menschen aller Zeiten und Orte, sondern bestimmten, *beschränkten* Individuen« (22. Kap.). Indem Feuerbach die Rede von »Offenbarung« kritisch
destruiert, zielt er – wie in allen Aussagen über »Gott« – darauf ab: »*Gott ist*

kein physiologisches oder kosmisches, sondern ein psychologisches Wesen« (Anhang).

Es würde nun gelten, den *Religions-Begriff* Feuerbachs möglichst scharf zu erfassen und implizit auch die Intentionen der Religionskritik zu umreißen. In der Vorrede zur 2. Auflage des Werkes »Das Wesen des Christentums« formuliert Feuerbach: »Die Religion ist der Traum des menschlichen Geistes. Aber auch im Traume befinden wir uns nicht im Nichts oder im Himmel, sondern auf der Erde – im Reiche der Wirklichkeit, nur daß wir die wirklichen Dinge nicht im Lichte der Wirklichkeit und Notwendigkeit, sondern im verzückten Scheine der Imagination und Willkür erblicken.« *Traum und Illusion* erheben sich vom irdischen Standort des Menschen und steigen in den Himmel empor. Und die Erde, das »Reich der Wirklichkeit«, vermag das Sehen und Verstehen nicht mehr zu prägen und zu bestimmen. Die Imaginationen schießen ungehemmt empor. Wo aber Traum, Illusion und Imagination walten, ist die Kritik psychologischer Durchdringung aufgerufen, denn aus der Wurzel der Religion steigen *Trugbilder* auf.

Wo aber liegt die *Wurzel der Religion*? Antwort: *Im Bewußtsein des Unendlichen*, und zwar im Bewußtsein des Menschen von seinem, u.d.h. der Gattung unendlichem Wesen. Beschränktes Bewußtsein wäre kein Bewußtsein. Bewußtsein ist stets entschränkt. *»Bewußtsein ist Selbstbestätigung, Selbstbejahung, Selbstliebe, Freude an der eigenen Vollkommenheit. Bewußtsein ist das charakteristische Kennzeichen eines vollkommenen Wesens . . .«* (1. Kap.). In der Gattung »Mensch« ist jedes Wesen sich selbst genug; es ist in sich und für sich unendlich, hat seinen Gott, sein höchstes Wesen in sich selbst. Der Humanismus Herders, der sich zu der Aussage verstieg »Der Mensch aber ist der wahre Gott«, wird von Feuerbach radikalisiert: »Und so weit *dein Wesen*, so weit reicht dein *unbeschränktes Selbstgefühl*, so weit *bist du Gott«* (1. Kap.). Solange aber in der Religion der Mensch sein Wesen außer sich verlegte, repräsentierte dieser Vorgang das *kindliche Wesen* der Menschheit. Jetzt aber hat er sein Wesen in sich selbst gefunden.

Zum *»kindlichen Wesen«* der Religion wird hinzuweisen sein auf die am Humanum orientierte Geschichts- und Entwicklungstheorie, wie sie z.B. bei Lessing (»Die Erziehung des Menschengeschlechts«) und Herder (Rede vom Kindheits- und Jugendstadium der Menschheit) hervortritt. Die Welt des Kindes ist die in sich versponnene Traumwelt, in der das von außen Erscheinende, Gegenständliche dominant ist. Es fehlt die Reflexion. Darum weiß die Religion in diesem Stadium nichts von Anthropomorphismen: »Die Anthropomorphismen sind ihr keine Anthropomorphismen. Das Wesen der Religion ist gerade, daß ihr diese Bestimmungen das Wesen Gottes ausdrücken. Nur der über die Religion reflektierende . . . Verstand erklärt sie für Bilder. Aber der Religion ist Gott wirklicher Vater, wirkliche Liebe und Barmherzigkeit, denn er ist ihr ein wirkliches, ein lebendiges, persönliches Wesen . . .« (2. Kap.). Kennzeichnend für die Religion des Kindesalters der Menschheit ist auch ihr Totalitätsanspruch. »Die Religion umfaßt alle Gegenstände der Welt; alles, was nur immer ist, war Gegenstand religiöser Verehrung . . . Die Religion hat keinen eigenen, besonderen Inhalt« (2. Kap.).

Solange der Mensch sein Wesen in sich selbst noch nicht gefunden hat, befindet er sich *auf den Wegen doppelter Objektivation*. Er vergegenständlicht sein eigenes Wesen in einem Gegenüber »Gott« und macht sich selbst zum Gegenstand dieses vergegenständlichten, in ein Subjekt, in eine Person verwandelten Wesens. Dies ist das Geheimnis der Religion. Die Religion kann auch als die Reflexion, als die Spiegelung des menschlichen Wesens in sich selbst bezeichnet werden. »Gott ist der Spiegel des Menschen« (6. Kap.). Alles, was der Mensch als Realität empfindet und erkennt, setzt er in Gott bzw. als Gott. So ist auch das *Wort Gottes* nur die Göttlichkeit des Wortes, wie sie dem Menschen innerhalb der Religion Gegenstand wird, also das »wahre Wesen« des menschlichen Wortes (8. Kap.). Nur die Religionskritik kann das Wesen der Religion erkennen und tief durchschauen. »In der Persönlichkeit Gottes feiert der Mensch die Übernatürlichkeit, Unsterblichkeit, Unabhängigkeit und Unbeschränktheit seiner eigenen Persönlichkeit« (10. Kap.). Glaube an Gott ist darum Glaube an die menschliche Würde. Denn der Mensch kann nichts anderes glauben, als was er selbst in seinem Wesen ist (6. Kap.). »Der Mensch ist der Anfang der Religion, der Mensch ist der Mittelpunkt der Religion, der Mensch ist das Ende der Religion« (19. Kap.). Nur wo das *Bewußtsein* Gottes ist, da ist auch das Wesen Gottes, nämlich im Menschen (24. Kap.). Sucht aber der Mensch das Geheimnis der Religion nicht mehr außer sich, in einem Gegenständlichen, sondern in sich selbst, dann ist die Einheit des menschlichen Wesens mit sich selbst gefunden. Dann wird keine von der Psychologie oder Anthropologie unterschiedene und getrennte Religionsphilosophie oder Theologie mehr existieren können, vielmehr wird fortan die Anthropologie selbst als Theologie erkannt (24. Kap.). Feuerbach glaubt bewiesen zu haben, daß Inhalt und Gegenstand der Religion ganz und gar menschlich sind, daß das Geheimnis der Theologie die Anthropologie, des göttlichen Wesens das menschliche Wesen ist (Anhang). Geheimnisse werden aufgetan. Feuerbachs Religionskritik trägt das Pathos letzter Enthüllungen hinsichtlich des Wesens der Religion. Dies wurde 1841 zuerst in der kritischen Analyse des Christentums dargelegt, später in einer thematisch umfassenden Untersuchung (»Das Wesen der Religion«). Es wird bei der Erarbeitung dieser Vorlesung aus dem Jahre 1851 noch einmal auf die Frage nach dem Begriff der Religion zurückzukommen sein.

Aus allem bisher Ausgeführten dürfte deutlich hervorgegangen sein, daß Feuerbach ein Problem angefaßt hat, mit dem sich aufgeklärte und liberale Theologie schon seit einigen Jahrzehnten befaßte: *Das Problem der Überwindung des Theismus*. Man suchte der gegenständlichen Vorstellung von »Gott« als dem allmächtigen, persönlichen, menschenähnlichen Wesen auszuweichen und inthronisierte das souveräne menschliche Selbstbewußtsein – den moralischen Gott in mir, den im Menschengeist sich selbst erkennenden absoluten Geist, die fromme Gefühlswelt. Auch dort, wo bewußt religiös argumentiert wurde, waren die a-theistischen Tendenzen oder Konsequenzen unverkennbar. Feuerbach führt alle diese Prozesse zur konsequenten Erfüllung. *Für ihn ist der Atheismus das Geheimnis der Religion selbst* – und zwar in dem Sinne, »daß die Religion selbst zwar nicht auf der Oberfläche, aber im Grunde, zwar nicht in ihrer Meinung und Einbildung, aber in ihrem Herzen, ihrem wahren Wesen an nichts andres glaubt als an die Wahrheit und Gottheit des menschlichen Wesens« (Vorwort zur 2. Aufl. »Das Wesen des Christentums«). Ist das Bewußtsein Gottes das Selbstbewußtsein des Menschen, dann ist dieses die Religion kennzeichnende Faktum in sich a-theistisch. Doch Feuerbachs Atheismus ist alles andere als eine radikale, turbulente Zerstörungstat. Das wurde schon angedeutet. Es ist ein sanfter, humanistisch verschränkter, anthropologisch orientierter und psychologisch analysierender Atheismus, dem wir begegnen. Wohl stößt man immer wieder auf die dezidierten Formulierungen, Religion »ist nichts anderes als . . .«, »sie ist nur und ausschließlich . . .«; aber derartige auf strenge Exklusivität ausgehende Definitionsradikalismen spiegeln stärker das epochale Bewußtsein von Kritik geleiteter Entdeckung als den Zerstörungsdrang eines Eiferers.

Es ist angemessen, im Blick auf die Abhandlung »Das Wesen des Christentums« zuletzt nach den Aussagen Feuerbachs über *Jesus Christus* zu fragen. Denn hier kulminieren recht eigentlich die ersten religionskritischen Vorstöße des Jahres 1841. Nach dem bisher Ausgeführten ist es klar, daß Feuerbach die kirchliche Christologie auf der ganzen Linie in eine religiöse Anthropologie verwandelt. So heißt es denn auch im 5. Kapitel: »Das Bewußtsein der göttlichen Liebe oder, was eins ist, die Anschauung Gottes als eines selbst *menschlichen Wesens* ist das *Geheimnis* der *Inkarnation,* der Fleisch- oder Menschwerdung Gottes. Die Inkarnation ist nichts andres als die tatsächliche, sinnliche Erscheinung von der *menschlichen Natur* Gottes.« Daß Gott Mensch wird, spiegelt nur das eigentliche Faktum, daß der Mensch der wahre Gott ist, d. h. daß sein eigenes menschliches Wesen das absolute Wesen ist. Wer die Inkarnation für eine empirische und historische Tatsache hält, von der man nur aus einer theologischen Offenbarung unterrichtet werden kann, der verfällt dem »stupidesten religiösen Materialismus«. So kann auch der die Inkarnation begleitende Satz »Gott liebt den Menschen« nur als »Orientalismus« bezeichnet werden, der auf deutsch heißt: »Das höchste ist die Liebe des Menschen« (5. Kap.). Feuerbach will genau beachtet wissen: Die Inkarnation als Geheimnis des »Gottmenschen« ist keine mysteriöse Komposition von Gegensätzen, kein synthetisches Faktum; sie ist ein analytisches Faktum – ein menschliches Wort mit menschlichem Sinn (5. Kap.). Auch Passion und Auferstehung Jesu Christi treten in die rein anthropologische Perspektive – als Reflexe menschlicher Einsichten, Erfahrungen und Wünsche. Passion bedeutet: Die Liebe bewährt sich durch Leiden; Leiden für andere ist göttlich. »*Das Geheimnis des leidenden Gottes* ist daher das *Geheimnis der Empfindung* . . ., *die Empfindung ist göttliches Wesens*« (6. Kap.). Auch hier gilt: Die Religion ist die Reflexion, die Spiegelung des menschlichen Wesens in sich selbst. Wunsch und Verlangen aber äußern sich in der Auferstehung Christi. Sie ist »das *befriedigte*

Verlangen des Menschen nach *unmittelbarer Gewißheit* von seiner *persön-lichen Fortdauer* nach dem Tode – die persönliche Unsterblichkeit als eine sinnliche, unbezweifelbare Tatsache« (15. Kap.).

Für ein markantes Beispiel der Vergegenständlichung hält Feuerbach die Rede vom »*Sohn Gottes*« als dem »*Ebenbild Gottes*«: »Der Sohn Gottes heißt daher auch ausdrücklich das Eben-bild Gottes; sein Wesen ist, daß er Bild ist – die Phantasie Gottes, die sichtbare Verherrlichung des unsichtbaren Gottes. Der Sohn ist das befriedigte Bedürfnis der Bilderanschauung; das vergegenständlichte Wesen der Bildertätigkeit als einer absoluten, göttlichen Tätigkeit. Der Mensch macht sich ein Bild von Gott, d.h. er verwandelt das abstrakte Vernunftwesen, das Wesen der Denkkraft in ein Sinnenobjekt oder Phantasiewesen« (8. Kap.).

So ist Christus das *Urbild*, der in Existenz versetzte Begriff der Mensch-heit, Inbegriff aller moralischen und göttlichen Vollkommenheiten, aber nicht aufgefaßt und angeschaut als die Totalität der Gattung, der Mensch-heit als ganzer, sondern herausgenommen und herausgestellt als *ein* Indivi-duum, als *eine* Person.

Feuerbach will eine Entwicklung vollenden und eine befreiende Wahrheit aussprechen. Er geht aus von der als evident erwiesenen Tatsache, daß Theologie schon seit langem zur Anthropologie geworden ist. Die Theologie aber hat einen in der Geschichte der Religion(en) sich abspielenden Prozeß wiedergegeben. Unaufhaltsam verläuft der Entwicklungsgang in der Weise, *daß der Mensch immer mehr Gott abspricht und sich selbst zurechnet.* Die Zeit ist gekommen, daß diese Entwicklung zum Ziel geführt und vollendet wird. Feuerbach weiß sich als Vollender.

2. »*Das Wesen der Religion*«

Die im Jahre 1851 vorgetragenen Vorlesungen Feuerbachs über »Das We-sen der Religion« unterscheiden sich – bei aller tendenziellen Übereinstim-mung – in zwei Punkten von den Darlegungen im Werk »Das Wesen des Christentums«. *Erstens* wird die gesamte Abhandlung universaler, umfas-sender angelegt; sie bezieht sich nicht allein auf das Christentum, sondern auf das Phänomen »Religion«, wo immer und wie immer es in Erscheinung tritt. Vor allem *die archaischen Naturreligionen* werden untersucht. Daß der »physische Gott« das Wesen der Natur ausdrückt und daß die Natur er-ster und bleibender Gegenstand der Religion ist, soll eingehend begründet werden.

Zweitens findet eine Weiterbildung der Religionskritik statt: Theologie ist nicht nur Anthropologie, sondern auch *Physiologie*. »Gott« erscheint nicht nur als vergegenständlichtes Wesen des Menschen, sondern auch und insbesondere der Natur. Dabei wird als bestimmendes Motiv religiöser Pro-jektion das *Abhängigkeitsgefühl* oder Abhängigkeitsbewußtsein des Men-schen herausgestellt. »Das Abhängigkeitsgefühl des Menschen ist der *Grund* der Religion; der Gegenstand dieses Abhängigkeitsgefühles, das, wovon der Mensch abhängig ist und abhängig sich fühlt, ist aber ursprünglich nichts anderes als die Natur« (Ges. Werke, ed. *W. Schuffenhauer*, Bd. 10, 4. Vorl.). Feuerbach scheut sich nicht, den durch Schleiermacher eingeführten Begriff des »Abhängigkeitsgefühls« zu übernehmen, obwohl Hegel die ironische Glosse hatte fallen lassen, es müsse – nach Schleiermacher – ja doch auch der Hund Religion haben, da er sich von seinem Herrn schlechthin abhängig fühle. Unberührt von solcher Ironie erklärt Feuerbach: »Wir finden keinen anderen entsprechenden und umfassenden psychologischen Erklärungsgrund der Religion.«

Geht man den Grundlinien der Vorlesung über »Das Wesen der Religion« nach, so wird zuerst darauf aufmerksam zu machen sein, daß Feuerbach in seiner Religionskritik das Interesse verfolgt, *im Licht aufgeklärter, aufklärender Enthüllungen den Menschen zu befreien.* Er muß endlich auf dem Bann religiöser Traditionen erlöst werden. Hinfort soll er nicht mehr Objekt übernatürlicher Mächte sein; er muß Subjekt mündigen und freien Entscheidens werden. Das humanistische Pathos äußert sich vor allem in der 3. Vorlesung: »Mir war und ist es vor allem darum zu tun, das dunkle Wesen der Religion mit der Fackel der Vernunft zu beleuchten, damit der Mensch endlich aufhöre, eine Beute, ein Spielball aller jener menschenfeindlichen Mächte zu sein, die sich von jeher, die sich noch heute des Dunkels der Religion zur Unterdrückung des Menschen bedienen.« Karl Marx wird diesen Gedanken aufnehmen und ihn im ökonomischen Kontext verschärfen.

Doch nun faßt sich, wie schon angedeutet wurde, die Lehre Feuerbachs in zwei Worten zusammen: Natur und Mensch. *Theologie ist Anthropologie und Physiologie.* In der Anthropologie gilt der Grundaspekt: »Der Gott des Menschen ist nichts anderes als das vergötterte Wesen des Menschen, folglich die Religions- oder, was eins ist, Gottesgeschichte nichts anderes als die Geschichte des Menschen; denn so verschieden sind die Götter, und die Religionen so verschieden, als die Menschen verschieden sind« (3. Vorl.). Gedanken, denen wir zuerst bei Xenophanes begegneten, bestimmen die Sicht der Dinge. So ist denn auch der Unterschied zwischen dem heidnischen Gott und dem christlichen Gott nur der Unterschied zwischen dem heidnischen und dem christlichen Menschen oder Volk. Was aber die Physiologie betrifft, so herrscht das Prinzip: »Alle Eigenschaften oder Bestimmungen Gottes, die ihn zu einem gegenständlichen, wirklichen Wesen machen, sind selbst *nur von der Natur abstrahierte, die Natur voraussetzende, die Natur ausdrückende Eigenschaften*« (4. Vorl.).

Feuerbach erklärt sich in der 3. Vorlesung zum *Zweck und Ziel* seiner Darlegungen. Er will aus Theologen Anthropologen, aus Theophilen Philanthropen, aus Kandidaten des Jenseits Studenten des Diesseits, aus religiösen und politischen Kammerdienern der himmlischen und irdischen Monarchie und Aristokratie freie, selbstbewußte Bürger der Erde machen. Und in diesem Zusammenhang wird ausdrücklich betont, daß alle kritischen Negationen allein auf positive Affirmationen abzielen, daß die Verneinung des phantastischen Scheinwesens der Theologie und Religion geschieht, »*um das wirkliche Wesen des Menschen zu bejahen*«.

Es muß durchschaut werden, wer oder was »Gott« ist. Dabei ist von der einfachen Feststellung auszugehen, daß »Gott« ein bloßer Name ist, der alles Mögliche befassen kann und dessen Inhalt so verschieden ist wie die Zeiten und Menschen, die von ihrem »Gott« reden und ihn sich vorstellen. Feuerbach prangert den Theismus an, der sich überall behauptet – »diese arrogante, hochmütige geistliche Religion, die eben deswegen auch einen *besonderen* offiziellen Stand zu ihrem Vertreter hat« (5. Vorl.). Im gleichen Atemzug bekennt sich Feuerbach, obgleich er »Atheist« ist, zur Religion, und zwar zur Naturreligion, die ursprünglich gar nichts anderes ausdrückt als das Gefühl des Menschen von seinem Zusammenhang, seinem Einssein mit der Natur der Welt.

In Übereinstimmung mit der in dieser Weise verstandenen und gedeuteten Naturreligion wendet Feuerbach sich *gegen den Idealismus:* »Ich hasse den Idealismus, welcher den Menschen aus der Natur herausreißt; ich schäme mich nicht meiner Abhängigkeit von der Natur; ich gestehe offen, daß die Wirkungen der Natur nicht nur meine Oberfläche, meine Rinde, meinen Leib, sondern auch meinen Kern, mein Inneres affizieren, daß die Luft, die ich bei heiterem Wetter einatme, nicht nur auf meine Lunge, sondern auch auf meinen Kopf wohltätig einwirkt, das Licht der Sonne nicht nur meine Augen, sondern auch meinen Geist und mein Herz erleuchtet. Und ich finde diese Abhängigkeit nicht, wie der Christ, im Widerspruche mit meinem Wesen, hoffe deswegen auch keine Erlösung von diesem Widerspruch. Ebenso weiß ich, daß ich ein endliches, sterbliches Wesen bin, daß ich einst nicht mehr sein werde. Aber ich finde dies *sehr natürlich*, und eben deswegen bin ich vollkommen versöhnt mit diesem Gedanken« (5. Vorl.).

Gewiß ist die Naturreligion nicht frei von Aberglauben und entstellten Ausgeburten. Doch Feuerbach vermag ihre *einfache Grundwahrheit* anzuerkennen und nachhaltig zu vertreten, »daß der Mensch abhängig ist von der Natur, daß er in Eintracht mit der Natur leben, daß er selbst auf seinem höchsten, geistigen Standpunkt nicht vergessen soll, daß er ein Kind und Glied der Natur ist, daß er die Natur nicht nur als den Grund und Quell seiner Existenz, sondern auch als Grund und Quell seiner geistigen und leiblichen Gesundheit stets verehren, heilig halten soll . . .« (5. Vorl.).

Es kann nun nicht die Aufgabe sein, in die verzweigten Einzelfragen vorzudringen. Wichtig wird es sein, die bestimmenden Intentionen der Religionskritik Feuerbachs zu kennzeichnen. Wie schon im Werk »Das Wesen des Christentums«, so spielt auch in den Vorlesungen des Jahres 1851 der Gesichtspunkt der *Projektion* eine entscheidende Rolle. Der Mensch projiziert das ihm Eigene, Göttliche des Gattungswesens in eine gegenständliche Vorstellung, in ein Bild von Gott. In den Vorlesungen wird nun genauer nach den im Projektionsverfahren wirksamen Motiven gefragt. Die Wurzelkraft des in die Gegenständlichkeit sich erhebenden Unternehmens ist der Wunsch. *Religion ist Wunschwesen.* Der Wunsch ist der Ursprung, ja sogar das Wesen selbst der Religion. »*Das Wesen der Götter ist nichts ande-*

res als das Wesen des Wunsches« (7. Vorl.). Was der Mensch wünscht, daß
es sein oder geschehen möge, entwirft er in den Gedanken und Bildern, die
auf Objektivation abzielen.

Statt vom Wunsch, kann auch vom »*amor sui*« bzw. vom »*Egoismus*« gesprochen werden. Allen heuchlerischen Attitüden stellt Feuerbach eine
höchst positive Beschreibung des »amor sui« und des »Egoismus« gegenüber. Was seit Augustinus, und verschärft durch Luther, als Ursünde des
Menschen galt, wird in einem nüchternen Erfassungsverfahren ausgewer-
tet und im Entscheidenden umgepolt. Feuerbach will unter »Egoismus« das
seiner Natur und Vernunft gemäße Sich-selbst-geltend-Machen des Menschen verstehen, die Selbstbehauptung gegenüber allen unnatürlichen und
unmenschlichen Forderungen, die von theologischer Heuchelei, religiös-
spekulativer Phantastik und politischer Brutalität und Despotie an den
Menschen gestellt werden. »Ich verstehe unter Egoismus den notwendigen,
den unerläßlichen Egoismus, den, wie gesagt, nicht moralischen, sondern
metaphysischen, d.h. im Wesen des Menschen ohne Wissen und Willen
begründeten Egoismus, ohne welchen der Mensch gar nicht leben kann . . .
Ich verstehe unter Egoismus die Liebe des Menschen *zu sich selbst*«
(7. Vorl.). Im Gegensatz zur moralisch motivierten Auffassung und im
Kontrast vor allem zu einem auf den »amor sui« rekurrierenden Sündenbe-
griff hält Feuerbach die selbstbezogene, selbsterhaltende Grundbewegung
für das metaphysische Geheimnis des Humanum. Der Grund aller Verehrung, das, was die Götter zu Göttern macht, ist ihre Beziehung auf den
Menschen, ihre Nützlichkeit, ihre Wohltätigkeit, ist der menschliche Egoismus. Feuerbach kann fragen: »Wie ein *objektiv* höchstes Wesen anbeten
und anerkennen, wenn ich kein *subjektiv* höchstes Wesen in mir habe? Wie
einen Gott außer mir annehmen, wenn ich nicht mir selbst, freilich in anderer Weise, Gott bin? Wie einen *äußeren* Gott ohne Voraussetzung eines *inneren, psychologischen Gottes* glauben?« (7. Vorl.). Der Egoismus ist der
Indikator des göttlichen Selbstbewußtseins des Menschen. Im Zuge dieser
Erkenntnis spitzen sich die Dinge zu. Feuerbach erklärt: »Den Maßstab, das
Kriterium der *Gottheit* und eben deswegen den *Ursprung der Götter* hat der
Mensch *an und in sich selbst*. Was diesem Kriterium entspricht, ist ein
Gott, was ihm widerspricht, keiner. Dieses Kriterium ist aber der *Egoismus*
in dem entwickelten Sinne des Wortes« (7. Vorl.). Es wird zu beachten sein,
daß – im Unterschied zu den Ausführungen über das »Selbstbewußtsein des
Menschen« in »Das Wesen des Christentums« – der Begriff »Egoismus«
schärfer, provozierender die metaphysische Urbewegung des Menschen
und das Eigentliche seiner Humanitätsäußerung beschreibt. Der Egoismus
ist Ausdruck des inneren, psychologischen »Gottes« im Menschen. Er ist
der Inbegriff aller seiner Triebe, Bedürfnisse und Anlagen.

Die Religionskritik Feuerbachs dringt *aus der Gegenwart in die Vergangenheit* vor. Das epochale Bewußtsein, letzte Einsicht zu besitzen und das
Geheimnis von Anthropologie und Physiologie zu durchschauen, setzt die
kritische Analyse in Bewegung. Hegel wird radikalisiert, wenn es heißt:

»Ich schließe nicht, wie die Historiker, von der Vergangenheit auf die Gegenwart, sondern von dieser auf jene. Ich halte die Gegenwart für den Schlüssel der Vergangenheit, nicht umgekehrt, aus dem einfachen Grunde, weil ich ja, wenn auch unbewußt und unwillkürlich, die Vergangenheit immer nur nach meinem gegenwärtigen Standpunkt messe, beurteile, erkenne, daher jede Zeit eine andere Geschichte von der obgleich an sich toten, unveränderlichen Vergangenheit hat« (11. Vorl.). Vor allem die *Perspektiven der Physiologie*, gegenwärtig gewonnen, eröffnen das Verständnis der Vergangenheit: »Natur ist alles, was dem Menschen, abgesehen von den supranaturalistischen Einflüsterungen des theistischen Glaubens, unmittelbar, sinnlich als Grund und Gegenstand seines Lebens sich erweist« (11. Vorl.). Es wird noch zu fragen sein, ob bei Feuerbach an die Stelle des als obsolet denunzierten Theismus nun ein ebenso totalitärer Naturalismus gerückt wird – sorgsam reflektiert im Blick auf Spinozas »Deus sive natura«, zumeist entwickelt in Korrelation zur Anthropologie. Jedenfalls ist Feuerbach der Überzeugung, daß die Naturreligion die Wahrheit der Sinne demonstriert, indeß die Philosophie, wenigstens als Anthropologie, die Wahrheit der Naturreligion erweist. Dieses wechselseitige demonstrativische Verfahren bindet die naturalistischen Ideen ständig an die psychologischen Erhebungen im Bereich der Anthropologie. Gerade diese Verflechtungen verbieten es, Feuerbachs Religionspolemik zu simplifizieren und sie auf einige Faustregeln zu reduzieren.

In schroffem Gegensatz zum Idealismus und zum – idealistisch rezipierten – Christentum seiner Zeit betont Feuerbach *die Bedeutung der Sinne*. Auch dies muß als ein Moment der Weiterentwicklung gegenüber dem Werk »Das Wesen des Christentums« gewertet werden, relevant geworden im erhellenden Kontext der Physiologie. »Die ersten Evangelien, die ersten und untrüglichen, durch keinen Priesterbetrug entstellten Religionsurkunden des Menschen sind seine Sinne. *Oder vielmehr diese seine Sinne sind selbst seine ersten Götter* . . .« (10. Vorl.). M.a.W. in den Göttern, denen sinnliches Wesen unterstellt wird, vergöttert der Mensch seine eigenen Sinne. Die Natur aber erscheint als ein in sich geschlossenes Ganzes, über das hinauszugehen nur derjenige berechtigt sein könnte, der ein über der Natur existierendes Wesen wäre. Doch die Erde ist das absolute Maß menschlichen Wesens. Die Sinne erblicken alle Dinge im Licht und im Maß der Erde. Darum sind auch alle Kausalitäten natürlich bedingt. *Die Frage nach der »prima causa«*, der ersten Ursache, würde nach einem bloßen Begriff haschen. Was sie zu erreichen vorgibt, wäre ein Gedankenwesen, das nur logische und metaphysische, aber keine physische Bedeutung haben kann. Mit der in der philosophischen und theologischen Tradition oft geäußerten Behauptung einer »ersten Ursache« will man dem »processus causarum in infinitum« willkürlich ein Ende setzen. Feuerbach ist entschlossen, die Absurditäten des kosmologischen Gottesbeweises aufzudecken, in dem die alten Philosophen und Theologen das Endliche, das Nicht-Göttliche, als das bestimmten, was von einem anderen her ist, vom Unendlichen; und

Gott als das, was von oder aus sich selbst ist. Gegen diesen Schluß macht Feuerbach die unablässigen Bemühungen der Naturwissenschaft geltend, nach den Ursprüngen von Welt und Mensch mit den Mitteln sinnlicher Organe und vor allem mit den Fähigkeiten der Vernunft zu forschen. Den Autoren des kosmologischen Gottesbeweises hält er entgegen: »Es ist nur die Beschränktheit und Bequemlichkeitsliebe des Menschen, welche an die Stelle der Zeit die Ewigkeit, an die Stelle des endlosen Fortgangs von Ursache zu Ursache die stabile Gottheit, an die Stelle ewiger Bewegung den ewigen Stillstand setzen« (11. Vorl.). Davon wird man also nicht absehen können, *daß Feuerbachs Religionskritik auch im Konnex mit den im 19. Jahrhundert immer stärker sich durchsetzenden naturwissenschaftlichen Forschungen steht.* Daß die Gottesbeweise Forschungsbewegungen abbrechen und zum Stillstand bringen, daß sie Vernunft und Sinne diskreditieren, um im Gedankenwesen der »prima causa« schnelle Zuflucht zu finden, muß durchschaut werden. Es werden dann freilich von Feuerbach selbst die Grenzen des den Sinnen und der Vernunft Zugänglichen überschritten, wenn er als das »Vernünftigste« annimmt, daß die Welt ewig war und ewig sein wird, daß sie folglich den Grund ihrer Existenz in sich selbst hat. In solcher Hypothese löst sich die naturalistische Weltsicht aus der anthropologischen Korrelation. Jedenfalls versteht es sich von selbst, daß Feuerbach zum Thema »Schöpfung« eine dezidiert scharfe Auffassung vertritt: »Der Glaube oder die Vorstellung, daß ein Gott Urheber, Erhalter und Regent der Welt sei, . . . beruht auf der Unkenntnis der Menschen von der Natur; sie stammt daher aus der Kinderzeit der Menschheit, ob sie gleich sich bis auf den heutigen Tag erhalten hat, und ist nur da an ihrem Platze, nur da eine wenigstens subjektive Wahrheit, wo der Mensch alle Erscheinungen, alle Wirkungen der Natur in seiner religiösen Einfalt und Unwissenheit Gott zuschreibt« (16. Vorl.). Man kannte eben in alter Zeit die Natur und ihre Gesetze noch nicht und ist auch heute noch geneigt, die Ignoranz oder das willentliche Ausweichen hinter einem pauschalen Schöpfungsglauben zu verbergen. Je weniger man aber um die natürlichen Ursachen und Gesetze wußte (oder wissen wollte), um so mehr mußte man übernatürliche Ursachen aufsuchen und für alle Veränderungen im Kosmos den Willen der Götter bemühen. Im Bereich der Schöpfungsthematik erfährt der traditionelle Theismus seinen schärfsten Widerspruch, denn vor allem in diesem Bezirk haben sich seit ältester Zeit alle obskuren und despotischen Gottesvorstellungen angelagert.

Wer oder was ist eigentlich »Gott«? »Gott« ist für Feuerbach nur ein gänzlich unbestimmter, allgemeiner Kollektivname – ein Sammelwort wie Obst, Getreide, Volk. Diese Einsicht hat Konsequenzen für die Rede von den »Eigenschaften Gottes«. Feuerbach lehrt: »Jede Eigenschaft Gottes ist ja Gott selbst, wie die Theologie oder theologische Philosophie sagt, jede Eigenschaft kann daher für Gott selbst gesetzt werden. Selbst im allgemeinen Leben sagt man statt Gott die göttliche Vorsehung, die göttliche Weisheit, die göttliche Allmacht« (11. Vorl.). Unter Berufung auf die theologische

und religionsphilosophische Gotteslehre wird diese Erklärung abgegeben.
Was besagt sie? Es soll gezeigt werden, *daß die Eigenschaften Gottes*, da es
ja ein Proprium »Gott« nicht gibt (sondern nur den besagten Allgemeinbegriff), *als selbständige Hypostasen gelten.* Sind aber dermaßen die göttlichen Eigenschaften abgelöst und auf sich gestellt, dann können sie in eine
unmittelbar anthropologische Relation versetzt und aus ihr erklärt werden.
Als Beispiel sei auf die Rede von der »Güte Gottes« verwiesen: »Die Güte
Gottes ist nur abgezogen von den dem Menschen nützlichen, guten, wohltätigen Wesen und Erscheinungen der Natur, welche ihm das Gefühl oder
Bewußtsein einflößen, daß das Leben, die Existenz ein Gut, ein Glück sei.
Die Güte Gottes ist nur die durch die Phantasie, die Poesie des Affekts veredelte, nur die personifizierte, als eine besondere Eigenschaft oder Wesenheit verselbständigte, nur die in tätiger Form ausgedrückte und aufgefaßte
Nützlichkeit und Genießbarkeit der Natur« (13. Vorl.). Wenn von der anthropologischen Relation die Rede war, so wird jetzt sofort hinzuzufügen
sein, daß erneut die Physiologie erklärend ins Mittel tritt, zumal beide Grö
ßen, Anthropologie und Physiologie, korrelativ aufeinander abgestimmte,
alles erleuchtende Größen sind.

Die aus Wunschdenken hervorgehende Projektion entwirft ein *Bild Gottes.* Feuerbach geht auf das biblische Bilderverbot ein. Hat das biblische Bilderverbot (Ex 20,4) eine religionskritische Intention? Tritt dieses Gebot
dem Projektionsverlangen des Menschen entgegen? Die Antwort tendiert
auf ein eindeutiges Nein. Jede Gottesvorstellung – und wie sollten Judentum und Christentum ohne eine Gottesvorstellung existieren? – geht am
Gebot Ex 20,4 vorbei. »Selbst da, wo der Mensch sich mit der Vorstellung
Gottes über die Natur zu erheben glaubt, wo er Gott, wenigstens seiner Einbildung nach, als ein von allen sinnlichen Eigenschaften abgesondertes, unsinnliches, unkörperliches Wesen denkt, wie die Christen, namentlich die
sogenannten rationalistischen Christen, selbst da bildet doch wenigstens die
Grundlage des geistigen Gottes die *Vorstellung des sinnlichen Wesens*«
(13. Vorl.). Auch der Satz »Gott ist Geist« (Joh 4,24) kann die Basis der
Sinnlichkeit nicht verlassen, denn ein von sinnlichen Vorstellungen freies
Denken über das, was »Geist« ist, wäre eine Chimäre. Jedes Bild von Gott
entspringt der Wurzel des sinnlichen Wesens und wird aus dem Stoff der
Sinnlichkeit gestaltet. Der leichte Unterschied zwischen der christlichen
und der heidnischen Religion kann darum nur darin erblickt werden, daß
das Heidentum gestalthafte, aus Weltstoff gewirkte Gottesbilder setzt,
während das Christentum der sublimeren Sinnlichkeit der *geistigen* Bilder
zugeneigt ist. Doch überall präsentiert – auch entwicklungsgeschichtlich betrachtet – das Sinnliche, Einfache, Deutliche den Ausgangspunkt zum
Komplizierten und Abstrakten betont geistiger Bilder. Aber wie auch immer verfahren wird, in allem gilt: »Jeder Gott ist ein *Wesen* der Einbildung,
ein Bild, und zwar *ein Bild des Menschen,* aber ein Bild, das der Mensch au
ßer sich setzt und als ein selbständiges Wesen vorstellt« (20. Vorl.). Nicht
Gott schuf den Menschen nach seinem Bild, sondern *der Mensch schuf Gott*

nach seinem Bild. Keiner ist ausgenommen. Auch nicht der Rationalist oder der Spiritualist; sie schaffen Gott nach ihrem Bild. Das Wesen der Religion besteht in der Tatsache, daß Gott als Wesen der Einbildung, als Bild des Menschen vorgestellt und verehrt wird. Aber in solchem Akt ist nicht nur die Einbildung im Sinne der schöpferisch produzierenden und projektierenden Phantasie am Werk, tätig ist zugleich das *Begehrvermögen des Menschen,* d.h. das Streben und Verlangen, unangenehme Gefühle zu beseitigen und sich angenehme Gefühle zu verschaffen. Und dieses Begehrvermögen wiederum steht in Übereinstimmung mit dem *Glückseligkeitstrieb des Menschen.* Auch in dieser Sache wird ein traditioneller Begriff umgepolt. Die von Augustinus als Wesen der Sünde bezeichnete concupiscentia tritt ins Licht positiver Bestimmung; sie gilt jetzt als das Vermögen, humane, gute, befreite Verhältnisse heraufzuführen, Übel und Mängel zu verneinen und dem Wünschenswerten die Bahn zu brechen. Summa summarum: »Der Mensch verwandelt also seine Gefühle, Wünsche, Einbildungen, Vorstellungen und Gedanken in Wesen, d.h. das, was er wünscht, vorstellt, denkt, gilt ihm für ein Ding, selbst außer seinem Kopfe, wenn es gleich nur *in* seinem Kopfe steckt« (28. Vorl.).

Diesen anthropologisch-psychologischen Einsichten entspricht dann immer wieder die physiologische Gesamtsicht, *die religiöse Naturanschauung, in der »Gott« nichts anderes ist als die Natur.* Dies tritt in dem folgenden Passus am deutlichsten zutage: »Der Gott, der über Gerechte und Ungerechte, über Gläubige und Ungläubige, Christen und Heiden die Sonne aufgehen läßt, ist ein gegen diese religiösen Unterschiede gleichgültiger, nichts von ihnen wissender Gott, ist in Wahrheit nichts anderes als die Natur. Wenn es daher in der Bibel heißt: Gott läßt seine Sonne aufgehen über Gute und Böse, so haben wir in diesen Worten Spuren oder Beweise einer religiösen Naturanschauung, oder unter den Guten und Bösen sind nur moralisch, aber keineswegs dogmatisch unterschiedene Menschen zu verstehen, denn der dogmatische biblische Gott unterscheidet streng die Böcke von den Schafen, die Christen von den Juden und Heiden, die Gläubigen von den Ungläubigen« (12. Vorl.). An der verwirrenden, den biblischen Texten nicht gemäßen Einführung der Begriffe »dogmatisch« und »moralisch« können wir vorübergehen. Exegetische Genauigkeit kann von Feuerbach nirgendwo erwartet werden; auch keine um den Kontext bemühte Verständnisbereitschaft. Charakteristisch ist die Rezeption des Bibelwortes Mt 5,45 unter dem Prinzip der Physiologie.

Zuletzt sei noch darauf hingewiesen, daß Feuerbach bei seiner Denkweise in der Korrelation von Anthropologie und Physiologie *letztlich doch der Physiologie einen entscheidenden Vorrang einräumt* – in ontologischer und in erkenntnistheoretischer Hinsicht. Dies ist – nach vielfach ausgewogener und wechselseitiger Interpretation im einzelnen – die eigentliche Pointe der Vorlesungen »Das Wesen der Religion«. Und unverblümt erklärt sich Feuerbach zum *Naturalisten und Atheisten.* So heißt es in der 17. Vorlesung: »Der Unterschied zwischen dem Atheisten oder Naturalisten, überhaupt der Lehre, welche die Natur aus sich oder einem Naturprinzip begreift, und dem Theismus oder der Lehre, welche die Natur aus einem heterogenen, fremdartigen, von der Natur unterschiedenen Wesen ableitet, ist nur der, daß der Theist vom Menschen ausgeht und von da zur Natur übergeht, auf sie schließt, der Atheist oder Naturalist von der Natur ausgeht und erst von ihr aus auf den Menschen kommt. Der Atheist geht einen natürlichen, der Theist einen unnatürlichen Gang« (12. Vorl.). Mit dem Aufweis dieser unterschiedlichen Gefällestruktur des Denkens wird das in den Vorlesungen Feuerbachs sonst bestimmende Korrespondenzverhältnis von Anthropologie und Physiologie überlagert. Der Anthropologe entpuppt sich als Naturalist. Also nicht nur zu Anthropologen will Feuerbach die Theologen verwandeln; er zieht sie hinein in die Denkbewegung eines Atheismus, der sich als *dezidierter Naturalismus* erweist. Es ist damit jene von Feuerbach umspielte und verklärte Weltanschauung eröffnet, nach der alles aus der Natur und die Natur selbst ohne Annahme eines außer ihr gelegenen Weltgrundes zu erklären ist; auch alles Geistige muß in diesen Aspekt des Natürlichen einbezogen sein. Lag im Werk »Das Wesen des Christentums« der Akzent der alle Verhältnisse grundlegend verwandelnden Religionskritik auf der Formulierung »nicht Theologie, sondern Anthropologie«, so kulminiert in den Vorlesungen »Das Wesen der Religion« – nach weitgehender Korrespondenz von Anthropologie und Physiologie – das Ganze in der *Überwindung des Theismus durch den Naturalismus.*

3. Rekurs auf Luther

Es wird davon auszugehen sein, daß *Impuls und Ansatz* der Religionskritik Feuerbachs mit der Theologie Luthers nichts zu tun haben. Am Anfang steht vielmehr der leidenschaftliche Widerspruch gegen die Spiritualität des Idealismus. Das Pendel philosophischen Denkens schlägt zur entgegengesetzten Seite hin aus. *Feuerbach haßt den Idealismus, der den Menschen aus der Natur herausreißt.* Er will dem Menschen geben, was des Menschen ist – alles: Leben, Sinnlichkeit, Freude, Selbstbewußtsein. Die volle Abhängigkeit von der Natur, die der Idealismus zu überwinden suchte, wird als die allgenugsame Sinnerfüllung allen menschlichen Wesens neu entdeckt. Ausgelöscht werden die den Menschen bedrohenden Überwelten und geistigen Mächte. Hegel hatte das Christentum idealistisch rezipiert. Nicht anders war es Feuerbach bekannt. Darum traf der Widerspruch, der dem Idealismus galt, auch den christlichen Glauben. *In der Entwicklung der Religionen, und vollends im Christentum, sah Feuerbach den Prozeß der Auflösung aller Transzendenz und jeder theiistischen Anschauung unaufhaltsam voranschreiten.* Was vormals Gott zugeschrieben wurde, nahm mit wachsendem Gefälle der Mensch für sich in Anspruch. Diesen Prozeß galt es zu vollenden. Theologie mußte in Anthropologie verwandelt werden – um des Menschen willen, der in der theistischen Religiosität sich selbst entfremdet war. Feuerbachs Religionskritik ist demnach einerseits eine Gegenbewegung gegen den Idealismus und gegen die den Menschen sich selbst entfremdende christliche Religion; andererseits ist sie die Weiterführung und Vollendung der in der Geschichte der Theologie und Philosophie längst im Gang befindlichen *Anthropologisierung des Gottesglaubens,* das heißt der Einbeziehung der von außen an den Menschen herantretenden göttlichen Macht in eine innerlich erlebte, dem souveränen menschlichen Selbstbewußtsein integrierte Kraft.

Gewiß hatte Feuerbach schon in den dreißiger Jahren Lehrstücke der Theologie Luthers gekannt und sie im Werk »Das Wesen des Christentums« zur Geltung gebracht (*M. Krämer,* Die Religionskritik Ludwig Feuerbachs und ihre Rezeption in der Theologie Karl Barths: Diss.theol. Göttingen 1975, 79). Doch setzen die intensiven Luther-Studien erst 1841 ein (*J. Wallmann,* Ludwig Feuerbach und die theologische Tradition: ZThK 67, 1970, 56–86.80ff.). Die eingehende Befassung mit Luther tritt in Feuerbachs Aufsatz aus dem Jahre 1844 »Das Wesen des Glaubens im Sinne Luthers. Ein Beitrag zum ›Wesen des Christentums‹« zutage (Ges. Werke, Bd. 9,353–412). An dieser Stelle wird einzusetzen sein, weil sie die deutlichste Bezugnahme auf die Theologie des Reformators enthält. Stand Feuerbach vor der Veröffentlichung »Das Wesen des Christentums« der Reformation indifferent gegenüber, so zeigt der Luther-Aufsatz, welches spezifische Interesse und welcher die Rezeption prägende Aspekt nunmehr gewonnen worden ist: *Die Reformation als entscheidender Durchbruch eines »Säkularisierungs- und Befreiungsprozesses«.* Die »Freiheit eines Christenmenschen« wird als Grunddatum einer *emanzipatorischen Anthropologie* verstanden und damit auch als faktische und praktische Negation der christlichen Religion. Diese die gesamte Luther-Rezeption bestimmende Einstellung wird genau zu beachten und in ihren Folgen zu bedenken sein. Feuerbach weiß sich durch einen – wie zu zeigen sein wird – im Ansatz falsch verstandenen Luther bestätigt. Man kann auch sagen: Er leitet die reißenden Wasser reformatorischer Theologie auf seine religionskritischen Mühlen. Aber man wird noch weiter gehen müssen. Feuerbach machte sich das Pathos eines im Sinne emanzipatorischer Anthropologie gedeuteten Luther zu eigen und konnte sich im Freundeskreis »Luther II.« nennen (*M. Krämer,* a.a.O., 80). Doch wird das Urteil, Feuerbach habe Luther »falsch verstanden«, sorgfältig zu überprüfen sein. Denn schließlich wurde mehrfach gezeigt, wie ungeschützt, überpointiert und mißverständlich sich einige Äußerungen des Reformators darstellen konnten. Jedenfalls sah Feuerbach sich bestätigt – vor allem durch ebendiese Äußerungen, die nun zu untersuchen sind. Unter Einbeziehung der auf Luther rekurrierenden Anmerkungen in »Das Wesen des Christentums« und im Blick auf den Luther-Aufsatz (1844) sind zwei Themen genauer zu verfolgen: »Glaube« und »Menschheit Christi«.

In seinem Buch »Von Hegel zu Nietzsche« (1969) deckt *Karl Löwith* die Zusammenhänge auf: »Daß Feuerbachs Vermenschlichung der Theologie in die Geschichte des *Protestantismus* gehört, geht daraus hervor, daß er die Grundsätze seiner Religionskritik aus *Luther* abzuleiten vermochte. Im 14. Kapitel vom ›Wesen des Christentums‹, welches vom Glauben handelt, zitiert er Luthers Satz: ›Wie du von Gott gläubest, also hast du ihn. – Gläubst du es, so hast du es. Gläubst du aber nicht, so hast du nichts davon‹. ›Darum wie wir glauben, so geschieht uns. Halten wir ihn für unseren Gott, so wird er freilich nicht unser Teufel sein. Halten wir ihn aber nicht für unseren Gott, so wird er freilich auch nicht unser Gott . . . sein‹« (367). Sieht man sich den von Löwith genannten Text an, so fährt Feuerbach dort interpretierend fort: »Wenn ich also einen Gott glaube, so habe ich einen Gott, d.h. der Glaube an Gott ist der Gott des Menschen . . .« Das Wesen Gottes wäre demnach nichts anderes als das Wesen des Glaubens. Im Glauben an Gott glaubt der Mensch an sich selbst, an die göttliche Kraft seines Glaubens. Glaube ist – so versteht Feuerbach Luther – die »Selbstgewißheit des Menschen«. Im Luther-Aufsatz (1844) soll dann nachgewiesen werden, daß der religionskritische Tenor im »Wesen des Christentums« mit dem Glaubensbegriff Luthers identisch ist. Luther verneint die »katholische Positivität«: Das Sein Gottes und des Christus »a se«. Er betont das »pro me« und damit ein Dasein Gottes »allein für den Glauben«. Es heißt in Feuerbachs Aufsatz aus dem Jahre 1844: »Das *Wesen* des *Gegenstandes* des Glaubens ist *der Glaube*, aber das Wesen des Glaubens bin ich, der Gläubige. Wie ich bin, so ist mein Glaube, und wie mein Glaube, so mein Gott. ›Wie dein Herz‹, sagt Luther, ›so dein Gott‹. Gott ist eine leere Tafel, auf der nichts weiter steht, als was du selbst darauf geschrieben« (Ges. Werke, Bd. 9, 406). Man könnte, um Feuerbachs Rekurs auf Luther in Sachen des »Glaubens« zu verdeutlichen, noch andere Stellen zitieren. Es mag genügen, wenn nur noch ein Punkt anvisiert wird. Feuerbach lehrt, der Mensch sei nicht ein Geschöpf Gottes, vielmehr Gott ein Geschöpf des Menschen. Stimmt eine solche Aussage nicht exakt überein mit Luthers Formulierung »Fides est creatrix divinitatis« (WA 40^I, 360)?

Die von Feuerbach erspähte Übereinstimmung seiner religionskritischen Thesen mit Sätzen Luthers ist in der Tat – jedenfalls auf den ersten Blick – verblüffend. Und es wird auch nicht von der Hand zu weisen sein, daß Luther mit seinen provozierenden Formulierungen zum Thema »Glaube« Anlaß zu einer Rezeption nach der Weise Feuerbachs geben konnte. Das überbetonte »pro me« stand in der Gefahr, abzuleiten und Gott im Bereich des Menschlichen aufgehen zu lassen. Nachdem der aufgeklärte Protestantismus dieses Gefälle gefördert hatte, konnte im Fluchtpunkt theologiegeschichtlicher Perspektive Luther als Initiator eines *Befreiungsprozesses* verstanden werden, der im Grunde nichts anderes darstellt als die Emanzipation des Menschen aus der Fremdherrschaft eines überweltlichen Gottes in die Subjektivität selbstbewußten Glaubens. Aber es war die Stärke Feuerbachs nicht, kontextgenau zu lesen und zu verstehen. Vor allem die weiteren Zusammenhänge, in die Luthers Aussagen unablösbar eingefügt sind, blieben ihm fremd. So dominiert der Eklektizismus. Spontane und vage Assoziationen behaupten eine Übereinkunft und Bestätigung, die sich auf die herausragenden Spitzen eines Eisberges beziehen, dessen Gestalt und Gewicht Feuerbach nicht zu ermessen vermochte. Es muß jedoch immer wieder zugestanden werden, daß Luther selbst die »Spitzen« hervorgetrieben hat, daß seine überspitzten und darum nur in der Antithese wirklich zu begreifenden Aussagen einem aus der Betroffenheit längst herausgetretenen Betrachter Anlaß zu Mißverständnissen bieten konnten und vielleicht sogar mußten.

Es kann nicht die Aufgabe des Theologen sein, in apologetischer Manier Luthers Sätze über den Glauben dem anthropologisierenden Zugriff Feuerbachs mit ausführlichen Erklärungen zu entreißen. Es müssen aber einige schlichte Tatbestände des Kontextes und der antithetischen Abzielung der überpointierten Aussagen Luthers festgestellt werden. Dabei ist zuerst zu konstatieren, daß Luthers so nachhaltig betontes »pro me« den Verheißungen und Zusagen des Evangeliums entspricht, keineswegs aber als menschliches Aneignungsprinzip gehandhabt werden darf. Der Glaube lebt von den Verheißungen *Gottes,* vom Wort, das dem Menschen zusagt: »Für dich! Für dich!« Wie könnte auch nur einen Augenblick zu übersehen sein, daß bei Luther das »pro me« bezogen ist auf das »extra nos in Christo« – auf die Verheißungen, die von »Gott in Christus« ausgehen und in der »viva vox Evangelii« *zum Menschen kommen.* Darum gilt es für Luther: »promissio et fides sunt correlativa« (WA 8, 511f.): Verheißung und Glaube sind korrelativ aufeinander bezogen. Aus der ihn begründenden Korrelation kann der Glaube nicht gelöst und der subjektiven Verfügungs- und Aneignungskraft des Menschen zugeschrieben werden. Ein solches Verfahren würde der Theologie Luthers in allen wesentlichen Punkten widersprechen. So ist für Luther der Glaube nie ein Potential des Menschen; er ist eine Gabe des Heiligen Geistes, der in der Verheißung des Evangeliums »zu mir kommt« (WA 39^I, 44ff.). Im schroffen Widerspruch zur Lehre von der »fides acquisita seu historica« und der »fides spiritu sancto infusa« erklärt Luther: »Jenes ›für mich‹ oder ›für uns‹ daher, so es geglaubt wird, macht solchen rechten Glauben und sondert ihn von allem anderen Glauben, der nur Dinge hört, die geschehen sind« (These 24: WA 39^I, 44ff.). »Glaube« ist keine formale, anthropologisch zu annektierende Selbstbestimmung; er ist »fides apprehensiva Christi« (These 12): Glaube, der Christus, der für unsere Sünden stirbt und für unsere Gerechtigkeit aufersteht, ergreift. Im Glauben kommt Christus mit allen seinen Gnaden und Gaben zum Menschen, und allein durch dieses Geschehen findet der Mensch seine wahre Bestimmung, seine humanitas. Nicht aber kann »Glaube« als ein emanzipatorisches Zu-sich-selbst-Kommen des menschlichen Wesens usurpiert werden. Um dem Identitätsverlangen des Menschen im Akt des Glaubens entgegenzutreten, hat Luther das Subjekt des Glaubens ein »punctum mathematicum« genannt (WA 40^{II}, 527), einen unausgedehnten mathematischen Punkt. Damit sollte erklärt werden: In den Denk- und Bewußtseinsvorgängen, die das Subjekt vollzieht, ist das Eigentliche des Glaubens nicht zu finden, sondern nur in dem Gott, an den geglaubt wird. Darum kann der Glaube nicht an sich selbst glauben. Er muß als Akt mit allen Formen seines Selbstverständnisses und seiner selbstbezogenen Reflexionen zurücktreten angesichts des Gegenübers, auf das er sich bezieht. Im Widerspruch gegen alle anthropologische Selbstzentriertheit ruft Luther aus: »Bleib' nicht auf dir selbst oder auf deinem Glauben, kriech' in Christus!« (WA $10^{I,1}$,126). Nicht in sich selbst, *nur in Christus* findet der Glaube seinen Grund.

Aber hat Luther den Glauben nicht doch »creatrix divinitatis« genannt, geradezu in Umkehrung alles dessen, was zum Thema »Glaube« bisher ausgeführt wurde? Und wie können jene eigentümlichen Aussagen verstanden werden, die in der Formulierung der Römerbriefvorlesung (zu Röm 3,5) kulminieren: »qualis est unusquisque in se ipso, talis est ei deus in obiecto« (*J. Ficker*, Röm II,72). Im Kapitel III.3 (oben S. 133) wurden die Probleme bereits diskutiert. Es kann darum nur noch einmal an die Feststellungen erinnert werden, die dort getroffen wurden. »Fides est creatrix divinitatis« (WA 40^I,360) – das bedeutet bei Luther nicht, daß der Glaube des Menschen eine schöpferische, Gott produzierende, Gottes Existenz setzende Macht besitzt. Ausdrücklich heißt es im Kontext: »Der Glaube ist Schöpfer der Gottheit, nicht in Person, sondern in uns«, denn »außerhalb des Glaubens verliert Gott seine Gerechtigkeit, Herrlichkeit, Reichtum . . .« Man wird sinngemäß ergänzen können: Er verliert sie nicht »in Person«, also »in sich selbst«, sondern »in uns«, die wir ohne Glauben nichts, gar nichts mehr empfangen. Der Glaube, von dem Luther in der großen Galaterbrief-Vorlesung (1531) in dieser Weise sprechen kann, ist ein Geschenk, eine Gabe des Heiligen Geistes, nichts dem Menschen Eigenes, ihm Inhärentes. Weil aber der Glaube eine solche Gabe des Geistes, des »creator Spiritus« ist, darum ist er »creatrix divinitatis«, Schöpfer der Gottheit, *in uns*. Gott selbst mit allen seinen Gnaden und Gaben *begegnet* dem Menschen, *wird ihm gegenwärtig und gewiß*. Die Formulierung »creatrix divinitatis« bezeichnet das »schöpferische Wunder«, das im Neuen Testament am klarsten in 2Kor 4,6 ausgesagt wird: »Gott, der da hieß das Licht aus der Finsternis hervorleuchten, der hat einen hellen Schein in unsere Herzen gegeben . . .« Wo aber kein Glaube ist, da sind mit dem schöpferischen Licht auch alle Zuwendungen und Wohltaten Gottes *für den Menschen* erloschen. Es ist deutlich: Luther will die alles entscheidende Bedeutung des Glaubens mit starken, überspitzten Formulierungen hervorheben. »Glaubst du, so hast du; glaubst du aber nicht, so hast du nicht!«

Entsprechend zu erklären wäre auch der Satz »qualis est unusquisque in se ipso, talis est ei deus in obiecto«. Zu unterstreichen ist »*ei*«, also der *Bezugsvorgang*. Auch darf das doppelte »est« auf keinen Fall ontologisch überspannt werden. Bestimmend ist der Gesichtspunkt der *Begegnung*, in der Gott das Subjekt ist und bleibt – als (wie es der Kontext zeigt) Erwählender oder Verwerfender. Was sich dann zwischen dem menschlichen »se ipse« und dem »deus in obiecto« abspielt, kann nicht anders begriffen werden denn als Reflex der in der Begegnung aktivierten Verhältnisse. Die über-

spitzte Formulierung will bezeugen, daß Glaube und Gott »zu Haufe gehören« (WA 30^I, 132), nicht aber, daß das Sein Gottes von dem jeweiligen Sein
und der jeweiligen Sicht des Menschen abhängig ist. Man wird jedoch erneut zugeben müssen, daß die provokative Erklärungsweise Luthers, verliert man den Adressaten aus dem Auge, zu Mißverständnissen Anlaß gibt
und daß auch alle ähnlich lautenden Sätze des Reformators in der Konzeption Feuerbachs sich gut verwerten, und das heißt: *als Bestätigung benut-
zen lassen.* Nur wird stets zu bedenken sein, daß Feuerbach davon ausgeht,
daß die reformatorische Theologie der Freiheit im emanzipatorisch-anthro-
pologischen Sinn verstanden werden muß und daß also eine Negation der
»Gegenständlichkeit« Gottes, besser würde man sagen: Gottes als des *Gegenübers* des Menschen, aus ihr herausgelesen werden kann. Dies aber ist
absurd. Luther kann für solche Auffassungen nicht in Anspruch genommen
werden. »Viel besser ist es, die ganze Welt verlieren als Gott, den Schöpfer
der Welt verlieren, der unzählige Welten von neuem schaffen kann; der
besser ist, denn zahllose Welten« schreibt Luther in »De servo arbitrio«
(WA 18, 627).

Zum Thema »Menschheit Christi«: In seinem Luther-Aufsatz (1844)
sieht Feuerbach in der *humanitas* Christi die Menschlichkeit Gottes außer
allen Zweifel gesetzt (Ges. Werke, Bd. 9, 376). Er versteht die Inkarnation
als Änderungsprozeß, in dem zum Ausdruck kommt, daß Gott aufhört,
»*Gott*, d.h. unsichtbares, unfaßliches, unbegrenztes, unmenschliches, un-
gegenständliches Wesen« zu sein (a.a.O., 383). Feuerbach bezieht sich in
diesem Zusammenhang auf Luthers Lehre von der communicatio idiomatum, der zufolge alle Eigenschaften Gottes auf Christus *als Menschen* übergehen und alle Prädikate des Menschen auf Christus *als Gott* übertragen
werden (a.a.O., 392). Feuerbach hat die neutestamentliche Aussage »Gott
in Christus« nur undialektisch verstehen können – als das »Menschwerden
Gottes, das gleich ist dem Gottwerden des Menschen«. Menschwerdung ist
also Vermenschlichung und zieht die Vergottung des Menschen nach sich.
Indem Gott Mensch wird, wird der Mensch Gott (a.a.O., 390). Der undialektischen Usurpation der »communicatio idiomatum« entspricht der problematische Rekurs auf eine altkirchliche Formel, die insbesondere bei
Athanasius und Augustinus hervortritt: »Gott wurde Mensch, damit der
Mensch Gott würde«. Ausdrücklich zitiert Feuerbach diesen Satz Augustins
am Anfang des 5. Kapitels im Buch »Das Wesen des Christentums«. Was in
der Alten Kirche als *soteriologische* Pointe der Christologie verstanden
worden war, rezipiert Feuerbach im Sinne eines *ontologischen* Verände-
rungsprozesses, in dem Gott seine Gottheit aufgibt und der Mensch der
wahre Gott wird. Dabei kann er sich freilich auf die Tatsache berufen, daß
die altkirchliche Formel unverkennbar einen ontologischen Beigeschmack
enthält und auf die *Physis*-Christologie der griechischen Geisteswelt abge-
stimmt ist.

Noch ein anderer Gedanke ist im Rekurs auf Luther zu bedenken. Feuerbach erkennt bei Luther die Intention: »Gottes *gewiß* zu machen, ist das

Amt *Christi*«. Dazu die Erklärung von *Oswald Bayer:* »Feuerbach sieht in Luthers Reden von der gewißmachenden Funktion Christi den Ausdruck seiner eigenen Ich-Du-Anthropologie, sieht darin den Ansatz beim ›sinnlich gegebenen Du‹ und bei der allein durch dieses Du vermittelten Gewißheit bestätigt. Er faßt den Unterschied zwischen Zweifel und Gewißheit in den bei allem Zusammenhang bestehenden Gegensatz von Meinung bzw. Gedanke und Wort« (*O. Bayer*, Gegen Gott für den Menschen. Zu Feuerbachs Lutherrezeption: ZThK 69, 1972, 54f.). Und noch ein Letztes ist hier zum Thema »Menschheit Christi« bei Feuerbach herauszustellen. Am Ende des 4. Kapitels im Werk »Das Wesen des Christentums« bezieht sich Feuerbach auf das Wort Luthers: »Wie tiefer wir Christum dringen können ins Fleisch, je besser ist es!« Dieses in der Formulierung »man kann Christus nicht tief genug ins Fleisch herabziehen« auch heute noch vielzitierte Christologumenon soll alles das abdecken, was im undialektischen Verfahren des Verständnisses von Inkarnation zur Geltung gebracht worden war: Gott *ist* Mensch. Die Theologie hat angesichts dieses Faktums allen Anlaß, sich in *Anthropologie* zu verwandeln.

Man wird angesichts aller dieser Erklärungen, in denen Feuerbach mit Luthers »Beistand« die Christologie anthropologisch rezipiert, nicht übersehen dürfen, daß die Prämisse längst gesetzt ist: *Der Mensch ist Anfang, Mitte und Ende der Religion.* Von dieser Prämisse aus zieht Feuerbach die Aussagen über die humanitas Christi in seine Konzeption herein, zieht er Christus – nach Luthers Rat – »tief ins Fleisch«.

»Das Subjekt aller nur möglichen Prädikate ist und bleibt der Mensch, wie er leibt und lebt. – Mit dieser Vermenschlichung der Philosophie weiß sich Feuerbach in der Linie des Protestantismus, weil dieser auf religiöse Weise Gottes Vermenschlichung durchgesetzt hat. Er selbst geht noch einen Schritt weiter, indem er als das wahre Wesen der christlichen Religion auch nicht mehr den Gottmenschen, sondern den Menschen als solchen erklärt. Von da aus ergab sich für Feuerbach die vollständige Auflösung der religiösen und philosophischen Theologie in die ›Universalwissenschaft‹ der Anthropologie. An die Stelle des christlichen Dogmas von der Dreieinigkeit und von Hegels dialektischer Trinität tritt der Grundsatz von der Wesensgleichheit von Ich und Du, von Mensch und Mitmensch« (*K. Löwith*, Von Hegel zu Nietzsche, 1969, 337).

Die Frage stellt sich ein, wie Feuerbachs Rekurs auf Sätze der Christologie Luthers und der Alten Kirche zu verstehen und zu beurteilen ist. Gewiß, auch in dieser Sache regiert der Eklektizismus und die souveräne Mißachtung der Zusammenhänge, in denen die zitierten Sätze ihre Intention und ihren Sinn erweisen. Aber man wird nicht sagen können, daß ein so zentrales Lehrstück wie das der »communicatio idiomatum« willkürlich und sinnwidrig von Feuerbach ergriffen und ausgebeutet worden sei. Fraglos sind die Rezeptionsvorgänge in diesem Themenbereich vielschichtiger und komplizierter. Das hat vor allem *Karl Barth* erkannt und sich des öfteren mit der »offenen Flanke« der Lehre Luthers auseinandergesetzt, in die Feuerbach ohne Umwege einfallen konnte. Barth führt aus: »Luther hat mit genialischer Überbetonung gelehrt, daß die Gottheit nicht im Himmel, sondern

auf Erden, im Menschen Jesus zu suchen sei und wiederum die Gott-
menschheit Christi substanziell in den Elementen des Abendmahls. Und die
lutherische Orthodoxie hat diese geniale Lehre fixiert in dem Dogma von
der *communicatio idiomatum in genere maiestatico*, wonach eben der
Menschheit Jesu als solcher und *in abstracto* die Prädikate der göttlichen
Herrlichkeit, Allmacht, Allgegenwart, Ewigkeit etc. zuzuschreiben seien,
und sie hat das ausdrücklich die ›Apotheose‹ der Menschheit Christi genannt. Das bedeutete offenbar grundsätzlich die Möglichkeit einer Umkehrung von oben und unten, von Gott und Mensch. Und was den Alten für die
Person Christi recht erschien, konnte den Neuern, noch hemmungsloser
Spekulierenden, schließlich für den Menschen überhaupt billig erscheinen.
Die deutsche Theologie hatte sich vielleicht allzu stramm jahrhundertelang
gegen das calvinistische Korrektiv gewehrt, als daß es ihr nicht hätte unsi-
cher werden müssen, ob das Gottesverhältnis wirklich prinzipiell als ein
unumkehrbares Verhältnis zu denken sei. Hegel hat sich . . . mit Emphase
als guten Lutheraner bekannt, und Feuerbach hat es ihm in seiner Weise
und auf seiner Ebene nachgetan. Die Frage erhebt sich im Lichte der Feuerbachschen Lutherdeutung, ob es nicht empfehlenswert sein könnte, gerade
in bezug auf die Unumkehrbarkeit des Gottesverhältnisses Einiges zu bedenken, was Luther, als er jene Lehre begründete, nicht bedacht zu haben
scheint« (*K. Barth*, Die protestantische Theologie im 19. Jahrhundert,
³1960, 487f.). Diese Erklärungen sind einleuchtend, aber sie bedürfen der
Präzisierung. Die »genialische Überbetonung«, die *Barth* im Blick auf Luthers Lehre von der communicatio idiomatum meint erkennen zu können,
entspricht fraglos den Überspitzungen, die, in antithetischer Abzielung,
auch in anderen Theologumena Luthers aufgewiesen werden konnten. Man
wird jedoch zu bedenken haben, daß es nicht die Genialität ist, die sich da
überstarke Apostrophierungen erlaubt, sondern daß Luther in der Lehraussage der *kerygmatischen Intention* des Christusereignisses folgt und dies
eben *nicht ohne Widerspruch* gegen eine spekulative, philosophierende
oder historisierende Christologie tut. Erst in der späteren dogmatischen Fixierung des in der Theologie Luthers dynamisch im Fluß befindlichen Aus-
sagegefälles, also in der orthodoxen Erstarrung, wird die von Barth herausgestellte Umkehrung möglich, tritt sie geradezu zwangsmäßig ins Bild.

Calvin hat mit der Kautele des sog. »*Extra-Calvinisticum*« (vgl. die Erklärungen in III.3) an
der Schwelle zur orthodoxen Lehrbildung die Gefahr der Umkehrung gesehen; er ist ihr in
Inst. II,13,4 entgegengetreten. Die Bedeutung dieses Ereignisses wird bewußt, wenn man sich
die atheistischen Konsequenzen verdeutlicht, die aus der »communicatio idiomatum« entsprungen sind. Mit Recht erinnert darum *Helmut Thielicke* – im Kontext der Gott-ist-tot-
Theologie – daran, »daß Calvin zwar in der Lehre von der communicatio idiomatum Luther
grundsätzlich zustimmt, es aber gleichwohl verhüten wollte, daß die zweite Person der Trinität
in dem geschichtlichen Menschen Jesus von Nazareth ›aufgeht‹. Der Logos wird sozusagen
nicht völlig von der sarx, in die er sich hineinbegibt, resorbiert – schon deshalb nicht, weil er ja
das *Subjekt* dieses Sich-hineinbegebens ist und darum den Akt dieses Geschehens überragt«
(Der evangelische Glaube, Bd. I, 1968, 424).

Feuerbach ist der in der lutherischen Orthodoxie als möglich angezeigten und dann in der Geschichte der Theologie und Philosophie immer stärker realisierten Umkehrung gefolgt – undialektisch, immer nur das Interesse seiner Universal-Anthropologie verfolgend, plump zugreifend, ohne die differenzierten Zusammenhänge und vor allem die ursprünglichen Intentionen der communicatio-idiomatum-Lehre zu beachten. Aber es wäre verfehlt, Feuerbach in dieser Sache leichthin zu kritisieren; die Kritik hat zuerst der christologischen Lehrausbildung zu gelten bzw. der Bedenkenlosigkeit, mit der sie auch heute noch aufgenommen und vertreten wird. Wenn Luther den provozierenden – und angesichts der neutestamentlichen Botschaft unerhörten – Rat geben konnte, Christus so tief und weit wie möglich »ins Fleisch zu ziehen«, so wird doch kein ernst zu nehmender Theologe sich vermessen können, über die »Zugkraft« zu verfügen, die solcher Forderung auch nur im geringsten nachzukommen in der Lage wäre. Daß Feuerbach auf dem Terrain seiner Anthropologie jenen Anziehungspunkt besaß, der unbedenklich Luthers Rat zu entsprechen vermochte, ist ein ganz anderer Vorgang. Ob er *wahre Menschlichkeit* zu bringen vermochte, das wird nachhaltig zu erfragen sein.

Im nächsten Abschnitt werden Würdigung und Kritik der religiösen Anthropologie Feuerbachs zur Darstellung gelangen. Was den Rekurs auf Luther betrifft, so kann abschließend nur erklärt werden, daß Feuerbach seine Religionskritik durch ihn nicht nur bestätigt wissen will, sondern daß er auch sich selbst als »Reformator« im Sinne der aus Luther herausgelesenen emanzipatorischen Anthropologie versteht. Bemerkenswert ist in alledem die Tatsache, daß Feuerbach den Ursprung und die Auswirkungen der *theologischen* Religionskritik Luthers, also die Bedeutung der reformatorischen Rechtfertigungslehre und die schöpferische Kraft der humanitas Christi nicht von ferne zu Gesicht bekommen hat, daß er sich vielmehr im Bereich der Themen »Glaube« und »Menschheit Christi« das seiner Anthropologie Adaptionsfähige und die *humanistische* Religionskritik »Begründende« mit schnellem Zugriff und im Gefühl inniger Kongenialität aneignete. Wie dieses Verfahren zu verstehen und zu beurteilen ist, wurde gezeigt.

4. Metakritik

Es hat sich in den letzten Jahrzehnten bei der Beurteilung der Philosophie Feuerbachs nicht selten eine arrogante und herabwürdigende Pauschalkritik eingestellt. Man meint, den Trick dieser Religionskritik erkannt und die monotone Enthüllungsstrategie durchschaut zu haben. Daß derartig leichtfertige Urteile weder geschichtsphilosophisch noch prinzipiell dem herausfordernden religionskritischen Entwurf gerechtzuwerden vermögen, dürfte unsere Darstellung gezeigt haben. In immer neuen Anläufen wird – vor allen Unternehmungen einer Metakritik dieser Religionskritik – der Versuch unternommen werden müssen, *die Positiva der Konzeption Feuerbachs* herauszustellen und sein Lebenswerk zu würdigen. Es wird aufzuzeigen sein, wo und wie theologische Religionskritik in aufmerksamer Zuwendung zu lernen und die christliche Dogmatik ernste Infragestellungen zu akzeptieren hat.

1. Feuerbach erkannte *die Selbstentfremdung des Menschen* in ihrer religiösen Gestalt. Er nahm den Verlust der Menschlichkeit wahr, den die gewaltige, göttliche Überwelt dem Menschen eingebracht hatte. Die Aufrichtung einer universalen Anthropologie bedeutete für ihn: *Bejahung des wirklichen Wesens des Menschen,* seiner vollen Menschlichkeit und Diesseitigkeit – im Gegensatz zu allem dem Jenseits verhafteten Denken und Fühlen, Reden und Handeln religiöser Provenienz. Mit der Menschlichkeit sollte *die Mitmenschlichkeit* in Dialog und Liebe neu erweckt und als das wahre Wesen der Religion aufgerichtet werden. Darum mußten Theismus und Theozentrismus der Theologie zerbrechen und die ehernen Kuppeln zerstört werden, unter denen der Mensch nicht mehr zu atmen, zu essen und zu trinken vermochte, unter denen er vor allem *die Weite und Freiheit der Natur* nicht mehr zu sehen und als Lebensgrund wahrzunehmen in der Lage war. »Im Gegensatz zur philosophischen Theologie, deren Prinzip das Unendliche war, fordert Feuerbach für die Philosophie der Zukunft die ›wahre Position‹ der Endlichkeit« (*K. Löwith,* Von Hegel zu Nietzsche, 1969, 336).

2. Die Religionskritik Feuerbachs will den Menschen aus dem Bann des »dunklen Wesens der Religion« befreien. *Er soll nicht mehr Objekt, Beute und Spielball menschenfeindlicher Mächte sein, die aus der Transzendenz in sein Leben hineinwirken.* Darum muß er – in concreto – den Sachwaltern dieser menschenfeindlichen Mächte, den Theologen, entrissen werden. Die Wahrheitsfrage steht auf dem Spiel. Religion ist Lüge. Sie spiegelt den Menschen eine ihn umklammernde und bestimmende Wirklichkeit vor, die es nicht gibt. Wahrheit und Klarheit müssen das Dunkel durchdringen. Feuerbach kennt »Religion«, und eben vor allem die christliche Religion, nicht anders denn als Dunkel und Lüge, als Verrat am Menschen. »Fromme Lüge« ist ihm unbekannt (*J. M. Lochman,* Von der Religion zum Menschen, in: Antwort – Karl Barth zum 70. Geburtstag, 1956, 597). Christliche Theologie wird demnach zu erkennen haben, daß in der Wirklichkeit des Lebens von dem der christlichen Kirche anvertrauten und aufgetragenen Evangelium kein Licht, keine Freude, keine befreiende Wahrheit, keine Menschlichkeit ausgingen. Vor diesem finsteren Faktum erwachte die radikal-humanistische Religionskritik. Sie war erfüllt vom Pathos der Aufklärung, der Erhellung und Durchleuchtung des Treibens der dunklen, lebensfeindlichen Mächte. Alles Recht stand auf ihrer Seite und wird auch immer dann auf ihrer Seite stehen, wenn Unfreiheit, Unmenschlichkeit und der Bann des Jenseits in der Religion bestimmend sind.

3. *Feuerbach durchschaute die Lüge des Idealismus.* Sein ganzes Bestreben war es, die absolute Philosophie des Geistes in eine diesseitige Philosophie des Menschen zu verwandeln. Gegen den Spiritualismus und die Be-

flissenheit, Natur zu überwinden, stellte er die Sinnlichkeit und Ganzheit des homo humanus. Hegel erteilte er eine humanistische und naturalistische Absage schärfster Ausdrucksart. Der Mensch kann und darf nicht aus der Natur herausgerissen werden. Ihm soll zuteil werden, was ihm eigen ist: Leben, Freude, Sinnlichkeit und vollgenugsames Selbstbewußtsein. Feuerbach wird der Theologie, die immer wieder geneigt ist, den Heiligen Geist mit dem absoluten Geist idealistischer Philosophie zu verwechseln und ineinszusetzen, die auch fortgesetzt bestrebt war und bemüht ist, sich Denkkategorien des Idealismus anzueignen, ein unbequemer Mahner sein. Seine überspitzten humanistischen und naturalistischen Äußerungen sollte man nicht a limine abwerten, sondern in ihrer schroffen Antithese gegen Idealismus und idealistisch geprägte Theologie zu verstehen suchen.

4. *Feuerbach ist recht zu geben in den zahlreichen Vorstößen und Vorhaltungen, die gegen Theologie und Kirche gerichtet sind.* Er hat erkannt, daß theologisches Denken und Reden schon seit langer Zeit faktisch darin besteht, daß der Mensch sich Gott nach seinem Bild schafft bzw. daß Gott ebenso an den Menschen gebunden ist wie der Mensch an Gott. So verhielt es sich vor allem »bei jenem vorauseilenden, apriorisch-aposteriorischen, richterlichen Denken und Reden über Gott und Mensch, wie es im Zeitalter des Leibniz in der protestantischen Theologie zur Herrschaft kam . . .« Herausgebildet wurde ein eindeutiges »*Überlegenheits*verhältnis zugunsten des Menschen« (*K. Barth*, KD I,2:7). Mit vollem Recht hat *Karl Barth* die Bedeutung Feuerbachs *als des radikalen, schonungslosen Analytikers* gewürdigt und die durch ihn gezogenen Konsequenzen der protestantischen Theologie vor Augen gehalten.

Doch Feuerbach hat noch mehr gesehen. Für ihn stand die historische Auflösung der christlichen Religion fest. Das Christentum widerspricht sämtlichen Tatbeständen der modernen Welt. »Das Christentum ist negiert, selbst von denen, die noch an ihm festhalten und sich zugleich darüber hinwegtäuschen, daß weder die Bibel noch die symbolischen Bücher und Kirchenväter mehr als das Maß des Christlichen gelten« (*K. Löwith*, Nachwort zu: L. Feuerbach, Das Wesen des Christentums: Reclam, 1969, 529). In der Vorrede zur 2. Auflage von »Das Wesen des Christentums« zeigt Feuerbach schonungslos auf, wie es mit dem Christentum und seiner Theologie bestellt ist: »Ist doch das Christentum so sehr aus der Art geschlagen und außer Praxis gekommen, daß *selbst* die *Theologen* nicht einmal mehr *wissen* oder wenigstens wissen wollen, was Christentum ist.« Diese Unwissenheit und Orientierungslosigkeit steht auf dem Hintergrund einer totalen Negation des Christentums in Wissenschaft, Kunst, Industrie und Wirtschaft. Überall, in allen Bereichen des Lebens, haben die Menschen sich das Menschliche angeeignet und damit dem Christentum jede Oppositionskraft genommen. Aus dem alltäglichen Leben der Menschen ist das Christentum verschwunden; es ist reduziert auf den Sonntag, weil es nichts weiter mehr ist als »eine fixe Idee«, »welche mit unsern Feuer- und Lebensversicherungsanstalten, unsern Eisenbahnen und Dampfwagen, unsern Pinakotheken und Glyptotheken, unsern Kriegs- und Gewerbeschulen, unsern Theatern und Naturalienkabinetten im schreienden Widerspruch steht« (L. Feuerbach, Das Wesen des Christentums: Reclam, 1969, 529). Diesen »schreienden Widerspruch« scharf erkannt und ihn in die Religionskritik eingeführt zu haben, ist das bleibende Verdienst Ludwig Feuerbachs.

5.   Feuerbach deckte auf, daß das in der Religion herrschende Gottesbild *eine aus Wunsch und Verlangen aufstrebende Projektion* darstellt. Die Götter sind die in wirkliche Wesen verwandelten Herzenswünsche des Menschen. Über der wirklichen wird eine imaginäre Welt aufgerichtet. Man wird die unerbittliche Wahrheit dieser Einsicht keinen Augenblick herabmindern oder gar ausschalten dürfen. Daß auch die »heiligsten und höchsten Gedanken« aus der *concupiscentia spiritualis* hervorgehen und Gott um des Menschen Wohlergehen, Glück oder befriedigender Frömmigkeit willen suchen, hat Luther eindringlich aufgezeigt. Feuerbachs anthropologisch-psychologische Analysen vermögen diese Einsicht zu schärfen und theologischer Religionskritik zu assistieren. Allerdings wird für den christlichen Theologen alles darauf ankommen, die Demaskierung des Gottesbildes nicht an fremden Religionen auszuüben bzw. in den fremden Religionen ein besonders hohes Maß an Wunsch und Verlangen aufweisen zu wollen; betroffen ist zuerst und vor allem der christliche Glaube, die christliche Theologie. Wer im eigenen Haus mit der Religionskritik beginnt, der wird weder Raum noch Zeit zur Kritik anderer Religionen finden.

6.   *Feuerbach hat das Problem des Anthropomorphismus erkannt, radikalisiert und absolut gesetzt.* Daß sich der Mensch Gott nach seiner eigenen menschlichen Gestalt vorstellt, war in der exegetischen und dogmatischen Tradition der christlichen Theologie entweder mit der Akkomodationstheorie erklärt worden (Gott paßt sich dem Rezeptionsvermögen des Menschen an, bzw. die biblischen Autoren waren um eine solche Anpassung ihrer Rede von Gott an den menschlichen Verstehenshorizont bemüht), oder es wurde unversehens eine christologische Deutung vorgetragen (die Anthropomorphismen weisen hin auf die Menschlichkeit Gottes in Jesus Christus). Feuerbach geht dem Problem auf den Grund und fordert mit scharfen Analysen die Theologie auf, fadenscheinige Begründungen zu unterlassen. Dies zuerst. Dann freilich wird – später – zu fragen sein, ob zwangsläufig die Anthropomorphismen auf die Spur der Projektionstheorie führen, ob also diese Rede- und Vorstellungsformen den Ursprung des Gottesbildes im Menschen bestätigen.

7.   Da durch Feuerbach als Kriterium für den Realitätsbezug einer Vorstellung die empirisch-sinnliche Verifizierung angesetzt wird, rückt der Theologie »die Frage der Verifizierung der Glaubensinhalte auf den Leib; die penetrante Anwendung jenes ›Kriteriums der Handgreiflichkeit‹ tut ihr den Dienst, ihr die gänzliche Nichtverifizierbarkeit ihrer Aussagen auf *dieser* Ebene bewußt zu machen, die schon in dem christlichen Bekenntnis zur Unsichtbarkeit Gottes, zum Glaubenscharakter des christlichen Gottesverhältnisses und zum Widerspruch von ›Kreuz‹ und ›Fleisch‹ impliziert ist«

(*H. Gollwitzer*, Die marxistische Religionskritik und der christliche Glaube, 1965, 63). Es ist wichtig zu unterstreichen: Auf *dieser* Ebene ist die christliche Theologie aus dem Feld geschlagen; *hier* hat sie sich *nicht* zu messen oder zu bewähren, indem sie sich auf die Kriterien Feuerbachs einläßt. Feuerbach selbst hat *die Erkenntnis der Nichtverifizierbarkeit* christlichen Glaubens als unabweisbar nahegelegt.

8. Feuerbach erinnert die Theologie an ihre Verantwortung und Verpflichtung, *sich den naturwissenschaftlichen Forschungen rückhaltlos zu öffnen*. Sein Widerspruch gegen den kosmologischen Gottesbeweis und jede Art kurzschlüssiger Bezugnahme auf die »prima causa« hat bleibende Relevanz. Gottesbeweise, aber auch abrupt eingeführte Schöpfungsaussagen, erzeigen sich als »Beschränktheit und Bequemlichkeit«, wenn sie Forschungsbewegungen abbrechen, negieren und die »Metabasis eis allo genos« vollziehen, ohne die fordernde Gewalt des »processus causarum in infinitum« zu respektieren. Wer aus »Unkenntnis von der Natur« in den Schöpfungsglauben flieht, versetzt sich selbst in die »Kinderzeit der Menschheit«.

Die Reihe der acht Punkte, in denen *Positiva* herausgestellt und Feuerbachs Religionskritik dem Versuch einer Würdigung unterzogen wurde, soll abgeschlossen werden mit Sätzen *Sören Kierkegaards:* »Eigentlich ist die Umwälzung näher, als man glaubt. Die letzte Formation der Freidenker hat weit besser angegriffen oder die Sache in den Griff bekommen als bisher: wenn du näher zusiehst, so wirst du sehen, daß sie eigentlich die Aufgabe übernommen haben, das Christentum gegen die jetzt lebenden Christen zu verteidigen. Die Sache ist, daß die jetzt lebende Christenheit demoralisiert ist; man hat allen Respekt im tiefsten Sinne verloren für die existentiellen Verpflichtungen des Christentums. Nun sagt Feuerbach: nein, halt! soll ich die Erlaubnis haben, zu leben, wie ich lebe, dann muß ich auch bekennen, daß ich kein Christ bin . . . Er prangert die Christen an, um zu zeigen, daß deren Leben nicht der Lehre des Christentums entspricht – daß er zwar ein malitiöser Dämon ist, kann schon sein, aber in faktischer Hinsicht ist er eine brauchbare Figur« (Papirer X,2).

Die Metakritik der Feuerbachschen Religionskritik könnte sich auf zahlreiche Themen und Einzelformulierungen beziehen. Hier mußte es genügen, die wesentlichen Gesichtspunkte geltend zu machen und dabei die Beziehungen der theologischen Religionskritik auf die humanistische Religionskritik ständig im Auge zu behalten.

Zur Auseinandersetzung mit Feuerbach: *H.-M. Barth*, Glaube als Projektion: NZSTh 12, 1970, 363–382; *O. Bayer*, Gegen Gott für den Menschen. Zu Feuerbachs Lutherrezeption: ZThK 69, 1972, 34–71; *H.-J. Braun*, Ludwig Feuerbachs Lehre vom Menschen (1971); *ders.*, Die Religionsphilosophie Ludwig Feuerbachs. Kritik und Annahme des Religiösen (1972); *P. Cornehl*, Feuerbach und die Naturphilosophie. Zur Genese der Anthropologie und Religionskritik des jungen Feuerbach: NZSTh 11, 1969, 37–93; *J. Wallmann*, Ludwig Feuerbach und die theologische Tradition: ZThK 67, 1970, 56–86.

1. Einzusetzen ist mit dem oft kritisierten *wissenschaftlichen Verfahren* Feuerbachs, das ja doch nicht eigentlich als eine methodische Beweis-

führung bezeichnet werden kann. Die ständig wiederkehrende Formulierung »nichts anderes als . . .« »rechnet auf die suggestive Wirkung verblüf-
fender Entlarvungen, bewegt sich aber bei näherer Betrachtung ganz auf der
Ebene des Behauptens. Feuerbachs Vortrag ist thetisch. Das historische Material dient nicht zur Begründung, sondern nur zur Illustration der in sich
selbst von Anfang an feststehenden Thesen. Die Entscheidung ist schon gefallen, bevor er zur Feder greift: die Religion kann nichts anderes sein als Illusion . . .« (*H. Gollwitzer*, Die marxistische Religionskritik und der christliche Glaube, 1965, 61). Nun könnte man dieser kritischen Erklärung entgegenhalten, daß die »gefallene Entscheidung«, also jenes Vorurteil, von
dem Feuerbach ausgeht, die Bedeutung einer Intuition, einer Arbeitshypothese hat und daß – jedenfalls zu diesem Ansatzverfahren – keine Bedenken
geäußert werden sollten. Tatsächlich aber ist die Art und Weise, *wie* Feuerbach dann seine Ausgangsthese mit Demonstrationen und Illustrationen
durchpauken will, höchst problematisch. *Die Tendenz der Entlarvung* führt
die Feder, und die Behauptung »ich aber lasse nur die Religion *sich selbst
aussprechen*; ich mache nur ihren Zuhörer und Dolmetscher, nicht ihren
Souffleur« (Vorrede zur 2. Aufl. »Das Wesen des Christentums«) besteht
nicht zu Recht. Zumeist ergreift Feuerbach, das hat sich in seinem Rekurs
auf Luther gezeigt, assoziativ den einen oder anderen Gedanken heraus, der
in seine Konzeption hineinpaßt, führt ihn zur Bestätigung seiner Hypothese vor, bleibt aber einen wirklichen Beweis auf der ganzen Linie schuldig.

2.   *Das Fehlen eines sachgemäßen Rezeptions- und Differenzierungs-
vermögens macht sich kraß bemerkbar in der Grundauffassung von Religion.* »Der Einheitsbegriff der Religion wird gänzlich undifferenziert ver-
wendet, alle Religionen werden dem Theismus subsumiert, um dadurch
eine deutliche Grenze zum Atheismus zu erhalten, die in Wirklichkeit in der
Religionsgeschichte nicht zu ziehen ist« (*H. Gollwitzer*, Die marxistische
Religionskritik und der christliche Glaube, 1969, 59f.). Feuerbach bleibt insofern in der durch Herbert von Cherbury eröffneten Tradition befangen,
als er »*die* Religion« in den Religionen sucht – nun freilich mit dem leitenden Interesse anthropologisch-psychologischer Enthüllungen über deren
Projektionscharakter.

3.   Bei aller Würdigung des Humanismus in der Religionskritik Feuerbachs kann es doch nicht verborgen bleiben, daß und wie in dieser Sache einem *Neu-Stoizismus* gehuldigt wird. Die Rede von der »Gattung« Mensch
und von der göttlichen Abkunft des Menschen hat in der Stoa ihre Vorgeschichte. Darauf hat insbesondere *Ernst Bloch* aufmerksam gemacht. Denn
in der Stoa sollte sich, »unter Überspringung aller nationalgesellschaftli-
chen Verhältnisse, das Abstrakt-Genus Mensch als einziges Universale über
den einzelnen Individuen geltend machen, als Ort der communis opinio, der
recta ratio zu allen Zeiten, unter allen Völkern . . .« (*E. Bloch*, Das Prinzip
Hoffnung, Bd. I, 1959, 305). Am Hof des jüngeren Scipio war der Begriff
»humanitas« entstanden – als Gattungs- und Wertbegriff zugleich. »Feuerbach nun hat mit seinem Abstrakt-Genus Mensch vor allem den Neu-Sto-

izismus aufgenommen, wie er – . . . mit hohlem Bogen zwischen Individuum und Allgemeinheit – in der bürgerlichen Neuzeit hervorgetreten
war« (*E. Bloch*, a.a.O., 305).

Es ist an dieser Stelle darauf aufmerksam zu machen, daß insbesondere *Heinrich Weinstock*
in seinem Werk »Die Tragödie des Humanismus« (⁴1960) *die stoische Abkunft und Tradition*
des von den deutschen Klassikern als urgriechisches Erbe reklamierten Humanismus aufgerollt
und nachgezeichnet hat. Was aber die Apotheose des Menschen anlangt, von der schon die alte
Stoa zu künden wußte, so ist noch einmal daran zu erinnern, daß Johann Gottfried Herder den
Ausspruch tat: »Der Mensch aber ist der wahre Gott«. Als Skopus der Christologie verstand
Herder diese höchste Humanitätsaussage. Die Intentionen Feuerbachs sind hier vorgebildet.

4.   Wie von Feuerbach über Religion *vereinheitlichend und abstrakt* gehandelt wird, so auch *über den Menschen*. Das Verfahren hat seine Vorgeschichte: »Feuerbach hat mit der Theologie seiner Zeit, mit dem Theologen
seiner Zeit, mit dem Menschen im Allgemeinen operiert, und indem er diesem Gottheit zuschrieb, über den wirklichen Menschen faktisch nichts gesagt« (*K. Barth*, Die protestantische Theologie im 19. Jahrhundert, ³1960,
489). So wird das dem Idealismus sich entgegenstemmende Pathos der Humanität doch noch einmal gründlicher und in tiefere Schichten vordringend
zu befragen sein. Der Marxist wird – im Anschluß an die Thesen von Karl
Marx »ad Feuerbach« – feststellen können, daß Feuerbach in seiner Anthropologie der bürgerlichen Ideologie seiner Zeit erlegen war und die ökonomisch-politischen Verhältnisse nicht zu Gesicht bekam. Er wird sich auf die
6. These berufen können: »Aber das menschliche Wesen ist kein dem einzelnen Individuum innewohnendes Abstraktum. In seiner Wirklichkeit ist
es das Ensemble der gesellschaftlichen Verhältnisse« (zu dem allen wird im
nächsten Kapitel Näheres ausgeführt werden). Der Theologe aber kann –
angesichts des Werkes Feuerbachs – nur vermuten, und zwar mit gutem
Recht, »daß er weder um die Bosheit des einzelnen, noch darum, daß dieser
einzelne sterben muß, ernstlich und wirklich gewußt zu haben scheint«
(*K. Barth*, a.a.O., 489).

5.   *Zu kritischen Bedenken gibt Feuerbachs Ablösung der Attribute vom
göttlichen Subjekt Anlaß*. Es sei an dieser Stelle noch einmal auf *Ernst
Blochs* Kritik an Ludwig Feuerbach aufmerksam gemacht: »Überdies läßt
er, in der unvermeidbaren Leere seines ›Idealismus nach vorwärts‹, fast
sämtliche Attribute des Vatergottes übrig, sozusagen als Tugenden an sich,
und nur der Himmelsgott ist von ihnen gestrichen. Statt: Gott ist barmher-
zig, ist die Liebe, ist allmächtig, tut Wunder, erhört Gebete – muß es dann
einzig heißen: die Barmherzigkeit, die Liebe, die Allmacht, das Wunder-
tun, das Gebeterhören sind göttlich. Wonach also der ganze theologische
Apparat erhalten bleibt, er ist nur aus dem himmlischen Ort in eine gewisse
Abstrakt-Gegend umgezogen, mit verdinglichten Tugenden der ›Naturba-
sis‹. Auf diese Art aber entstand nicht ein Problem: humanes Erbe der Religion, wie Feuerbach es wohl im Sinn hatte, sondern es kam Religion zu her-

abgesetztem Preis, einem schlecht entzauberten Gewohnheits-Philisterium zuliebe . . .« (*E. Bloch*, Das Prinzip Hoffnung, Bd. I, 1959, 309f.).

6. So bedeutsam die Erkenntnis auch ist, daß Wunsch und Verlangen des Menschen Götter produzieren und projektieren, *die enorme Wirkung, die dem Wunsch als dem Vater der Gottheit zugeschrieben wird, und die Konsequenz, mit der die Nicht-Existenz überweltlicher Mächte erwiesen werden soll, ist tief fragwürdig.* Es ist in diesem Zusammenhang häufiger auf die Kritik *Eduard von Hartmanns* hingewiesen worden, der über Feuerbach schreibt: »Sein einzig origineller Gedanke ist der, daß die Götter hinausprojizierte Wünsche des Menschen sind. Nun ist es ganz richtig, daß darum etwas noch nicht existiert, weil man es wünscht, aber es ist nicht richtig, daß darum etwas nicht existieren könne, weil man es wünscht. Feuerbachs ganze Religionskritik und der ganze Beweis seines Atheismus beruht jedoch auf diesem einzigen Schluß, d.h. auf einem logischen Fehlschluß. Wenn die Götter Wunschwesen sind, so folgt daraus für ihre Existenz oder Nichtexistenz gar nichts« (*E. v. Hartmann*, Geschichte der Metaphysik, Bd. 2, 1906, 444).

7. Die Auswertung des *Anthropomorphismus* für die atheistische Religionskritik durch Feuerbach hat insbesondere der Bibelwissenschaft Anlaß gegeben, dieses Problem neu zu durchdenken und zu erklären. So geht *Martin Buber* davon aus, daß nicht aus der Phantasie, sondern *aus wirklicher Begegnung* mit wirklicher göttlicher Macht und Herrlichkeit die großen Gottesbilder des Menschengeschlechts hervorgegangen seien. Und so hinge aller Anthropomorphismus mit dem menschlichen Bedürfnis zusammen, »die Konkretheit der Begegnung in ihrer Bezeugung zu wahren . . .« (*M. Buber*, Gottesfinsternis. Betrachtungen zur Beziehung zwischen Religion und Philosophie, 1953, 19). Demnach tut sich – nach *Buber* – in der Begegnung selbst etwas zwingend Anthropomorphes auf.

In ähnliche Richtung weist die Erklärung *Ludwig Koehlers* über den *Anthropomorphismus:* »Ihr Sinn ist nicht von ferne der, Gott auf eine den Menschen ähnliche Stufe herabzuführen. Die Menschengestaltigkeit ist keine Vermenschlichung. So haben sie auch, außer in unbilliger Polemik, nie gewirkt. Vielmehr sollen sie Gott den Menschen zugänglich machen. Sie halten die Begegnung und die Auseinandersetzung auf dem Felde des Willens zwischen Gott und Menschen offen. Sie tun Gott als personhaft dar. Sie verwehren den Irrtum, als sei Gott eine ruhende unbeteiligte abstrakte Idee oder ein starres, dem Menschen wie eine stumme, aber festhaltende Mauer entgegengestelltes Prinzip. Gott ist personhaft, voll Willen, in reger Auseinandersetzung befindlich, zu seiner Mitteilung bereit, für den Anstoß an menschlicher Sünde und das Flehen menschlicher Bitte und das Weinen über menschliche Schuld offen: mit einem Worte: Gott ist ein lebendiger Gott« (*L. Koehler*, Theologie des Alten Testaments, ³1953, 6).

8. Es wird gebührend anzuerkennen sein, daß Feuerbach die in einem einsamen Monolog verlaufende Dialektik Hegels in die Ich-Du-Beziehung eines wirklichen Dialogs hineinführen wollte. Er hat damit weitreichende Anstöße gegeben, die u.a. im »Dialogischen Prinzip« Martin Bubers nach-

wirken. Eben Buber ist es dann aber auch, der *die anthropologische Inversion in der Konzeption Feuerbachs kritisch befragt.* Ich-Du findet – nach Buber – seine Vollendung und Erfüllung dort, wo das uneingeschränkt Seiende als die absolute Person zum Partner des Menschen wird, wo also das Ur-Ich zu reden beginnt und dialogische Existenz allererst begründet wird (Gottesfinsternis, 57). Gerade in der Ich-Du-Relation läßt sich auf diese Weise ein neuer Ansatz des Offenbarungs- und Gottesglaubens finden, der dem circulus vitiosus des innerseelischen Prozesses, seinen Projektionen und fiktiven Überwelten, entnommen ist. Buber erklärt: »Aber auch der tiefste Grund der jüdischen Gottesidee kann nur durch Vertiefung in jenes ›Ehje‹ erreicht werden, jenes von Gott zu Mose gesprochene ›Ich-bin-da‹, das für alle Zeiten über Sinn und Gehalt dieser Idee entschieden hat und in dem gerade das persönlichste ›Dasein‹ Gottes, ja seine lebendige Gegenwart, als das Attribut angesprochen wird, das unter allen den Menschen, dem er sich kundgibt, am unmittelbarsten angeht« (a.a.O., 74).

9. Nicht scharf genug kann der bei Feuerbach letztendlich triumphierende *Naturalismus* ins Visier der Kritik genommen werden. Atheismus neigt stets dazu, mit dem Abbau der Überwelt neue heilige Bereiche zu proklamieren, die nun in der Innenwelt oder in der seelischen Tiefe ihr Wesen treiben. Feuerbach läßt es nicht genug damit sein, mit dem Naturalismus eine *Weltanschauung* zu vertreten, in der alles aus der Natur und die Natur selbst ohne Annahme eines außerhalb von ihr gelegenen Weltengrundes erklärt, auch alles Geistige in diesen Aspekt einbezogen wird. Er feiert unbekümmert die Natur auf vielfache Weise als *die* göttliche Macht und legt ihr, wie zu erkennen war, die Prädikate »heilig« und »ewig« bei, sieht in ihr »ewiges Leben« manifestiert und rückt sie dermaßen an die Stelle des als Fiktion zu erweisenden Himmelsgottes.

Zuletzt sei hingewiesen auf die Feuerbach-Kritik *Helmut Thielickes*, die eindringliche Fragen stellt hinsichtlich der Anthropologie und des Vorgangs der Projektion, kulminierend in der Frage: »Könnte es nicht sein . . . , *daß Gott als himmlischer Vater gerade keine anthropomorphe Projektion aufgrund unseres irdischen Vaterbildes wäre, sondern umgekehrt: daß unser irdisches Vaterbild nur ein theomorphes Abbild des himmlischen Vaters wäre?*« (H. Thielicke, Der evangelische Glaube, Bd. III, 1978, 431). Es war Friedrich Heinrich Jacobi, der zuerst den in der theologischen Auseinandersetzung mit Feuerbach so wichtigen Satz prägte: »Den Menschen bildend theomorphisierte Gott; notwendig anthropomorphisierte der Mensch.« Hier wird das Problem des Anthropomorphismus noch einmal zur Diskussion gestellt.

V

Karl Marx

1. Marx und Feuerbach

Zuerst ist zu fragen, wie Karl Marx, der Begründer der marxistisch-ökonomischen Religionskritik, sich zur Religionskritik Feuerbachs geäußert hat und unter welchen Voraussetzungen er sie in sein Denken aufnahm. Verbunden damit ist eine Vorfrage, die sich auf das Verhältnis von Marx zu Hegel bezieht. Denn beide, Feuerbach und Marx, sind bekanntlich aus der Hegelschen Schule hervorgegangen, haben die wichtigsten Impulse von dorther empfangen; und beide haben sie sich auf dem sog. »linken Flügel« der Schule Hegels als konsequente Gegner der idealistischen Geschichtsphilosophie ihres Lehrers erwiesen.

Es besteht kein Zweifel: *Das allgemeine Prinzip, das im Denken Hegels gewaltet hat, ist auch das von Karl Marx: die Einheit von Vernunft und Wirklichkeit, von allgemeinem Wesen und besonderer Existenz.* Im vollendeten kommunistischen Gemeinwesen wird jedes Individuum sein eigenes menschliches Wesen als allgemeine, sozial-politische Existenz verwirklichen. Da Marx sich das Hegelsche Prinzip zu eigen machte, konnte er erklären, daß Hegel nicht für seine theoretischen Behauptungen über die Wirklichkeit der Vernunft zu tadeln sei, sondern weil er ihre praktische Verwirklichung vernachlässigt habe. Statt die ganze bestehende Wirklichkeit um der Vernunft willen theoretisch zu kritisieren und praktisch zu verändern, nahm Hegel die religiöse und politische Geschichte als in sich vernünftig hin.

Mit diesen komprimierten Gedanken, die auf das Gemeinsame im Denken von Marx und Hegel abzielen und die im einzelnen jetzt zu entfalten sind, mußte eingesetzt werden, um zu verdeutlichen: Marx kann auch im Aspekt äußerster Verwirklichung – im vollendeten kommunistischen Gemeinwesen als dem Zielbild des revolutionären Sozialismus – seine Herkunft von Hegel nicht verleugnen. Aber es hat sich eben doch Entscheidendes und Umstürzendes ereignet. In der »Deutschen Ideologie« von Marx und Engels heißt es im 1. Teil: »Ganz im Gegensatz zur deutschen Philosophie, welche vom Himmel auf die Erde herabsteigt, wird hier von der Erde zum Himmel gestiegen. D.h. es wird nicht ausgegangen von dem, was die Menschen sagen, sich einbilden, sich vorstellen, auch nicht von dem gesagten, gedachten, eingebildeten, vorgestellten Menschen, um davon aus bei den leibhaftigen Menschen anzukommen; es wird von den wirklich tätigen

Menschen ausgegangen und aus ihrem wirklichen Lebensprozeß auch die Entwicklung der ideologischen Reflexe und Echos dieses Lebensprozesses dargestellt. Auch die Nebelbildungen im Gehirn des Menschen sind notwendige Sublimate ihres materiellen, empirisch konstatierbaren und an materielle Voraussetzungen geknüpften Lebensprozesses.« Marx hat also, wie er es selbst einmal ausgedrückt hat, Hegel »vom Kopf auf die Füße« gestellt. Bei Hegel sind die Ideen autonom und die wirklichen Verhältnisse nur deren Reflexe. Bei Marx sind die materiellen Verhältnisse autonom und die Ideen nur ihre Widerspiegelungen. 1873, im Nachwort zur 2. Auflage des Werkes »Das Kapital«, schreibt Marx über seine Beziehung zur Philosophie Hegels: »Für Hegel ist der Denkprozeß, den er sogar unter dem Namen Idee in ein selbständiges Subjekt verwandelt, der Demiurg (d.h. der Hervorbringer, der Schöpfer) des Wirklichen, das nur seine äußere Erscheinung bildet. Bei mir ist umgekehrt das Ideelle nichts anderes als das im Menschenkopf umgesetzte und übersetzte Materielle.« Marx stellt damit noch einmal fest: Für Hegel ist die gesamte Weltgeschichte – Ideengeschichte. Ein (geradezu pantheistisch gedachter) Weltgeist manifestiert sich in Ideen, die der Reihe nach, in einem dialektischen Prozeß, in der Geschichte auftreten. Marx kann dies eine »Mystifizierung« der wirklichen Verhältnisse nennen. Fortan aber ist zu unterscheiden zwischen dem wirklichen materiellen Unterbau der Geschichte und dem ideologischen Überbau, von dem Hegel in seinem Denken noch beständig ausging. Die wirkliche Geschichte ist für Marx eine *Geschichte von Klassenkämpfen,* eine *Geschichte der Produktionsverhältnisse.* Hinter allen Ideen, Religionen, Weltanschauungen, Rechtsbegriffen und Rechtsordnungen – also hinter allen geistigen Bewegungen des ideologischen Überbaus – lassen sich wirtschaftliche Klasseninteressen feststellen; auch diese wurzeln in den materiellen Lebensverhältnissen. Die Menschen verfolgen in erster Linie ihre materiellen Ziele und schaffen sich – sekundär und entsprechend – Ideologien, die diesen Zielen dienstbar sind. Mit diesen ersten Feststellungen und Erwägungen sind wir näher an die religionskritische Problematik herangetreten. Ähnlich wie Feuerbach, so hat auch Marx durchschaut, welche Grundvorstellung in der idealistischen Philosophie Hegels waltet. Er erkannte, daß bei Hegel in letzter Konsequenz der Mensch selbst Gott ist. Die Offenbarung des »menschlichen Selbstbewußtseins« als Offenbarung der höchsten Gottheit führt zu dieser Ineinssetzung. Marx erklärt: »Bisher stand immer die Frage da: Was ist Gott? – Jetzt hat die deutsche Philosophie sie so beantwortet: Gott ist der Mensch« (MEGA II:428).

Aber was hier von Marx in Sicht gekommen ist, läßt sich erst genauer erklären, wenn das Verhältnis von Karl Marx zu Ludwig Feuerbach untersucht wird. Marx hat bekanntlich »Thesen ad Feuerbach« geschrieben, in denen er sich direkt und unzweideutig zu der Bedeutung und zu der Problematik der Religionskritik Feuerbachs geäußert hat. Doch kein Zweifel: Am Anfang steht die ausdrückliche Würdigung dessen, was Feuerbach unternommen und gewagt hatte. Seine humanistische und naturalistische Ab-

sage an Hegel wurde nicht nur von Marx begeistert aufgenommen. Endlich
sah die deutsche Jugend statt lauter Himmel und Geist festes Land, Diesseitigkeit und Menschlichkeit. Dies war der Grundton der freudigen Akklamation. Und Marx hat gefordert, durch diesen »Feuer-Bach« der Läuterung
müsse jeder hindurch; keiner könne sich vorbeimogeln.

Man kann in den »Pariser Manuskripten« von 1844 bei Marx nachlesen, welche Wirkungen
Feuerbach ausgeübt hat. Er wird als der einzige bezeichnet, der ein *ernsthaftes und kritisches
Verhältnis zur Dialektik Hegels gewonnen und als wahrer Überwinder der alten Philosophie
zu gelten hat.* Feuerbachs große Tat ist für Marx: 1. der Beweis, daß die Philosophie nichts anderes ist als die in Gedanken gebrachte und denkend ausgeführte Religion; also ebenfalls als
eine andere Form und Darstellungsweise des menschlichen Wesens zu verurteilen ist. 2. Feuerbach hat den wahren Materialismus und die reelle Wissenschaft begründet, indem er das
Verhältnis des Menschen zum Menschen zum Grundprinzip der Theorie machte. 3. Feuerbach
hat der Negation, die das absolut Positive zu sein behauptet hat, das auf sich selbst ruhende und
positiv auf sich selbst begründete Positive entgegengestellt.
   Aber dies ist nur ein kleiner Ausschnitt aus der umfassenden Würdigung, die Marx Feuerbach zukommen läßt. Und man wird zunächst vorbehaltlos sagen müssen: Marx und Engels
haben die Religionskritik Feuerbachs in ihrem Grundprinzip übernommen: Der Mensch macht
die Religion, die Religion macht *nicht* den Menschen.

   Aber dann beginnt die *Kritik an Feuerbach.* Bei aller Anerkennung der
humanistischen und naturalistischen Absage an die idealistische Philosophie Hegels, ja überhaupt an die philosophische Tradition, hat Marx sich
doch von dem allzu vagen diesseitigen Menschsein, das Feuerbach behauptet, recht bald gelöst. Der Kontakt mit den politischen und ökonomischen
Fragen erschloß Marx ganz neue Dimensionen. In einem Brief an Ruge vom
13.3.1843 heißt es: »Feuerbachs Aphorismen sind mir nur in dem Punkt
nicht recht, daß er zu sehr auf die Natur und zu wenig auf die Politik hin-
weist. Das ist aber das einzige Bündnis, wodurch die jetzige Philosophie eine
Wahrheit werden kann« (MEGA I,2:308). Das von Feuerbach beschworene
Verhältnis »des Menschen zum Menschen« bleibt noch ein abstrakt-an-
thropologisches. Marx dringt in neue Zusammenhänge vor, wenn er mehr
und mehr sichtbar macht, *daß die menschliche Selbstentfremdung ökonomische Wurzeln hat und darum politisch-geschichtlich, wirtschaftsge-
schichtlich analysiert und kritisiert werden muß.* So gehört Feuerbach
letztendlich doch noch in den Kontext der bürgerlichen Ideologie und in den
Kreis jener Philosophen, von denen es heißt: »Keinem von diesen Philosophen ist es eingefallen, nach dem Zusammenhang der deutschen Philosophie mit der deutschen Wirklichkeit, nach dem Zusammenhang ihrer Kritik
mit ihrer eigenen materiellen Umgebung zu fragen« (MEGA I,5:10). Gewiß, Feuerbach entschleierte die Selbstentfremdung des Menschen in ihrer
religiösen Gestalt. Aber es wird doch alles abstrakt und absurd – angesichts
der politischen und ökonomischen Wirklichkeit. So bleibt Feuerbach eine
unkritische, wenig konkrete Bestimmung des Menschen als des Subjekts
der Religion anzulasten, eine Verkennung der gesellschaftlich-ökonomi-

schen Verhältnisse. Außer einem vagen Lobpreis von Sinnlichkeit und Liebe weiß Feuerbach recht eigentlich nichts zu sagen.

Indem Marx noch einmal auf Hegel zurückgreift, ihn allerdings »vom Kopf auf die Füße« stellt, ist er imstande, an die Stelle psychologisch-genetischer Erklärung der Religion eine dialektische, soziologisch-genetische zu setzen. Es geschieht dies im Zusammenhang eines revolutionären Aktionsprogramms, im Rahmen dessen, was Theologen eine »innerweltliche Eschatologie« genannt haben. So besteht also kein Zweifel (und damit kehren wir zum Ausgangspunkt der Beziehung Marx – Hegel noch einmal zurück), *daß die jetzt ins Bild tretenden, entscheidenden Anstöße ohne Hegel undenkbar wären.* Friedrich Engels hat 1874 mit Recht erklärt: »Ohne die deutsche Philosophie, die ihm vorausging, besonders jene Hegels, wäre der deutsche wissenschaftliche Sozialismus – der einzige wissenschaftliche Sozialismus, der jemals existierte – nie zur Entstehung gekommen.«

Wenden wir uns den »Thesen ad Feuerbach« zu, die 1845 niedergeschrieben wurden. In diesen Thesen macht Marx vollends deutlich, daß er eine linkshegelsche Religionskritik im abstrakten Sinn nicht mehr zu akzeptieren vermag, sondern *neue Perspektiven* eröffnet. Die 2. These lautet (MEW 3:5): »Die Frage, ob dem menschlichen Denken gegenständliche Wahrheit zukomme – ist keine Frage der Theorie, sondern eine *praktische* Frage. In der Praxis muß der Mensch die Wahrheit, i.e. Wirklichkeit und Macht, Diesseitigkeit seines Denkens beweisen. Der Streit über die Wirklichkeit oder Nichtwirklichkeit des Denkens – das von der Praxis isoliert ist – ist eine rein *scholastische* Frage.« Es sind angesichts dieser These zunächst zwei Feststellungen zu treffen: 1. Die kontemplativ internalisierte Theorie war bisher der Raum und Rahmen aller Wahrheitsbegriffe. 2. Der von Marx neu eingeführte Praxisbegriff ist völlig verschieden von allen bisherigen Theorie-Praxis-Konzeptionen, die eine Einheit von Theorie und Praxis postulieren *(E. Bloch).* Doch zunächst zum Begriff der »Wahrheit«. *Ernst Bloch* schreibt in seinem Werk »Das Prinzip Hoffnung« (Bd. I, 1959) zur zweiten Feuerbach-These von Karl Marx: »Wie alle Wahrheit eine Wahrheit wozu ist und es keine um ihrer selbst willen gibt, außer als Selbsttäuschung oder als Spintisiererei, so gibt es keinen vollen Beweis einer Wahrheit aus ihr selbst als einer bloß theoretisch bleibenden; mit anderen Worten: es gibt *keinen theoretisch-immanent möglichen vollen Beweis*« (311). Und weiter: Richtigkeit ist noch nicht Wahrheit. Wahrheit ist kein Theorie-Verhältnis allein, sondern ein Theorie-Praxis-Verhältnis durchaus. Wahrheit ist immer »Wahrheit für . . .«, effektive Wahrheit, sich erweisende Wahrheit, Wirklichkeit erzeigende Wahrheit. Man wird darum (und dies wird für die gesamte marxistische Religionskritik, vor allem für die marxistische Kritik am Christentum, von großer Bedeutung sein) zu dem Ergebnis gelangen müssen: Mit der Theorie-Praxis-Korrelation der These 2 ist eine *neue Dimension* hervorgetreten. Diese Korrelation ist schöpferisch. Die ganze bisherige Philosophie und Theologie erscheint demgegenüber als »scholastisch«.

Man wird nicht übersehen dürfen, daß Feuerbach selbst der Auffassung war, er besäße die Schlüssel zu einer (wie es in der Vorrede zur 2. Auflage von »Das Wesen des Christentums« heißt) »*reellen Theorie und Praxis*«. In der Fortsetzung heißt es: »Ich setze in der Tat und Wahrheit an die Stelle des unfruchtbaren Taufwassers die Wohltat des wirklichen Wassers«. Aber was Feuerbach hier intendiert, ist im Grunde doch nur Naturalismus. Die effektiven Kräfte der Natur, also »das wirkliche Wasser« und andere Naturalismen, werden an die Stelle religiöser Kräfte gesetzt. Damit ist aber nicht entfernt das erreicht, was Marx in seiner Theorie-Praxis-Korrelation aufruft.

Wir werden jedoch das, was Marx meint, noch weiter zu erfragen und in den religionskritischen Konsequenzen zu bedenken haben. Vorerst nur dies: Für Marx kommt alles darauf an, daß das Denken nicht in einem Einzelpunkt (wie bei Feuerbach und auch bei Bruno Bauer) erneuert, sondern *daß das ganze menschliche Dasein umgewälzt* wird. Theorie ist wertlos, wenn sie nicht das ganze Leben und alle bestehenden Verhältnisse grundlegend wandelt. In alledem liegt also mehr, als sich aus dem dürren Gegenüber von Theorie und Praxis logisch ableiten läßt. Die Praxis, von der Marx 1846 in den lapidaren Kurzformeln spricht, ist für ihn schon längst nicht mehr »Praxis im allgemeinen« oder gar so etwas Banales wie »Lebenserfahrung«. Sie ist bestimmte, revolutionäre Praxis. Das Leben, das es zu verändern gilt, ist die gesellschaftliche und politische Ordnung seiner Zeit, ja das bestehende Leben in allen seinen Aspekten und Zusammenhängen. »Praxis« ist die im Handeln erfahrene und *hervorgebrachte* Wirklichkeit *(E. Bloch).*

Wo der eigentliche Angelpunkt der Kritik an Feuerbach liegt, macht die 6. These offenbar. Sie lautet: »Feuerbach löst das religiöse Wesen in das *menschliche* Wesen auf. Aber das menschliche Wesen ist kein dem einzelnen Individuum inwohnendes Abstraktum. In seiner Wirklichkeit ist es das ensemble der gesellschaftlichen Verhältnisse.« Was schon mehrfach im Blick auf die abstrakte Anthropologie Feuerbachs betont wurde, kommt hier deutlich zum Ausdruck. Was ist eigentlich »das Wesen des Menschen«? Feuerbach bleibt einer individualistischen Tradition auch dort verhaftet, wo er die Ich-Du-Beziehung, also das Zwischenmenschliche, die Liebe, apostrophieren will. Das abstrakte Humanum ist sofort gegeben, wenn von den gesellschaftlichen Verhältnissen abgesehen wird. Feuerbach (das wurde im Kap. IV bereits bezeigt) bleibt der stoisch-humanistischen Tradition verpflichtet. Er isoliert den Menschen und kann allenfalls in eine naturalistische Gattungserklärung ausbrechen, um das natürlich verbindende Allgemeine zu erfassen. *Damit aber, daß Marx das sog. »menschliche Wesen« in seiner Wirklichkeit nur als »Ensemble der gesellschaftlichen Verhältnisse« zu sehen und zu erklären vermag, setzt er völlig neue Kriterien, die sich natürlich in ganzer Tiefe und Breite auf die Religionskritik auswirken.* Es gibt nicht »*den* Menschen«, es gibt (so fällt die Überpointierung der neuen ökonomischen Entdeckung jetzt aus) nur »Klassen«. In der revolutionären Aktion fällt die Veränderung des Selbst mit der Veränderung der Umstände zusammen.

»*Veränderung*« ist auch das Thema der berühmten These 11: »Die Philosophen haben die Welt nur verschieden *interpretiert*, es kommt darauf an, sie zu *verändern*«. Diese These hat nicht das geringste mit pragmatischen Perspektiven zu tun. Auch der Praktizismus, der an Pragmatismus angrenzt, wäre eine Konsequenz der Verflachung und Verfälschung, die so oft in das Verständnis eingetragen worden ist. Bei Marx ist nicht deshalb ein Gedanke wahr, weil er nützlich ist, sondern weil er wahr ist, ist er nützlich. Dies zuerst zur These 11, die im Zusammenhang mit der 2. These zahlreiche Fehlinterpretationen hervorgerufen hat. Das »scholastische« Denken in Philosophie und Theologie eröffnet eine »*Sicht* der Welt«, eine Welt*anschauung*; es interpretiert die Welt, *deutet* die Geschichte und das Leben. Aber eben dieses »Interpretieren«, dieses theoretische Anschauen und Analysieren, führt zu nichts, bleibt in sich selbst verhaftet und verschlungen. Es ist – um ein biblisches Bild in Erinnerung zu rufen – »ohne Frucht«, fruchtlos. Das *angesprochene Theorie-Praxis-Verhältnis* (dies macht die These 11 jetzt deutlich) *intendiert Veränderung, revolutionäre Umwälzung des Bestehenden.* Die Erneuerung des Menschen kann sich nur im Zuge dieser Veränderung ereignen. Alles andere bleibt »Interpretation«, scholastische Theorie – wobei die »Interpretation« auch noch der Problematik ausgesetzt ist, daß sie »verschiedenartig« ausfällt, daß pluralistische, aufeinander nicht abzustimmende Aspekte unterschiedlichster Schulen in Erscheinung getreten sind und in Erscheinung treten.

Es ist also deutlich zu erkennen, wo und wie Marx mit neuen Perspektiven über Feuerbach hinausdrängt. Nur ansatzweise konnte Bezug genommen werden auf die Konsequenzen für die Religionskritik, die sich aus dem Neuansatz ergeben. Jetzt gilt es, im Rahmen des bisher Ausgeführten die Religionskritik von Karl Marx zu erfassen und darzustellen.

2. Religionskritik im Kontext ökonomischer Revolution

Einzusetzen ist in diesem Abschnitt mit den frühen religionskritischen Äußerungen von Karl Marx. In Betracht kommen insbesondere die »Pariser Manuskripte« von 1844 (Texte zu Methode und Praxis II, zitiert nach der Ausgabe von 1966). Schon in der Dissertation tauchen bei Karl Marx wesentliche *Gedanken zur atheistischen Begründung des Materialismus* auf. Epikur gilt als der größte »Aufklärer« der griechischen Welt, weil er sich zu Prometheus, »dem vornehmsten Heiligen und Märtyrer im philosophischen Kalender«, bekannte. Er wagte es, als Sterblicher den himmlischen und irdischen Götzen zu trotzen. Dieser Trotz aber soll nun angesichts des christlichen Mythos und der Götzen des modernen Weltmarktes erneuert werden, denn die endgültige Überwindung und Erledigung des religiösen Bewußtseins ist die erste Voraussetzung für die Herrschaft des Menschen über seine Welt. Diese Gedanken finden sich in der Doktor-Dissertation »Differenz der demokratischen und epikureischen Naturphilosophie« (1841).

In den »Pariser Manuskripten« beginnt (wie schon erklärt) der Aufbruch der politischen und wirtschaftlichen Fragestellungen, zudem auch eine radikale Befragung der herrschenden geistigen Mächte – nicht zuletzt der Religion. Bemerkenswert ist die Tatsache, daß die Äußerungen zu Religion und Christentum keinen Augenblick aus dem Kontext der revolutionären Grundthemen: Aufhebung des Privateigentums, Aufrichtung des Kommunismus, gelöst werden können. Ein erstes Beispiel: »Religion, Familie, Staat, Recht, Moral, Wissenschaft, Kunst etc. sind nur *besondere* Weisen der Produktion und fallen unter ihr allgemeines Gesetz. Die positive Aufhebung des *Privateigentums*, als die Aneignung des *menschlichen* Lebens, ist daher die positive Aufhebung aller Entfremdung, also die Rückkehr aus Religion, Familie, Staat etc. in sein menschliches, d.h. gesellschaftliches Dasein. Die religiöse Entfremdung als solche geht nur in dem Gebiet *des Bewußtseins* des menschlichen Inneren vor, aber die ökonomische Entfremdung ist die des *wirklichen Lebens* – ihre Aufhebung umfaßt daher beide Seiten« (76f.). Aus diesem Zitat ist die bemerkenswerte Unterscheidung zwischen religiöser und ökonomischer Entfremdung herauszustellen. Entscheidend ist die ökonomische Entfremdung, in der Menschen ihres wirklichen, materiellen Lebensgrundes und Lebens beraubt worden sind. Diese ökonomische Entfremdung gilt es zu überwinden, revolutionär zu überwinden durch die Aufhebung des Privateigentums an den Produktionsmitteln. Die »religiöse Entfremdung« aber spielt sich im Bereich des Bewußtseins ab, im menschlichen Inneren; *sie ist ein Reflex der wirklichen Entfremdung.* Wird darum die ökonomische Entfremdung überwunden, so wird mit ihr, in einem Zuge und mit innerer Notwendigkeit, auch die religöse Entfremdung ausgeschaltet. *Religionskritik steht bei Marx im Kontext revolutionärer Überwindung der ökonomischen Entfremdung des Menschen.* Dies muß von Anfang an genau gesehen und erkannt werden. Natürlich gewinnt diese Religionskritik dann und überall dort eine besondere Radikalität, wo »Religion« sich als eine primäre, bestimmende Macht aufspielt; wo sie also noch nicht durchschaut und depotenziert ist als Reflex der allgemeinen und wirklichen Lage auf dem ökonomischen Feld; wo vielmehr »Religion« die Kompetenz und Wirkung ausstrahlt, bestehende Verhältnisse und Ordnungen zu stabilisieren und den Menschen über seine wirtschaftliche Misere zu trösten. Wo dies der Fall ist, da forciert der Kommunismus den Atheismus, u.d.h. die scharfe, eindeutige Abweisung aller transzendenten Mächte, die den Menschen um das Glück seines diesseitigen Lebens bringen. Der Gedanke, daß »Religion« als »Opium des Volkes« wirksam ist, wird schon in den »Pariser Manuskripten« dem Sinn nach bedacht: »Ist das *religiöse Gefühl* nicht die Quelle der *christlichen* Staatskunst?« »Ich behaupte, daß es ein sehr von sich eingenommenes, ein sehr *trunkenes* religiöses Gefühl ist, welches die ›*Heilung großer Übel*‹, die es dem ›*Staat und der Behörde*‹ abspricht, in der ›*Vereinigung christlicher Herzen*‹ sucht. Es ist ein sehr *trunkenes* religiöses Gefühl, welches – nach dem Zugeständnis des ›Preußen‹ – das ganze Übel in dem Mangel an christlichem Sinn findet und daher die Behörden auf das einzige Mittel, diesen Sinn zu stärken, auf die ›Ermahnung‹, verweist . . . Das religiöse Gefühl hält sich für das einzige Gut . . . Wo es Übel sieht, schreibt es sie seiner *Ab-*

wesenheit zu, denn wenn es das einzige Gut ist, so kann es auch einzig das Gute erzeugen« (136).

Aber was *ist* dieses »religiöse Gefühl«, dieses große Erziehungs- und Integrationsprogramm, mit dem Kirche und Staat gleicherweise als mit dem einzigen Allheilmittel umgehen? Religiöses Gefühl oder Religion sind nach Marx »*entäußertes* menschliches Selbstbewußtsein«, das als solches durchschaut werden muß. Was meint die Formulierung »entäußertes menschliches Selbstbewußtsein«? Was den Begriff »Entäußerung« anlangt, so ist die Anlehnung an Feuerbach unverkennbar. Es wird etwas, was allein dem Bewußtsein zugehört, also keine Realität besitzt, herausgestellt als etwas Gegenständliches, Äußeres. Ein Scheingebilde wird geschaffen und verstellt die Wirklichkeit des Lebens. Dieses Scheingebilde muß zerstört, vernichtet, aufgehoben werden, damit die eigentliche Misere zu Gesicht kommt. Der Mensch ist ein unter den Produktionsverhältnissen leidendes, verkümmertes, verelendetes Wesen, das im Prozeß der sozialen Revolution zu befreien ist zu wirklichem Leben. Nicht nur der Arme, der Unterdrückte, der Proletarier muß befreit werden, auch der Reiche, der Unterdrücker, der Kapitalist – er muß befreit werden aus der Fremdmacht des Kapitalismus, der ihn gefangenhält; ihm muß die Maske genommen werden, die sein menschliches Gesicht verhüllt und entstellt. Kommunismus ist Humanismus – so beteuert es Marx in den »Pariser Manuskripten« immer wieder. Kommunismus will den Menschen aus allen Entfremdungen befreien, befreien zu wirklichem Leben. Die Schärfe der Attacken gegen die Religion hat darin ihren Grund, daß die Religion den Menschen bannt, daß sie ihn stumpf macht, nach dem wahren Elend und seiner Überwindung zu fragen – wobei es sich für Marx als klar und unabweisbar ergeben hat, daß die ökonomische Misere eben jenes wahre Elend ist, das der vom frommen Gefühl berauschte Mensch nicht mehr zu sehen vermag. Alle Religionskritik steht bei Marx in diesem Kontext.

Dies soll an einem Beispiel verdeutlicht werden. Auf S. 84f. geht Karl Marx auf das Thema »Schöpfung« und »Geschöpf« ein und verficht atheistisch-naturalistische Prinzipien gegen den christlichen Schöpfungsglauben in seiner das Lebensverständnis berauschenden oder trübenden Gestalt. Da heißt es: »Der Mensch, der von der Gnade eines anderen lebt, betrachtet sich als ein abhängiges Wesen. Ich lebe aber vollständig von der Gnade eines anderen, wenn ich ihm nicht nur die Unterhaltung meines Lebens verdanke, sondern wenn er noch außerdem mein *Leben geschaffen* hat, wenn er der *Quell* meines Lebens ist, und mein Leben hat notwendig einen solchen Grund außer sich, wenn es nicht meine eigene Schöpfung ist. Die *Schöpfung* ist daher eine sehr schwer aus dem Volksbewußtsein zu verdrängende Vorstellung. Das Durchsichselbstsein der Natur und des Menschen ist ihm *unbegreiflich*, weil es allen *Handgreiflichkeiten* des praktischen Lebens widerspricht.« Marx weist dann hin auf die neuen naturwissenschaftlichen Forschungen, die, wie er meint, der religiösen Idee der Schöpfung ein absolutes Ende gesetzt haben.

Warum spricht Marx sich mit einer solchen Entschiedenheit gegen die Schöpfung und das Sein des Menschen als Geschöpf aus? Der Text zeigt es klar: 1. Wer sich *als Geschöpf* fühlt und weiß, fühlt und weiß sich abhängig; er lebt von der Gnade des Schöpfers und ist nicht mehr bereit und fähig, bestehende Unrechtsverhältnisse zu erkennen und sich gegen sie aufzulehnen. Im ähnlichen Sinn hat sich übrigens *Ernst Bloch* gegen das christliche Theologumenon »Deus Creator« (Gott Schöpfer) ausgesprochen. Abhängigkeit ist die Ursache aller Unfreiheit. 2. Marx vertritt die Auffassung, daß »Schöpfung« für den an Handgreiflichkeiten orientierten Menschen etwas Selbstverständliches, Sinnenfälliges und sein Denken Stützendes sei. Was in dieser Welt vorhanden ist, muß doch gemacht worden sein. »Aus nichts kommt nichts«. Mit dieser dem Handgreiflichen abgewonnenen Regel bedient der Mensch sich der plausiblen Aussage: Die Welt ist geschaffen worden. Er will nicht bereit sein, das Unbegreifliche zu akzeptieren, daß die Welt aus sich selbst ist. Er ist nicht gewillt, das aus naturwissenschaftlicher Forschung und naturalistischer Weltanschauung ihm Vorgetragene anzunehmen. Man übersehe nicht, *daß Marx sich mit der christlichen Schöpfungstheologie nur insofern befaßt, als sie in der Volksfrömmigkeit das unfreie Abhängigkeitsgefühl hervorgebracht und die (schon von Feuerbach beklagte) Denkfaulheit gefördert hat!*

Wir haben hier nicht die Aufgabe, apologetische Erklärungen über eine doch ganz anders zu verstehende »Theologie der Schöpfung« abzugeben. Es wird vielmehr bei jeder der religionskritischen Äußerungen genau zu beachten sein, worauf Marx abzielt, welches Theologumenon bzw. welches religiöse Gefühl als Entfremdung des Menschen angeprangert und attackiert wird.

Das Jahr 1844 bringt neben den »Pariser Manuskripten« eine für die Religionskritik äußerst wichtige Abhandlung unter dem Thema »Zur Kritik der Hegelschen Rechtsphilosophie«. Man kann zunächst nicht erwarten (jedenfalls unter dem angezeigten Titel nicht), daß von »Religion« die Rede sein soll. Gleichwohl bietet die »Einleitung« dieser Schrift hochbedeutsame religionskritische Aspekte, die Zug um Zug zu erarbeiten sind (zitiert nach MEW 1). Da heißt es sogleich im ersten Satz dieser »Einleitung«: »Für Deutschland ist die *Kritik der Religion* im wesentlichen beendet, und die Kritik der Religion ist die Voraussetzung aller Kritik« (378). Wenn Marx hier vom *Ende der Religionskritik* spricht, so wird mit dieser Feststellung noch einmal das Lebenswerk Feuerbachs gewürdigt. Feuerbach hat den Durchstoß gebracht; er hat »Religion« überwunden. Dann aber wird man ein wenig erstaunt sein, daß Marx die Kritik der Religion die *Voraussetzung* aller anderen Kritik nennt. War nicht deutlich gezeigt worden, daß alles Reden über »Religion« bei Marx in den bestimmenden Kontext der ökonomischen Umwälzung hineingenommen ist? Doch der zweite Satz versteht sich vom ersten her und wird auch im folgenden von Marx entsprechend gedeutet: Es ist eine wesentliche Voraussetzung erfüllt, eine Schranke durchbrochen worden – die Welt der Religion ist als Scheinwelt erkannt und durchschaut worden. Karl Marx fährt fort: »Der Mensch, der in der phantastischen Wirklichkeit des Himmels, wo er einen Übermenschen suchte, nur den *Widerschein* seiner selbst gefunden hat, wird nicht mehr geneigt sein, nur den *Schein* seiner selbst, nur den Unmenschen zu finden, wo er seine wahre Wirklichkeit sucht und suchen muß« (378). In diesem Satz wird deutlich auf Feuerbach eingegangen. Die phantastische Wirklichkeit des Himmels, der Überwelt, der Transzendenz – sie ist nichts anderes als ein Reflex, ein Widerschein, eine Projektion des Menschlich-allzu-Menschlichen. So ist der »Gott«, der in der himmlischen Welt gesucht wird, nur ein

»Übermensch«, und gefunden wird folglich nur die Phantasmagorie des er-
höhten Menschen, nur der Scheinreflex der in die Transzendenz gespiegel-
ten Aufhebung des menschlichen Wesens, der »Unmensch«. Ist diese
Scheinwelt einmal erkannt, dann kann und muß die wahre Wirklichkeit gesucht werden. In *diesem* Sinne also ist die Feuerbachsche Religionskritik die
Voraussetzung aller anderen Kritik. In diesem Sinne kann sogar gesagt
werden: Die Kritik der Religion liegt hinter uns; ist ist vollzogen worden.

Im Kontext der Schrift über die Hegelsche Rechtsphilosophie hat die
grundlegende Feststellung die Bedeutung, die Rolle des Staates hinsichtlich
der Religion ans Licht zu bringen. Staat und Gesellschaft haben – so konstatiert Marx – die Religion produziert. Sie haben ein Interesse daran gehabt –
und haben es fortgesetzt –, daß ein verkehrtes Weltbewußtsein herrscht
(vgl. *K. Marx*, Zur Judenfrage; MEW 1:347–377). Religion ist »die *phantastische Verwirklichung* des menschlichen Wesens, weil das *menschliche
Wesen* keine wahre Wirklichkeit besitzt« (378). Marx folgert: »Der Kampf
gegen die Religion ist also mittelbar der Kampf gegen *jene Welt*, deren gei-
stiges *Aroma* die Religion ist« (378). Damit ist wieder das Grundthema und
der eigentliche Zusammenhang erreicht. Die *Kritik* der Religion mag abgeschlossen sein, nicht aber der *Kampf* gegen die Religion, die der Staat produziert und fördert, um die Menschen vom wirklichen sozialen Elend abzulenken, um sie in einer phantastischen Verwirklichung menschlichen Wesens hinzuhalten. Und hier folgen nun in der Einleitung »Zur Kritik der Hegelschen Rechtsphilosophie« die bedeutsamen Sätze: »Das *religiöse* Elend
ist in einem der *Ausdruck* des wirklichen Elendes und in einem die *Protesta-
tion* gegen das wirkliche Elend. Die Religion ist der Seufzer der bedrängten
Kreatur, das Gemüt einer herzlosen Welt, wie sie der Geist geistloser Zustände ist. Sie ist das *Opium* des Volks« (378).

Was heißt das? Man wird zunächst davon ausgehen müssen, daß Marx,
der die Kritik der Religion als vollzogen und vollendet ansieht, noch einmal
die Frage stellt: Was ist Religion denn eigentlich? Ist sie wirklich ein Reflex,
eine Spiegelung der menschlichen Lebensverhältnisse? Was aber spiegelt
sich dann in ihr? Antwort: *Im religiösen Elend spiegelt sich das wirkliche
Elend; das religiöse Elend ist Ausdruck des wirklichen Elends.* Und nicht
nur »Ausdruck«, sondern zugleich die Anmeldung eines heimlichen *Prote-
stes*, die Äußerung des *Seufzers* der bedrängten Kreatur. Hat man einmal
durchschaut, daß »Religion« Scheinwelt ist (und die Kritik der Religion ist
durch Feuerbach ja »vollendet« worden), dann kann man fragen, was sich in
der Religion – als dem Überbau – denn eigentlich abspiegelt. Das wirkliche
Elend des Unterbaus! Das Seufzen über die Misere! Der Protest! Aber gerade diese Erkenntnis führt notwendig auf die bekannte und viel zitierte
Schlußfolgerung: Religion »ist das *Opium* des Volks«, die Lenin später etwas anders formuliert hat: »Religion ist Opium für das Volk«. Es gibt – darauf ist an anderer Stelle schon aufmerksam gemacht worden – eine ganze
Reihe von Studien über die Geschichte und Bedeutung der Rede von der Religion als »*Opium des Volkes*«. Wir können darauf jetzt nicht eingehen, ha-

ben vielmehr lediglich festzuhalten, daß bei Marx Religion als ein Narkotikum bezeichnet wird, dessen sich das Volk bedient, um über die Wirklichkeit des Elends hinwegzukommen. Bei Lenin hingegen liegt der Akzent etwas anders: Das Narkotikum »Religion« wird dem Volk eingegeben (von Kirche und Staat), damit die wahre Not vergessen werden soll. Auf jeden Fall ist zu beachten, daß bei Marx die Aussage »Religion ist das *Opium* des Volks« die *eigentliche* Aussage, den Höhepunkt in der Reihe der enthüllenden Erklärungen darstellt. D.h. also: Wenn es sich (bei schärferem Zusehen) herausstellt, daß sich in der Religion das wirkliche Elend spiegelt, daß sie Seufzer, Protest, Gemüt einer herzlosen Welt, Geist geistloser Zustände ist – gerade dann ist sie das einer *verkehrten Welt* zugehörige und an ihr partizipierende *verkehrte Weltbewußtsein*, also *recht eigentlich das Narkotikum, unter dessen Wirkung das Bewußtsein der wirklichen Misere zugleich virulent und ausgeschaltet wird.*

Unmittelbar anschließend an die Formulierung vom »Opium« folgt bei Marx der Passus: »Die Aufhebung der Religion als des *illusorischen* Glücks des Volkes ist die Forderung seines *wirklichen* Glücks. Die Forderung, die Illusionen über seinen Zustand aufzugeben, ist die *Forderung, einen Zustand aufzugeben, der der Illusionen bedarf.* Die Kritik der Religion ist also im *Keim* die *Kritik des Jammertales, dessen Heiligenschein* die Religion ist« (379). Es werden von Karl Marx also Forderungen aufgestellt. Das Narkotikum »Religion«, aus dem der Mensch ein »illusorisches Glück« zieht, ist zu beseitigen; die Traumwelt ist aufzuheben, damit das wirkliche Glück realisiert werden kann. »Wirkliches Glück« – das ist von Marx (schon in den »Pariser Manuskripten«) tief menschlich gesehen worden. Kommunismus ist nicht billige Glücksbeschaffung, sozialer Hedonismus, sondern sozialer Humanismus u.d.h. die Forderung, das diesseitige, menschliche Leben aus allen Entfremdungen herauszuheben, es wieder lebenswert werden zu lassen. *Diese* Pointe zeigt, wie eng bei Marx Religionskritik in den Kontext der sozialen Revolution hineingehört. *Es müssen die Zustände beseitigt werden, die den Menschen veranlassen, in Religion zu flüchten, das Narkotikum »Religion« und seine Jenseitsvertröstung zu sich zu nehmen, um so durch dieses Jammertal hindurch- und über die elenden Zustände hinwegzukommen.* Damit bekommt (und jetzt befinden wir uns wieder auf der längst angezeichneten Linie) Religionskritik einen neuen Akzent und eine neue Funktion: Sie ist in ihrem »Keim« (so sagt Marx), d.h. sie ist recht eigentlich: die Kritik des Jammertales, als dessen überblendender Heiligenschein die Religion sich darstellt. M.a.W. ist jetzt die Religionskritik ganz hineingenommen in die Kritik der Gesellschaft; sie ist zu einem integralen Faktor der ökonomischen Kritik geworden. Wörtlich heißt es: »Die Kritik des Himmels verwandelt sich damit in die Kritik der Erde, die *Kritik der Religion* in die *Kritik des Rechts*, die *Kritik der Theologie* in die *Kritik der Politik*« (379). Damit macht Marx in aller Deutlichkeit den Unterschied zur Religionskritik Feuerbachs bewußt. Feuerbach unternahm eine »Kritik des Himmels«. Er entlarvte den Himmel als Projektionswand menschlicher

Träume und Wünsche. Diese »Kritik der Religion« ist abgeschlossen. Jetzt wandelt sich das Interesse. Die Kritik hat es nicht mehr mit dem abstrakten menschlichen Wesen und dem zu ermächtigenden Himmel zu tun; sie ist zuerst und vor allem: »Kritik der Erde« u.d.h. Kritik derjenigen Kräfte, die das gesellschaftliche Leben auf der Erde bestimmen. Genannt werden Recht und Politik. Wenn es bei Karl Marx heißt, daß sich die Kritik der Religion in die Kritik des Rechts und die Kritik der Theologie in die Kritik der Politik verwandle, so wird der Theologe an dieser Stelle allein deswegen aufmerken müssen, weil dies alles ja in dem seinen christlichen Glauben begründenden Dokument, der Bibel, schon einmal auf der ganzen Linie geschehen ist, daß Kritik des Rechts und der Politik in den Mittelpunkt traten: in der Prophetie der hebräischen Bibel. Aber es soll an dieser Stelle noch nichts vorweggenommen werden. Wir werden uns mit dem Thema »Theologische Äußerungen zur marxistischen Religionskritik« im Abschnitt 4 dieses Kapitels noch zu befassen haben.

Es soll jetzt ein Schritt weitergegangen werden. Die Intentionen der Religionskritik wurden von Karl Marx in der von ihm gemeinsam mit Friedrich Engels herausgegebenen Schrift »Die deutsche Ideologie« (1845) und im »Kommunistischen Manifest« (1848) verdeutlicht. In der »Deutschen Ideologie« geht Marx davon aus, daß die Menschen die Produzenten ihrer Vorstellungen und Ideen sind. *Damit wird auf das Schärfste bestritten, was der deutschen Ideologie, insbesondere dem deutschen Idealismus, selbstverständlich war, daß Ideen apriorische, metaphysische Mächte sind.* Aber Marx sieht die Menschen als Produzenten ihrer Vorstellungen und Ideen nicht wie Feuerbach. Die Produktionen der Vorstellungen und Ideen sind bedingt durch eine bestimmte Entwicklung der Produktionskräfte – also dessen, was sich auf der ökonomisch-politischen Basis abspielt. Damit wird eine schroffe Gegenüberstellung vollzogen. »Ganz im Gegensatz zur deutschen Philosophie, welche vom Himmel auf die Erde herabsteigt, wird hier von der Erde zum Himmel gestiegen. D.h., es wird nicht ausgegangen von dem, was die Menschen sagen, sich einbilden, sich vorstellen, auch nicht von den gesagten, gedachten, eingebildeten, vorgestellten Menschen, um davon aus bei den leibhaftigen Menschen anzukommen; es wird von den wirklich tätigen Menschen ausgegangen und aus ihrem wirklichen Lebensprozeß auch die Entwicklung der ideologischen Reflexe und Echos dieses Lebensprozesses dargestellt. Auch die Nebelbildungen im Gehirn der Menschen sind notwendige Sublimate ihres materiellen, empirisch konstatierbaren und an materielle Voraussetzungen geknüpften Lebensprozesses. Die Moral, Religion, Metaphysik und sonstige Ideologie und die ihnen entsprechenden Bewußtseinsformen behalten hiermit nicht länger den Schein der Selbständigkeit. Sie haben keine Geschichte, sie haben keine Entwicklung, sondern die ihre materielle Produktion und ihren materiellen Verkehr entwickelnden Menschen ändern mit dieser ihrer Wirklichkeit auch ihr Denken und die Produkte ihres Denkens. Nicht das Bewußtsein bestimmt das Leben, sondern das Leben bestimmt das Bewußtsein« (MEW 3:26f.). Dieser

Abschnitt ist in sich klar und verdeutlicht das bisher Ausgeführte. Man muß freilich den letzten Satz, auf den alles zuläuft, näher erklären. Die Negation »nicht das Bewußtsein bestimmt das Leben« und die Affirmation »das Leben bestimmt das Bewußtsein« enthalten auf der einen Seite die konsequente Kennzeichnung der »Deutschen Ideologie«, d.h. der philosophischen und weltanschaulichen Traditionen, wie sie in Deutschland bestimmend waren, und auf der anderen Seite die des ökonomischen Materialismus und Kommunismus. Dabei geht die Affirmation nicht von irgendeinem vagen Lebensbegriff aus, vielmehr heißt es jetzt: »Das Bewußtsein ist also von vornherein schon ein gesellschaftliches Produkt und bleibt es, solange überhaupt Menschen existieren« (30f.). Immer wieder spricht Marx, wenn er die »Deutsche Ideologie« attackiert, von der schemenhaften, abstrakten Anthropologie, von der sie ausgeht. Und eben in dieser Ausgangslage war auch Feuerbach noch der »Deutschen Ideologie« verfallen. Er vermochte nicht zu sehen, daß menschliches Wesen im Konkretum des »Ensembles gesellschaftlicher Verhältnisse« steht – und an keinem anderen, imaginären Ort.

Was auf dem Spiel steht, erklärt das »Manifest der Kommunistischen Partei« der Jahre 1847/48, wo es heißt: »›Es gibt zudem ewige Wahrheiten, wie Freiheit, Gerechtigkeit usw., die allen gesellschaftlichen Zuständen gemeinsam sind. Der Kommunismus aber schafft die ewigen Wahrheiten ab, er schafft die Religion ab, die Moral, statt sie neu zu gestalten, er widerspricht also allen bisherigen geschichtlichen Entwicklungen.‹ Worauf reduziert sich diese Anklage? Die Geschichte der ganzen bisherigen Gesellschaft bewegte sich in Klassengegensätzen, die in den verschiedenen Epochen verschieden gestaltet waren.« »Die kommunistische Revolution ist das radikale Brechen mit den überlieferten Eigentumsverhältnissen; kein Wunder, daß in ihrem Entwicklungsgange am radikalsten mit den überlieferten Ideen gebrochen wird« (zitiert nach: *K. Marx / F. Engels*, Über Religion, hg. vom Institut für Marxismus-Leninismus, 2. Aufl. 1976, 70). Es steht also alles, was bei Marx zur Religionskritik und zur Liquidierung der sog. »ewigen Wahrheiten« gesagt wird, im Zeichen der kommunistischen Revolution, im Zeichen eines die Geschichte verändernden und erneuernden revolutionären Prozesses, in dem vor allem *eines* radikaler Wandlung bedarf: die Klassengegensätze und die diesen Gegensätzen zugrunde liegenden Eigentumsverhältnisse. In diesem Zusammenhang wird dann jener Satz laut, den christliche Theologie und Kirche nur mit tiefstem Erschrecken vernehmen kann, weil die ureigenste Sache der Christenheit angesprochen wird – eine Sache, ein Thema, das durch »Religion« verdrängt und ausgeschaltet war, ein Thema, das unter Christen in Lateinamerika und überall dort, wo christlicher Glaube und Sozialismus einander neu begegnen, hoch akut ist. Es handelt sich um den Satz: »Die Kritik der Religion endet mit der Lehre, daß der *Mensch das höchste Wesen für den Menschen* sei, also mit dem *kategorischen Imperativ, alle Verhältnisse umzuwerfen*, in denen der Mensch ein erniedrigtes, ein geknechtetes, ein verlassenes, ein verächtliches Wesen ist«

(MEW 1:385). Das heißt also: *Religionskritik steht im Dienst der Menschlichkeit des Menschen.* Das Ziel aller Religionskritik ist es, dem Menschen zu geben, was des Menschen ist. Und dies erscheint als offenkundig und notwendig überall dort, wo der Mensch seine Menschlichkeit verloren hat, wo er erniedrigt, geknechtet, verlassen und verachtet wird. Christliche Religion hat diesen Menschen nicht mehr gesucht. *Darum* steht sie bei Marx unter dem Urteil der Verwerfung. *Religion hat die Entfremdung des entfremdeten Menschen nur noch gesteigert.* Entfremdung aber äußert sich nicht nur in Erniedrigung, Knechtung, Verlassenheit und Verachtung, sondern schon grundstürzend in *Verdinglichung.* Was gemeint ist, kann man sich von Kant her zunächst zu verdeutlichen versuchen. Immanuel Kant hat es als den größten Frevel bezeichnet, den Menschen einem Zweck zu unterwerfen, ihn zu einem Mittel zu degradieren, d.h. also zu »verdinglichen«. Karl Marx verschärft diesen Aspekt in der ökonomischen Dimension. Im kapitalistisch bestimmten Arbeitsprozeß wird der Mensch zu einem Ding gemacht, wird er – wie das Rad einer Maschine – eingeschaltet und eingeordnet in den umfassenden Prozeß von Produktion, Distribution und Konsumtion. In diesem Zustand verliert er seine Menschlichkeit, seine Subjektivität im Sinn freier Selbstbestimmung und schöpferischer Freiheit. Er wird zum Objekt, zum Material. »Religion« aber fördert diese »Unterordnung« (»Jedermann sei untertan . . .«). Die kommunistische Revolution versteht sich als der umfassende Veränderungsprozeß, durch den der Mensch wieder Subjekt, wieder selbstbestimmtes und sich selbst bestimmendes Wesen wird.

Im I. Band des Werkes »Das Kapital« heißt es: »Der religiöse Widerschein der wirklichen Welt kann überhaupt nur verschwinden, sobald die Verhältnisse des praktischen Werkeltagslebens den Menschen tagtäglich durchsichtig vernünftige Beziehungen zueinander und zur Natur darstellen« (MEW 23:94).

Zuletzt in diesem Abschnitt soll auf *konkrete Kritik am Christentum* eingegangen werden. Natürlich hatte Marx in allem, was bisher zum Thema »Religion« bzw. »Religionskritik« ausgeführt wurde, stets die herrschende, die christliche Religion, vor Augen. Und es mag wohl zu denken geben, daß sich das Christentum in einem durch Schleiermachers Theologie bestimmten Jahrhundert eben nicht anders zu äußern und zu präsentieren wußte denn als eine Religion, als ein durch »Religion« gekennzeichnetes Phänomen der Kultur und der Geisteswelt, das sich nahtlos in die »Deutsche Ideologie« bzw. in den »Deutschen Idealismus« einfügen und religionsphilosophisch integrieren ließ. Man denke nur an Hegel, für den das Christentum *die* Religion, *die Erfüllung aller Religion* darstellte – was alles natürlich nur kraft letzter philosophischer Erkenntnis an den Tag kommen konnte. In dieser Situation trifft Marx mit seiner Religionskritik das als Religion sich darstellende Christentum und nicht etwa ein imaginäres »Wesen der Religion« als Abstraktum. Hält man sich diese Zusammenhänge vor Augen, dann können die konkreteren Bezugnahmen auf christliche Theologumena nur als Verdeutlichungen des Grundsätzlichen gelten.

Dabei sollte man sogleich davon ausgehen, daß Marx auch dem Christentum den Vorwurf macht, es betreibe einen Kultus des *abstrakten Menschen* (so im Werk »Das Kapital«, I. Buch, 1. Kap.). Wer ist denn eigentlich dieser »Adam«, »*der* Mensch«, von dem christliche Anthropologie ständig redet und dem – in einem pauschalen Sinn – Erbsünde und Sünde zugeschrieben werden? Ist er der wirkliche Mensch? Sind es nicht »Revuen aus den himmlischen Domänen«, »imaginäre Überschüsse«, die diesen Kultus des »abstrakten Menschen« begründen? Christliche Theologie wird sich dieser Anfrage zu stellen haben, zumal diese Theologie auf der ganzen Linie den konkreten Menschen in seiner sozialen und wirtschaftlichen Misere verleugnet und außer acht gelassen hat.

Infolgedessen kann auch der Begriff von »*Sünde*«, den das Christentum im Anschluß an Gen 3 lehrt, nur abstrakte, legendäre, mythologische Züge tragen. Im I. Band seines Werkes »Das Kapital« stellt Marx klar, daß und wie die »ursprüngliche Akkumulation« in der politischen Ökonomie ungefähr dieselbe Rolle spielt wie der »Sündenfall« in Bibel und Theologie. Erzählt die biblische Legende, wie der Mensch dazu verdammt ist, sein Brot im Schweiß seines Angesichts zu essen, so enthüllt die »Historie vom ökonomischen Sündenfall«, wieso es Leute gibt, die es keineswegs nötig haben, sich unter solch erbärmlichen Voraussetzungen und Umständen zu ernähren. Es handelt sich um diejenigen, die den ersten Reichtum akkumulierten, so daß die anderen schließlich nichts mehr zu verkaufen hatten als ihre eigene Haut. Dieser Sündenfall wird als der entscheidende angesehen. Von ihm her datiert die Armut der großen Masse, das konkrete Leiden der Menschen.

Da gibt es zwar Christen (so sieht es Karl Marx), die ein Schatten des Bewußtseins gestreift hat, daß sie sich aus der religiösen Domäne des Gottesreiches *in das Reich des Menschen* hineinzubegeben haben. Aber man nehme zur Kenntnis, was zu diesem Thema im 1. Teil der »Deutschen Ideologie« niedergeschrieben ist! ». . . die wichtigste, neuerdings mehrfach behandelte Frage: wie man denn eigentlich ›aus dem Gottesreich in das Menschenreich komme‹, als ob dieses ›Gottesreich‹ je anderswo existiert habe als in der Einbildung und die gelahrten Herren nicht fortwährend, ohne es zu wissen, in dem ›Menschenreich‹ lebten, zu welchem sie jetzt den Weg suchen, und als ob das wissenschaftliche Amüsement, denn mehr als das ist es nicht, das Kuriosum dieser theoretischen Wolkenbildung zu erklären, nicht gerade umgekehrt darin läge, daß man ihre Entstehung aus den wirklichen irdischen Verhältnissen nachweist« (MEW 3:40). Damit wird nichts anderes als dies von Marx gesagt: Die Frage nach dem Übergang vom Gottesreich zum Menschenreich ist ein merkwürdiges gedankliches Spiel, das von der »theoretischen Wolkenbildung« des Gottesreiches ausgeht, statt die wirklichen Verhältnisse und den in der Realität schon eingenommenen Standort zu erkennen. Die Theologie wird auch hier allen Anlaß haben, über das

Thema »Reich Gottes« neu nachzudenken; dabei kann ihr der Satz Martin Bubers behilflich sein: »Das Reich Gottes *ist* das Reich des Menschen, wie es *werden* soll.«

Ein Wort zur *Reformation*, zu Martin Luther. In »Zur Kritik der Hegelschen Rechtsphilosophie. Einleitung« (MEW 1:386) heißt es: »*Luther* hat allerdings die Knechtschaft aus *Devotion* besiegt, weil er die Knechtschaft aus *Überzeugung* an ihre Stelle gesetzt hat. Er hat den Glauben an die Autorität gebrochen, weil er die Autorität des Glaubens restauriert hat. Er hat die Pfaffen in Laien verwandelt, weil er die Laien in Pfaffen verwandelt hat. Er hat den Menschen von der äußern Religiosität befreit, weil er die Religiosität zum innern Menschen gemacht hat. Er hat den Leib von der Kette emanzipiert, weil er das Herz in Ketten gelegt.« Es wäre eine viel zu umfassende Aufgabe, die Kritik an Luther, die hier zur Sprache kommt, im einzelnen zu reflektieren. Man sollte sich aber dieser Aufgabe nicht entziehen. Vor allem drei Themen sind von Marx zur Diskussion gestellt: 1. Die Frage: *Was bedeuten eigentlich Befreiung und Freiheit nach reformatorischem Verständnis?* Schlägt nicht doch alles um in neue Knechtschaft? 2. *Welche Konsequenzen trägt der Durchstoß zum allgemeinen Priestertum aller Gläubigen in sich?* Wird nicht die *Entklerikalisierung* des Priesterstandes durch eine ebenso starke *Klerikalisierung* des Laienstandes ersetzt? 3. *Welche Konsequenzen schließt die reformatorische Anthropologie ein?* Wie ist das Verhältnis von Leib und Seele (oder Herz) durch sie neubestimmt worden? Marx urteilt über die gesamte reformatorische Entwicklung äußerst negativ. Er hat es auch in anderen Zusammenhängen getan. Und es sollte an dieser Stelle wohl darauf hingewiesen werden, daß auch Ernst Bloch die Speerspitzen der Kritik gegen die von Paulus und Luther betonte Lehre von Sünde und Gnade richtet. Man wird sich der Provokation nicht damit entziehen können, daß man erklärt, Marx und auch Bloch folgten in dieser Sache dem protestantischen Liberalismus, der mit den Themen »Sünde und Gnade« nichts mehr anzufangen wußte, bzw. dem herrschenden Trend der Theologie, welche die gewichtigen Aussagen nur noch in orthodoxer Karikatur zu reproduzieren vermochte. Man wird doch gerade im Blick auf die bei Marx dominierende Thematik zu fragen haben, was denn nun christliche Theologie in völlig neuer Konzeption angesichts der marxistischen Provokation zu sagen vermag. Hier scheint es doch von außerordentlicher Bedeutung zu sein, daß die *theologische* Religionskritik Barths und Bonhoeffers in neuer Weise auf Luther, auf die reformatorische Rechtfertigungslehre, rekurriert und damit – wenigstens approximativ – das zu rezipieren und dem zu antworten vermag, was Marx gegen die Reformation vorträgt.

Und nun noch eine letzte, sehr konkrete Bezugnahme auf das Christentum. Sie findet sich in einem Zeitungsartikel der »Deutsch-Brüsseler-Zeitung« vom 12. September 1847 und steht unter dem Thema »Der Kommunismus des ›Rheinischen Beobachters‹« (zitiert nach: Über Religion, a.a.O., 80). Es heißt dort: »Die sozialen Prinzipien des Christentums haben jetzt achtzehnhundert Jahre Zeit gehabt, sich zu entwickeln, und bedürfen keiner ferneren Entwicklung durch preußische Konsistorialräte. Die sozialen Prinzipien des Christentums haben die antike Sklaverei gerechtfertigt, die mittelalterliche Leibeigenschaft verherrlicht und verstehen sich ebenfalls im Notfall dazu, die Unterdrückung des Proletariats, wenn auch mit etwas jämmerlicher Miene, zu verteidigen. Die sozialen Prinzipien des Christentums predigen die Notwendigkeit einer herrschenden und einer unterdrückten Klasse und haben für die letztere nur den frommen Wunsch, die erstere möge wohltätig sein . . . Die sozialen Prinzipien des Christentums predigen die Feigheit, die Selbstverachtung, die Erniedrigung, die Unterwürfigkeit, die Demut, kurz alle Eigenschaften der Kanaille, und das Proletariat, das sich nicht als Kanaille behandeln lassen will, hat seinen Mut, sein Selbstgefühl, seinen Stolz und seinen Unabhängigkeitssinn noch viel nötiger als sein Brot. Die sozialen Prinzipien des Christentums sind duckmäuserisch, und das Proletariat ist revolutionär.« Es ist sogleich zu erkennen: Karl Marx setzt sich (das zeigt ja auch das Thema seines Artikels schon an) mit apologetischen Versuchen von christlicher Seite auseinander, die in der Erklärung kulminierten, das Christentum habe ja doch auch »soziale Prinzipien« vorzuweisen. Wie Marx über diese »sozialen Prinzipien« denkt, das ist hinreichend deutlich. Doch verdienen zwei Aspekte besondere Beachtung: 1. *Marx bestreitet grundsätzlich die Effektivität dieser sozialen Prinzipien des Christentums.* Sie sind in achtzehnhundert Jahren nicht wirksam geworden. Im Gegenteil: Diese Prinzipien haben immer nur dazu gedient, bestehende Unrechtsordnungen, geltende Herrschafts- und Unterdrückungsverhältnisse zu stabilisieren und sich allenfalls in Wohltätigkeit, in »Kollekten« zu äußern. 2. *Mit bemerkenswerter Schärfe erhebt Marx gegenüber dem Christentum den Vorwurf, daß es jeden revolutionären Impetus lähme und also gar nicht in der Lage sei, eine soziale Wende heraufzuführen.* Selbstverachtung, Selbsterniedrigung, Demut – diese religiösen Grundhaltungen zerstören jeden Ansatz, jeden Mut, jeden Unabhängigkeitssinn auf dem Feld wirklichen Lebens. Auch angesichts dieser harten Kritik hilft es der Theologie und Kirche nicht, apologetisch zu der Erklärung Zuflucht zu nehmen, die sog. Tugenden der Selbsterniedrigung und Demut seien doch Usurpationselemente in einigen ideologischen Ausprägungen in Kirche und Staat geworden – ethische Forderungen, die tendenziös auf Unterordnung und duckmäuserisches Verhalten im politisch-wirtschaftlichen Leben abzielten. Die theologische Diskussion wird sich den tieferen Zusammenhängen zuzuwenden haben. Wieder kann an dieser Stelle nur erklärt werden, daß die theologische Religionskritik Barths und Bonhoeffers die ersten Voraussetzungen zu neuer Verständigung geschaffen hat; daß hier, nicht apologetisch, sondern im höchsten Maße selbstkritisch, neue Horizonte aufgetan worden sind.

Wer freilich von der Provokation christlicher Theologie und christlichen Glaubens durch Feuerbach und vor allem durch Marx keine Kenntnis gewonnen oder diese Herausforderung leicht genommen hat, der wird auch nicht begreifen können, welche Bedeutung der theologischen Religionskritik tatsächlich zukommt und wie hier in aufgeschlossener Zuwendung den schärfsten Provokationen christlichen Glaubens begegnet wird. Doch zu allen diesen Fragen soll im 4. Abschnitt dieses Kapitels noch einmal Stellung genommen werden.

3. Weiterführung der Religionskritik im Marxismus

Es geht jetzt darum, in der Konzentration auf wenige Gesichtspunkte das Weiterleben und die Weiterführung der Religionskritik von Karl Marx zu erfassen. Zunächst soll ein Überblick gegeben werden über das, was in diesem Abschnitt darzulegen ist. Zuerst wird auf den marxistischen Ideologie-Begriff einzugehen sein. Es werden dann einige Aussagen von Friedrich Engels vorgelegt und interpretiert werden. Und weiter wird auf die scharfe Religionskritik Lenins einzugehen sein. Schließlich aber sollen einige neuere Aspekte Beachtung finden.

Der marxistische Ideologie-Begriff ist darum von nicht geringem Interesse, weil auch »Religion« dem Grundverständnis von Ideologie unterstellt wird. Wir haben erkannt: Marx (und dann auch Engels) forcierten eine Analyse des gesellschaftlichen Bewußtseins als der Widerspiegelung des gesellschaftlichen Seins. Es ergab sich die Erkenntnis, daß in der *Klassengesellschaft* die Ideologie der gesellschaftlichen Anschauungen die einer bestimmten Klasse ist, die ihre historisch-gesellschaftliche Lage und ihre Interessen zum Ausdruck bringt; d.h. in der Klassengesellschaft trägt die Ideologie Klassencharakter. Dies gilt auch und vor allem für die Religion. Sie spiegelt und verficht ein Klasseninteresse. Die Gedanken der herrschenden Klasse sind in jeder Epoche die herrschenden Gedanken, d.h. die Klasse, welche die herrschende *materielle* Macht der Gesellschaft ist, ist zugleich ihre herrschende geistige Macht. »Die Ideologie ist ein Prozeß, der zwar mit Bewußtsein vom sog. Denker vollzogen wird, aber mit falschem Bewußtsein. Die eigentlichen Triebkräfte, die ihn bewegen, bleiben unbekannt; sonst wäre es eben kein ideologischer Prozeß. Er imaginiert sich also falsche resp. scheinbare Triebkräfte. Weil es ein Denkprozeß ist, leitet er seinen Inhalt wie seine Form aus dem reinen Denken ab, entweder seinem eigenen oder dem seiner Vorgänger. Er arbeitet mit bloßem Gedankenmaterial, das er unbesehen als durchs Denken erzeugt hinnimmt und sonst nicht weiter auf einen entfernteren, vom Denken unabhängigen Ursprung untersucht, und zwar ist ihm dies selbstverständlich, da ihm alles Handeln, weil durchs Denken *vermittelt*, auch in letzter Instanz im Denken *begründet* erscheint« (MEGA 39:97). *Ideologie ist demnach ein verselbständigtes, abstraktes Denken, das sich des Zusammenhangs mit der historisch-gesellschaftlichen Wirklichkeit, der es zugehört, nicht bewußt ist.* Ideologie dient zur Absicherung des einmal Gewordenen und Bestehenden gegenüber dem neu Werdenden. Sie drängt daher auf Verewigung historisch bedingter Machtverhältnisse und bestehender Herrschaftsordnungen. *Religion* gehört zur geistigen Macht der Ideologie in dem ausgeführten und erklärten Sinn; sie ist das metaphysische Substrat des Denkens.

Findet im Marxismus eine Analyse des gesellschaftlichen Bewußtseins als der Widerspiegelung des gesellschaftlichen Seins statt, dann hat in eben diesem Zusammenhang der Analyse die Ideologiekritik und mit ihr die Religionskritik eine entscheidende Funktion. Vor allem *Friedrich Engels* wußte sich dieser Analyse in der Zusammenarbeit und in der Nachfolge seines Freundes Karl Marx verbunden. Engels stammt bekanntlich aus dem frommen Wuppertal; er hatte in seiner Jugend enge Kontakte zu Theologen unterhalten. Er hat sich, wie wir aus seinen Jugendbriefen wissen, sehr eingehend mit dem Christentum befaßt und darum gerungen, Anteil am christlichen Glauben zu finden. Seine Briefe sind ein Dokument des Scheiterns, dann aber auch ein Dokument wachsender Erkenntnis des sozialen Notstandes, an dem christliche Heilslehren vorbeigingen. Zu dieser Erkenntnis gelangte er vor allen in England. Es kam zur Begegnung und Freundschaft mit Karl Marx.

Auch Engels weiß sich ganz der wirklichen Welt und dem wirklichen Menschen verpflichtet. In seinem Carlyle-Aufsatz schreibt er: »Wir brauchen dem wahrhaft Menschlichen nicht erst den Stempel des ›Göttlichen‹ aufzudrücken, um seiner Größe und Herrlichkeit sicher zu sein.« »Die Frage ist bisher immer gewesen: Was ist Gott? und die deutsche Philosophie hat die Frage dahin gelöst: Gott ist der Mensch. Der Mensch hat sich nur selbst zu erkennen, alle Lebensverhältnisse an sich selbst zu messen, nach seinem Wesen zu beurteilen, die Welt nach den Forderungen seiner Natur wahrhaft menschlich einzurichten, so hat er die Rätsel unserer Zeit gelöst« (MEGA I,2:427f. = Über Religion, a.a.O., 256). Engels bezieht sich auf Feuerbach, aber eben doch auch auf Hegel. Dabei verwundert es, wie eng – sowohl für Marx wie auch für Engels – die Frage nach Gott ein für alle Male mit der *Philosophie*, mit der Religionsphilosophie, verknüpft ist. Auf der ganzen Linie aber folgt Engels seinem Freund Marx, geht allerdings in der Analyse von Religion immer noch ein paar Schritte weiter, weil er sich explizit mit Verfechtern des Rechts und der Bedeutung von »Religion« auseinanderzusetzen hat. 1878 erscheint die Schrift »Herrn Eugen Dührings Umwälzung der Wissenschaft« (zitiert nach der Ausgabe Berlin 1948). Da heißt es – zunächst in voller Übereinstimmung mit Marx, danach in fortschreitender Kritik –: »Nun ist alle Religion nichts anders als die *phantastische Widerspiegelung* in den Köpfen der Menschen, *derjenigen äußern Mächte, die ihr alltägliches Dasein beherrschen*, eine Widerspiegelung, in der die irdischen Mächte die Form von überirdischen annehmen. In den Anfängen der Geschichte sind es zuerst die *Mächte der Natur*, die diese Rückspiegelung erfahren und in der weiteren Entwicklung bei den verschiednen Völkern die mannigfachsten und buntesten Personifikationen durchmachen.« Später sind es dann die »gesellschaftlichen Mächte«, die in der Religion ihre Widerspiegelung erfahren. Nach Engels erhalten also die Phantasiegestalten, in denen sich anfangs nur die geheimnisvollen Kräfte der Natur reflektierten, gesellschaftliche Attribute. Auf einer noch weiteren Entwicklungsstufe werden dann sämtliche natürlichen und gesellschaftlichen Attribute auf einen einzigen allmächtigen Gott übertragen, der aber nichts anderes ist als nur der Reflex des abstrakten Menschen. Auf diese Weise – das ist Engels' Meinung – entstand der Monotheismus: in der griechischen Vulgärphilosophie und im Judentum. Der religionsgeschichtliche Aufriß, der zugleich ein religionskritischer ist, schließt im Blick auf den einen Gott mit dem Satz: »In dieser allem anpaßbaren Gestalt kann die Religion fortbestehen als unmittelbare, d.h. gefühlsmäßige Form des Verhaltens der Menschen zu den sie beherrschenden fremden, natürlichen und gesellschaftlichen Mächten, solange die Menschen unter der Herrschaft solcher Mächte stehen« (393f.).

Bedeutsamer als diese und ähnliche religionsgeschichtlichen Analysen sind die expliziten Stellungnahmen von Friedrich Engels zur *Urgeschichte des Christentums*. In ihnen hält Engels zunächst fest, daß die Geschichte des Urchristentums – jedenfalls auf den ersten Blick – merkwürdige Berührungspunkte mit der modernen Arbeiterbewegung bietet. Im Ursprung war das Christentum eine Bewegung Unterdrückter – eine Religion der Sklaven und Freigelassenen, der Armen und Rechtlosen, der von Rom unterdrückten und zersprengten Völker. Beide, Christentum wie Arbeiterbewegung, predigten eine bevorstehende Erlösung aus Knechtschaft und Elend. Aber dann zeigt sich der erste Unterschied: Das Christentum setzt diese Erlösung in ein jenseitiges Leben nach dem Tod, in den Himmel – der Sozialismus in diese Welt, in eine Umgestaltung der Gesellschaft. Aber wiederum beide werden verfolgt und gehetzt, ihre Anhänger geächtet, unter Ausnahmegesetze gestellt – die einen als Feinde des Menschengeschlechts, die anderen als nationale Feinde, als Feinde der Religion, der Familie und der gesellschaftlichen Ordnung. Was will Engels mit dieser Vergleichung erreichen? Zweifellos will er zeigen, daß das Christentum seine ursprüngliche Kraft und Intention längst verloren hat. Und auch dies: daß Christen, die mit der Urgeschichte des Christentums vertraut sind, doch sehen müßten, wieviel Eigenes ihnen in der sozialistischen Bewegung entgegentritt. Auch das Erleiden von Verfolgung und Schmach müßte dem gegenwärtigen bürgerlichen Christentum doch Anlaß sein, über die analoge Situation der Arbeiterbewegung nachzudenken und auf sie wirklich aufmerksam zu werden. Aber dann reißt Engels recht deutlich den Unterschied auf: Zwar wollen beide, Christentum und Arbeiterbewegung, den armen, unterdrückten Menschen aus Elend und Knechtschaft erlösen, *aber die Wege, Schritte und Ziele der Erlösung sind grundverschieden*. Das Christentum (schon das Urchristentum) – so jedenfalls stellt es sich Friedrich Engels dar – setzt die Erlösung in ein jenseitiges Leben nach dem Tod, in den Himmel; die Arbeiterbewegung, der Sozialismus hingegen erstrebt eine Umgestaltung der jetzt bestehenden Verhältnisse in Gesellschaft und Politik auf dieser unserer Erde. An anderer Stelle schreibt Engels: »Es sind wiederum die Christen, die durch die Auf-

stellung einer aparten ›Geschichte des Reiches Gottes‹ der wirklichen Geschichte alle innere Wesenhaftigkeit absprechen und diese Wesenhaftigkeit
allein für ihre jenseitige, abstrakte und noch dazu erdichtete Geschichte in
Anspruch nehmen, die durch die Vollendung der menschlichen Gattung in
ihrem Christus die Geschichte ein imaginäres Ziel erreichen lassen, sie mitten in ihrem Lauf unterbrechen« (MEGA I,2:427). Dieser Passus gibt allen
Anlaß zu kritischem Nachdenken. Wie kommt es, daß Engels die »Geschichte des Reiches Gottes«, die nach biblischem Verständnis doch eine Geschichte der Erneuerung und Veränderung der Schöpfung, also des gesamten wirklichen Lebens und Zusammenlebens der Menschen ist, als eine
»aparte« Sondergeschichte erscheint? Als eine abstrakte und jenseitige Ziele
hereinführende spirituelle Entwicklung? Wie ist es zu erklären, daß Jesus
Christus, den das Neue Testament als den wirklichen Menschen, den Menschen Gottes, verkündigt, als »imaginäres Zielbild« verstanden werden
kann? Hat das Christentum durch Verjenseitigung, Verinnerlichung und
Spiritualisierung des Reiches Gottes und seines Christus nicht alles getan,
um diese von Engels attackierte Vorstellung zu fördern und zu festigen? Ist
die Christenheit nicht tatsächlich, wie es Christoph Blumhardt immer wieder betont hat, aus dem Reich Gottes in die Religion geflüchtet? Hat sie
nicht auf dieser Flucht auch das Reich Gottes zur Religion, u.d.h. zu einem
aparten Phänomen, dem die Frömmigkeit zugewandt ist, verwandelt? Dies
alles sind Fragen, denen nicht mehr ausgewichen werden kann.

Es soll an dieser Stelle noch nachgetragen werden, daß *die Frage nach dem Ursprung und der Geschichte des Christentums* später insbesondere von *Karl Kautsky* gestellt und anders als von Engels beantwortet worden ist. Das Fazit: »Wir haben gesehen, *daß das Christentum erst zum Siege gelangte, als es sich in das gerade Gegenteil seines ursprünglichen Wesens verwandelt hatte*; daß im Christentum *nicht das Proletariat* zum *Siege* gelangte, sondern der es ausbeu- tende und beherrschende *Klerus*; daß das Christentum siegte nicht als umstürzlerische, son- dern als *konservative Macht*, als *neue Sütze der Unterdrückung und Ausbeutung*; daß es die kaiserliche Macht, die Sklaverei, die Besitzlosigkeit der Massen und die *Konzentration des Reichtums* in wenigen Händen nicht nur nicht beseitigte, sondern befestigte. Die *Organisation* des Christentums, *die Kirche, siegte dadurch, daß sie ihre ursprünglichen Ziele preisgab und deren Gegenteil verfocht*« (Der Ursprung des Christentums, 1910, Nachdruck 1968, 496; Her- vorheb. i.w. nicht im Orig.).

Gehen wir auf *Lenins Äußerungen zum Thema »Religion«* zu! Sie sind
von dezidierter Strenge und werden getragen von einem starren Materialismus und Atheismus. In der Welt herrscht nichts als die sich bewegende
Materie. Und diese Materie kann sich nicht anders bewegen als in Raum und
Zeit. Die Materie denkt. Das Denken ist das Produkt der auf besondere
Weise organisierten Materie. Die Grundformen alles Seins sind Zeit und
Raum. Darüber hinaus gibt es nichts, gar nichts. In den 1968 herausgegebe-
nen Schriften Lenins »Über die Religion« findet sich ein Brief an Gorki. Da
heißt es: »Es ist falsch, daß Gott ein Komplex von Ideen ist, die die sozialen
Gefühle wecken und organisieren. Das ist . . . *Idealismus*, der den materiel-

len Ursprung der Ideen vertuscht. Gott ist (historisch wie im Leben) vor allem ein Komplex von Ideen, die von der dumpfen, sowohl durch die äußere Natur als auch durch die Klassenunterdrückung bewirkten Niedergedrücktheit des Menschen erzeugt wurden – von Ideen, die diesen Zustand der Niedergedrücktheit *festigen,* die den Klassenkampf einschläfern« (53). Im Hinweis auf das bereits Ausgeführte ist hinzuzufügen: So gesehen ist Religion Opium *fürs* Volk, einschläferndes, den Klassenkampf lähmendes Narkotikum. Was Lenin ausführt, ist im Grunde nicht neu. Nur eines ist zu beachten: *die strenge Polarisierung von Materialismus und Idealismus.* Gott als Komplex von Ideen – das ist Idealismus. Idealismus aber leugnet den materiellen Ursprung der Ideen. In einer seltsamen, vom Glaubensprinzip »Materie« voll überzeugten Logik meint Lenin, Idealismus führe zur Anerkennung der Existenz Gottes. Es gibt aber keinen Gott, folglich ist der Idealismus falsch.

Mit dem Materialismus, so wurde erklärt, gehe der dezidierte Atheismus bei Lenin Hand in Hand. In der Schrift »Sozialismus und Religion« heißt es sinngemäß: Die Religion muß zur Privatsache erklärt werden! Mit diesen Worten pflegt man die Stellung der Sozialisten zur Religion auszudrücken. Die Bedeutung dieser Worte muß jedoch genau definiert werden, damit sie keine Mißverständnisse hervorrufen. Wir verlangen, daß die Religion Privatsache sei, soweit es den Staat angeht; wir können jedoch die Religion keinesfalls als Privatsache ansehen, soweit es sich um unsere eigene Partei handelt. Der Staat soll mit der Religion nichts zu tun haben, die Religionsgemeinschaften dürfen nicht mit der Staatsgewalt verbunden sein. Jedermann muß volle Freiheit haben, sich zu einer beliebigen Religion zu bekennen oder überhaupt jede Religion abzulehnen, d.h. Atheist zu sein, was ja auch jeder Sozialist in der Regel ist (*W. I. Lenin*, Über die Religion. Eine Sammlung ausgewählter Aufsätze und Reden, 1974, 7f.). In diesen Sätzen Lenins scheint *das Verhältnis von Religion und Staat* wichtig zu sein. Für den Kommunisten ist es selbstverständlich, daß Religion in der Partei nichts zu suchen hat; die Partei steht auf der Basis des Atheismus. Dann aber muß ein Interesse bestehen, Religion und Staat auseinanderzuhalten, zu trennen. Lenin weiß – wie Marx und Engels –, wie unheilvoll die religiöse Stabilisierung bestehender Verhältnisse in den Staaten betrieben wurde und wie verhängnisvoll politische und gesellschaftliche Gegebenheiten sich im Überbau der Religion festsetzten. So ist das Interesse unverkennbar, zur völligen Freiheit in den Fragen der Religion aufzurufen und jede geheimnisvolle oder traditionelle Bindung zu lösen. In den in der »Neuen Rheinischen Zeitung« im Jahre 1848 publizierten »Forderungen der Kommunistischen Partei in Deutschland« hatten Marx und Engels gefordert: »Völlige Trennung der Kirche vom Staate. Die Geistlichen aller Konfessionen werden lediglich von ihrer freiwilligen Gemeinde besoldet«. An diese prinzipiellen Äußerungen hält sich auch Lenin. Sie entsprechen übrigens den Forderungen Bonhoeffers. Wer heute vom »radikalen Atheismus« des östlichen Kommunismus spricht, der sollte unterscheiden zwischen dem, was für die

Partei gilt, und dem, was zum Verhältnis von Staat und Religion ausgeführt wird.

Zum Abschluß ein Ausblick, der einige Gesichtspunkte der neueren Entwicklung zur Sprache bringt. *Bert Brecht* hat einmal gesagt: Es ist »die Religion, die unsere Unwissenheit vermehrt« (Werkausgabe 9, 469f.). Dies gilt also auch für das 20. Jahrhundert! »Religion« blockiert den Zugang zum sozialen, politischen und naturwissenschaftlichen Wissen; sie schirmt die Existenz in individueller Frömmigkeit ab und läßt sie selbstgenügsam dahinvegetieren. Kritik der Religion entzündet sich immer wieder an der Tatsache, daß Religion den Menschen *in Unmündigkeit und Unwissenheit festhält.* Selbst die fortschrittliche Intellektualität innerhalb der Religion beteiligt sich am Mauerbau, der die Festung »Religion« von der vehementen Macht des vorurteilsfreien Wissens trennt. Dies gilt vor allem für den gesellschaftlichen Bereich. *Dorothee Sölle* hat – nach einer polnischen Broschüre aus dem Jahre 1905 – die bislang weithin unbekannte Schrift »Kirche und Sozialismus« von Rosa Luxemburg ediert. *Rosa Luxemburg* zeigt den heillosen Gegensatz und Kampf auf, der zwischen den beiden Größen geführt wird. Und man wird, wenn man sich heute ihre Gedanken vergegenwärtigt, nicht nur an die Situation in Lateinamerika denken müssen, sondern auch auf die unfaßliche Sozialismus-Phobie in den christlichen Kirchen Europas zu achten haben. Es heißt in der genannten Schrift auf S. 41: »Der Sozialismus strebt danach, der ganzen Menschheit ehrliches und redliches Glück auf der Erde, dem ganzen Volk größtmögliche Bildung, Wissen und Herrschaft in der Gesellschaft zu geben, und gerade dieses irdische Glück aller Menschen und diese Klarheit in den Köpfen fürchten die heutigen Diener der Kirche wie ein Gespenst.« Rosa Luxemburg meint, die Kirche töte im arbeitenden Menschen den Geist, die Hoffnung und den Willen nach besserer Zukunft; sie töte in ihm den Glauben an sich selbst und seine Kraft, die Achtung vor der eigenen menschlichen Würde. So kann man verstehen – vor allem auf dem Hintergrund der Ereignisse in den ersten Jahrzehnten unseres Jahrhunderts –, wenn die Karl Marx folgende Sozialdemokratie mit dem Pathos angekündigt wird (43): »So bringen die Sozialdemokraten überall dem Volke die Auferstehung, stärken die Verzweifelten, verbinden die Schwachen zu einer Macht, öffnen den Dumpfen die Augen, zeigen den Weg der Befreiung und rufen das Volk auf, das Königreich der Gleichheit, Freiheit und Nächstenliebe auf der Erde zu errichten.« Das Schockierende in diesem Satz ist die Tatsache, daß die Botschaft des Sozialismus in der Kirche vernachlässigte, vergessene und ausgeschaltete Themen *christlicher* Verkündigung zur Sprache bringt. Man sollte das nicht als frevelhafte Usurpation bezeichnen, sondern die Überbetonungen, die den Charakter einer eschatologisch-sozialen Heilslehre haben, von daher verstehen, *daß die Kirche die entscheidenden Sektoren Welt, Schöpfung, Politik und Geschichte nicht mehr gesehen und als Feld der Bewährung des Evangeliums vom Reich Gottes nicht mehr beschritten hat.* Man kann heute – am deutlichsten in Lateinamerika – beobachten, wie die von Blindheit und traditionellen Ideen geschlagene Kirche *einen neuen Zugang zum Marxismus* gewinnt und wie sie die gesellschaftskritische Analyse, aber auch den Ruf zur revolutionären Veränderung bestehender Verhältnisse aufnimmt, so z.B. in Gestalt von *Gustavo Gutiérrez* und seinem Werk »Theologie der Befreiung« (³1978). Wo immer eine solche neue Aufmerksamkeit Raum zu gewinnen beginnt, da wird für sie die Absolutheitsforderung des Marxismus, die sich in der Überpointierung als eschatologische Heilslehre äußert, relativiert. Doch soll sich zu dieser Frage der folgende Abschnitt genauer äußern.

4. Theologische Äußerungen zur marxistischen Religionskritik

Selbstverständlich läßt sich auch in diesem Abschnitt die Religionskritik des Marxismus nicht aus dem Kontext der ökonomischen Analyse und der kommunistischen Revolution herauslösen. So muß der größere Zusammenhang stets ins Auge gefaßt werden. Bevor die theologischen Stimmen – in einer die typischen Äußerungen kennzeichnenden Auswahl – zu Wort kommen, wird auch in Hinsicht auf Interpretation und Kritik weitere Umschau zu halten sein. Dabei kann nicht übersehen werden, wie die sog. »Revisionisten«, z.B. Eduard Bernstein und Ludwig Woltmann, votierten. Sie wiesen die Unternehmung zurück, Gesellschaftslehre »wie eine Art Naturwissenschaft« zu behandeln. Die für den revolutionären Prozeß exakt bezeichneten Prognosen können gar nicht in Erfüllung gehen, weil sie nicht mit der Intervention zielbewußter, vernünftiger Willensäußerungen rechnen. Deshalb sind die ethischen und die idealen Werte ernst zu nehmen und nicht als bloß funktionelle Ideologien im Überbau zu verstehen. Religion, Kunst und Recht haben ebenso auf die wirtschaftlichen Verhältnisse eingewirkt, wie umgekehrt die wirtschaftlichen Zustände den religiösen oder künstlerischen Überbau beeinflußt haben. Damit sind Eingleisigkeiten und überspitzte Dogmatismen des Marxismus herausgestellt worden. Doch der orthodoxe Marxismus hat die »revisionistischen Korrekturen« sehr schnell und radikal abgewiesen. Daß sie die Schärfe der Gesellschaftskritik beeinträchtigen und die Kraft des revolutionären Prozesses lähmen, galt als unmittelbar erwiesen.

Die Frage nach dem *Verhältnis von Geschichte und Natur*, die im revisionistischen Einspruch zur Geltung kam, ist auch heute noch nicht verstummt. Sie beschäftigt u.a. den Naturwissenschaftler. So hat *Jacques Monod* erklärt: »Daß die marxistische Ideologie einen so ungeheuren Einfluß auf die Geister hat, ist nicht allein darauf zurückzuführen, daß sie das Versprechen einer Befreiung des Menschen enthält, sondern auch und sicherlich vor allem darauf, daß sie eine Ontogenese enthält, daß sie eine vollständige und detaillierte Erklärung der vergangenen, gegenwärtigen und zukünftigen Geschichte gibt. Beschränkt auf die menschliche Geschichte und selbst mit den Sicherheiten der ›Wissenschaft‹ ausstaffiert, blieb der historische Materialismus etwas Bruchstückhaftes. Es mußte der dialektische Materialismus hinzutreten, der seinerseits die umfassende Erklärung liefert, die der Geist benötigt: Die Geschichte des Menschen und die des Kosmos sind darin vereint, als gehorchten sie beide den gleichen ewigen Gesetzen« (Zufall und Notwendigkeit, 1971, 206f.). Was sind diese »ewigen Gesetze«, die Strukturen der Ontogenese spiegeln? Gewiß, so meint *Monod*, hatten Marx und Engels die Absicht, ihre Gesellschaftslehre auf Gesetze der Natur zu gründen. Dies aber kann nur, so urteilt der mit der molekularen Ontogenese befaßte Naturwissenschaftler, als »animistische Projektion« gewertet werden. *Monod* hält es für unmöglich, die berühmte »Umkehrung«, mit der Marx den dialektischen Materialismus an die Stelle der idealistischen Dialektik Hegels gesetzt hat, anders zu interpretieren (46).

Zu den Einzelheiten der Argumentation sei hingewiesen auf den m.E. zu wenig beachteten Abschnitt »Die animistische Projektion im dialektischen Materialismus« (*J. Monod*, Zufall und Notwendigkeit, 1971, 46ff.). Im Zuge der sehr detaillierten Auseinandersetzungen geht *Monod* auch auf das *Verhältnis von Außenwelt und Bewußtsein ein* und kommt zu dem Ergebnis: »Unhaltbarer als je erscheint uns heute also die These von dem bloßen Reflex, von dem vollkommenen Spiegelbild, das nicht einmal seitenverkehrt ist« (51). »Ursache dieser Fehler ist ganz gewiß die anthropozentrische Illusion« (54). Insbesondere wendet sich *Monod* gegen die problematischen Aspekte von »Natur« bei Friedrich Engels. – Tatsächlich wird der ganze Komplex »Natur«, »Naturalismus«, »Animismus« (*Monod*) neu zu untersuchen sein. Vgl. das Buch von *A. Schmidt*, Der Begriff der Natur in der Lehre von Karl Marx (1967).

Das Verhältnis von Theorie und Praxis ist in der »Kritischen Theorie« bei *Adorno* und *Horkheimer* neuen Reflexionen unterzogen worden. Auch dieser Vorgang läßt im Fluchtpunkt der Perspektive neue Fragen hinsichtlich der Funktion von Religion in Erscheinung treten. »Was in Hegel und Marx theoretisch unzulänglich blieb, teilte der geschichtlichen Praxis sich mit; darum ist es theoretisch neu zu reflektieren, anstatt daß der Gedanke dem Primat von Praxis irrational sich beugte; sie selbst war ein eminent theoretischer Begriff« (*Th. W. Adorno*, Negative Dialektik, 1970, 145). *Wahre Praxis als Inbegriff von Handlungen, die der Idee der Freiheit entsprechen oder genügen, bedarf des vollen theoretischen Bewußtseins.* »Keine Theorie darf agitatorischer Schlichtheit zuliebe gegen den objektiv erreichten Erkenntnisstand sich dummstellen. Sie muß ihn reflektieren und weitertreiben. Die Einheit von Theorie und Praxis war nicht als Konzession an die Denkschwäche gemeint, die Ausgeburt der repressiven Gesellschaft ist« (204). *Max Horkheimer*, Marxist mit »distanziertem Interesse« (*Adorno*), wandte sich seit 1955 immer mehr einer jüdisch-monotheistischen Theologie zu. Er vertrat die Auffassung, daß die Welt sich heute unvermeidlich im »Übergang zur durchorganisierten automatischen Gesellschaft« befinde, also zum Gegenteil dessen, was Marx als »Reich der Freiheit« erwartet habe. Gegen die Herrschaft der technisch-operativen Ratio wird *die Notwendigkeit der Religion* geltend gemacht. Vollendete Gerechtigkeit kann in der Geschichte niemals verwirklicht werden. Auch wenn eine bessere Gesellschaft die gegenwärtige Unordnung abgelöst hat, kann das vergangene Elend nicht gutgemacht und die Not in der umgebenden Natur nicht aufgehoben werden (*M. Horkheimer*, Kritische Theorie, Bd. 1, 374). So erwacht »Die Sehnsucht nach dem ganz Anderen« (Stundenbücher Bd. 97, 1970).

Zur Reflexion über die *Theorie-Praxis-Relation* vgl. auch: *E. van den Oudenrijn*, Kritische Theologie als Kritik der Theologie, 1972. – Es ist vor allem dort, wo der Marxismus mit dem Christentum in eine Begegnung eingetreten ist, *ein neues Fragen nach Anfang und Ende des revolutionären Prozesses* im Gang. Für *Roger Garaudy* steht am Anfang jeden revolutionären Handelns ein Glaubensakt. Und *Milan Machovec*, nach dem Sinn des Lebens fragend, meint: »Auf dem Totenbett möchte kein Marxist ›Das Kapital‹ lesen« (Jesus für Atheisten, 1972).

Aber nun waren und sind Philosophen und Theologen vor allem damit befaßt, die *eigentliche Antriebs- und Bewegungskraft des Marxismus* zu ermitteln. *Max Scheler* beschrieb den Marxismus als eine messianische Ideologie der Unterklasse, die durch *Werdens*betrachtung charakterisiert sei, während die Oberklasse zur *Seins*betrachtung neige (Die Wissensformen und die Gesellschaft, ²1960, 172ff.). *Joseph Ratzinger* verfolgte den *Wandel der Denkformen*. Für die Scholastik galt: »verum est ens« (wahr ist das Seiende). Es war G. B. Vico (1688–1744), der die Formel aufbrachte »verum quia factum« (als wahr erkennbar ist für uns nur das, was wir selbst gemacht haben). In einer weiter fortschreitenden Phase tritt Karl Marx auf. »Verum quia faciendum« (wahr ist fortan, was machbar ist). »Die Wahrheit, mit der der Mensch zu tun hat, ist weder die Wahrheit des Seins noch auch letztlich die seiner gewesenen Taten, sondern es ist die Wahrheit der Weltveränderung, der Weltgestaltung – eine auf Zukunft und Aktion bezogene Wahrheit« (*J. Ratzinger*, Einführung in das Christentum, 1968, 39). Wir stehen unter der »Herrschaft des Faciendum«. Diese Wandlung zum »operationellen Denken« wird verschieden beurteilt und das von Marx initiierte Verhältnis von Theorie und Praxis von einigen Theologen bewußt rezipiert. Ansätze neuen, praxisbezogenen Denkens sind vor allem dort feststellbar, wo das Evangelium von Gottes kommendem Reich als revolutionäre Praxis und Welt-veränderndes Geschehen verstanden wird. Hier ist in erster Linie auf die frühen Publikationen Karl Barths hinzuweisen, in denen es u.a. heißt: »Keine ›Praxis‹ *neben* der Theorie soll hier empfohlen, sondern festgestellt soll hier werden, daß eben die ›Theorie‹, von der wir herkommen, die *Theorie der Praxis* ist« (Der Römerbrief, ²1922, 414). In anderem Zusammenhang steht zu lesen: »Das richtige *Denken* ist das Prinzip der Verwandlung, durch die ihr der alten Welt gegenüber etwas Neues werden und vertreten könnt . . .« (Der Römerbrief, 1919, 352). Das Fazit solcher Rezeption und Erneuerung in der Theologie zieht *Jürgen Moltmann:* »Das neue Kriterium der Theologie und des Glaubens liegt in der Praxis« (Diskussion zur »Theologie der Revolution«, 1969, 73). Allerdings sind in dieser Sache noch umfassende Klärungen erforderlich.

Was ist eigentlich *Praxis*? Man wird der von Marx eingeführten Theorie-Praxis-Relation in ihrer Wurzel und Intention nicht gerecht, wenn das gängige Schema »vom Denken zur Tat« oder »von der Dogmatik zur Ethik« herangezogen wird. Auch die Ethik ist Theorie. Bei Marx ist »Praxis« auf das Feld der Arbeit und der Produktionstätigkeit bezogen. »Revolutionäre Praxis« soll die bestehenden Verhältnisse überwinden. Diesen ökonomischen »Restriktionen« des Praxis-Begriffs wird von Theologen entgegengehalten, Praxis sei umfassender, sie sei »die Wirklichkeit des Lebens selbst« (*G. Ebeling*, Einführung in theologische Sprachlehre, 1971, 32). Wer könnte diese Weitung abstreiten?! Aber sie wird unrealistisch, pauschal und abstrakt, wenn konkrete Ansätze durch Verallgemeinerungen desavouiert und wenn mit der alles und nichts sagenden »Wirklichkeit des Lebens« die von Not und Elend besetzten Wirklichkeitsbereiche überblendet werden. Die Theologie, die mit solchen Auskünften sog. »Engführungen« überwinden und »das Ganze« geltend machen will, weicht mit ihrem ideologischen »Mehrwert«-Verlangen naheliegenden Analysen und Taten aus.

Aber auf die eigentliche Antriebs- und Bewegungskräfte des Marxismus ist zurückzukommen. Theologische Hintergründe werden aufgerissen, wenn *Karl Löwith* zum Marxismus erklärt: »Die wirklich treibende Kraft hinter dieser Konzeption ist ein offenkundiger Messianismus, der unbewußt in Marx' eigenem Sein, in seiner Rasse wurzelt. Wenn er auch emanzipierter Jude des 19. Jahrhunderts, entschieden antireligiös und sogar antisemitisch war, so war er doch ein Jude von alttestamentlichem Format. Der alte jüdische Messianismus und Prophetismus, den zweitausend Jahre ökonomischer Geschichte vom Handwerk bis zur Großindustrie nicht verändern konnten, und das jüdische Bestehen auf unbedingter Gerechtigkeit, sie erklären die idealistische Basis des historischen Materialismus« (Weltgeschichte und Heilsgeschehen, ³1953, 48). So soll – nach *Löwith* – auch die Aufgabe des Proletariats der welthistorischen Mission des auserwählten Volkes analog sein. »Der historische Materialismus ist Heilsgeschichte in der Sprache der Nationalökonomie« (48). Theologen haben derartigen Perspektiven nicht selten Anerkennung gezollt. Es wird ja alles so leicht und durchschaubar! Und was *Löwith* nicht ausspricht, kommt dem Theologen schnell über die Lippen: *Diese ganze kommunistische Ideologie ist Pseudo-Messianismus, Verkehrung echter eschatologischer Erwartung in dämonische Entstellungen.* Aber ist die Erklärung *Löwiths* zutreffend? Kann man Marx – doch immer recht problematische – »unbewußte« Zusammenhänge und Antriebskräfte unterstellen?

Emil Brunner ist völlig anderer Meinung als *Löwith*: »Naive Seelen haben die Utopie des Juden Marx mit dem alttestamentlichen prophetischen Messianismus in Beziehung setzen, gar von ihm ableiten wollen. Das ist sowohl sachlich als historisch ganz und gar unmöglich. Der Jude Marx hat vom Erbe seiner frommen Väter nichts bewahrt und wenig genug gewußt; er hat kaum je in den Propheten des Alten Testaments gelesen. Er ist ganz und gar ein Kind der bürgerlichen atheistischen Aufklärung. Aber auch sachlich ist seine ›Eschatologie‹ nichts anderes als der rationalistische bürgerliche Fortschrittsgedanke, nur in einer durch Kontraktion zustande gekommenen Variante. Auch er ist ›Hoffnung auf der Basis des Selbstvertrauens‹, und der Atheismus ist nicht ein zufälliges Element, sondern ein integrierender Bestandteil, ja die Basis seines ganzen Systems« (Das Ewige als Zukunft und Gegenwart, 1965, 93). Nun kann aber gerade der letzte Satz

Brunners nach allem, was zuvor ausgeführt wurde, eben nicht gelten. Religionskritik und Atheismus mögen »integrierender Bestandteil« sein, doch sind sie keineswegs die »Basis« des ganzen Systems. Was aber die Abweisung der von *Löwith* und anderen vertretenen Erklärung betrifft, so wird man hinsichtlich der Ausschaltung der prophetischen Messianologie *Brunner* weitgehend zustimmen können. Jedoch ist der Versuch, stattdessen auf die »bürgerliche atheistische Aufklärung« und den »rationalistischen bürgerlichen Fortschrittsgedanken« zu rekurrieren, zu pauschal und abstrakt. Die charakteristischen Besonderheiten der ökonomischen und gesellschaftskritischen Analysen wird man durch keine allgemeine Behauptung einer Ideologie-Abhängigkeit außer Kraft setzen können. Auch wird nicht zu leugnen sein, daß die marxistische Religionskritik im Kontext dieser Analysen eine antagonistische Funktion hinsichtlich verschleiernder und verhindernder Ideologie-Gebilde hatte, so daß Theologie und Kirche allen Grund haben, ihre Geschichte und Gegenwart selbstkritisch und radikal zu durchleuchten und sich der marxistischen Anfrage zu stellen. Man hat den Eindruck, daß die Erklärungen zur Entstehung der Lehre von Karl Marx, kommen sie nun von *Löwith*, von *Brunner* oder anderen, einen *entlastenden Charakter* haben sollen. Man will den Marxismus durchschauen und ihn im Hinweis auf seine unbewußt-religiösen oder ideologischen Abhängigkeiten entmächtigen. Die Brisanz der Anfrage soll verschwinden. Doch so wird man Karl Marx und dem Marxismus nicht gerecht.

Theologische Rezeption des Marxismus wird ausgehen können von den beiden Sätzen, die *Paul Tillich* 1930 formulierte: »Der Marxismus ist zuerst eine Wirklichkeit und dann erst ein Gedanke. Die Wirklichkeit des Marxismus ist die Tatsache, daß das Proletariat aus fast völligem Sinnverlust zu einem machtvollen Sinnbewußtsein durchgedrungen ist« (Klassenkampf und religiöser Sozialismus: Für und wider den Sozialismus, 1969, 41). Wenn Tillich dann fortfährt, *selbstverständlich stehe hinter dieser Wirklichkeit eine Idee*, die aus der Gegenwart geboren worden sei und die Kraft gehabt habe, ihre Gegenwart umzuwandeln, so wird zu fragen sein, welchen Sinn und welchen Grad von Sachgemäßheit die Einführung des Begriffs »Idee« haben kann. Fraglos ist die marxistische Dialektik »gedanklicher Ausdruck«, Theorie. Aber wenn von »Idee« die Rede ist, dann wird – auch von *Tillich* – ein unsachgemäßer Aspekt intendiert. So heißt es denn in der Fortsetzung der zitierten Abhandlung: »Im Hintergrund aber steht ein religiöses Schicksalsbewußtsein« (41). Da ist doch zu fragen: Mit welchem Recht und mit welcher Zielsetzung wird mit dem ideologischen das *religiöse Bewußtsein* supponiert? Warum kann es ein Theologe nicht ertragen, in größter Sachlichkeit zuerst einmal der ökonomischen Wirklichkeit uneingeschränktes Recht einzuräumen und sich dem religions*kritischen*, antireligiöse Ideologien demontierenden Verfahren vorbehaltlos auszusetzen? »*Religiöser* Sozialismus«, Rezeption sozialistischer Motive im Bereich des Christentums, gibt nicht das Recht und den Freibrief, Karl Marx auf dem eigenen Niveau zu verhandeln.

220 Karl Marx

Daß dem Marxismus als der gesellschaftskritischen und sozialrevolutionären Bewegung zunächst einmal in *selbstkritischer Offenheit und teilnehmender Verantwortung* zu begegnen ist, hat insbesondere *Helmut Gollwitzer* die christliche Theologie aufgerufen und angehalten. In Übereinstimmung mit seinen Thesen ist zunächst Folgendes zu rekapitulieren:

1. Christliche Theologie und Kirche sind verpflichtet, die wissenschaftlich-rational argumentierende Diagnose und Therapie der Gesellschaft, wie sie der Marxismus vollzieht, in höchster Aufmerksamkeit und Aufgeschlossenheit zu rezipieren, die Überwindung menschlicher Entfremdung durch die sozial-revolutionäre Bewegung wirklich wahrzunehmen und also jeglichem Antikommunismus entschlossen abzusagen.

2. Christliche Theologie und Kirche haben sich dem Wahrheitskern und der Spitze marxistischer Religionskritik vorbehaltlos auszusetzen und in einen Lernprozeß einzutreten, in dem theologische Religionskritik mit den sozial-ökonomischen Analysen marxistischer Kritik an der Religion zu korrespondieren vermag.

3. Das Gespräch mit dem Marxismus hat dort einzusetzen, wo die Sozialrevolution mit dem Ziel der »klassenlosen Gesellschaft« behauptet und beansprucht, nicht nur ein höchst konkretes und notwendiges, sondern auch ein ganzheitliches Sinnziel von Mensch, Geschichte und Welt zu erfüllen.

Diese letzte These bedarf der näheren Erläuterung. Bewußt werden an dieser Stelle nicht Begriffe wie »Metaphysik«, »Religion« usw. eingeführt. Es kann sich ja nicht darum handeln, der Kritik des Marxismus an Metaphysik und Religion nun im Gegenzug metaphysische Zielsetzungen und religiöse Ersatzkomplexe zu unterstellen oder in die Diskussion zu bringen. Wenn darum die Frage nach dem *ganzheitlichen Sinnziel* von Mensch, Geschichte und Welt aufgeworfen wird, dann geht diese Fragestellung davon aus, *daß um der Menschlichkeit des Menschen willen defiziente Bereiche zur Sprache gebracht, analysiert und diskutiert werden müssen.* Wahre Praxis als Inbegriff von Handlungen, die der Idee der Freiheit entsprechen oder genügen, bedarf des vollen theoretischen Bewußtseins *(Th. W. Adorno).* Doch kann und darf es sich nicht darum handeln, um eines mythologisch eingeführten »Ganzen« willen und also im Zeichen einer abstrakten »allgemeinen Wirklichkeit« Gesellschaftskritik und Sozialrevolution abzuwerten, abzuschwächen, kritisch zu unterlaufen oder in irgendeiner Weise prinzipiell zu diskreditieren. Schon gar nicht kann und darf es das Ziel dieser Unternehmung sein, »das Ganze« für »die Religion« zurückzugewinnen. Es mag hinzugefügt werden, daß es auch nicht der Sinn des zu führenden Gesprächs sein kann, revisionistische, reformistische und andere im ökonomischen Kontext liegende Einsprüche gegen den Marxismus theologisch auszuwerten.

In einem Aufsatz aus dem Jahre 1856 hat Karl Marx den Satz geschrieben: »Wir wissen, daß die neuen Kräfte der Gesellschaft, um gutes Werk zu verrichten, nur *neue Menschen* brauchen . . .« Andererseits ist es für Marx ausgemacht, daß sich die Erneuerung des Menschen nur im Prozeß der Veränderung und Erneuerung der Gesellschaft ereignen kann. Hat Karl Marx sich, so wird mit Recht immer wieder gefragt, die Tragweite der Erneuerung des Menschen und das Verhältnis von menschlicher und gesellschaftlicher Veränderung wirklich klar gemacht? *Löwith* meint, Marx scheine für die Bedingungen einer möglichen Wiedergeburt völlig blind und mit der abstrakten Formel dogmatisch befriedigt gewesen zu sein, daß der neue Mensch der das Gemeinwesen hervorbringende Kommunist sei, das gesellschaftliche »Gattungswesen« der neuen Gesellschaft (*K. Löwith*, Weltgeschichte und Heilsgeschehen, ³1953, 41). *Robert Tucker* sieht die Anthropologie bei Karl Marx schablonenhaft-dualistisch einzementiert. Der eine Mensch ist der Arbeiter, der Proletarier; der andere Mensch der »Nicht-Arbeiter«, der Kapitalist. »Statt des einen Wesens – des arbeitenden Menschen, der von sich im Arbeitsprozeß entfremdet ist – gibt es jetzt zwei. Der Mensch als solcher ist verschwunden und an seine Stelle sind zwei Individualitäten getreten, der Arbeiter und der Kapitalist, die sich feindlich gegenüberstehen« (*R. Tucker*, Karl Marx. Die Entwicklung seines Denkens von der Philosophie zum Mythos, 1963, 188). So wäre von einer »gespaltenen Persönlichkeit« auszugehen, die im *Klassen*kampf gegeneinander steht. Aber ein solcher Weg von der Philosophie zum Mythos ist von Marx nie beschritten worden; *Robert Tucker* ist ihn gegangen. Und auch die auf den »Dogmatismus« verweisenden Erklärungen *Löwiths* sind nicht zutreffend. Wohl weiß Marx, daß der Keim des neuen Menschen jenes elende, unterdrückte Menschenwesen in der kapitalistischen Gesellschaft ist. Doch die »Gegengestalt« des Kapitalisten ist auch die eines neuer Zukunft entgegenzuführenden Menschen. Entscheidend ist der revolutionäre Prozeß, und zwar schon im Augenblick, in dem ein Mensch in ihn eintritt. Die Arbeiterklasse hat sich einzustellen auf lange Kämpfe und eine ganze Reihe geschichtlicher Prozesse, durch welche die Menschen wie die Umstände gänzlich umgewandelt werden. Hier sind keine Ideale zu verwirklichen, sondern lediglich die Elemente der neuen Gesellschaft in Freiheit zu setzen. Diese neue Gesellschaft und mit ihr der neue Mensch beginnen sich bereits im Schoß der zusammenbrechenden Bourgeois-Gesellschaft zu entwickeln.

Aber es ist nun gar keine Frage, *daß von diesem revolutionären Erneuerungsprozeß zahllose Menschen ausgeschlossen sind:* Menschen, die heute, gestern und vorgestern, aber auch morgen und übermorgen im sozialen Elend dahinsterben und das erste Morgenlicht einer »klassenlosen Gesellschaft« nicht gesehen haben, sehen und sehen werden; Menschen, die in Krankheit und in angeborenen körperlichen oder geistigen Leiden dahinvegetieren; Menschen, die in persönlicher, familiärer und gesellschaftlicher Not an der Frage nach dem Sinn des Lebens zerbrechen; Menschen, die ein von Parteiapparaten und Funktionären ausgehöhlter, dem »Imperialismus« verfallener Kommunismus um ihr Lebensrecht und ihre Freiheit betrogen hat; Menschen, die in den Vernichtungsstrudel der ideologischen Säuberungsaktionen hineingeraten sind; Menschen, die wie stumpfe Arbeitstiere zu Höchstleistungen zur Ehre und zum Ruhm des kollektiven Wirtschaftspotentials angetrieben werden; Menschen, denen ein imaginäres »sozialistisches« Glück suggeriert wird.

Es ist ganz gewiß wahr: *Keine Bewegung der Neuzeit hat sich von ihrem Ansatz her und in ihrer revolutionären Zielsetzung so sehr der Menschlichkeit des in Unterdrückungssystemen entfremdeten und verelendeten Menschen angenommen wie der Marxismus.* Doch indem an *einer* entscheidenden Stelle der Durchbruch unternommen wurde, mußten – um der Effizienz und totalen Konzentration im gesellschaftlich-ökonomischen Bereich willen – andere, auch neue Bezirke menschlicher Not und menschlicher Leiden übergangen, ja sogar streng verschlossen werden. Da beginnt die von Karl Marx in den »Pariser Manuskripten« mit Recht proklamierte *Humanität des Kommunismus,* auf die unterdrückte Menschen und Völker auch heute ihre Hoffnung setzen, in Inhumanität umzuschlagen. Und der Vorwurf, es herrsche eine »verkürzte Anthropologie«, ist zu leicht und gering, um diese Vorgänge in ihrem Gewicht erfassen zu können. Vor allem wird man sich davor hüten müssen, den Marxismus theologisch oder geistesgeschichtlich zu etikettieren. Man substituiert immer schon ein Leitbild von »Religion«, wenn der Marxismus als »säkularisierte Eschatologie« bezeichnet wird und wenn es dann heißt: »Der Marxismus droht mit seiner eschatologischen Heilslehre zum Religionsersatz zu werden« (*W. Kreck,* Grundfragen christlicher Ethik, 1975, 261). Richtiges und Wichtiges bringt die geistesgeschichtliche Erklärung *Gollwitzers,* ». . . daß die marxistische Kritik als eine neuzeitliche aus einem konsequenten Rationalismus und Immanentismus entsteht und damit den Menschen ganz auf sich, und zwar auf seinen Intellekt und sein Herrschaftswissen stellt, insofern aber mit einer verkürzten Anthropologie arbeitet und den nicht-rationalisierbaren Erfahrungen den Realitätsbezug bestreitet« (*H. Gollwitzer,* Befreiung zur Solidarität, 1978, 86).

Es wird aber vor allem die These zu verfechten sein, *daß die rationalisierbaren Defizite hinsichtlich der Anthropologie des Marxismus ins Gespräch gebracht werden müssen.* Der Kommunismus ist bei seinem Anspruch, Humanismus sein zu wollen und für die Humanität des entfremdeten Menschen einzutreten, zu behaften. Seine ökonomisch relationierte Entfremdungstheorie, deren Recht und Konsequenzen unbestreitbar sind, wird auf ihre Restriktionen hin zu befragen sein. Theologen können diese Diskussion nur unter der Voraussetzung eines freien Ja zur marxistischen Religionskritik führen. Es kann also nicht ihr Bestreben sein, Religion wiederaufzurichten, ein neues Verständnis für eine neu sich darstellende Religion zu erstreiten. Solche Versuche kommen viel zu spät; sie sind durch den Gang der Ereignisse längst überholt. Wenn das theologische Thema überhaupt eingebracht werden kann, dann jenseits von Religion, an einem Punkt rationalisierbarer Auseinandersetzungen, in denen es noch einmal um das geht, was Karl Marx *die harte Wirklichkeit* nannte.

An dieser Stelle soll kurz die Frage nach der *Erneuerung des Menschen im revolutionären Prozeß* wieder aufgenommen werden. Die Weiterführung dieses Gedankens war ja unterbrochen worden durch die in den Vordergrund tretende Feststellung, daß zahllose Menschen von diesem revolutionären Erneuerungsprozeß ausgeschlossen sind. Diese Tatsache läßt schon ex principio danach *fragen, ob überhaupt und mit welchem Recht dieses Erneuerungsgeschehen den Anspruch erheben kann, wirkliche Sinnerfüllung menschlichen Lebens zu gewähren.* Der Marxist wird eine solche Erwägung als abstrakt und an fremden Absolutheitsprinzipien orientiert zurückweisen. Aber sie ist *konkret* gezielt und bezieht sich auf die harte Wirklichkeit derjenigen vom Erneuerungsprozeß ausgeschlossenen Menschen, die genannt wurden. Aber abgesehen von dieser Grundfrage bleibt im revolutionären Erneuerungsprozeß *das Verhältnis von Individuum und Gesellschaft* ungeklärt und problematisch. Die Personalität des Menschen ist nicht wirklich erkannt worden. Wie lebt der einzelne in der kommenden Gesellschaft? Löst er sich auf zu einem Funktionsträger in der Gesellschaft, oder wird er zu seinem eigenen, eigentlichen Sein befreit? Was ist dieses eigene, eigentliche Sein? Vgl. *H. Gollwitzer*, Die marxistische Religionskritik und der christliche Glaube, 1965, 58; *G. Rohrmoser*, Die Religionskritik von Karl Marx im Blickpunkt der Hegelschen Religionsphilosophie: NZSTh 2, 1960, 60. Die Fragen bleiben offen.

In allen Ausführungen ist bisher davon ausgegangen worden, daß die marxistische Religionskritik im Kontext der Gesellschaftskritik und ökonomischen Revolution von der christlichen Theologie mit neuer Aufmerksamkeit, Lernbereitschaft, Zuwendung, Mitverantwortung und kritischer Offenheit aufzunehmen ist; daß jeglicher Antikommunismus nur schädlich, eine Verdrängung wirklicher Übel in dieser Welt und eine religiöse Selbstrechtfertigung sein kann. Aber es darf eben nicht verschwiegen werden, daß die große Mehrzahl der Theologen und Kirchenmänner *nicht bereit ist, zuerst einmal den langen Weg der Selbstkritik zu gehen.* Viel zu schnell und hastig, angetrieben durch konservativ-politische Kräfte, gehemmt durch bürgerliches Ruhebedürfnis, mit dem Wunsch, bestehende Verhältnisse zu bewahren und u.a. auch die kirchliche und wissenschaftliche Reputation eines rechtschaffenen Theologen nicht zu verlieren, wird gegen den Marxismus und Kommunismus Stellung bezogen bzw. eine windstille Ecke des Verzichts auf jede Auseinandersetzung aufgesucht.

Da schwingt *rationale Resignation* mit, wenn *Emil Brunner* die Auffassung vertritt, ». . . wie der Nihilismus – mit dem der Marxismus im Kern identisch ist, von dem er sich aber durch sein Programm unterscheidet – ist der Kommunismus darum, weil er in irrationalen Momenten wurzelt und dämonischer Natur ist, mit Argumenten nicht zu widerlegen« (Dogmatik III, ²1964, 403). Es wird schwer, solche Irrationalisierungen und Dämonisierungen (denn darum handelt es sich in der Prämisse) überhaupt zu begreifen. Sie sind weithin willkommen, weil sie einen verstummenden Schrecken einjagen und die nähere Befassung mit den rational durchaus zugänglichen Prozessen der Gesellschaftskritik und ihren Konsequenzen abschneiden.

Unter *dieser* Voraussetzung ist dann auch zu sehen, was Brunner über den *Marxismus als »Gericht Gottes«* schreibt, auch wenn anzuerkennen ist, wie Brunner versucht, die unter dem

Gericht Gottes stehende Kirche zu belehren: »Der Marxismus ist als ein Gericht Gottes am empirischen Christentum anzusehen. Er ist sozusagen eine Mangelerkrankung, die nur aus einem tatsächlichen Mangel erklärbar ist. An diesem Mangel trägt die Christenheit – mehr oder weniger in all ihren Formen – eine große Mitschuld. Die Ausbeutung sowohl der Bauern unter dem Feudalsystem als auch der Industriearbeiterschaft durch den Laisser-faire-Kapitalismus, wie er in Europa bis über die Mitte des 18. Jh. und in den Kolonialländern bis in die jüngste Vergangenheit herrschte und zum Teil noch jetzt herrscht, ist von den ›christlichen Völkern‹ geduldet worden, ohne daß sie durch den Protest des christlichen Gewissens wesentlich gestört wurde. Man nahm es als eine Selbstverständlichkeit hin, daß Europa und Amerika aus dem Schweiß und der menschenunwürdigen Arbeit der Nichtprivilegierten reich wurden und zur Weltmacht gelangten. Es wäre sicher im höchsten Maße ungerecht, für all das die Christenheit verantwortlich zu machen. Aber es wäre Verblendung, eine schwere Mitschuld der christlichen Kirche zu leugnen« (Dogmatik III, 402). Was hier der Christenheit vor die Augen gestellt wird, klingt doch alles sehr gedämpft, relativiert und ist dem vom »Gericht Gottes« ausgehenden Ansatz letztlich nicht angemessen.

Für *ein großes Übel* hält *Reinhold Niebuhr* den Kommunismus, vor allem dessen »*utopische Illusionen*«, die, wie er meint, den Kommunismus »zweifellos gefährlicher als den Nationalsozialismus« machen. »Tatsächlich liegt im Gebrauch der Utopien der Grund für das Böse im Kommunismus und für seine große Gefahr. Er liefert die moralische Fassade für die skrupelloseste Politik, indem er den kommunistischen Oligarchen die sittliche Legitimation gibt, ursprüngliche Werte im historischen Prozeß zu unterdrücken und zu opfern, um ein so ideales Ziel zu erreichen« (Christlicher Realismus und politische Probleme, 1953, 38). Überall wittert Niebuhr Unheil, in allen Äußerungen des Kommunismus spürt er den Wurzeln des Bösen nach. Er hat sich an keiner Stelle von der von Karl Marx ausgehenden Grundaussage des Marxismus betreffen lassen und konnte an der Religionskritik mit souveräner Gelassenheit vorübergehen. Was »Kommunismus« heißt, wird ausschließlich an den politischen Maßnahmen der UdSSR und ihrer Satelliten festgemacht. Die Frage, ob der Kommunismus des Ostblocks mit seinen militärischen Unterdrückungsaktionen (heute stehen u.a. Ungarn, ČSSR und Afghanistan zur Rede) überhaupt noch den genuinen Marxismus repräsentiert, wird von Niebuhr und allen denen, die nicht bereit sind, zuerst einmal zu hören und zu lernen, gar nicht gestellt. Insbesondere die Beziehung der Religionskritik auf die ökonomische Analyse und Kritik kommt nicht in den Blick. Eine vage Vorstellung von »utopischen Illusionen« wird ausschließlich hinsichtlich der politischen Auswirkungen befragt. Dies ist keine sachgemäße Einstellung!

Aber es würde zu weit führen, derartige antikommunistische Publikationen weiter zu verfolgen. Auch kann es hier nicht unternommen werden, nach der Vereinbarkeit oder Unvereinbarkeit des christlichen Glaubens mit dem Marxismus zu fragen. Auf einzelne Fragen, die zuletzt angeschnitten wurden, wird später zurückzukommen sein.

Schließen wir ab mit einer *scharfen Gegenüberstellung*. Wenn *Ernesto Cardenal*, der sich vorbehaltlos als Christ bekennt, im Überschwang einmal erklären konnte: »Der Kommunismus – das ist das Reich Gottes«, so ist diese bei nüchterner theologischer Betrachtung ganz gewiß nicht anzuerkennende und zu vertretende Ineinssetzung immer noch ungleich sinnvoller und Reich-Gottes-bezogener als der auf Luthers Übersetzung »Das Reich Gottes ist inwendig in euch« (Lk 17,21) rekurrierende bürgerlich-religiöse Individualismus mit all seinen Verschlossenheiten gegenüber sozialer Not und politischem Elend! Doch für den Christen ist es gewiß, daß das in Jesus von Nazareth kommende und in Verborgenheit gegenwärtige Reich Gottes die »absolute Utopie« ist, der gegenüber alle anderen (innerweltlichen) Veränderungen und Erneuerungen, auch und vor allem die einer Sozialrevolution, nur den Charakter »relativer Utopien« haben können *(H. Gollwitzer)*. »Relativ« aber bedeutet keine Abwertung, keine Abschwächung. Die Beziehung auf die absolute Macht des die Schöpfung erneuernden Reiches Gottes läßt die menschenmöglichen Taten von der bewegenden Kraft des Notwendigen, die Not-wendenden, Drängenden und Dringenden beunruhigt und angetrieben sein – jedoch im Bereich des *Vorläufigen*, nicht des Endgültigen und Vollkommenen. *Die christliche Gemeinde ist berufen und beauftragt, in der sie umgebenden Gesellschaft die humanen und sozialen Implikationen der in ihrer Mitte offenbar gewordenen Liebe, Gerechtigkeit und Freiheit des Reiches Gottes zu realisieren und so im Vorläufigen in der Kraft und Krisis des Endgültigen tätig zu sein (H.-J. Kraus,* Reich Gottes: Reich der Freiheit. Grundriß Systematischer Theologie, 1975, 405ff.).

VI

Die neuen Perspektiven

1. Das Alte Testament

Es geht in diesem ersten Abschnitt, der sich dem Alten Testament zuwendet, dann aber auch im zweiten Abschnitt, der unter das Thema »Die Christusbotschaft« gestellt ist, sich also mit neutestamentlichen Aspekten befaßt, um *biblisch-theologische Probleme und Perspektiven*. Es soll erarbeitet und untersucht werden, ob und in welchem Sinn das Thema »Religionskritik« in der Bibel Alten und Neuen Testaments akut ist. Zu den anstehenden Fragen werden jeweils Leitsätze formuliert, die dann im einzelnen zu entfalten und zu erklären sind.

a) *Auf den ersten Blick treten im Alten Testament Religion und Weltlichkeit, Volksfrömmigkeit und Prophetie in verwirrendem Nebeneinander und Ineinander auf. Doch bricht die Prophetie eine Zukunft auf, die in neuer Weltlichkeit geschaut und verheißen wird.*

Es hat eine ganze Reihe von Theologen gegeben – und sie gibt es auch noch heute –, die im Blick auf das Alte Testament von einem Dokument der *Religion* Israels sprechen. Wie dicht und deutlich diese »Religion« mit den religiösen Institutionen und Erscheinungen der Umwelt verbunden war, zeigte insbesondere die religionsgeschichtliche Schule; darüber hinaus wird der Zusammenhang jeder gewissenhaften Forschung in immer neuen Aspekten evident. Auch hat man die »*Frömmigkeit*« des Volkes Israel untersucht und entsprechende frömmigkeitsgeschichtliche Studien geschrieben, in denen Fragen der israelitisch-jüdischen Religiosität dargelegt und ausgebreitet wurden. Alles gut und wichtig! Aber nun wird man doch gerade nicht behaupten können, daß das Alte Testament ein exklusiv religiöses Dokument sei, dessen wesentliche Inhalte Kulte, Riten, magische Praktiken – kurz: alle Verrichtungen einer »Religion« wären. Erstaunlich ist vielmehr die Tatsache, daß in den alttestamentlichen Schriften auch ausgesprochen weltliche, profane Literatur zu finden ist. Friedrich Nietzsche erklärte: »Im jüdischen ›Alten Testament‹, dem Buch von der göttlichen Gerechtigkeit, gibt es Menschen, Dinge und Reden in einem so großen Stile, daß das griechische und indische Schrifttum ihm nichts zur Seite zu stellen hat« (Werke II, ed. *K. Schlechta*, 614). Nietzsche dachte an das *Weltliche und Menschliche*, an den Erdgeruch, der aus dem Alten Testament aufsteigt (»Brüder, bleibt mir der Erde treu!«). Religiöses und Weltliches liegen teilweise nebeneinander, auf weite Strecken aber auch ineinander verschlungen in der hebräischen Bibel vor. Doch auf keinen Fall wäre es angemessen, das Ganze dieser Bibel von »Religion« her und auf »Religion« hin zu verstehen. Allerdings kann auch die »Weltlichkeit« nicht als ausschließliches Verstehensprinzip in Anspruch genommen werden. Ohne allen Zweifel aber ist das Alte Testament in seinem das Ganze beherrschenden Duktus – sieht man von wenigen Ausnahmen ab – ein *Geschichtsbuch*. Und an den entscheidenden Stellen dieser Geschichte (man möchte sagen: an ihren Bruchstellen) treten Propheten auf, die, wie es noch genauer zu erklären sein wird, Israel zur Bewährung im politischen und geschichtlichen Raum aufrufen, jedenfalls alle Aufmerksamkeit ihrer Zuhörer auf das profane, diesseitige Leben richten. Es ist konsequent und bezeichnend, daß diese Propheten in ihren die Zukunft aufreißenden Visionen und Verheißungen beim weltlichen und diesseitigen Thema bleiben. Auf dem Fluchtpunkt ihrer Verheißungsperspektive steht *Gottes neue Schöpfung:* der neue Himmel und die neue Erde (Jes 65,17; 66,22). Die »neue Erde«, über die ein neuer, entgötterter Himmel gespannt sein wird, wird ein neues Zusammenleben, neue Gerechtigkeit und Treue, sinnvolles Leben und erfüllte Existenz bringen. So wird die Zukunft geschaut und verheißen. *Alles zielt ab auf die neue Erde und den neuen Menschen.* Eben diese Zukunftserschließung ist von grundlegender Bedeutung für das Verständnis des Neuen Testaments, für die Christusbotschaft. Nichts kann und darf hier vorschnell eschatologisch spiritualisiert oder »entweltlicht« *(R. Bultmann)* werden. Naürlich ist nicht zu leugnen, daß Propheten, die vornehmlich in priesterlich-kultischer Tradition stehen, wie z.B. Ezechiel, auch einen neuen Kult, man könnte sagen: eine »neue Religion« heraufkommen sehen. Aber man wird nicht behaupten können, daß diese Zukunftsschau dominant sei. So spiegelt sich auch in den Zukunftsverheißungen und Visionen des Alten Testaments das oft verwirrende Nebeneinander und Ineinander von Religion und Weltlichkeit, von dem ausgegangen wurde.

b) *Der Gott Israels tritt mit seinen Taten und mit seinen Worten aus der Welt der Götter und Mächte heraus; das Geheimnis seiner Einzigartigkeit ist sein Name.*

Im Alten Testament handelt es sich nicht um das, was Menschen von Gott zu erkennen und zu wissen meinen, sondern primär und grundlegend um das, was Gott bei den Menschen wirkt. Gott wird erkennbar, indem er sich zu erkennen *gibt*, indem er sich erkennbar macht – in seinen Taten und in seinen Worten. *G. v. Rad* hat von einem absoluten theologischen Vorrang des Ereignisses vor dem Logos, also der Taten vor den Worten Gottes, gesprochen (Theologie des Alten Testaments II, [7]1980, 129). Diese Erklärung ist insofern gewiß zutreffend, als nicht das deutende, die Welt erklärende Logos-Prinzip am Anfang steht (wie bei den Griechen), sondern das *Tun Gottes*, das dann jedoch einen sich selbst bezeugenden und bezeugten Ausdruck in Worten der Erzählung, Verkündigung und Lobpreisung findet. M.a.W.: Die Geschichte wird zum Wort, und das Wort wiederum erweist sich als wirkende Macht, als Geschichte wirkendes Tatwort (*F. Mildenber-*

ger, Gottes Tat im Wort, 1964). Ohne allen Zweifel hat Israel Jahwe in seinen Taten und Worten als den erfahren, der aus der Welt der Götter und der
numinosen Mächte herausgetreten ist – in der Einzigkeit seines konkrete
Geschichte begründenden Tuns. In der jüdischen Theologie findet man folgende Erklärung: »Der Gott Israels ist der Einig-Einzige nicht dadurch, daß
er allein das ist und das tut, was alle die Götter der Heiden zusammen tun
und zusammen sind, sondern dadurch, daß er *anders* ist als sie alle und *anderes* tut als sie alle. Das Wesen Gottes ist dem der Götter durchaus entge-
gengesetzt; er ist nicht etwa bloß mehr als sie und erhabener als sie, er steht
ihnen unvergleichbar gegenüber« (*L. Baeck*, Das Wesen des Judentums,
⁶1959, 103). Dies ist eine dem Alten Testament und dem jüdischen Glauben
gemäße Erklärung. Nur wird man fragen können: Ist »Einzigartigkeit«
nicht doch ein religiöses Phänomen – ein Phänomen des Vergleichs und der
Erhebungen im Kontext religiöser Erscheinungen? Sicher kann man an keiner Stelle Kriterien für religionskritische Absolutismen gewinnen. Vielmehr muß es grundsätzlich und also auch wegweisend für alles Folgende dabei bleiben: »Gott ist in seiner Offenbarung tatsächlich eingegangen in eine
Sphäre, in der seine Wirklichkeit und Möglichkeit umgeben ist von einem
Meer von mehr oder weniger genauen, aber jedenfalls grundsätzlich als solche nicht zu verkennenden Parallelen und Analogien in menschlichen
Wirklichkeiten und Möglichkeiten. Gottes Offenbarung ist tatsächlich Gottes Gegenwart und also Gottes *Verborgenheit* in der Welt menschlicher *Religion*. Indem Gott sich offenbart, verbirgt sich das göttlich Besondere in einem menschlich Allgemeinen, der göttliche Inhalt in einer menschlichen
Form und also das *göttlich Einzigartige* in einem *menschlich bloß Eigenartigen*« (*K. Barth*, KD I,2:307). Diese Sätze *Karl Barths* wird man nicht vergessen dürfen.

Gleichwohl tritt das Einzigartige, das »Proprium« des Gottes Israels in
seinem *Namen* hervor. Der Name bezeichnet die Unverwechselbarkeit der
»Person«; in ihm existiert und begegnet dessen Träger. Deshalb enthält der
Name eine Aussage über Wesen und Eigenart, ja eben auch Einzigartigkeit
seines Trägers. Im Alten Testament ist der Name das erste Wort Gottes, das
Urwort der Selbstmitteilung und Selbstvorstellung. Gott sagt, *wer* er ist. Er
macht sich selbst damit ansprechbar und anrufbar. So ist im Alten Testament der Name Inbegriff der Offenbarung und des Bundes. Dieser Name ist
Israel anvertraut. Die Völker kennen ihn nicht. Die »etymologische« Definition des nomen Dei, die in Ex 3,14 gegeben wird, ist zwar philologisch
nicht akzeptabel, doch enthält sie theologisch höchst aufschlußreiche Eröffnungen. Dabei ist zuerst noch einmal hervorzuheben: Der Name ist das
Urwort der Selbstmitteilung des Gottes Israels, Inbegriff der Offenbarung.
Er ist – so darf man jetzt hinzufügen – *einschneidender Akt der Selbstunter-
scheidung Jahwes von der Welt der Götter und Mächte*. In seinem Namen
tritt der Gott Israels unverwechselbar sprechend und handelnd aus sich heraus. Der Name erleuchtet sein Wort und Werk. Was ist es um diesen Namen (Ex 3,13)? Der Gottesname wird von היה abgeleitet und erklärt. Die

Übersetzung ist nur approximativ zu vollziehen: »Ich werde dasein als der ich dasein werde!« (Ex 3,14).

Doch wie ist dieser paronomastische Relativsatz zu verstehen? 1. Dieser Relativsatz insistiert auf *Offenheit zur Zukunft* hin. Man könnte paraphrasieren: »Ich werde dasein, aber es wird sich noch erweisen, in welcher Weise und Gestalt ich dasein werde.« Freiheit auf künftiges Sich-Offenbaren und Mitteilen hin wird angesagt. 2. Die Frage nach dem Namen Gottes (V. 13) hat stets einen menschlich-allzu-menschlichen Zweck. Der Fragende möchte mit dem Besitz des Namens den Zugang zu Gott und die *permanente Verfügungsmöglichkeit* über seine Macht gewinnen. Wir stehen am Rand der Magie und des Namenszaubers. Werden diese geheimen Tendenzen gesehen, dann ist in Ex 3,14 der *Gestus der Abweisung und Selbstverschließung Gottes* unverkennbar. 3. Aus dem Kontext ist ersichtlich, daß der Jahwe-Name Inbegriff der Zusage und der Verheißung ist. Jahwes Dasein bestimmt sich selbst als ein *Für-Israel-Dasein*. Damit sind alle ontologischen Spekulationen ausgeschlossen. 4. Das Für-Israel-Dasein Jahwes steht im Zeichen *der Beständigkeit und der Treue*. In allem künftigen Wechsel und Wandel bleibt der Gott Israels der Beständige und Zuverlässige. – Diese vier Aspekte lassen religionskritische Motive erkennen, und zwar gewiß nicht nur in der Abwehr jeden Namenszaubers und jeder magischen Manipulationsmöglichkeit. Vielmehr entreißt der sich benennende und erklärende Gott sich selbst dem gesamten Verfügungsfeld der Religion, jenem autonomen, anthroponomen »Zwischenbereich« zwischen Gott und Volk, in dem nicht mehr Er allein, Jahwe, freier und gnädiger Herr, sondern evozierbares Numen wird. In diesem Sinn kann *K. H. Miskotte* den antiheidnischen und antireligiösen Charakter des Namens herausstellen: »Der Name *unterscheidet* Gott *von anderen Wesen*, Göttern und Dämonen. Die Bibel hat nicht zuerst einen allgemeinen Gottesbegriff, um diesem sodann besondere Namen, Bilder, Eigenschaften hinzuzufügen. Sie spricht von Gott zunächst als von *einem* Gott zwischen anderen Göttern . . . Die zentrale Stellung des Namens schließt ein, daß Offenbarung immer *besondere* Offenbarung gewesen ist, ist und sein wird« (Biblisches ABC, 1976, 37f.).

Zwar wird der im Alten Testament Forschende fortgesetzt darauf hingewiesen, daß das alte Israel mit zahllosen Fäden mit der religiösen Umwelt des alten Orients verbunden war, doch wird die *unverwechselbare Einzigartigkeit* des im Alten Testament bezeugten Geschehens in der Intention der Texte zu erkennen und zu benennen sein. »Eine alttestamentliche Religionsgeschichte hat also nicht einfach den Werdegang der israelitischen Religion als einer Religion unter anderen darzustellen, sondern das Besondere hervorzuheben, das sie von anderen Religionen unterscheidet und sie selbst im Wechsel der Zeiten prägt. Auf diese Weise enthält eine Religionsgeschichte zugleich ein doppeltes Moment der Religionskritik: Es zeigt sich einerseits in der Auseinandersetzung mit den Umweltreligionen und den von ihnen übernommenen Vorstellungen, andererseits in der Selbstkritik, die alttestamentlicher Glaube an sich übt. Sie kommt nicht nur, aber in besonderem Maße in der Prophetie zu Wort« (*W. H. Schmidt*, Alttestamentlicher Glaube in seiner Geschichte, ³1979, 12). Vor allem auf die Intention des ersten und zweiten Gebots (Ex 20,3.4) wäre in diesem Zusammenhang zu achten (a.a.O., 67ff.74ff.). Vgl. auch *W. H. Schmidt*, Das erste Gebot, 1969.

c) *Im Alten Testament wird Offenbarung durch Erwählung eröffnet
und in der Bundesgeschichte Gottes mit Israel bewahrt. In Israel kommt
Gott zur Welt.*

Das Ereignis der Erwählung zerbricht die allgemein-religiöse Vorstellung
von »Offenbarung«. Denn nicht darum handelt es sich im Alten Testament,
daß »das Heilige« sich wahllos an heiligen Orten und in mächtigen Ereignis-
sen mitteilt. Vielmehr geschieht Offenbarung ganz konkret und gezielt als
Erwählung, als in Freiheit unternommene Zuwendung zu einer bestimmten Menschengruppe in Raum und Zeit. Gott offenbart sich, indem er sein
Gegenüber erwählt. Was immer an lokalen Manifestationen in Israel geschehen sein mag – es ist diesem entscheidenden Ereignis integriert. Mit
Erwählung wird Geschichte eröffnet, wird ein Weg betreten, auf dem der
Gott Israels zur Welt der Völker kommt. Israel ist das Volk des Bundes, auf
das eine Wahl gefallen ist, das in der göttlichen Offenbarung angegangen,
herausgerückt und auf einen neuen Weg der Menschheit gestellt ist. Dabei
ist es des biblischen Gottes Wirkungsart, das Neue, Große im Kleinen und
Unscheinbaren zu verbergen, Entscheidungen, die die Welt bewegen, am
Rand der Geschichte einzuleiten und in äußerster Verborgenheit zu beginnen, was in der Völkerwelt von sich reden machen wird. So hebt in Ohnmacht an, was aller Macht und Gewalt der Menschen überlegen sein wird.
Offenbarung als Erwählung ist *Herabneigung Gottes* (Kondeszendenz) in
die Koexistenz mit den Erwählten. Offenbarung als Erwählung versteht sich
als Eintritt Gottes in die Bundesgeschichte, in den gemeinsamen Weg. So
beginnt die Geschichte, in der Gott an Israel handelt und in die alle Völker
hineingezogen werden sollen.

Nun ist es sicher richtig und wichtig, darauf hinzuweisen, daß das Thema
»Geschichte« keineswegs ein singuläres Sonderthema des Alten Testaments
gewesen ist. Auch in der babylonisch-assyrischen Welt ist vom Eingreifen
der Götter in das geschichtliche Leben die Rede. In dieser Hinsicht kann
keine absolute Sicherheit der Abhebung und Unterscheidung gewonnen
und statuiert werden. Vielmehr will das Spezifische, das Besondere der Er-
wählungsbotschaft und des Bundesgeschehens durch den Namen Gottes gekennzeichnet, immer neu vernommen und gewonnen sein im Hören der
alttestamentlichen Botschaft. *Martin Buber* spricht vom *Dialog Gottes* mit
seinem Partner, in den hineinzuhorchen, an dem teilzunehmen entscheidende Erschließung der Wahrheit bedeutet. Wenn zudem, wie formuliert
wurde, *Gott in Israel zur Welt kommt*, dann wird alle Aufmerksamkeit diesem bestimmten Weg, diesem *Kommen* zuzuwenden sein. Von höchster
Bedeutung ist dabei die Tatsache, daß der Weg Gottes mit Israel ein *Weg der
Gerichte* und also des göttlichen Nein gegen alle religiösen und nationalen
Wunschvorstellungen ist. Da wird in Tat und Wahrheit Religion zerbrochen und gewandelt im Schmelztiegel der Gerichte, im Widerspruch gegen
das, was an Gedanken und Wegen der Volksreligion so nahe liegt. »Meine
Gedanken sind nicht eure Gedanken, und meine Wege sind nicht eure
Wege, spricht Jahwe. Sondern so hoch der Himmel über der Erde ist, so viel

sind meine Wege höher als eure Wege und meine Gedanken höher als eure Gedanken« (Jes 55,8f.). Gott in der Geschichte seines Kommens ist nicht der Gott menschlicher Wünsche und Vorstellungen. Die durch die alttestamentliche Perspektive bestimmte Rede von Gott hat eine eminent religionskritische Bedeutung.

d) *Unter den biblischen Themen »Schöpfung« und »Exodus« werden die schärfsten Widersprüche gegen das religiöse Welt- und Lebensverständnis vorgetragen.*

Im Rahmen des Möglichen können auch jetzt nur einige Gesichtspunkte eröffnet und nur zwei herausragende Themen angesprochen werden.

Zuerst: *Die Schöpfung.* Im Alten Testament ereignet sich unter dem Geschehen und unter der Verkündigung von »Schöpfung« eine radikale Entgötterung und Entdämonisierung der Welt. Die Numina der Natur werden entmächtigt. Depotenziert werden jene Erscheinungskräfte, die in der Welt der Religionen als Machtwesen dominieren. Unter der uneingeschränkten Herrschaft des Gottes Israels, die sich in der Geschichte seiner Taten erwiesen und bewährt hat, vollzieht das biblische Schöpfungsgeschehen eine *Weltwerdung der Welt.* Es bleiben keine numinosen Reste, keine sakralen Inseln. Die Welt wird zum Erdboden, auf dem Menschen leben, auf dem Geschichte geschieht. Dieser Aspekt der Weltlichkeit beherrscht das Alte Testament. Eine umfassende Entmythologisierung ist geschehen. So sah es in Ansätzen bereits *Hermann Gunkel,* der Religionsgeschichtler (RGG² IV,381ff.). In der biblischen Schöpfungslehre wurde jene mächtige Vorstellungswelt ausgeschieden, in der Götter und Naturkräfte ihre vorzeitlichen und gegenwärtigen Wirkungen ausüben. Die Welt ist befreit von allen den Menschen zu Devotion und Religion zwingenden außerirdischen Mächten und Naturgewalten. Nicht zum religiösen Sklaven der Gottheit, sondern zum »freien Herrn aller Dinge« ist der Mensch geschaffen. Die biblische Schöpfungsbotschaft ist ein *Manifest der Freiheit.* Zum Raum freien Lebens wird die Erde; und der Himmel ist von keinen überweltlichen Schicksalsmächten besetzt. Leben und Geschichte spielen sich ab in neuen, freien Dimensionen. Theologisch gesehen – das macht das Buch Genesis deutlich – zielt Schöpfung ab auf Geschichte. Aber es zielt im Alten Testament dann auch, um dieser inneren Zusammenhänge willen, Geschichte wiederum auf Neuschöpfung ab. Ja, es spiegelt sich schon in der biblischen Schöpfungsbotschaft der Anfänge die zukünftige, neue Welt, die *neue Schöpfung,* die im Zeichen der Freiheit steht und als Schauplatz der Herrlichkeit Gottes (»theatrum gloriae Dei« heißt es bei Calvin) in Erscheinung tritt.

Das andere Thema ist der *Exodus.* Christliche Theologie und Kirche hat (das wurde schon erklärt) das Ereignis der Herausführung aus Ägypten religiös spiritualisiert. Der Exodus sollte als Präfiguration der neutestamentlichen Erlösung verstanden werden. Aber damit war ein entscheidender, grundlegender Aspekt eliminiert worden, den, wie gezeigt wurde, Dietrich Bonhoeffer neu zur Geltung gebracht hat. Der Exodus kann als das *radikale Novum* in der Welt der Religionen angesprochen werden, denn ein *ir-*

disch-politisches Befreiungsgeschehen steht am Anfang der Geschichte Israels. »Heil« ist Befreiung. Der Gott Israels erweist sich als Macht der Befreiung. Er tritt auf und tritt hervor als der um sein Volk und um seine Menschen *kämpfende Gott*. Er ist der für unterdrückte Sklaven eintretende, aus
der Knechtschaft herausreißende Gott. Die Befreiungstat des Exodus gibt
dem gesamten Alten Testament das entscheidende Gepräge. Am Anfang aller Wege stehen nicht geheimnisvolle Offenbarungsempfänge, heilige
Orte, sondern profane, diesseitige Aktionen des Gottes Israels, die eine unter der Signatur der Befreiung und der Freiheit stehende Geschichte eröffnen. Dieser Aspekt gilt schon für Gen 12,1ff. Religionskritik wird dort
scharf und konsequent, wo die Tat der Befreiung, der Exodus, hinführend
zu neuer, diesseitiger Lebensgestalt, geschehen ist. *Ernst Bloch* hat (sowohl
in seinem Werk »Das Prinzip Hoffnung« wie auch im Buch »Atheismus im
Christentum«) erkannt, welche Bedeutung dem Thema »Exodus« in der Bibel, in der *religionskritischen Perspektive* wie auch in der Eschatologie, zukommt. Dabei wird man nicht vergessen dürfen, daß bei Deuterojesaja auch
die letzte Wende zum Neuen im Symbol des »zweiten Exodus« geschaut
wird.

An dieser Stelle wäre hinzuweisen auf die in vieler Hinsicht revolutionäre Abhandlung
von *A. A. van Ruler*: Die christliche Kirche und das Alte Testament (1955). Es heißt auf S. 23:
»Ich meine, man kann mit Recht in der Betonung der geschichtlichen Tatsächlichkeit sogar so
weit gehen, daß die Kategorie der ›Religion‹ nahezu wegfällt. Worum geht es im Alten Testament? Doch wahrlich um sehr konkrete, profane Dinge: Der Besitz des Landes, die Gabe der
Nachkommenschaft, Vermehrung des Volkes, ein ›ewiges‹ Königtum, eine Gesellschaft auf
der Grundlage der Gerechtigkeit und Liebe. Über diese konkreten, irdischen Heilsgüter kommen nicht nur die Israeliten, sondern auch die Schreiber des Alten Testaments und dann auch
Gott in seiner Gegenwart im prophetischen Wort und im Volk Israel niemals hinaus.« Es geschieht alles »um der Aufrichtung des Reiches Gottes willen« (27). »Die gewöhnlichen Dinge
der Welt sind – pneumatisch gesehen – die wichtigsten. Das Neue Testament ist, damit verglichen, auf den ersten Blick etwas spiritueller« (32).

e) *Die Propheten rufen heraus aus dem Bann des Tempelkultes und des
Opferwesens; sie führen hinein in die Wirklichkeit des geschichtlichen und
politischen Lebens. Recht und Gerechtigkeit, Barmherzigkeit und Treue
sind die entscheidenden Themen.*
Selbstverständlich sind die Propheten Israels keine Religionskritiker,
auch nicht im antiken Zuschnitt. Propheten sind *Boten des Gottes Israels*,
berufen und ausgesandt, das Wort Jahwes kundzutun. Sie übermitteln dieses Wort unter der Botenspruchformel »So spricht Jahwe . . .« Vor allem
zwei Themen kennzeichnen den Inhalt der prophetischen Botschaft. Die
Ankündigung und die Begründung des Gottesgerichts. Es wird Gericht an-
gedroht: das Eingreifen Gottes, das dem eigensinnigen, verfehlten und
schuldbeladenen Weg des Volkes ein Ende setzen wird. Diese Krisis kundzutun sind die Propheten berufen. Sie haben das Gerichtsurteil aber auch zu
begründen. Und sie unternehmen dies, indem sie die konkreten Verfehlun-

gen Israels ins Licht rücken. So übermittelt Amos die Botschaft: Ich will sie nicht verschonen, »weil sie den Unschuldigen für Geld und den Armen für ein Paar Schuhe verkaufen. Sie treten den Kopf der Armen in den Staub und drängen die Elenden vom Weg. Sohn und Vater gehen zu derselben Dirne, um meinen heiligen Namen zu entweihen. An allen Altären schlemmen sie auf gepfändeten Kleidern und trinken Wein vom Geld der Bestraften im Haus ihres Gottes« (Am 2,6–8). Doch entscheidend in der Prophetie ist *die Wende*. Während das Volk im Sakralbereich religiöse Rückendeckung erstrebt und mit Opfern die Gunst Jahwes zu gewinnen sucht, gehen schneidende Gerichtsurteile prophetischer Botschaften gegen Tempelkult und Opferwesen aus. Israel soll aus dem Bann der religiösen Sicherheit befreit und in die Wirklichkeit des sozialen und politischen Lebens hineingeführt werden. Jahwe will seinem Volk *neu begegnen.* Nicht im Kultbezirk, in den man sich flüchtet, sondern in der Wirklichkeit alltäglichen Lebens. »Ich bin euren Feiertagen gram und verachte sie und mag eure Versammlungen nicht riechen. Und wenn ihr mir auch Brandopfer und Speisopfer opfert, so habe ich keinen Gefallen daran und mag eure fetten Dankopfer nicht ansehen. Tu hinweg von mir das Geplärr deiner Lieder, denn dein Harfenspiel mag ich nicht hören. Es ströme aber das Recht wie Wasser und die Gerechtigkeit wie ein nie versiegender Bach!« (Am 5,21–24). Dies sind die neuen Worte: *Recht und Gerechtigkeit.* Bei Hosea und Micha heißen die Hauptbegriffe: *Barmherzigkeit und Liebe.* Die prophetische Alternative ist eindeutig und klar: Nicht Opfer, sondern Recht und Gerechtigkeit! Kein sakraler Kult, sondern Barmherzigkeit und Güte im Zusammenleben! Aus der Krisis geht diese Unterscheidung als Entscheidung hervor. Sie ist unabweisbar. Man kann darum insofern von prophetischer Religionskritik sprechen, als das spezifisch Prophetische, das göttliche Gerichtsurteile Begründende, in der aus der Krisis hervorgehenden Kritik ins Bild tritt. Was von den Propheten Israels ausgesagt wird, ist auf alle Fälle wegweisend für die theologische Religionskritik. Doch keineswegs kann die prophetische Vollmacht unvermittelt in Anspruch genommen werden und als pathetischer Treibsatz eigenmächtiger Analysen fungieren. Hier wird man sich noch einmal vergegenwärtigen müssen, in welchem Verhältnis Sache und Zeichen zueinander stehen. Theologische Religionskritik wird immer nur in einem sekundären, nachfolgenden, zeichenhaften, reflektierenden, hinweisenden Sinn auf die primären Sachaussagen der Propheten Bezug nehmen können.

Ein besonderes Thema prophetischer Entmächtigung der Religion ist das der *Verspottung fremder Götter und ihrer Kulte.* Vgl. *H. D. Preuß*, Verspottung fremder Religionen im Alten Testament: BWANT V,12, 1971. Vor allem in Jes 40–55 werden mit der nüchtern-rationalen Schilderung der Herstellung von Götzenbildern die Götter verspottet. Ihnen wird jede Faszination und numinose Ausstrahlung genommen: Jes 40,18ff.; 44,9ff.; 45,16; Ps 115,4ff.; Jer 10,3ff. Es trifft diese religionskritische Depotenzierung aber nicht nur den Bilderkult in seinen materialen Voraussetzungen und Grundlagen; die Entmächtigung rührt an den Lebensnerv der Kulte und religiösen Verehrungen. Bestimmend ist die Frage: »Mit wem wollt ihr Gott vergleichen?« (Jes 40,18). »Die spottende Religionspolemik des Alten Testaments erfolgt überwiegend als *Verspottung der Götzenbilder*. Auch hierin zeigt sich, daß es die Eigenart Jahwes und des Jahweglaubens ist, die letzter Grund dieses Spottes ist; denn das Bilderverbot und die in ihm sich ausdrückende und hinter ihm stehende Glaubensüberzeugung ist ein wesentliches Proprium des israelitischen Denkens« (*H. D. Preuß*, a.a.O., 279).

f) *Die Weisheit Israels führt in die Weite der Welt- und Lebenserfahrungen, damit in eine ganz und gar diesseitige Sphäre.*

Zuerst ist darauf hinzuweisen, daß die prophetische Gegenüberstellung »Nicht Opfer, sondern Gerechtigkeit!« in der weisheitlichen Literatur ihren Ursprung und ihr Vorbild hat. Es heißt in Prv 21,3: »Recht und Gerechtigkeit tun ist Jahwe lieber als Opfer!« Oder in Prv 21,27: »Der Gottlosen Opfer ist ein Greuel . . .« Diese weisheitlichen Einsichten führen in die Welt der altorientalischen Weisheit zurück. Aus Ägypten ist der Spruch überliefert: »Die Tugend des Rechtschaffenen nimmt Gott lieber entgegen als den Ochsen des Unrechttuenden« (*F. W. v. Bissing*, Altägyptische Lebensweisheit, 1955, 56). Man wird freilich den Unterschied zu den Aussagen des Alten Testaments schnell erkennen können. Im Alten Testament ist »Gerechtigkeit« bundesgemäßes Verhalten, ein Verhalten also, wie es der Koexistenz mit Jahwe entspricht und einem Glied des erwählten Volkes gebührt. In Ägypten hingegen gilt. »Wer sich bemüht, Gottes Weg zu folgen, errichtet sich selbst ein Denkmal auf Erden« (a.a.O., 147). Doch bedeutsamer sind die Gemeinsamkeiten. Es gibt offenkundig ein allgemeines, nüchternes Wissen um die Hypokrasie, um die Heuchelei, die mit Tempelkult und Opferwesen, also mit allen wesentlichen Verichtungen von »Religion« verbunden ist. Dieses nüchterne Wissen artikuliert sich religionskritisch – nicht nur in Israel, sondern auch in der Völkerwelt, in der *Weisheit der Völker*. Damit ist, wie noch zu zeigen sein wird, ein wichtiger Ansatz für das Gespräch der christlichen Theologie und Kirche mit den Religionen in den Blick gekommen.

Nun hat die hebräische Weisheit überwiegend zwei Bezugsgrößen: die Welt – und zwar sowohl die Welt der Natur wie auch die Welt der Geschichte und Politik –; dann aber vor allem das menschliche Leben in den zwischenmenschlichen Beziehungen und in der eigenen Gestaltung. Zu beiden Bezugsgrößen können nur wenige Hinweise gegeben werden. Die *Welt der Natur* wird Gegenstand der Weisheit vor allem in den großen Dichtungen des Buches Hiob. Die Weisen waren die ersten Naturkundigen, die eine Bestandsaufnahme des am Himmel und auf Erden Wahrnehmbaren unternahmen. Man spricht von der sog. Listenwissenschaft, die insofern von besonderer Bedeutung ist, als sie die Welt der Natur nüchtern-sachlich, ohne jede mythologische Beimischung, wahrnimmt. Hier gibt es keine Götter und Mächte, sondern nur Weltstoffe und Weltgestalten. Es ist längst erkannt worden, daß diese Naturweisheit einen großen Einfluß auf das biblische Verständnis der »Schöpfung« ausgeübt hat. Aber dann befaßt sich die Weisheit auch mit der *Welt der Geschichte*, und zwar um Ratschläge für das politische Regiment, für Könige und Sekretäre, Verantwortliche und Untergebene zu erteilen. Auch in diesen Texten waltet ein nüchtern-diesseitiger Ton, frei von allen religiösen Horizonten. Es kommt zum Ausdruck, was dann vor allem für die *Lebenssphäre des einzelnen* und die *zwischenmenschlichen Beziehungen* gilt: Da sind zwar Recht und Gerechtigkeit, Barmherzigkeit und Güte die tragenden Pfeiler, doch wird wesentlich nach dem im Alltag des Lebens Zweckmäßigen, Förderlichen, Hilfreichen und Guten gefragt. Es werden einzelne Situationen durchgespielt, Erfahrungen mitgeteilt, Ratschläge fixiert, wie man weiterkommt, wie man gefährliche Klippen des Daseins umsegelt, nicht in Gruben abstürzt, wie man mit seinem Mitmenschen in einem guten, ausgeglichenen Verhältnis verbleiben kann. Vor allem, wie man selbst ein sinnvolles, ausgeschöpftes, langes und von Gefährdungen freies Leben führen kann. Es mußte nicht erst Ludwig Feuerbach darauf aufmerksam machen, daß der wirkliche Mensch in Freude unter der Sonne leben, essen und trinken will. Im Weisheitsspruch Koh 8,15 heißt es: »Darum pries ich die Freude; denn es gibt für den Menschen nichts Gutes unter der Sonne als essen und trinken und fröhlich sein. Das begleite ihn bei seiner Mühsal die ganze Zeit seines Lebens, das Gott ihm gegeben hat unter der Sonne!« Leider sind wir immer noch weit davon entfernt, die Bedeutung der Weisheitsdichtung Israels im Kontext der ganzen Bibel wirklich rezipieren zu können. Was *G. v. Rad* unternommen hat, vor allem in seinem Buch »Weisheit in Israel« (1970; ²1982), war – im Zusammenhang anderer monographischer Entdeckungen – ein Vorstoß in ein neues Terrain; aber die Zusammenhänge sind doch noch nicht wirklich erkannt und erarbeitet worden. Noch immer hat man den Eindruck, als sei die Weisheitsdichtung des Alten Testaments ein Fremdkörper im Ganzen und als müsse der Leser sich auf diesen »ganz anderen Bezirk« erst gehörig einrichten und einstellen, wenn er dieses Andersartige verkraften will. Es genügt eben nicht, mit der Formulierung »religiöse Lebensweisheit« eine Brücke zwischen dem »Religiösen« und diesem profanen und diesseitigen Land zu bauen. Es muß erkannt werden, welche kritische Funktion gegenüber dem religiösen Element die Weisheit im Alten Testament hat. Ein Hinweis auf die Formel »Nicht Opfer, sondern Gerechtigkeit!« könnte anzeigen, was gemeint ist.

2. Die Christus-Botschaft

Nachdem im Alten Testament erste Aspekte zu unserer Thematik gewonnen wurden, wird das Interesse jetzt der neutestamentlichen Christus-Botschaft zugewandt. Wieder sollen die wesentlichen Gesichtspunkte in Leitsätzen zusammengefaßt werden.

a) *Im Wort und Werk Jesu kommt es an den Tag: Jetzt kann nicht mehr von einem Gott jenseits der Menschen gesprochen werden, der in Apathie und Majestät in der Transzendenz thront, vielmehr hat Gott sich der verlorenen Sache seiner Menschen in voller Hingabe angenommen.*

Die Botschaft vom Wort und Werk Jesu hat die Urgemeinde überliefert und in der Christus-Botschaft kundgetan, daß in diesem Jesus von Nazareth Gott selbst auf den Plan getreten ist – der Gott Israels, der sein letztes Tun im Alten Testament angekündigt und verheißen hat: »Er selbst kommt und hilft euch!« (Jes 35,4). Jesus ist »Immanuel« (»Gott mit uns«), Gott mitten unter uns, teilnehmend an allen Leiden und Schmerzen, die Menschen zu tragen haben. Im sog. Heilandsruf werden die »Mühseligen und Beladenen« eingeladen, die endzeitliche Erquickung zu empfangen (Mt 11,28). Wem gilt der Ruf? Nicht den religiös, moralisch, gesellschaftlich Dominierenden, Erhobenen und Triumphierenden, sondern den im Verhältnis zu Gott und zu den Menschen Versagenden, Armen und Schwachen, die am Ende ihrer Kräfte und am Rand der Verzweiflung leben. Daß Gott selbst für sie eintritt, ihr Lebensleid trägt, sich ganz an sie hingibt, das kann nur Gott selbst ihnen sagen. Und er sagt es ihnen, indem er in Jesus gegenwärtig ist und sie anspricht, indem er alle ihre Krankheiten und Schmerzen trägt, den Tod auf sich nimmt (vgl. Jes 53). Das Neue, das damit aufbricht, kann nicht mit Maßstäben gemessen werden, die der Mensch mitbringt, auch und vor allem nicht mit religiösen Maßstäben. Alleiniger Maßstab ist das anredende Wort, Bestätigung und Erfüllungsproklamation der alttestamentlichen Verheißungen. Jesus Christus offenbart den *Namen Gottes* (Joh 17,6). Der Gott Israels hat ihn gesandt und ermächtigt. In ihm nimmt Gott sich der verlorenen Sache seiner Menschen in voller Hingabe an. Alle Vorstellungen von einem überweltlichen, fernen Gottwesen, das ungerührt und unberührbar in der Transzendenz thront, zerbrechen.

Nun wird man freilich sagen müssen: Daß Gott Gemeinschaft hält mit Menschen, ja sogar, daß es eine Einheit von Gott und Mensch gibt, mehr noch, daß Gott Mensch wird, das wußten und das wissen auch manche Religionen der Völker. In der Christus-Botschaft aber haben wir es ohne Frage mit etwas Besonderem, Anderem, Neuem zu tun gegenüber all dem, was Menschen sich über die Gemeinschaft von Gott und Mensch zu sagen wissen. Denn der Gott, der sich in voller Hingabe der verlorenen Sache seiner Menschen annimmt, ist der Menschgewordene, *der am Kreuz in Schmerz und Schande Gestorbene*, der wirklich und wahrhaftig vom Tod verschlungen und begraben worden ist. So ereignet sich Gottes Herablassung zum Menschen, auf Grund deren es eine wirkliche und nicht nur eine partielle (den Tod ausschließende) Gemeinschaft von Gott und Mensch gibt! Allein das Alte Testament hat in dieses Geschehen eingewiesen und allen religiösen Maßstäben widersprochen, in denen die Gottwerdung oder Selbstüberhebung des Menschen das Ziel der Gemeinschaft zwischen Mensch und Gott sein will. Kultus, Gottes*dienst*, tritt unter ein völlig neues Vorzeichen: »Der Menschensohn ist nicht gekommen, sich dienen zu lassen, sondern zu dienen und sein Leben hinzugeben als Lösegeld für viele« (Mk 10,45). Gott ist zum Diener der Menschen geworden. Da ist kein Raum mehr für einen auf eigene Initiative unternommenen menschlichen Dienst an Gott, für Religion. Der Menschensohn ist nicht gekommen, »Religion« zu stiften, sondern für Gottlose einzutreten und sein Leben für ihr verwirktes Leben ein-zusetzen. An ihn glauben, Christ-Sein hieße: sich diesen Dienst Gottes und seines Christus gefallen zu lassen, sich diesem Dienst ständig auszusetzen. »Eins ist not!« (Lk 10,42). Darum fordert Jesus auch keine religiösen Übun-gen oder Opfer, welcher Gestalt sie auch seien, sondern nur *Barmherzig-keit*, also ein seinem eigenen Tun entsprechendes Leben und Handeln, das sich ganz hat hineinnehmen lassen in Gottes Dienst am Menschen. »Wer an den Sohn glaubt, der hat das ewige Leben« (Joh 3,36). »Wenn euch der Sohn befreit, dann seid ihr wirklich frei« (Joh 8,36). Christus redet die Seinen an, »damit meine Freude in euch bleibt und eure Freude vollkommen wird« (Joh 15,11). *Leben, Freiheit, Freude* – das sind keine spirituellen, in Geist, Seele oder Jenseitigkeit festgeschriebenen religiösen Werte, sondern menschge-wordene, irdische Wirklichkeit. Nachdem Gott Mensch geworden ist, ist der Mensch das Maß aller Dinge *(K. Barth)*. Und dies alles ist nicht Aufgabe oder Forderung, Ideal oder Utopie, sondern *Gabe, freie, ungeschuldete Gnade*. Das Evangelium teilt die Menschenfreundlichkeit Gottes mit – in verbo et de facto – und beschenkt jeden, der ihm begegnet, mit einem voll-kommenen Maß an wahrer Menschlichkeit, die alles Unmenschliche, Übermenschliche, Gesetzliche und Religiöse überwindet. Es ist gewiß: Gott hat sich der verlorenen Sache seiner Menschen angenommen. In diesem Geschehen wird es evident: Jesus »hebt die für die gesamte Antike grundle-gende Unterscheidung zwischen dem Temenos, dem heiligen Bezirk, und der Profanität auf und kann sich deshalb den Sündern zugesellen« (*E. Kä-semann*, Das Problem des historischen Jesus: Exeget. Vers. u. Bes. I, ⁴1965, 207).

Zur Auseinandersetzung mit dem Apathie-Gedanken und mit der das *apathische Gottesbild* in die Trinitätslehre hineinprojizierenden Theolgie und Kirche vgl. *J. Moltmann*, Der gekreu-zigte Gott, 1972, 256ff.

b) *Mit dem in Jesus Christus kommenden und in Verborgenheit ge-genwärtigen Reich Gottes beginnt die große weltverändernde Offensive Gottes gegen das Elend unserer Welt.*
Nach alttestamentlicher Erwartung und apokalyptischer Vorstellung ist »Reich Gottes« die den jetzigen Weltlauf beendende, den gesamten Weltbe-stand verändernde und erneuernde Macht und Sphäre göttlichen Eingrei-fens und Wirkens, die Aufrichtung einer neuen Schöpfung, in der ein neues Leben und Zusammenleben beginnt. Die Proklamation »Das Reich Gottes ist nahe herbeigekommen!« besagt, daß das verheißene und erwartete Reich sich schon im Anbruch befindet. Wort und Werk Jesu sind Ansage und An-zeichen des nahenden, zukünftigen Gottesreiches. Doch diese Feststellung kann nicht genügen. Jesus unterscheidet sich von Johannes dem Täufer, dessen Auftreten auch Ankündigung und Vorzeichen des Reiches Gottes war, darin, daß seine Reden und Taten die *verborgene Gegenwart des Zu-künftigen* mitteilen und erweisen. Das verwandelnde Novum des zukünfti-gen Reiches hat schon Einfluß auf die Gegenwart gewonnen. Im Wort und

Werk Jesu ragt die kommende, neue Welt bereits in die gegenwärtige, alte Welt hinein. Die Botschaft der Evangelien besagt übereinstimmend: Hier auf Erden und in der Zeit, in unmittelbarer Nähe zu den kleinen und großen Herrschaftsbezirken des Menschen und der Gewalt des Bösen, hat Gott unwiderruflich und unzerstörbar seine Herrschaft aufgerichtet, das Reich, das allen Machtbereichen überlegen ist – in seiner Schwachheit und Verborgenheit. »Reich Gottes«, das ist die Durchsetzung des gnädigen, rettenden Willens Gottes gegen alle Widerstände. Dieser Wille geht auf das gute, heile Leben der Menschen – schon jetzt, in der Vorläufigkeit, vorausblickend zugleich auf die künftige Vollendung. Damit wird in durchgreifender Weise der alle Religionen – verborgen oder offen – bestimmende Dualismus von Gotteswelt und Menschenwelt aufgehoben. In den Raum der Menschen, in die menschliche Gesellschaft und Geschichte ist das Reich Gottes als das Reich der Freiheit eingetreten. Das zukünftige Reich begegnet verborgen in Jesus, der als die »Gottesherrschaft in Person« *(Autobasileia)* bezeichnet werden kann. Dieses Reich teilt sich mit in seinem Wort und Werk. Darum ist das Evangelium die ins Wort gefaßte, im Wort gegenwärtige Zukunft des Reiches Gottes. Es vollzieht die Antizipation der kommenden, neuen Welt.

Doch alles das, was zur »Verborgenheit« der Gegenwart des kommenden Reiches auszuführen ist, ist weder im Sinn von ins Jenseits hinein spekulierenden religiösen Mysterien noch im Zusammenhang irgendwelcher spirituellen Mystifikationen zu verstehen. Vielmehr – und darauf ist jetzt die Betonung zu legen – erscheint das Reich Gottes als der große Angriff Gottes gegen das Elend unserer Welt. Die Offensive hat begonnen; sie ist im Gang. In diesen Angriff sind Menschen hineingezogen. Der jüdische Gelehrte *Robert Raphael Geis* schreibt in seinem Buch »Gottes Minorität« (1971): »Es ist ein Revolutionäres sondergleichen, die bisherige Ordnung wird von Jesus in Frage gestellt. Diese Rede will die Verwandlung dieser Erde: ›Selig, die ihr jetzt hungert, denn ihr werdet gesättigt werden. Doch wehe euch, ihr Reichen, denn ihr habt euren Trost dahin!‹ (Lk 6,20ff.). In Jesu Worten pulst die eschatologische Ungeduld. Man hört geradezu das gewaltige Vorwärts, Vorwärts. Von diesem Revolutionär Jesus . . . wollen neben vielen Juden auch die meisten Religionsverwalter des Christentums eigentlich nichts wissen. Aber das ändert und mindert nichts. Der Mensch der Barmherzigkeit, der Stifter von Gerechtigkeit und Frieden tritt hervor. Macht und Gemächt der bisherigen Welt schwinden dahin« (227). Wer die Verkündigung und das Kommen des Reiches Gottes in Jesus von Nazareth so sieht, nämlich als die große, unvergleichliche *Revolution Gottes*, der wird *Christoph Blumhardt* zustimmen: »Nichts ist gefährlicher für den Fortschritt des Reiches Gottes als eine Religion, denn eben damit werden wir heidnisch.« Wort und Werk Jesu führen die der endzeitlichen Neuschöpfung vorauflaufende Veränderung der Welt herauf – in der Kraft der das Leben und das Zusammenleben verwandelnden *Liebe*. Gottes Reich ist ein Reich der Liebe. Diese Liebe ist die eigentliche *Macht der Veränderung*. In dieser Liebe wird die Offensive Gottes gegen das Elend unserer Welt geführt, der Angriff gegen Entzweiung und Haß, Lüge und Feindschaft. Gottes Liebe äußert sich als eine um die Menschlichkeit des Menschen kämpfende Liebe; sie läßt sich nicht sublimieren in religiöse Gefühle und hintergründige ethische Intentionen. Gottes Liebe ist der Vorläufer der endzeitlichen Welterneuerung, durch die die Frömmigkeit der Tempel und Altäre überwunden wird. Jesus will *Barmherzigkeit und keine Opfer* (Mt 9,13; Hos 6,6). Das Doppelgebot der Liebe, dem die Liebe Gottes zur Welt voraufgeht, durchdringt das Leben mit heilender, helfender Macht. Das Reich der Liebe bringt den Beginn eines *neuen Zusammenlebens*. Denn eine erneuerte Individualität, die nicht unmittelbar eine neue Sozialität mit sich brächte, ist biblisch nicht denkbar. Jede befreiende Tat Gottes führt mit innerer Konsequenz zum Nächsten, in die an Umfang zunehmenden konzentrischen Kreise gemeindlichen und gesellschaftlichen Zusammenlebens.

Hier müßte nun eigentlich eine genaue Kenntnisnahme der *Bergpredigt* (Mt 5–7) folgen. Es kann nur hingewiesen werden auf die den Intentionen unserer Darstellung entsprechenden Ausführungen von *Leonhard Ragaz:* Die Bergpredigt Jesu. Revolution der Moral. Revolution der Religion. Magna Charta des Reiches Gottes: Studienbücher 102 (1971). »Es ist die *Wirklichkeit Gottes,* die an die Stelle der Moral und Religion (des ›Gesetzes‹) tritt. Diese Wirklichkeit wird der Welt gegenüber zur *Revolution,* während Moral und Religion ihre *Sanktion* sind. Daraus entsteht aber ein Kampf auf Leben und Tod« (128).

   c) *Der Spruch der Vergebung bringt die entscheidende Wende im Verhältnis zwischen Gott und Mensch; Vergebung ist im Gegensatz zu allen Ideologien die Macht auf der Erde, die wirklich Neues schafft.*
   In seiner Liebe schenkt Gott Vergebung. Sie erweist sich als eine Kraft, die neue Anfänge setzt und neue Verhältnisse stiftet. Es wird nicht nur jeder Vernunft, sondern auch jeder Religion immer unfaßlich sein, daß das Reich Gottes zuerst und alle Verhältnisse wendend sich in Vergebung kundtut. Jesus ist gesandt und ermächtigt, daß dies bekannt und erkannt wird. Als der Gottmensch ist er »in Person« die Überwindung der Entzweiung zwischen Mensch und Gott, die das Wesen der Sünde ausmacht. Vergebung heißt: Die Entzweiung ist überwunden, es wird aus Gottes schöpferischer Macht *ein ganz neuer Anfang gesetzt.* Diese Erneuerung des Verhältnisses zwischen Gott und Mensch bringt mit der Wiederherstellung zerbrochener Gemeinschaft die Überwindung der gesamten tiefen Entfremdung menschlichen Lebens und Zusammenlebens. Die Vergebung ist konkreter Spruch und Akt der Befreiung, ein Freispruch, der letztlich und ausschließlich im *Versöhnungshandeln des Kreuzes* begründet ist (2Kor 5,19–21; vor allem V.21). Der natürliche Mensch begegnet dem allem mit Verständnislosigkeit und Blindheit. Der Grund liegt darin, daß wir alle immer nur zu fragen und auszuschauen vermögen, was Gott uns wohl zu unserem Wohlergehen und zur Förderung unserer Lebensverhältnisse zu geben vermag. Weil wir aber in dieser Weise – natürlicher, religiöser Erwartungshaltung entsprechend – uns immer nur nach dem *gebenden* Gott ausstrecken, können wir den *vergebenden* Gott in seiner die Grundvoraussetzungen des Verhältnis-

ses von Gott und Mensch erneuernden Liebe nicht mehr erkennen. Wünsche und Erwartungen, auch religiöse Desiderate und Hoffnungen, stehen der alles entscheidenden, von Gott ausgehenden Initiative entgegen. Gewiß gibt es in allen Religionen ein Wissen darum, daß sich zwischen der Welt des Menschen und der Welt der Götter Schuld und Entfremdung wie eine Mauer erheben. Doch gehen die meisten religiösen Akte darauf aus, durch Opfer, Sühnehandlungen, Askese, gute Taten usf. die Schuld abzutragen, die überirdischen Mächte gnädig zu stimmen und im Kultbereich eine Sphäre von Überwindung der Entfremdung zu gestalten. Da mag es dann wohl auch Aussagen über die Gnade der Gottheit geben, der das Leben zu verdanken und die religiös heraufgeführte Erneuerung zuzuschreiben ist. Aber alles, was »Religion« ausmacht, besteht in der Tat des Menschen, im Unternehmen seiner Erhebung oder Ergebung, im Geben und Opfern, das auf göttliche Reaktion wartet. Im Neuen Testament aber ist der Spruch der Vergebung keine Antwort, keine religiöse Antiphon, sondern freie Initiative des Eintretens Gottes für das ganze verwirkte Leben seiner Menschen: Selbsterniedrigung und Lebenshingabe, geschehen in Jesus Christus. Der Hebräerbrief macht deutlich, daß alle von Menschen dargebrachten Opfer nur ferne Hinweise auf das ganz anders, von ganz anderer Seite her ansetzende, einmalige Handeln Gottes sein können. Angesichts der eschatologischen Gottestat stehen diese Opfer im Zeichen des Unvermögens und der Hinfälligkeit; sie sind als flüchtige Schattengestalten obsolet geworden. In Jesus Christus aber spricht Gott das alle Verheißungen und Ankündigungen erfüllende »Ja und Amen« (2Kor 1,19), durch das die im alttestamentlichen Bund angezeigte Koexistenz des Schöpfers mit seinem Geschöpf verwirklicht wird.

d) *Die Auferweckung und Erhöhung des gekreuzigten Christus ist die Inkraftsetzung der Versöhnung, die Eröffnung des den Tod überwindenden Reiches der Freiheit und die Bestätigung der Verheißung einer neuen Weltgestalt.*

Solange die Auferweckung des Gekreuzigten im kategorialen Gefüge des Empirischen, Erlebnismöglichen und Historischen begreifbar gemacht werden soll, entzieht sich uns ihr Geheimnis und Wunder. »Was sucht ihr den Lebendigen unter den Toten?« (Lk 24,5). Das ist die entscheidende Frage, um die es sich stets handelt, wenn von Jesus Christus die Rede ist. Christus läßt sich nicht suchen und finden wie etwas Totes, wie ein Objekt menschlicher Todesgeschichte, wie eine Gestalt der Vergangenheit, die menschlicher Forschung zugänglich wäre. Gewiß ist es erstaunlich, wie die von der Auferweckung des Gekreuzigten handelnden Ostergeschichten bemüht sind, das bezeugte Geschehen als Wirklichkeit mitzuteilen; von diesem Ereignis so zu künden, als wäre das Geschehene eine Tatsache wie alle irdischen Tatsachen sonst. Doch in dieser Intention ist das Wissen der Zeugen um die Singularität der Wirklichkeit, von der sie sprechen, deutlich erkennbar. Die Auferweckung des Gekreuzigten ist ein *Ereignis sui generis.* Sie hat sich wirklich ereignet, doch keine Analogie steht zur Verfügung, um dieses, die

Todesgeschichte der Menschheit durchbrechende und überwindende Ereignis zu erfassen. Mitten in der Todesgeschichte der Welt mit ihren unauflösbaren Verhängnissen und Gebundenheiten hat das weltverändernde und welterneuernde Reich Gottes den Sieg des Lebens und der Freiheit errungen. Allenfalls die biblische Schöpfungslehre kann einen erklärenden Anhaltspunkt gewähren. Denn Auferstehung ist Bestätigung der Verheißung einer neuen Weltgestalt. Auch die alttestamentliche Rede vom Bund kann hilfreich sein. Denn die Auferweckung des Gekreuzigten vollzieht die Inkraftsetzung der Versöhnung und damit die Erfüllung des Bundes. Dem Geschöpf wird die *unzerstörbare Gemeinschaft* mit dem Schöpfer eröffnet und geschenkt. Die Zukunft hat schon begonnen. Alles steht unmittelbar vor dem Ziel und Ende. »Unser Glaube ist der Sieg, der die Welt überwunden hat« (1 Joh 5,4). Die Welt ist überwunden! Doch diese »Überwindung« wird nicht als Gestaltwandel, als Transzendierung des Gegenwärtigen zu verstehen sein; auch nicht als ein Überschritt in die Sphäre von Religion und Frömmigkeit, als Phänomen geheimnisvoller Korrespondenz von Jenseitigkeit und Innerlichkeit. Die Welt, die durch den Sieg des Lebens überwunden ist, ist und bleibt Gottes Schöpfung, die nun im Licht begründeter, die gesamte Lebenseinstellung verändernder *Hoffnung* liegt. Das Alte Testament bewahrt davor, aus dem Lebensraum, den Gott geschaffen und durch Auferstehung einer neuen Zukunft zugeführt hat, in »Entweltlichung« (*R. Bultmann*) zu fallen. Die Auferweckung des Christus ist kein Phänomen der Gnosis oder des Reiches der Ideen, also der Erhebung des Menschen in die Sphäre des Geistes. Sie hat sich ereignet am zerschlagenen Leib des Gekreuzigten. Tod und Auferstehung Jesu Christi haben *leibliche Folgen für das Leben der Christen.* Die begründete Hoffnung evoziert praktische Veränderungen des Lebens und des Zusammenlebens. Mit Leib und Leben sind Christen hineingestellt in den kleinen Zeitraum zwischen Auferstehung und Vollendung, auf die Zielgerade, auf der es nur noch wenige Schritte mit der Aufbietung aller Kraft und dem Einsatz der ganzen Existenz zu laufen gilt (1 Kor 9,24ff.). Kampf und Lauf der Christen sind eine völlig andere Wirklichkeit als die der »Religion«.

e) *Der Heilige Geist erfüllt Menschen mit der eschatologischen Wirkungs- und Durchsetzungsmacht des kommenden Reiches Gottes; er ist Anfang und Angeld des zukünftigen, neuen Lebens in unserer Welt, Kraft der Veränderung im Diesseits.*

Es gehört zu den beklagenswerten Erscheinungen und Entwicklungen christlicher Theologie, daß die Lehre vom Heiligen Geist immer wieder in der Weise ausgeführt wurde, daß spirituelle und spiritualistisch-religiöse Aspekte zutage traten. Durch idealistische Philosophie verschiedenster Gestalt wurden diese Trends verstärkt. Demgegenüber ist mit großem Nachdruck darauf hinzuweisen, daß nach biblischem Verständnis der Heilige Geist *die Macht der Bewegung und des Kommens des Reiches Gottes* repräsentiert – eine Macht, die Menschen mit sich reißen und erfüllen will. Wo immer das Wort Gottes als das eigentliche Agens der Geschichte des

Reiches wirksam wird, da will zugleich der Geist Gottes am Werk sein, als Wirkungs- und Durchsetzungsmacht des weltverändernden Gottes. Als Creator Spiritus will dieser Geist in allen Bereichen menschlichen Daseins wirksam werden: in Politik und Gesellschaft, in Wirtschaft und Wissenschaft, in Erziehung und Unterricht. Gottes Gerechtigkeit will er aufrichten in einer Welt der Ungerechtigkeit, Gottes Leben in der Welt des Todes. Der Geist zieht hinein in die von ihm selbst vollzogene Bewegung und Veränderung des Bestehenden. Der Geist »treibt an«, aber nicht als Despot oder religiöser Sklavenhalter, nicht mit der irrationalen Kraft einer Naturgewalt, sondern als *Geist der Freiheit* (2Kor 3,17; Gal 5; Röm 8,1–10). Dieser Geist befreit, insbesondere von allen Bindungen des Menschen an sich selbst. Er ermutigt und ermächtigt zu neuem, freien und befreienden Tun, das sich in Liebe erweist (Gal 5,13f.). Gottes Geist ist »eschatologische Macht«. Er kommt heraus und weist hinein in das Letzte neuer Schöpfung. Es ist *Gottes* Geist. Als Gabe ist und bleibt er *sein* Geist. Nie wird er zu einem verfügbaren und formbaren Faktor derer, die ihn empfangen. Niemand ist befugt oder befähigt, eine »pneumatische Religiosität« abzuleiten. Nie wird der Geist eine Funktion oder ein verfügbarer Besitz der Kirche; er geht auch nicht ein als garantierende Stützung in Lehre oder Dogma. Was gestern Geist war, ist heute Stein. Aus Gottes Freiheit weht der Geist, wann und wo er will (Joh 3,8). Wo immer aber dieser Geist als Gabe seine Macht erweist, da ist das kommende Reich Gottes als *Kraft der Veränderung im Diesseits* wirksam. Da werden Menschen »neu geboren« (Joh 3,5). Da erweckt der Geist eine Initiativgemeinschaft neuen Zusammenlebens. Dieser Geist streitet gegen alle Gewalten, die den Geschöpfen Gottes ihre diesseitige Bestimmung rauben, in Freude und Freiheit miteinander zu leben. Darum ist Gottes Geist ein Widersacher der »Religion«. Er ist eben kein schwebendes, verschwebendes religiöses Numen, sondern ein kämpfender, siegender Geist, der vor keinem Konflikt und vor keinem Chaos kapituliert. Als Kraft der Veränderung beginnt er, auch das als aussichtslos Erscheinende anzugreifen: in Kirche und Staat, in Politik und Gesellschaft. Dabei teilt der Geist ein Können, ein wirkliches Vermögen mit. Er befähigt Menschen, Außerordentliches, außerhalb der Programme und Projekte Liegendes zu wagen und auszuführen. Gott, als Subjekt handelnd, gibt dem Menschen eigene, subjektive Freiheit, die jeder zerstörenden Fremdbestimmung widerstehen kann. Doch diese befreite Subjektivität des Menschen lebt nur aus dem je neuen Akt der Befreiung; sie ist nicht zu verwechseln mit der religiösen Selbständigkeit und mit der Selbstbehauptung des frommen Ich (vgl. VI.3.1). Der immer wieder zum Objekt der Geschichte erniedrigte und zum Opfer der Verhältnisse entwürdigte Mensch empfängt durch den Geist Gottes die Ermächtigung, *Subjekt der Geschichte* zu werden und der weltverändernden Bewegung des Reiches Gottes entsprechend alle Verhältnisse umzustoßen, in denen der Mensch ein erniedrigtes und entwürdigtes, zum Material herrschender Interessen depraviertes Wesen geworden ist. *Karl Marx* hat erkannt, was den Christen viel zu spät und weithin überhaupt noch nicht zum Bewußtsein gekommen ist: Menschliche Entfremdung ist vor allem Verdinglichung. Der Mensch wird durch die Umstände und Herrschaftsstrukturen zum Material von Zwecken gemacht. Er wird als Objekt eingeordnet in den umfassenden Prozeß der Produktion und Konsumtion. In diesem Zustand verliert er seine Subjektivität und seine kreative Freiheit. Sein Schicksal wird gestaltet. Der Geist der Freiheit aber ruft den Menschen als Subjekt der Geschichte, als Gestalter seines Schicksals auf den Plan. Es wird auch und vor allem in der Kirche sorgfältig zu beachten sein, was dort geschieht, wo Menschen die Freiheit genommen wird, wo sie, religiös indoktriniert, in ein Gefüge der Frömmigkeit und Lehre eingepaßt werden, und wo dann auch vom Geist immer nur gesagt werden kann, daß er »Werkzeuge« (in gleichgestalteter und gleichgeschalteter Dinglichkeit) in Anspruch nimmt. »Ihr seid keine Knechte mehr!« (vgl. Röm 8,15).

f) *Eine wesentliche Einsicht in die Fragen von Religion und Religionskritik vermitteln die Auseinandersetzungen des Apostels Paulus mit den Korinthern in 1Kor 8,4–6.*

Der Leitsatz weist auf eine Zug um Zug zu erklärende Auseinandersetzung hin. Paulus beginnt in der Beantwortung der Frage nach der Teilnahme der Christen an Mahlzeiten, bei denen Götzenopferfleisch gegessen wird, mit der Feststellung: »Was den Genuß des Götzenopferfleisches betrifft, so wissen wir, daß kein Götze in der Welt existiert und daß kein Gott ist als nur der E i n e« (1Kor 8,4). Der Apostel stimmt einem Grundsatz zu. Aber wie lautete dieser Grundsatz mit seinen konkreten Konsequenzen in Korinth? Die Enthusiasten erheben sich über alles Fremd-Religiöse: Es gibt keine Götter oder Mächte! Darum kann uns der Genuß des Götzenopferfleisches nicht beunruhigen! Die Gotteslehre der Korinther ist biblisch gegründet. Sie beruht auf dem im Judentum feierlich hervorgehobenen Bekenntnis Dt 6,4. Dieses biblische Gottesbekenntnis gehörte zum Grundbestand urchristlicher Missionspredigt. Doch die Enthusiasten nehmen die biblische Rede von Gott zum Anlaß *grenzenloser Sicherheit des Negierens und Behauptens: Götter gibt es nicht – es gibt nur den E i n e n Gott!* Das hört sich gut an. Auch kann sich diese überlegene Kritik mit den Ideen hellenistischer Aufklärungsphilosophie treffen und verbünden, jedenfalls was die Negation betrifft. Doch die Gewißheit des Glaubens ist zur Sicherheit des Erkenntnisbesitzes geworden, die certitudo zur securitas, die sich mit desillusionierenden Aufklärungsparolen zu liieren vermag. Aber ist diese Liaison so falsch oder gar gefährlich? Hatte die griechisch-hellenistische Kritik nicht »aufbauend« gewirkt, indem sie den Menschen aus der Angst vor überweltlichen Mächten und verzehrenden Verpflichtungen zu befreien suchte? Warum sollten und müßten die Enthusiasten in Korinth hier nicht einstimmen können? Doch Paulus erklärt: »Auch wenn sogenannte Götter existieren sollten, sei es im Himmel oder auf der Erde – wie es tatsächlich viele ›Götter‹ und viele ›Herren‹ gibt –, so gibt es für uns doch nur E i n e n Gott, den Vater, aus dem alles ist und wir zu ihm, und den E i n e n Herrn, Jesus Christus, durch den alles ist und wir durch ihn« (V. 5f.). Man könnte diese

Äußerung als Ausdruck der Vorsicht verstehen – einer sachlichen Überlegung, die sich auf die pathetischen Überzeugungen und erkenntnisoptimistischen Grundsätze der Adressaten nicht einläßt. Paulus weist darauf hin, daß es *de facto* viele als »Götter« oder »Herren« bezeichnete und verehrte Mächte gibt: »Götter«, in deren Machtbereich Menschen opfern; »Herren«, Kultheroen und Archonten, denen willig Dienst und Hingabe entgegengebracht werden. Diese ganze Welt der »Götter« und »Herren« ist doch nicht – nichts! Sie kann nicht einfach ignoriert, mit enthusiastischer Sekurität und mit aufgeklärter Überheblichkeit als nicht-existent erklärt werden. Das *de facto* von »Religion« als einer auf Götter und Herren hinweisenden Machtsphäre kann nicht geleugnet werden. So stellt sich die Frage: Wie verhält sich die prinzipielle Zustimmung des Paulus zur Erkenntnis der Korinther, wie sie in V. 4 zutage tritt, zu dem in V. 5f. geäußerten Hinweis auf die nicht zu verkennende und zu leugnende Faktizität der Verehrung von »Göttern« und »Herren«?

Wir stehen an dieser Stelle wie auch sonst im 1. Korintherbrief vor einem tiefreichenden Dissensus, der zwischen der »Eschatologie« der korinthischen Enthusiasten und der Glaubenshoffnung des Apostels besteht. Die Enthusiasten behaupten das »Schon-Jetzt« radikaler *Entwirklichung* aller Götter und Mächte, ihre absolute *Nicht-Existenz*. Paulus stimmt dem »Schon-Jetzt« zu, sofern es sich um die in Kreuz und Auferstehung Jesu Christi geschehene *Entmächtigung* der »Götter« und »Herren« handelt. Diese Entmächtigung geschah in der Kraft des Rechtes Gottes: *de iure* sind die »Götter« und »Herren« depotenziert. Aber dieser Äon besteht noch, und mit ihm und in ihm die Fülle *de iure* zwar entmächtigter, *de facto* aber *noch nicht* entwirklichter »Götter« und »Herren«; und somit existiert auch das Faktum »Religion«. Es dürfte unmittelbar einleuchten, daß sich aus dem in dieser Weise bezeichneten eschatologischen Spannungsfeld keine christliche »Götterlehre« oder »Dämonologie« konstruieren läßt. Doch Paulus warnt davor, im Pathos christlich-enthusiastischer Hybris die »Götter« für nicht-existent zu erklären und damit die Wirkungsmacht von »Religion« zu unterschätzen. Dabei wird von dem Apostel nicht so etwas wie eine Religionsvergleichung angestrebt. Vielmehr wird in V. 6 alle Aufmerksamkeit dem zugewandt, der *für die christliche Gemeinde allein existent ist*: Der Eine Gott und der Eine Kyrios Jesus Christus. Für Paulus ist das Doppelbekenntnis eine (»monotheistisch«) in sich geschlossene Einheit, von der man freilich nicht erklären kann, daß sie Ansätze zur Trinitätslehre im Sinne einer Zwei-Einigkeits-Aussage enthalte. Die geschlossene Einheit des Doppelbekenntnisses ist einer Ellipse vergleichbar, die zwei Brennpunkte hat und in deren Bereich Christen leben und handeln. Doch was aus dem Kontext als zweifache Aussage erscheint, ist im Begriff E i n e r geeint. *Aus der spekulativen und pauschalen Erkenntnismächtigkeit, die sich über alle Götter und Götzen erhaben und überlegen dünkt, sollen die Enthusiasten umkehren in die Macht- und Schutzsphäre des E i n e n Gottes und des E i - n e n Kyrios.* Dort ist ihr Lebensraum und nicht auf dem Thron der Gnosis, von dem aus mit einem biblisch-theologischen Prinzip das ganze Terrain der Götter und Mächte für unwirklich erklärt wird. Auf dem Problemfeld und im Konflikt mit den Religionen gilt als entscheidende Weisung die *vorbehaltlose Hinwendung zum Ureigensten des Glaubens*, nicht aber ein überlegenes Urteilen und Vergleichen im Blick auf das, was »da draußen« ist und geschieht. In dieser Hinwendung zu dem Einen Gott und zu dem Einen Kyrios wird es sich sehr schnell erweisen, daß Erkenntnisse des Glaubens gewonnen werden, die eine *universale Bedeutung* haben – Erkenntnisse, die nur in der Gemeinschaft mit Gott und seinem Christus empfangen werden, nie aber oberhalb dieser Gemeinschaft in der souveränen Überschau der Gnosis. Christen glauben an den Einen Gott, den Vater, aus dem alles ist und wir zu ihm. »Vater« ist hier nicht auf Christus als den »Sohn« bezogen, sondern im universal-schöpferischen Sinn gemeint. Der angeschlossene Relativsatz macht deutlich: Der »Vater« ist der Schöpfer, »aus dem *alles* ist«. Er ist der Ursprung alles Seienden. Angesichts der Götter und Religionen hat sich christlicher Glaube auf dieses Grund-Bekenntnis zu besinnen. Alles menschliche Leben, beginnend in der Gemeinde, ist dazu bestimmt, zu diesem Einen Gott zu finden. In diesen universalen Aspekt sind alle Religionen eingeschlossen. Und im gleichen Atemzug und mit gleichem Gewicht wird von dem Einen Kyrios Jesus Christus gesprochen. Doch wird vom »Vater« gesagt, daß »aus ihm« alles ist, so wird von Jesus Christus erklärt, daß »durch ihn« alles lebt. Gott ist der Schöpfer, Christus der Schöpfungsmittler und Erlöser. Hier hat die christliche Gemeinde ihren unverwechselbaren Grund, auf dem sie steht und von dem aus sie in dieser Welt Zeuge und Bote des Einen ist.

Es wäre eine außerordentlich wichtige Aufgabe, im Anschluß an das zu 1Kor 8 Ausgeführte die *religionskritischen Tendenzen* in der apostolischen Botschaft des Paulus herauszuarbeiten. Als Beispiel sei die hervorragende Meditation von *Götz Harbsmeier* zu 1Kor 10,16–21 in aller Kürze anvisiert (in: hören und fragen, ed. *G. Eichholz / A. Falkenroth*, Bd. 6, 1971, 222ff.). *Harbsmeier* geht davon aus, daß in dem zu erklärenden und zu verkündigenden Abschnitt keineswegs »goldene Worte zum Abendmahl« vorliegen, sondern daß es sich um eine sehr gezielte Auseinandersetzung mit solchen Christen handelt, »die sich auf die Kunst verstehen, den christlichen Glauben nahtlos mit dem religiösen Empfinden ihrer Umwelt und ihres eigenen Herkommens zu verbinden. Für sie ist das Christliche eine unendliche Bereicherung ihres ohnehin schon religiösen Lebens: gleichsam dessen Überhöhung und Krönung. Sie addieren einfach den Jesus, den Paulus ihnen verkündigt hat, zu ihrem schon vorhandenen religiösen Reichtum hinzu. Sie sehen in dem Christus des Paulus die Überbietung alles dessen, was sie schon an religiöser Erkenntnis und Weisheit besitzen. Und sie fühlen sich darin unendlich *sicher* als ›glückliche Besitzende‹. Sie sehen sich selbst auf der höchsten Stufe glaubenden Daseins wie auf einer festen Plattform« (223). So ist für die Christen in Korinth nicht der Abfall von Christus die eigentliche Gefahr, sondern die Möglichkeit, daß sie sich ein Christus*bild* zurechtmachen und verehren. Aber: »Dieses Mahl, dieser Kelch, dieses Brot ist *kein* Götzendienst an Christus! . . . Es ist Teilhabe am Tod dieses Menschen. Es ist Gemeinschaft mit einem Hingerichteten, mit einem Verworfenen, an dem seine Richter nichts, gar nichts übermenschlich Göttliches haben finden können. Es ist Gemeinschaft mit einem offenbar Ohnmächtigen, mit einem Wehrlosen, nicht mit einem Übermächtigen, nicht mit einem Übermenschen, einem Halbgott« (224). Offenbar wurde das Abendmahl in der christlichen Gemeinde zu Korinth als eine Art »Super-Kult« aufgefaßt, als optimaler Fall des Umgangs mit göttlichen Mächten. Demgegenüber erklärt Paulus, »wie exklusiv, ja wie destruktiv die christliche Mahlfeier gegen *allen* Opferkult schlechthin gerichtet ist« (224). Das Herrenmahl ist *das Ende allen Opferkultes.* »Denn das, was da im Herrenmahl gefeiert wird, ist die Gegenwart des gekreuzigten Christus« (224). *Harbsmeier* geht auf das Verhalten der Christen beim Abendmahl ein und erklärt ungeschminkt, daß gerade im kirchlichen Abendmahlsgast tief verborgen und unerkannt der Heide wohnt. »Wo denn sonst als in der kirchlichen Feier und im Abendmahl besonders kann sich der religiös empfindende Mensch, der Heide, der in uns steckt, wirklich fromm verhalten?« (227). So wird denn das Abendmahl sehr oft als eine Art Zaubertrank und Zauberspeise angesehen. »Denn unausrottbar ist immer wieder das faktisch heidnische Gebaren beim Abendmahl, als handele es sich dabei um einen todernsten übermenschlichen Vorgang im Tabu zeitlich und sprachlich weit entrückter Feierlichkeit« (227f.). – Gerade angesichts des Textes 1Kor 10,16ff. wird ja doch zu erkennen sein, daß die Teilnahme am Abendmahl eben nicht der religiösen Erbauung des einzelnen dient, sondern der Konstituierung der Christus-Gemeinschaft, nicht einem besonderen Fall des Opferkultes, sondern der Teilhabe am Tod dessen, der sein Leben hingibt zur Versöhnung (V.17; 2Kor 5,18ff.).

3. *Religion oder Gerechtigkeit?*

Religion oder Gerechtigkeit? Ist das eine Alternative? Konnte nicht eine »Religion der Gerechtigkeit« denkbar sein und wäre nicht noch einmal zu überlegen, ob alles das, was Barth und Bonhoeffer in ihrer Religionskritik vollzogen, ein Kampf gegen Entstellungen und Entartungen der »Religion« war, nicht aber das Wesen der Religion selbst betreffen konnte – also etwa einer »Religion der Gerechtigkeit«? Ist also nicht doch das Ganze ein Definitionsproblem? (Vgl. *H. Gollwitzer,* Was ist Religion?, 1980, 10ff.) Aber es wurde mehrfach gezeigt und wird jetzt erneut zu erweisen sein, daß die Probleme in eine andere Tiefenschicht reichen und daß »Religion« untrügliche Kennzeichen trägt, die es erforderlich machen, mit dem Begriff das ganze Feld einer umfassenden Analyse und Kritik zu unterziehen. Es verbinden sich mit dem Wort »Religion« zahlreiche problematische Vorstellungen, die es als unsachgemäß erscheinen lassen, diesen Begriff theologisch zu rezipieren – auch nicht mit dem affirmativen Adjektiv »wahr«.

1. *Die christliche Theologie hat die Aufgabe, im Anschluß an Barths und Bonhoeffers theologische Religionskritik die Grundfrage nach der Erscheinungsform »Religion« radikal und vorbehaltlos zu stellen und die Probleme dieser Erscheinungsform offen darzulegen.*

In unseren Tagen ist ein neues Interesse an »Religion« erwacht. Unter Berufung auf Schleiermacher und Tillich wird die als eigenständiger Bereich verstandene Domäne der Religion wieder in Anspruch genommen und gegen die »religionskritischen Umtriebe« verteidigt. In diesem Zusammenhang spielt die *Wiederentdeckung der Pneumatologie* eine nicht geringe Rolle. Hat nicht zuletzt – so wird gefragt – auch Karl Barth entscheidende und die Religionsproblematik in Bewegung setzende Fragen zum möglichen pneumatologischen Ansatz der Theologie Schleiermachers gestellt? Da heißt es im Nachwort der »Schleiermacher-Auswahl« (1968): »Ist der den fühlenden, redenden, denkenden Menschen bewegende Geist, wenn alles mit rechten Dingen zugeht, ein schlechthin *partikularer*, spezifischer, von allen anderen Geistern sich immer wieder unterscheidener, ein ernstlich ›heilig‹ zu nennender Geist?« »Oder ist der nach Schleiermacher die fühlenden, denkenden, redenden Menschen bewegende Geist vielmehr zwar individuell differenziert, aber doch *universal* wirksam, im einzelnen aber eine diffuse geistige Dynamis?« (309). Träfe es also zu, daß die Pneumatologie der Schlüssel zur Theologie Schleiermachers wäre, müßte sich dann nicht hinsichtlich seines Religionsbegriffs ein völlig neues, positives Verhältnis ergeben? Könnte nicht – unter diesen Voraussetzungen – dem frommen, bewegten Innenleben ein neuer Raum und ein neues Recht erstritten werden? Wo immer die Pneumatologie in dieser Weise neu entdeckt wird, da wächst die Skepsis gegenüber der Religionskritik. Da wird unterschieden zwischen dem für die Christologie gültigen »extra nos« (mit seinem möglichen und wohl auch notwendigen, der Rechtfertigungslehre entsprechenden kritischen Konsequenzen) und dem in der Pneumatologie bestimmenden »intra nos«, das die Kategorie des »extra nos« hinter sich gelassen hat und zum Freiraum des Geistes geworden ist, zum Freiraum also der Betätigung von »Religion«. Wie sollte denn auch nicht das Subjektive, Innere und Innige, vom Geist gewürdigt, eine neue Dignität empfangen und aufleuchten in der Kraft des göttlichen Pneuma?! Wer könnte es wagen, dieses Ereignis von Frömmigkeit und Religion zu diskreditieren und dem Menschen seine durch den Geist erneuerte *Subjektivität* streitig zu machen?!

In der kritischen Auseinandersetzung mit diesen einen neuen Begriff von Religion pneumatologisch rechtfertigenden Theologen wird zuerst festzustellen sein, daß die Auseinanderreißung und Trennung von Pneumatologie und Christologie dogmatisch unhaltbar ist. Es zeigt sich an dieser Stelle, wie unheilvoll sich der weithin feststellbare Verzicht auf trinitarische Theologie auswirkt, wie rissig darum die Fundamente der Christologie tatsächlich sind und wie wenig durchdacht sich die ins Feld geführte Pneumatologie darstellt. Darüber hinaus sind drei Aspekte in Erinnerung zu rufen:

1. *Die reformatorische Unterscheidung zwischen verbum externum und verbum internum.* Im neuen Begründungsverfahren von »Religion« wird – gegen alle reformatorische Einsicht und Erkenntnis – das »verbum internum« ex post wieder favorisiert. Es wurde jedoch gezeigt (III.2), mit welchen Argumenten Luther gegen das vom Menschen behauptete »religiöse Apriori« des »verbum internum« stritt. Die von seiner Polemik konkret Betroffenen waren die römisch-katholische Kirche zur Rechten und die Schwärmer zur Linken. Doch sah Luther deutlich: Der Enthusiasmus steckt in Adam und allen seinen Kindern! Den »Geist« für sich in Anspruch nehmen, ein »intra me« behaupten, als »homo religiosus« sich gerieren – das sind adamitische, die alte, vergehende Existenz kennzeichnende Lebensäußerungen. *Die Rechtfertigungslehre als Konkretisierung der Christologie erstreckt sich tief hinein in die Pneumatologie.* Die Lehre vom Wort Gottes

kann auch und gerade im dritten Artikel des Glaubensbekenntnisses von der Wirklichkeit des »verbum externum« nicht abgehen; sie ist die Voraussetzung für das testimonium Spiritus Sancti internum. Überhaupt wird zu beachten und zu bedenken sein, daß die Formulierung »testimonium Spiritus Sancti *internum*« unvollständig und irreführend sein kann. »Es ist zuerst und vor allem testimonium *externum*, sofern es in ihm ja zuerst und vor allem um die Erschließung des dem Menschen an sich objektiv Verschlossenen und Verborgenen geht, dann und daraufhin dann in der Tat auch testimonium *internum*, sofern es in ihm auch um die Erschließung des Menschen selbst für das ihm objektiv Erschlossene geht . . .« (*K. Barth*, KD IV, 2:140). Alles liegt daran, die Priorität des »externum« nicht zum Erlöschen zu bringen!

2. *Die Pneumatologie des Neuen Testaments kann nicht individualistisch usurpiert werden.* Der Heilige Geist ist die eschatologische Durchsetzungsmacht des *Reiches Gottes*; er ist die eine neue Schöpfung heraufführende Kraft. Dieser Geist schafft und ergreift zuerst die *Gemeinde*. Er ermächtigt sie und sendet sie aus als Vorhut des Reiches Gottes. Zugleich ist er wirksam in der gesamten Schöpfung Gottes. Mit den Charismen in der Gemeinde stehen alle Gaben im Zeichen der Charis: »Was hast du, was du nicht empfangen hast?« (1Kor 4,7).

3. *»Persönlicher Glaube«*, immer wieder gegen die theologische Religionskritik geltend gemacht, hat sein unbestreitbares und unaufhebbares Recht. Es zeigt sich vor allem in den Aufzeichnungen Dietrich Bonhoeffers, daß persönlicher Glaube und theologische Religionskritik keine sich ausschließenden Größen sind. Im Gegenteil: Der Glaube ist darauf angewiesen, daß er sich der scharfen Infragestellung der Religionskritik aussetzt und sich nicht in einen religiös immunisierten Status flüchtet.

Eine andere Frage, der jetzt nachzugehen ist, bezieht sich auf den biblisch-theologisch zu erarbeitenden *Religionsbegriff*. Dabei kann die Aufgabe nur darin bestehen, herausragende Reflexionen zu diesem Thema aufzunehmen. Vor allem der Abschnitt Röm 1,18–25 wird zu bedenken sein. »Es wird offenbar: Der Zorn Gottes ergeht vom Himmel her über alle Gottlosigkeit und Ungerechtigkeit der Menschen, die die Wahrheit in Ungerechtigkeit niederhalten. Denn daß Gott erkennbar ist, ist ihnen offenkundig: Gott hat es ihnen offenkundig gemacht. Seit der Weltschöpfung sind seine unsichtbaren Geheimnisse durch seine Werke vernünftiger Erkenntnis zugänglich: nämlich seine ewige Macht und Gottheit. Daher sind sie ohne Entschuldigung. Denn obwohl sie Gott erkannt haben, haben sie ihn nicht als Gott verherrlicht und ihm (nicht) gedankt, sondern sind dem Sinnlosen verfallen in ihren Gedanken; und ihr Herz, das nicht Verstand annehmen wollte, ist verfinstert. Sie behaupten, weise zu sein, und sind töricht geworden. Die Herrlichkeit des unsichtbaren Gottes haben sie mit Abbildern des vergänglichen Menschen und von Vögeln, Vierfüßlern und Kriechtieren vertauscht. Darum hat Gott sie an die Unreinheit in den Begierden ihres Herzens preisgegeben, daß sie untereinander ihre Leiber schänden. Die

Wahrheit Gottes haben sie in Trug verkehrt und Verehrung und Anbetung der Schöpfung erwiesen statt dem Schöpfer – gelobt in Ewigkeit sei er. Amen.« Über das hinausgehend, was in der reformatorischen Theologie zu diesem Text ausgeführt worden ist, sind folgende wesentliche Gesichtspunkte zusammenzustellen. 1. Auszugehen ist von der *Wirklichkeit des Gerichts*. Es steht alle Welt, es stehen alle Menschen unter dem erklärten und wirksamen Nein Gottes. Denn sie werden vorgefunden in Ungerechtigkeit und Gottlosigkeit. Sie haben die Wahrheit, die ihnen begegnet ist, in Ungerechtigkeit eingefangen und niedergehalten. 2. Welche »Wahrheit« ist allen Menschen begegnet? Wann ist sie ihnen begegnet? Paulus erklärt: Von Gott, nicht von irgendeinem Numen, sondern vom Gott Israels, dem Schöpfer des Himmels und der Erde, ist eine *eindrückliche Mitteilung* ausgegangen. Dies ist geschehen seit der Weltschöpfung. Gottes unsichtbare Mysterien, seine Macht und Gottheit, das unabweisbare *Daß* seines Daseins und Waltens, hat sich vernünftiger Erkenntnis dargetan, und zwar im Medium der Werke der Schöpfung. Man denke an Ps 19, wo es heißt: »Die Himmel erzählen die Herrlichkeit Gottes . . .« (V.2). Es wurde also etwas kund. Allerdings sind gerade im Blick auf Ps 19 zwei wesentliche Feststellungen zu treffen. Zum einen: Die erzählenden und lobpreisenden Himmel und alle geschaffenen Werke sind nicht dem Menschen zugewandt, sie reden ihn nicht an; sie loben und ehren Gott den Schöpfer. Zum anderen: Was sie erzählen, das geschieht »ohne Worte und ohne Rede, mit nicht vernehmbarer Stimme« (Ps 19,4), in »glossolalischen Äußerungen«. 3. Paulus greift dann auf den einleitenden Satz V.18 zurück: Wahrheit ist in Ungerechtigkeit niedergehalten worden. Es ist also *von seiten des Menschen* und nicht etwa von seiten Gottes oder irgendeiner schicksalhaften mittleren Sphäre etwas geschehen. »Daher sind sie ohne Entschuldigung« (V.20). Denn Gott hat sich in den Werken der Schöpfung so eindrücklich zu erkennen gegeben, daß das *Daß* seines Daseins und das Mysterium seines Waltens unabweisbar sein mußte. 4. Aber die Wahrnehmung und die Erkenntnis, die *unverzüglich und irreversibel zur Nicht-Wahrnehmung und zum Nicht-Erkennen* geworden sind, führen ein eindeutiges Symptom und eine ebenso deutliche Konsequenz mit sich. Das Symptom: Sie haben Gott nicht verherrlicht und ihm nicht gedankt, d.h. sie sind überhaupt nicht in eine Spur von Reaktion oder Beziehung zur Wahrheit eingetreten. Die Konsequenz: Sie sind dem Sinnlosen, Nichtigen und Perversen verfallen. Bedeutsam ist das Verbum »verfallen«. Es besagt: Eine Barriere ist heruntergegangen. Jeder Mensch befindet sich schon diesseits einer Schranke, die ihn von all dem trennt, was ihn betraf. Die Ereignisse, die Paulus anspricht, sind *nicht mehr zugänglich*. Die Entscheidung ist gefallen. Sie ist gefallen unter dem Vorzeichen menschlicher Behauptung: »Wir sind weise!« »Wir haben letzte Einsicht in die Zusammenhänge des Daseins!« (V.22). Doch: »Sie behaupten, weise zu sein, und sind zu Toren geworden.« 5. Was sich nun diesseits der Trennwand abspielt, sind *Entstellungen und Perversionen der ursprünglichen und eigentlichen Wahrheitserkenntnis*. Diese Entstellungen und Perversionen, die nichts mit einem (noch wirksamen) Apriori oder mit irgendwelchen Anamnesen zu tun haben, kennzeichnen das *Wesen von Religion*. Die Herrlichkeit des ewigen Gottes ist vertauscht worden mit Gegebenheiten und Elementen vergänglichen Weltstoffes. An die Stelle des Schöpfers sind Vorfindlichkeiten der Schöpfung getreten; an die Stelle der Verherrlichung und des Dankes menschliche Machenschaften der Torheit. Nun wird man aber, wenn hier von Entstellungen und Perversionen die Rede ist, nicht sogleich an die im Tierbild verehrten Gottheiten fremder Religionen denken sollen. Paulus macht an den extremen Entartungen die ganze Nichtigkeit und Torheit des Wesens von Religion deutlich. Anzufangen ist bei der *Vertauschung von Gott und Mensch.* »Die Herrlichkeit des unvergänglichen Gottes haben sie mit Abbildern des vergänglichen Menschen vertauscht« (V.23). Jetzt tritt die imago hominis ganz und ausschließlich in den Mittelpunkt. Der Mensch wird zum Maß aller Dinge. Er erwählt und wählt – in der ganzen Pluriformität, in der Religionen in dieser Welt existieren und sich darstellen, seinen Gott, seine Götter.

In 1Kor 1, dem Kontext zu Röm 1,18ff., werden die Verhältnisse deutlicher. Dort erklärt Paulus, jeder Mensch habe so etwas wie ein »Vorverständnis« von Gott. Aber dieses Vorverständnis läßt sie alle, Juden und Griechen, an der Wirklichkeit Gottes vorbeilaufen. Sie gehen vorüber an der *Wirklichkeit Gottes, die im Kreuz Christi begegnet*, in der Erniedrigung und Selbsthingabe an den Gott-fernen und dem Tod verfallenen Menschen. Der wirkliche Gott ist ganz anders, als der Mensch ihn sich denkt. Er entspricht auch nicht irgendeiner menschlichen Frage nach Gott. Der lebendige Gott ist das genaue Gegenteil von dem, was einem jeden von uns sein Vorurteil sagt *(J. Schniewind)*. Er ist das unerfindliche Novum für den Menschen. Er tritt ihm und allen seinen Wünschen, Vorstellungen und Erwartungen entgegen mit wirklicher Hilfe und Rettung. Das Geheimnis und Wunder des Kreuzes ist unerschwinglich. Das Wort vom Kreuz ist eine Torheit (1Kor 1,18). Dies ist die Demarkationslinie zwischen der Wahrheit des lebendigen Gottes und der »Religion« in allen ihren Ausdrucksarten.

Eindringlich zu bedenken wäre in diesem Zusammenhang die Bedeutung des neutestamentlichen »*Wortes vom Kreuz*« (1 Kor 1,18). Die von der Kreuzesbotschaft ausgehende Religionskritik führt in unabsehbare Tiefen. »Kreuzesglaube unterscheidet christlichen Glauben von der Welt der Religionen und von säkularen Ideologien und Utopien, sofern sie jene Religionen ersetzen oder sie beerben und verwirklichen wollen. Kreuzesglaube trennt den christlichen Glauben aber auch vom eigenen Aberglauben. Die Besinnung auf den Gekreuzigten nötigt den christlichen Glauben zu permanenten Selbstunterscheidungen von seinen eigenen, religiösen und säkularen Lebensgestalten, und das heißt in unseren Ländern konkret, von der ›christlich-bürgerlichen Welt‹ und vom Christentum als ›Religion der gegenwärtigen Gesellschaft‹« *(J. Moltmann*, Der gekreuzigte Gott. Das Kreuz Christi als Grund und Kritik christlicher Theologie, 1972, 41).

2. Die Überwindung der Religion wird sich in Gerechtigkeit und im Dasein-für-andere ereignen und erweisen.

Auszugehen ist von der prophetischen Botschaft des Alten Testaments.

Recht und Gerechtigkeit will der Gott Israels, keine Opfer! Man sage nicht: In Israel hatten sich Deformationen ereignet, Kult und Opfer hätten das Leben überwuchert, Recht und Gerechtigkeit aber seien – vorübergehend – außer Kurs geraten! Vielmehr tönt der Ruf nach dem Tun der Gerechtigkeit durch das ganze Alte Testament. Offensichtlich gab es das zu keiner Zeit: eine gerechte Lebensordnung. Offenbar waren Kult und Religion die Fluchtwege und Kompensationsgefilde, auf denen man das aus den Fugen geratene Leben der Gottheit gegenüber abzudecken und abzusichern suchte. Die Propheten jedenfalls führen Israel in einen *ganz neuen und ungewohnten Lernprozeß* hinein: »Lernt Gutes tun, trachtet nach Recht, weist den Gewalttätigen in Schranken, helft der Waise zum Recht, führt die Sache der Witwe!« (Jes 1,17). In seiner Abhandlung »Die Stunde Null« (1979) schreibt Ernesto Cardenal: »Für mich ist die Religion als Religion bereits überholt; die religiösen Riten gehören den primitiven Gesellschaftsformen an. Das Christentum ist keine Religion, sondern die Praxis der Liebe, die Verwirklichung der Brüderlichkeit unter den Menschen. Das ist die wahre Religion der Christen. Riten, Liturgie und religiöse Formeln können, soweit sie dieser Brüderlichkeit irgendwie dienen, gut sein. Ist das aber nicht der Fall, so sind sie überflüssig und interessieren nicht mehr« (26). Diese Sätze zeigen ein neues Verständnis von kirchlichem Gottesdienst und Praxis der Liebe und Gerechtigkeit an. *Der Gottesdienst – mit Liturgie, Predigt usf. – steht ganz im Dienst der im Alltag des Lebens zu verrichtenden Praxis.* Die Gemeinde rüstet sich in den kultischen Versammlungen – die dann aufhören, »Kult« im religiösen Sinn zu sein – auf die tatsächliche Sendung und die Aufgaben in der Welt. In diesen Versammlungen hat das *Gebet* eine entscheidende, aktionseröffnende, das Handeln der Gemeinde bestimmende Bedeutung. Damit kommen seelsorgerliche Hilfe und Zuspruch an den einzelnen nicht zu kurz. Aber es steht alles Handeln der Christen im *Kontext der Sendung* und nicht der religiösen Beharrung, der *Gerechtigkeit* und nicht der introvertierten Erbauung. Die verkündigte und geglaubte, erkannte und bekannte Wahrheit des Evangeliums muß praktisch-konkrete Auswirkungen haben. Sie muß Initiativen zur Veränderung des Lebens und der Umwelt enthalten. Tut sie es nicht, dann wird sie zur Stabilisierung und zum Mythos der bestehenden Welt, zur stillschweigenden oder sogar erklärten Resignation, zur Festschreibung bestehender Unrechtsverhältnisse. Judentum und Christentum sind von ihrem Ursprung her und in ihrer Sendung Praxis der Liebe und der Gerechtigkeit. Bonhoeffers Aussagen sind hier zu wiederholen: »Unser Verhältnis zu Gott ist ein neues Leben im ›Dasein-für-andere‹, in der Teilhabe am Sein Jesu. Nicht die unendlichen, unerreichbaren Aufgaben, sondern der jeweils gegebene, erreichbare Nächste ist das Transzendente.« Und: »Die Kirche ist nur Kirche, wenn sie für andere da ist.«

An dieser Stelle ist noch einmal das *Verhältnis der theologischen Religionskritik zur rationalen Kritik der Religion* zu bedenken. Klärend und die ausgeführten Gedanken erhellend ist

das, was *Dieter Schellong* in seiner Studie »Theologie im Widerspruch von Vernunft und Unvernunft« (Theol. Studien 103, 1971) schreibt: »Theologische Religionskritik sieht die Religionskritik der aufgeklärten Vernunft, die generell Religion zu überwinden meint, als voreilig
an. Theologische Religionskritik verteidigt aber nicht Religion, sondern sie ist mit der rationalen Religionskritik in ihrer materialistischen Gestalt darin einig, daß die Wirklichkeit, zu der
Religion gehört, verwandelt werden muß. Deshalb ist theologische Religionskritik nicht stabi-
lisierend, ist für sie die Offenbarung kein positives System von Wahrheiten und keine Deutung
der Welt jenseits des Wirklichen zu dessen Integration, versteht sie vielmehr unter Offenbarung den Einbruch einer das Vorhandene kritisierenden und sprengenden Wirklichkeit, die negativ, verborgen und konkret ist, die zur Wirklichkeit gehört und in ihr störende und verändernde Impulse ausgibt. – Hier treffen wir uns mit Bonhoeffer, der in seiner Religionskritik
wohl gerade dies meinte, daß die biblische Überlieferung nicht von der Welt weg und zur Kon-
struktion einer Hinterwelt führt, sondern Gott weltlich und in der Welt als leidend verborgen
begreifen läßt, daß sie den Glauben in weltliches Tun und Leiden setzt, das wehrlos und wis-
senslos ist wie das der anderen Menschen« (56).

Wenn von einer Überwindung der Religion durch Gerechtigkeit die Rede
ist, so kann damit keineswegs die kurzschlüssige Aufrichtung einer sozialen
und politischen Ethik gemeint sein. Vielmehr ist sehr genau zu fragen und
zu untersuchen: 1. *wie sich göttliche und menschliche Gerechtigkeit zueinander verhalten.* Die Reformation stellte das *eine* Thema »Gerechtigkeit
Gottes« in den Mittelpunkt der Botschaft von der Rechtfertigung des Sünders. Wir fragen heute – vordringlich und nachhaltig – nach der Gerechtigkeit unter den Menschen. Aber wir wissen auch – und gerade die theologische Religionskritik hat es uns gelehrt –, daß die Gerechtigkeit Gottes, die
Rechtfertigung des Gottlosen, Voraussetzung und Grund allen christlichen
Handelns und also jeder Praxis der Gerechtigkeit sein muß. Darum ist das
Verhältnis von Gerechtigkeit Gottes und Gerechtigkeit unter den Menschen
genau zu bestimmen. 2. Im Evangelium heißt es: »Barmherzigkeit will
ich und keine Opfer!« (Mt 9,13). Daraus ergäbe sich im Kontext unserer
Überlegungen die Alternative »Religion oder *Barmherzigkeit*«. In jedem
Fall aber ist zu fragen nach dem Verhältnis von Gerechtigkeit und Liebe,
Gerechtigkeit und Barmherzigkeit. Kommt dieses Thema zur Sprache, dann
wird »Gerechtigkeit an sich« problematisch. Wie aber sind die Verhältnisse
beschaffen?

Stellen wir zunächst fest, daß sich im abendländischen Rechtsdenken eine
ganz bestimmte Vorstellung durchgesetzt hat, wenn von »Gerechtigkeit«
die Rede ist. Im Codex Justinianus hat iustitia, Gerechtigkeit, die Funktion
des Ausgleichs im Sinne von »suum cuique tribuere« (»jedem das Seine zu-
teilen«). Dahinter steht die altgriechische Auffassung, daß *Dike* eine
Macht, eine Norm ist, die sich kraft des Ausgleichs auswirkt. *Dike* kann den
Sinn von »Rache« haben. Kein Übeltäter kann sich ihr entziehen. Im Recht
der Polis konkretisiert sich *Dike*. Die Philosophie hat die altgriechische Vorstellung im Konzept der Tugendlehre rezipiert. »Gerechtigkeit« wird als
Tugend verstanden, in der der Mensch seine Eigentlichkeit erlangt, sofern er
in ihr innere Harmonie besitzt und auch äußert (Aristoteles). Dieser Aspekt

mündet ein in ein Verständnis der Gerechtigkeit als habitus. Wollte man von diesen Voraussetzungen aus sagen, daß Gott »gerecht« ist, dann müßte dies bedeuten: Gott ist die Macht oder das Prinzip des Ausgleichs, der Vergeltung. Derartige kalte Prinzipiensetzungen können in einen Gerechtigkeitsfanatismus ausarten, der religiös motiviert erscheint: »Fiat iustitia, pereat mundi!« Die Gerechtigkeit muß siegen, auch wenn die Welt darüber zugrunde geht.

Ganz anders steht es um den biblischen Gerechtigkeitsbegriff. Im Alten Testament ist צדקה keine Norm, kein Maß, keine Tugend, sondern ein Relationsbegriff, der eine Beziehung bezeichnet. »Gerecht« ist, wer in einem angemessenen, guten loyalen Verhältnis zu seinen Mitmenschen lebt. צדקה ist ein Gemeinschaftsbegriff. »*Gerechtigkeit*« *erweist sich als Gemeinschaftstreue.* Dieser in der zwischenmenschlichen Sphäre bedeutsame Begriff bedarf keiner religiösen Überhöhung oder gar einer Übertragung auf den Gott Israels. Vielmehr ist Jahwe der Ursprung und Grund aller Gemeinschaftstreue. Seine צדקה ist Bundestreue, bundesgemäßes Handeln – auch dann, wenn er als Richter seinem Volk begegnet. Damit ist vom Alten Testament her eine enge, innige Beziehung zwischen der Gerechtigkeit Gottes und der Gerechtigkeit unter den Menschen gesetzt. Die Bundes- und Gemeinschaftstreue Gottes schafft einen Raum, eine Sphäre, in der Menschen – kraft des neuen Verhältnisses, in das hinein sie versetzt sind – gemeinschaftstreu miteinander leben und miteinander umgehen können. Damit ist auch für das Verhältnis von Gerechtigkeit und Barmherzigkeit Entscheidendes ausgesagt. Jahwes Bundes- und Gemeinschaftstreue gegenüber Israel steht im Zeichen der Barmherzigkeit und der Liebe, die diesem Volk zugewandt sind. Entsprechend kann auch in der Lebensordnung des dermaßen zustande gekommenen und gestalteten Bundes die Gerechtigkeit als Gemeinschaftstreue nur von *Barmherzigkeit und Liebe* durchdrungen sein. Das griechisch-abendländische Denken hat den Zugang zu diesen wichtigen Aspekten verschlossen und verbaut. Das Neue Testament aber kann in der Dimension der Rechtfertigungslehre nur vom Alten Testament her verständlich sein. Die Gerechtigkeit Gottes, die den Gottlosen errettet, indem sie ihn freispricht und in die Freiheit führt, ist seine Barmherzigkeit und Liebe: Bundestreue und den Bund erfüllende Tat der Versöhnung, die mit der neuen Koexistenz zwischen Gott und Mensch eine neue Koexistenz zwischen Mensch und Mensch heraufführt. Das eine ist ohne das andere nicht denkbar. Bürge und Zeuge der Gerechtigkeit Gottes ist Jesus Christus (1Kor 1,30). Er ist die leibgewordene, reale Gemeinschaft von Gott und Mensch, der Ursprung aller Liebe und Gerechtigkeit unter den Menschen (vgl. Joh 1,9). In ihm ist das Recht des Schöpfers aufgerichtet und durchgesetzt worden in der Welt des Zerfalls und der Ungerechtigkeit, der Unbarmherzigkeit und des Hasses. Alle diese biblischen Vorgänge stehen in einem strikten Gegensatz zu dem auf Vergeltung, Ausgleich und Tugend ausgerichteten Gerechtigkeitsverständnis, das stets nach religiösen Legitimationen, Überhöhungen und Übertragungen fragt.

Die Alternative »Religion oder Gerechtigkeit?« wird auf die Besonderheit des biblischen Themas »Gerechtigkeit« rekurrieren müssen, um wirklich an die Wurzel des Problems heranzukommen. Wo »Gerechtigkeit« nicht mehr als Vergeltung, Ausgleich oder Tugend innerer Harmonie verstanden wird, sondern als »Dasein-für-andere«, da brechen ganze Welten religiös-ethischer Grundaspekte zusammen. *In seiner Gerechtigkeit ist Gott für sein Volk da, erweist er sich als der Ursprung alles gerechten und barmherzigen Daseins-für-andere.* In seiner Gerechtigkeit handelt Gott in Jesus Christus, dessen Sein nichts anderes war und ist als Dasein-für-andere. Damit ist die Gerechtigkeit Mensch geworden, schöpferisch neuer Anfang durch die Kraft des Creator Spiritus in unserer Welt. So ist angesichts der reformatorischen Botschaft neu zu formulieren: Die »Gerechtigkeit Gottes«, die »Rechtfertigung des Gottlosen«, deren religionskritische Implikationen wir ständig bedacht haben, hat unmittelbare und unablösbare Konsequenzen für die alle Religion überwindende Gerechtigkeit unter den Menschen. Ja, es involviert der Gerechtigkeit Gottes als der barmherzigen Gemeinschaftstreue die Gerechtigkeit unter den Menschen.

3. *Die Gerechtigkeit des Reiches Gottes ist auf ein neues Zusammenleben, auf Überwindung der Weltkrise und auf den Frieden gerichtet.*

Es hat lange, sehr lange gedauert, bis in der christlichen Theologie und Kirche erkannt wurde, daß die Gerechtigkeit Gottes, die Gerechtigkeit seines Reiches und seiner Herrschaft, Konsequenzen für das soziale Zusammenleben der Menschen in sich schließt. Die aus der Reformation hervorgegangene Christenheit bezog im Kontext der Rechtfertigungslehre die »Gerechtigkeit Gottes« auf den einzelnen; sie vermochte nicht zu sehen, welches die Gemeinschaft betreffende Gewicht diese »Gerechtigkeit Gottes« seit dem Alten Testament in sich trägt.

Es ist hier zu schweigen von den ersten Versuchen im 19. Jahrhundert, den vom Marxismus und von der damaligen Sozialdemokratie ausgehenden sozial-revolutionären Forderungen mit Programmen der »Inneren Mission« zu begegnen und auf diese Weise die im Arbeitsprozeß Unterdrückten religiös zu beschwichtigen. Den ersten wirklichen Durchstoß stellen wir bei Christoph Blumhardt d. J. fest. Und es ist zu gut verständlich, daß Blumhardt, ohne die geringste Preisgabe des Evangeliums vom Reich Gottes, sich ganz auf die sozial-revolutionäre Bewegung, ihr Denken, ihre Terminologie, ihre Utopie einstellte. Wir sind seit 1978 im Besitz von Texten, die *Johannes Harder* in drei Bänden aus dem Nachlaß herausgegeben hat. Aus dem 2. Band der »Neuen Texte aus dem Nachlaß« seien einige Sätze skizziert, die einen Eindruck vermitteln, wie nun endlich die Gerechtigkeit des Reiches Gottes voll und ganz in der Forderung *sozialer Gerechtigkeit* zur Sprache kommt. Blumhardt wagt Zuspitzungen: »Christus gehört zu den Geringen. Er ist gekreuzigt worden, weil er ein Sozialist war. Zwölf Proletarier hat er zu Aposteln gemacht« (184). Christus verkündigt eine neue Zeit: »Diese Welt muß zerschlagen werden, es muß eine neue kommen. – Das hat Christus gesagt, nicht erst die Sozialdemokratie; aber die Christenheit hat es vergessen.« »Denn der Sozialismus will nicht Leben nehmen, er will Leben geben. Mit voller Wucht meiner Überzeugung sage ich es: Es geschieht von seiten der sozialistischen Partei der größte Kampf gegen den Egoismus« (185). Im selben Jahr 1899 schreibt Blumhardt: »Ich denke an eine völlig neue Gesellschaft. Schon frühe fand ich, daß für mich eine Religion keinen Wert hat, wenn sie nicht die Gesellschaft ändert, wenn sie mir nicht schon das Glück auf Erden verschafft. So habe ich meine Bibel, so habe ich meinen Christus verstanden. Und darum fühle ich mich verwandt mit den Leuten, denen man vorwirft, daß sie einer Utopie nachjagen. Ich fühle mich ihnen verbunden. Ich kann nicht anders, ich muß das aussprechen. Möge die Zeit kommen, in der es gelingt, die Gesellschaft anders zu ordnen, wo nicht mehr das Geld, sondern das Leben der Menschen die Hauptsache ist.« Alle diese Sätze zeigen an, wie groß und gewaltig die neue Entdeckung eingeschlagen ist.

Aber die Christenheit vermag, was damals erkannt wurde, auch heute größtenteils noch nicht zu sehen, jedenfalls im Abendland zumeist nicht. Wir wissen natürlich zu gut, daß Jesus nicht gekommen ist, irgendwelche sozialistischen Meinungen zu propagieren. Darum geht es ihm: Uns zu erlösen vom »Mammon« und seiner Gewalt, uns zurückzureißen vom »Schätzesammeln auf Erden«, über dem wir das eigene Leben verlieren und das des Mitmenschen tödlich gefährden. Ihm geht es darum, unser Leben mit göttlicher Macht zu befreien. So ist selbstverständlich der Sozialismus als solcher nicht bereits Christentum, aber es wird – und das hat Blumhardt zuerst erkannt – die *Korrespondenz und Kooperation* mit ihm eine neue, ganz andere Gestalt gewinnen, wenn einmal erkannt ist, wo die tiefen, verbindenden Ströme verlaufen. Doch zuerst: Die Botschaft Jesu kann nicht mit der des Sozialismus identifiziert werden. Der Sozialismus hat sein Zentrum beim Menschen. Er verfährt der Forderung von Friedrich Engels entsprechend: »Aufrichtige Rückkehr, nicht zu Gott, sondern zu sich selbst.« Jesus redet und handelt aus einem anderen Zentrum heraus: Wo der Schatz des Menschen ist, da ist sein Herz (vgl. Mt 6,21). Ihm geht es darum, daß sich der Mensch nicht in ausschließlicher Hingabe an das Vergängliche und an die Welt des Todes verliert. Zwar berühren sich die Forderungen Jesu und die des Sozialismus an entscheidenden Stellen. Es sind die gleichen klaren Worte in der Negation, aber die grundlegende Position ist eine andere. Der Aktionsmittelpunkt des Sozialismus liegt im Endlichen. Die Mitte des anderen Kreises, der aus dem Unendlichen kommt und ins Unendliche geht, gleichwohl aber das ganze Endliche umfaßt und durchdringt, ist unfaßlich, sie ist inkoordinabel, in Jesus präsent (H. J. Iwand). Eines ist gewiß: Jesus untersagt und verwehrt es uns, die große leibliche, soziale, wirtschaftliche Not der Massen zu ignorieren, als beträfe sie uns nicht, als könnte man auch, ohne von dieser Not bewegt und betroffen zu sein, das Evangelium vom Reich Gottes hören und glauben. Jesus verbietet, das Elend der Unterdrückten und Ausgebeuteten als eine von Gott gewollte, von Ewigkeit her sanktionierte Gegebenheit zu betrachten. *Gott will Barmherzigkeit und nicht Opfer. Dies ist ein permanent-progressives Geschehen, in dem Religion überwunden wird.* Sein Ziel ist das neue Zusammenleben in Loyalität und Solidarität, Gerechtigkeit und Gleichheit.

Doch nicht darum kann es sich handeln, diese oder jene Übereinstimmung zwischen der Gerechtigkeit des Reiches Gottes und dem Sozialismus bzw. Kommunismus zu konstatieren. Wer sich dem Sozialismus zuwendet, der muß zuerst – das hat Karl Marx deutlich gesehen und gelehrt – den Kapitalismus analysieren. Der radikalen Gesellschafts- und Wirtschaftskritik kann man nicht ausweichen, um dann möglicherweise Visionen gerechten Zusammenlebens und Idealen neuer Lebensordnung nachzustreben. Nur *gesellschaftskritische Analyse* kann die Frage und Suche nach entsprechenden Veränderungsmaßnahmen hervorrufen. In sachlicher und unbestechlicher Schärfe müssen Einsichten in die Weltwirtschaftslage, in die Korruption der Gesellschaft und die heraufziehende ökologische Katastrophe gewonnen werden. Sozialismus kann nicht nur in einigen sozialen Reformen, einigen Korrekturen im Rahmen der bestehenden (kapitalistischen) Verhältnisse bestehen, sondern nur in einer neuen Gesellschaftsordnung, die allen den gleichen, gerechten Anteil am gemeinsam erarbeiteten Sozialprodukt sichert. Aber Christen sollten es wissen: Die neue Gesellschaft fängt stets im eigenen Verhalten an. Das neue Zusammenleben beginnt im engsten Kreis der dann konzentrisch sich erweiternden Kreise menschlicher Gemeinschaft. Es kann nur dort anheben, wo Menschen Menschlichkeit erfahren. Jedes Festkleben an Privilegien, jedes Ausnützen von Vorteilen, jedes rücksichtslose Profitieren von Vorsprüngen und Einflüssen zerbricht und hindert die Solidarität, die das neue Zusammenleben kennzeichnet. Die Liebe aber ist die alles bewegende Macht, ohne die kein Neues entstehen kann. »Und wenn ich mein ganzes Vermögen zur Hilfe der Armen einsetzte . . . und hätte keine Liebe, dann hülfe mir das gar nichts« (1 Kor 13,3). Umfassender: Wenn ich mit größtem Einsatz und allem Pathos Sozialist wäre, hätte aber keine Liebe, dann brächte es mich nicht weiter. Das ist der christliche Beitrag! Denn es gibt eine »soziale Gerechtigkeit« ohne Liebe, geboren aus Haß, Angst und Ressentiment, begleitet von militärischen Interventionen, propagandistischen Lügen und staatlichen Zwangsisolierungen – einen »Sozialismus«, der lieblos, unmenschlich und darum nichtig ist. Er wird nicht bestehen. Man muß es wohl noch deutlicher sagen: »Wäre Gottes Reich nicht auf Erden gekommen, um einst – als *sein* Reich, in *seiner* Kraft, in *seiner* Herrlichkeit, offenbar zu werden, dann gäbe es gerade in der sozialen Frage keine Hoffnung: nicht einmal die relativen Hoffnungen, die wir nötig haben, um uns allem zum Trost immer wieder in der Richtung jener relativen Gegenbewegungen zu entschließen und aufzumachen und auszuharren: wenigstens im immanenten Gegensatz gegen das System . . .« (*K. Barth*, KD III,4:626).

Die Frage nach dem Verhältnis von Christentum und Sozialismus braucht in diesem Zusammenhang nicht eigens thematisiert zu werden. Es genügt die Erinnerung an die oben erörterte Religionskritik von Karl Marx, die ja unmittelbar auf die Sozialrevolution bezogen ist (vgl. besonders die Zusammenfassungen am Schluß von Kapitel V).

Dem Leitsatz entsprechend ist auf die *Überwindung der Weltkrise* einzugehen. Auch hier wäre eine umfassende Analyse erforderlich, die im Rahmen der vorliegenden Untersuchung nicht gegeben werden kann. So muß es genügen, auf das *Syndrom der drei großen Gefahren* hinzuweisen, die die ganze Welt zu verschlingen drohen: 1. die zunehmenden Hungersnöte, 2. die Eskalation militärischer Aufrüstung und atomarer Bewaffnung, 3. die ökologische Vernichtungswelle von kosmischen Ausmaßen.

Es handelt sich um ein Syndrom. Alle diese Gefahren laufen miteinander und ineinander, bedingen sich gegenseitig und treiben einander in die Höhe bzw. in den Abgrund. Kein Komplex kann also herausgelöst und verselbständigt werden. Uferlos erscheinen die Probleme und Aufgaben jedem, der beginnt, sich mit ihnen zu befassen. Aber es gibt kein Ausweichen. Vor allem die Kirche in ökumenischer Weite kann und darf sich nicht auf Religion, auf kirchliche Frömmigkeit, auf apokalyptische Visionen oder starre Resignationen zurückwerfen lassen. Bis in die Einzelgemeinden hinein ist die Verantwortung wahrzunehmen. Ist aber die Ortsgemeinde dazu nicht willig und fähig, dann müssen Gruppen in ihr sich mit den großen, auf uns zukommenden Probleme und Aufgaben befassen. In der Ökumene hat der Durchbruch längst begonnen. Das Mitdenken und Teilnehmen an der Wahrnehmung von Verantwortung im Weltmaßstab ist von entscheidender Wichtigkeit. Es heißt in einem Abschnitt aus dem Bericht der Sektion III (Wirtschaftliche und soziale Weltentwicklung) in Uppsala 1968: »Wir leben in einer Welt, in der Menschen andere Menschen ausbeuten. Wir wissen um die Wirklichkeit der Sünde und das Ausmaß ihrer Macht über menschliches Wesen. Die politischen und wirtschaftlichen Strukturen stöhnen unter der Last schwerer Ungerechtigkeit, aber wir verzweifeln nicht, weil wir wissen, daß wir uns nicht in den Fängen eines blinden Schicksals befinden. In Christus ist Gott in unsere Welt mit allen ihren Strukturen hineingekommen und hat schon den Sieg über alle ›Fürstentümer und Gewalten‹ errungen. Sein Reich kommt mit seinem Gericht und mit seiner Gnade.« In Uppsala wurde erkannt, daß Liebe nicht nur im Nahbereich zur Wirkung kommen muß, sondern in den weltwirtschaftlichen und weltgesellschaftlichen Strukturen. »*Love in structures*« heißt: die Liebe Christi dringt uns, die herkömmlichen, verderblichen, tödlichen Strukturen zu zerbrechen und neue Lebensordnungen anzustreben. Wir sind nicht schicksalhaften Notwendigkeiten und dem Resignationsvotum »Man kann doch nichts ändern« unterworfen. Christus ist der Sieger über die herrschenden Gewalten. Dem hat das Denken, Handeln und schöpferische Umgestalten zu entsprechen. Christen müßten darum Avantgardisten der großen, weltweiten Veränderung sein. Aber »die Kirche«, konkret: die Kirchen der einzelnen Denominationen, Länder und Staaten, sind nicht frei. Sie haben sich weithin ihrer Umwelt angepaßt, deren gesellschaftliche Normen übernommen und sich sogar mit den Mächten der Unterdrückung und Ausbeutung arrangiert.

Darum heißt es im Bericht der Sektion II in Bangkok 1973: »Ohne die Erlösung der Kirchen aus ihrer Gebundenheit an die Interessen der herrschenden Klassen, Rassen und Staaten gibt es keine heilbringende Kirche. Ohne die Befreiung der Kirchen und der Christen aus ihrer Komplizenschaft mit institutioneller Ungerechtigkeit und Gewalt kann es für die Menschheit keine befreiende Kirche geben . . .«

Man müßte nun eingehend nachfragen, welche Wegweisungen aus den ökumenischen Konferenzen den Kirchen und Gemeinden gegeben wurden. Zunächst aber müßten diese Erklärungen und Wegweisungen in den Gemeinden und Gruppen einmal wirklich zur Kenntnis genommen, erarbeitet und auf ihre Realisierung hin diskutiert werden. Energisch ist an dieser Stelle jenen »Evangelikalen« entgegenzutreten, die die Verantwortung der ökumenischen Kirchen in der Weltkrise der Gegenwart als ein Unternehmen denunzieren, das allein darauf eingerichtet sei, eine einheitliche und glückliche Weltgemeinschaft herzustellen, und die sich dann, angesichts dieser – wie sie erklären – »säkularen Umtriebe«, auf Religion und Frömmigkeit, auf Mission und eine spirituelle Reich-Gottes-Hoffnung zurückziehen. Bezeichnend für diese Bestrebungen sind die Ausführungen in dem von *W. Künneth* und *P. Beyerhaus* herausgegebenen Band »Reich Gottes oder Weltgemeinschaft?« (TELOS-Dokumentation 1974). Angesichts dieses Buches kann deutlich werden, wie entscheidend die Alternative »Religion oder Gerechtigkeit?« tatsächlich ist.

Was ist zu tun? Am Anfang steht der *Kampf gegen den »Götzen des wirtschaftlichen Wachstums«*, den wir heute als Christen zusammen mit allen einsichtigen Menschen zu führen haben. Wir müssen frei werden vom Insistieren auf partikularen Interessen; wir müssen – im Horizont der Weltkrise – einen Blick für das Ganze bekommen und nicht länger auf Kosten der »Dritten Welt« leben. Die große Hungerkatastrophe und die Zerstörung der Erde sind nur zu verhindern durch Senkung des wirtschaftlichen Wachstums, d.h. aber praktisch durch *Senkung unseres Lebensstandards* – gegen alle Maximierungsinteressen von Politik und Wirtschaft in unserem Land. Christen werden sich in dieser Sache zu einer Aktions-Allianz zusammenschließen und freiwilligen Verzicht auf sich nehmen müssen.

Im Leitsatz ist dann vom *Frieden* die Rede, davon, daß die Gerechtigkeit des Reiches Gottes auf den Frieden, auf den Weltfrieden gerichtet ist. Es müßte zum Nachdenken Anlaß geben, daß es in Jes 32,17 heißt: »Die Frucht der Gerechtigkeit wird Friede sein.« Ohne Gerechtigkeit gibt es nicht die »Frucht« des Friedens. Das neue Zusammenleben und die Bemühungen um eine gerechte Weltgesellschaft sind die Strebepfeiler der Friedensordnung. Alles andere gerät in den Verdacht pazifistischer Illusion. Es hat lange, sehr lange gedauert, bis die Kirche zu sehen begann, daß Friede sich nicht nur auf die Seele, die Familie und die Binnenräume des Lebens bezieht, daß vielmehr die Völkerwelt unter das Zeichen und unter die Verheißung des שלום Gottes gestellt ist. Es hat sich auch hier gerächt, daß das Alte Testament so wenig beachtet und in den entscheidenden Aussagen nicht vernommen worden ist. Wie anders erklärt es sich, daß die Verheißung Jes 2,2ff. kaum eine nennenswerte Rolle gespielt hat und spielt?! Doch auch im Neuen Testament hätte es deutlich werden können, daß die Gemeinde Jesu Christi der Ort zu sein hat, von dem aus der unheilvolle und sinnlose Spuk zerstieben wird, den die »blinden Blindenführer« mit ihren Völkern treiben, indem sie sie von einem Krieg in den anderen jagen. Hier geht es nicht um zeitlose Prinzipien, sondern um das Stehen und Wirken unter der Zusage: »Selig sind die Friedensstifter« (Mt 5,9). Und was den heutzutage diskreditierten »Pazifismus« angeht, so ist festzuhalten, daß er zwar durchaus – zwar mehr in der Perspektive seiner Gegner als seiner Befürworter – zum abstrakten Prinzip werden kann, daß er aber zweifellos dennoch im Fluchtpunkt des Neuen Testaments steht: »Man kann im Sinn des Neuen Testaments nicht prinzipiell, nur *praktisch* Pazifist sein. Es sehe aber jeder zu, ob er es, in die Nachfolge gerufen, vermeiden kann und unterlassen darf, praktisch *Pazifist* zu werden!« (*K. Barth*, KD IV,2:622). Niemand wird Gandhi und Tolstoi in ihrer ethischen Grundhaltung noch als »Schwärmer« diskreditieren können. Die Weltlage zwingt zu neuen Erkenntnissen und Taten. Es gilt abzuspringen vom rasend rotierenden Karussell der Aufrüstungen, auf dem Politiker noch das allgemeine Gleichgewicht zu gewinnen versuchen. Wehr- und Kriegsdienstverweigerung sind längst keine Angelegenheit individueller Gewissensprüfung mehr. In ökumenischer Weite haben Christen nach einer Aktionsgemeinschaft zu fragen, die dem unaufhaltsamen Trend Widerstände und Verweigerungen entgegensetzt. Hier handelt es sich in keinem Fall um auf sich selbst gestellte, christliche Prinzipien autonom anwendende Weltverbesserer, sondern um den Gehorsam gegenüber der weltverändernden und welterneuernden Macht des Wortes Gottes. »Sermo enim Dei venit mutaturus et innovaturus orbem, quotius venit« (»Das Wort Gottes kommt, um die Welt zu verändern und zu erneuern, sooft es kommt«; Luther, WA 18,626).

Doch die erneuernde und weltverändernde Macht des Wortes Gottes *wirkt sich zuerst an der Kirche aus*. Die Kirche erfährt, daß sie inmitten der sie umgebenden Gesellschaft keine reiche, einflußreiche Kirche sein kann. Im Dasein für die Welt trägt sie die Gestalt der Armut und Schwachheit ihres Herrn. In solcher Nachfolge wird sie bemüht und besorgt sein, *sich aus dem Macht- und Bannkreis der Staaten und Völker herauszubegeben* (Hebr 13,13f.). Ihr Ziel kann demnach nur eine strenge Scheidung von Kirche und Staat, Kirche und Volkstum sein. Ganz offensichtlich hat Bonhoeffer in diese Richtung gedacht, als er forderte, die Pfarrer müßten künftig von den freiwilligen Gaben der Gemeinde leben. Nie gewinnt die Kirche die Freiheit zu selbständigem, unabhängigem Denken und Handeln, solange sie in Abhängigkeitsverhältnissen existiert (u.a. politische Berufsvorstellungen bedenkenlos teilt [Berufsverbote]) und in allen politischen und gesellschaftlichen Äußerungen und Taten Rücksicht zu nehmen, Neutralität zu wahren, auf Interessen einzugehen und bis in Gesetz und Ordnung hinein Kopien des staatlich Gegebenen zu vollziehen sich genötigt sieht. Es ist ein Besorgnis erregendes Faktum, daß nicht in diese Richtung gedacht wird, geschweige denn die ersten Schritte getan werden.

Es kann nicht deutlich genug herausgestellt werden: Subjekt notwendiger politischer Stellungnahme und Forderung ist die christliche Gemeinde. Sie ist berufen, das »Licht der Welt« und die »Stadt auf dem Berg« zu sein, die nicht verborgen ist (Mt 5,14ff.). Ihr gilt die – in unserer Zeit sinngemäß zu rezipierende – Mahnung: »*Suchet der Welt Bestes!*« (Jer 29,7). Jede Individualisierung und Aufsplitterung politischer Verantwortung ist verantwortungslos, weil sie aus dem Bedürfnis der Gesamtkirche hervorgeht, den Pluralismus der Meinungen gelten zu lassen und in volkskirchlichem Frieden »im Glauben beieinander bleiben« zu wollen, ohne die Provokation der geschichtlichen Stunde anzunehmen. Es ist Begriffszauber, wenn der Friedensdienst des einzelnen als sinnvolles »Zeichen« betrachtet, die eindringliche Forderung »Ohne Rüstung leben« aber als ein der Gesamtkirche nicht zuträgliches »politisches Programm« abgewiesen wird. Wir befinden uns in einer Weltstunde, in der radikale Forderungen letzte, notwendige Möglichkeiten des Überlebens anbieten. Es kann wohl von der in zahlreichen Interessen verhafteten Gesamtkirche nicht erwartet werden, daß sie einmütig dazu aufruft, der hungernden, wirtschaftlich und politisch untergehenden »Dritten Welt« das zur militärischen Rüstung eingesetzte, den westlichen Freiheits-Wohlstand schützende Kapital zur Verfügung zu stellen; doch muß diese Kirche bereit sein, Gruppen, Minoritäten in ihr sich konstituieren und aussprechen zu lassen, die die verdrängte, zerredete und abgewiesene Verantwortung als einen *status confessionis* deklarieren. »Gerechtigkeit erhöht ein Volk, aber die Sünde ist der Völker Verderben« (Prv 14,34). *Die Gerechtigkeit* im Einsatz und in der Verteilung notwendiger Lebensgüter zugunsten der untergehenden Völker und Menschen ist für unser Volk *der einzige hoffnungsvolle Weg in die Zukunft*. Der Friede der Welt gründet auf Gerechtigkeit, nicht auf zerstörerischen Waffen »zur Erhaltung des Gleichgewichts und des Friedens«. Es ist »Sünde«, den politischen Weg der atomaren Selbstsicherung und der nationalen Interessen dem Lebensrecht der Völker vorzuordnen. Es ist »Sünde«, mit einer Großmacht in einem militärischen Pakt vereinigt zu sein, deren Sprecher erklärt hat, die Menschenrechte hätten hinter die nationalen Interessen der USA zurückzutreten (Außenminister Haig vor dem US-Senat im Januar 1981). »Der Welt Bestes suchen« heißt: Eindeutig und konsequent für das Leben ohne Rüstung einzustehen. »Schwärmerisch« ist die Illusion, schnell veraltende und in ihrem Aufgebot ständig anwachsende Waffensysteme könnten den Frieden der Welt erhalten.

In gebotener Kürze seien nur drei Aspekte angesprochen: 1. Im Alten Testament wird durch Propheten das *trügerische Vertrauen auf Waffen* ins Licht gerückt (Jes 31,1ff.; Ps 33,16f.) und in die in solchem Vertrauen an den Tag kommende Verblendung und Flucht vor dem *Gericht Gottes*. – Nachdem die Evangelische Kirche in Deutschland nach dem letzten Krieg in Stuttgart und in Darmstadt ihre Schuld bekannt und von dem über unser Volk gekommenen *Gericht Gottes* gesprochen hat, verleugnet sie heute die ihr eröffnete Erkenntnis und redet und handelt so, als entschieden atomare Waffen und politische Mächte den Weg in die Zukunft. 2. Eine Kirche, die das prophetische Wächteramt (Ez 3,16ff.) in dieser Welt wahrnimmt, hat in den über Leben oder Untergang der Schöpfung Gottes entscheidenden Fragen das *Gewissen des Staates und der politischen Parteien* und nicht (möglicherweise auch durch das Politikum des Schweigens) der politische Handlungsgehilfe zu sein. Sie hat in der Erkenntnis tödlicher Gefahren ihre Stimme zu erheben, jeder Taktik abzusagen und der Versuchung zu begegnen, eine »große Koalition« mit den in politischem Vollzugszwang handelnden Regierungen zu bilden. 3. Nicht die quantitativ berechnende Zwei-Reiche-Lehre, sondern die *Grenze des politischen Prinzips* steht heute zur Diskussion. »Wir leben in einer Weltstunde, in der das Problem des gemeinsamen Menschengeschicks so widerborstig geworden ist, daß die routinierten Verweser des politischen Prinzips zumeist sich nur noch zu gebärden vermögen, als ob sie ihm gewachsen wären.

Sie reden Rat und wissen keinen . . .« Es werden »in der Stunde, da die Katastrophe ihre letzte Drohung vorausschicken wird, die an der Querfront Stehenden einspringen müssen. Sie, denen die Sprache der menschlichen Wahrheit gemeinsam ist, müssen dann versuchen, endlich Gott zu geben, was Gottes ist, oder, was hier, da eine sich verlierende Menschheit vor Gott steht, das gleiche bedeutet, dem Menschen zu geben, was des Menschen ist, um ihn davor zu retten, daß er durch das politische Prinzip verschlungen wird« (*M. Buber*, Geltung und Grenze des politischen Prinzips, 1955, 21). – 4. Selbstverständlich kann weder mit *Prophetie* noch mit der *Bergpredigt* Politik ausgeführt werden. Aber Prophetie und Bergpredigt rufen Juden und Christen an die »Querfront«, zum Widerspruch gegen das »politische Prinzip« mit seinen tödlichen Konsequenzen. Es ist genug, daß »christliche« Parteidoktrin das Proprium des Biblischen in der Politik verrät! Es müssen nicht auch noch die Kirchen auf diesem Weg nachfolgen! Vgl. *H.-J. Kraus*, Die Friedensbewegung 1981: EvTh 42, 1982, 93–108.

4. Zum Gespräch mit den Religionen

1. Christlicher Glaube lebt in der Welt der Religionen aus dem sendungsgewissen Vertrauen auf das die Welt versöhnende und vollendende Wirken des in Jesus Christus allen Menschen begegnenden Gottes Israels; das aber bedeutet zugleich: Die Christenheit kann nicht selbstbewußt auftreten in sicherer Überhebung und mit schroffen Absolutheitsansprüchen.

Christlicher Glaube, das ist Glaube an Jesus Christus, an den Einen Herrn (1Kor 8,8), dem alle Gewalt gegeben ist im Himmel und auf Erden (Mt 28,18f.), der sich selbst kundtut mit den Worten: »Ich bin der Weg und die Wahrheit und das Leben, niemand kommt zum Vater außer durch mich« (Joh 14,6). Damit ist *Exklusives und Unabdingbares* ausgesagt. Christlicher Glaube ist Erkenntnis und Bekenntnis: »Du bist der Christus, der Sohn des lebendigen Gottes!« (Mt 16,16). Und es gibt keine andere σωτηρία, kein anderes letztgültiges Heil, als die in Christus erschienene Gnade Gottes. Christlicher Glaube ist Vertrauen zu Gott, zu seiner Verheißung, zu seinem in Christus gesprochenen Wort der Vergebung, der Versöhnung und der Liebe. Es ist sendungsgewisses Vertrauen, das weder der einzelne für sich noch die Gemeinde in sich selbst besitzt. Vielmehr will und wird das weltversöhnende und weltvollendende Wirken des in Jesus Christus erschienenen Gottes Israels allen Menschen begegnen (1Tim 2,4). Allein auf diesen Gotteswillen bauend und vertrauend lebt die Kirche in der Welt der Religionen. Sie ist gewiß: Dem Christusereignis eignet *Exklusivität und Universalität*. Es kann also in der Welt der Religionen nicht davon ausgegangen werden, daß das in allen Religionen angeblich aufweisbare Allgemeine oder gar Bestimmende die Basis sei, auf der sich dann irgendwo als der höchste Gipfel Christus erhebt, sondern Jesus Christus selbst ist der Grund, auf dem Christen leben, von dem aus sie auch, nicht in abstracto, sondern in konkreten Menschen und deren religiösen Lebensäußerungen, fremden Religionen begegnen. Für den christlichen Glauben ist Jesus Christus die Wahrheit in Person. Diese Glaubenserkenntnis ist bewegt und begründet durch die befreiende Wahrheitsmacht der Botschaft Alten und

Neuen Testaments, in der die Exklusivität und Universalität der Offenbarung des Gottes Israels, sein Kommen zur Welt der Völker, die alles bestimmende, tragende Wirklichkeit ist. Es ist *kein anderer Name* den Menschen gegeben als der Name des Gottes Israels, der Name des Kyrios, in dem alle Hilfe und das eschatologische Heil beschlossen liegen (Apg 4,12). Ihm ist der Name gegeben, der über alle Namen ist; in diesem Namen werden anbeten alle Kreaturen (Phil 2,10).

   Christlicher Glaube bezieht sich auf den in seinem Namen unverwechselbar sich mitteilenden und anrufbaren Gott. So wird jeder bindungslosen Lockerung des Bundes und jeder indifferenten Destruktion der Fundamente klar und deutlich zu widersprechen sein. Christen können niemals einstimmen in den Spruch des berühmten hinduistischen Yogi Ramakrishna: »Zahlreich sind die Namen Gottes und unendlich die Gestalten, die uns zu seiner Erkenntnis führen. Mit welchem Namen immer und in welcher Gestalt du ihn anzurufen begehrst, in eben dieser Gestalt und unter diesem Namen wirst du Ihn sehen.« Dieser Spruch geht aus von der insbesondere im Hinduismus ausgeprägten Grundauffassung, daß Wahrheit in verschiedenen Formen und Vorstellungen zur Ausprägung gelangt und daß eine Urbewegung in allen Erscheinungsformen von Religion zutage tritt. Die Bibel Alten und Neuen Testaments aber ist nicht auf »*das Erste*« und seine Entfaltungen, sondern auf *den* Ersten und Letzten bezogen; sie äußert sich ohne Unterlaß im Zeichen der durch den Namen bestimmten Exklusivität in universaler Abzielung. »Wer ruft die Geschlechter von Anfang her? Ich bin es, Jahwe, der Erste und bei den Letzten noch derselbe« (Jes 41,4). Der Gott Israels ist der Erste. Sein Ruf geht aus – vom Anfang der Schöpfung bis zum Ende der Zeit. Jesus Christus, der menschgewordene Logos (Joh 1,14), war »im Anfang« (Joh 1,1f.). Aus ihm ist im Kosmos alles Leben hervorgegangen; er ist das Licht aller Menschen (Joh 1,4.9).

   Aber nun stellt sich sogleich die Frage, ob christlicher Glaube sich nicht von dieser Basis her in eine erschreckende *Selbstisolierung den Religionen gegenüber* begibt. Ob die in dieser Weise zum Ausdruck gebrachte Botschaft in der neuen, durch die Weltreligionen akut gewordenen Konstellation noch Bestand haben kann. Auf jeden Fall ist an dieser Stelle zu entgegnen und zu erklären, *daß nicht die Aufweichung des Fundaments, sondern die Selbstbescheidung und die Preisgabe jeder Sekurität für die Christen das Gebot der Stunde ist.* In der Selbstbescheidung und Bescheidenheit, in der Preisgabe jeder Sekurität, fallen alle Absolutheitsansprüche dahin. Die Demut des Vertrauens ist keine Sicherheit des Habens. Gerade die theologische Religionskritik macht den Christen frei davon, eine Religion, seine Religion in der Welt der Religionen zu behaupten. Damit aber wird der christliche Glaube auf seine Anfänge zurückgeworfen. Karl Barth ging in seiner Religionskritik von der Erkenntnis aus: »Gott ist in seiner Offenbarung tatsächlich eingegangen in eine Sphäre, in der seine Wirklichkeit und Möglichkeit umgeben ist von einem Meer von mehr oder weniger genauen, aber jedenfalls grundsätzlich als solche nicht zu verkennenden Parallelen und

Analogien in menschlichen Wirklichkeiten und Möglichkeiten. Gottes Offenbarung ist tatsächlich Gottes Gegenwart und also Gottes *Verborgenheit* in der Welt menschlicher *Religion*« (KD I,2:307). Daß der in Jesus Christus sich offenbarende Gott Israels als das »Ende der Religion« in der Welt menschlicher Religion verborgen gegenwärtig ist, dies ist weder ein den Christen unmittelbar zugängliches und verfügbares, noch ein den Völkern abrupt vorzuhaltendes überlegenes Wissen. Nie haben Barth oder Bonhoeffer mit ihrer theologischen Religionskritik das Christentum durch einen (wie oft behauptet wird) »willkürlichen Handstreich« aus der Welt der Religionen herausgenommen und eine unangreifbar gewordene »Sonderposition« etabliert. Wer eine solche *securitas* unterstellt, manipuliert Begriffe, ohne den Sachverhalt und die Zusammenhänge erkannt zu haben. *Theologische Religionskritik ist akute Kirchenkritik. Kritik der christlichen Religion ist als solche ein permanent-progressives Geschehen, in dessen Verlauf Menschlichkeit, Freiheit zu neuem politischen und gesellschaftlichen Handeln gewonnen wird.* Darum isoliert theologische Religionskritik die Kirche nicht, sondern öffnet ihre Tore zu menschlichen, nicht-religiösen Begegnungen. Dabei gehört es zur Demut und Selbstbescheidung christlichen Glaubens, die verwechselbare Gestalt menschlicher Religion zu tragen und diese Zusammenhänge, herauskommend aus orthodoxer Sicherheit und trägem Selbstbewußtsein, neu zu entdecken. Das »Presbyterianische Bekenntnis«, 1967 in den USA formuliert, lehrt: »Die Kirche begegnet in ihrem Dienst den Religionen der Menschen und entdeckt dabei, daß sie selbst eine menschliche Religion ist. Die Religion des hebräischen Volkes entstand so, daß Gottes Offenbarung an Israel in den Formen der semitischen Kultur Gestalt annahm. Innerhalb des Judentums und des Hellenismus stellt die christliche Religion die Antwort von Juden und Griechen auf die Offenbarung in Jesus Christus dar. Die christliche Religion, wohl zu unterscheiden von Gottes Selbstoffenbarung, ist in ihrer Geschichte durch die sie umgebende Kultur geformt worden.« Aber wird damit nicht die Position und die Ausgangslage der Kirche geschwächt? Es war Lessing, der dem der Absolutheit des Christentums sicheren, anspruchsvollen orthodoxen Hamburger Hauptpastor Goeze sagen mußte: »Die mögen sich schämen, welche die Verheißung ihres göttlichen Lehrers haben, daß seine Kirche auch von den Pforten der Hölle nicht überwältigt werden soll, und einfältig genug glauben, daß dieses nicht anders geschehen könne, als wenn *sie* die Pforten der Hölle überwältigen« (Theol. Schriften II,287). Glaube und Vertrauen der Kirche sind ausschließlich dem Kyrios zugewandt, seinem die Welt versöhnenden und vollendenden Wirken, das allen Menschen begegnen will (1 Tim 2,4). *Eine Sendungsgewißheit, die auch nur eine Spur von Überlegenheitsbewußtsein in sich trüge, wäre zum Scheitern verurteilt.* Absolutheitsansprüche, die der Sicherheit entspringen würden, müßten sich der Exklusivität und Universalität der Offenbarung des Gottes Israels in den Weg stellen und sie verhindern. Christlicher Glaube lebt im Vertrauen auf die Durchsetzungsmacht des kommenden Reiches Gottes; er stirbt, wenn er sich auch nur einen Finger breit aus diesem Vertrauen herausbegibt. Die aus solchem Vertrauen erwachsende Sendungsgewißheit ist alles andere als religiöses Selbstbewußtsein, alles andere auch als eine aus Absolutheitsansprüchen motivierte »Mission«. Wir wissen heute, daß das biblische Verständnis von *Sendung* andere Voraussetzungen und Konturen hat als das oft so abgeschlossene Normalbild von »Mission«, das in der Kirche umgeht. Im Zeitalter der Ökumene sind die jungen Kirchen unter neuen Vorzeichen Zeugen der biblisch gegründeten Sendungsgewißheit geworden. Und es ist wahrhaftig ein Wunder Gottes und der Dynamis des Evangeliums, daß in der Vergangenheit unter so vielen Verzerrungen und Verwirrungen christlicher »Mission« Menschen ferner Völker Glauben und Vertrauen zu Jesus Christus gefunden haben. Was da geschehen ist, rechtfertigt aber in keiner Weise das traditionelle Verständnis und die traditionelle Praxis der »Mission«.

2. *Begegnung und Kooperation der Religionen ereignen sich zuerst und vor allem überall dort, wo gemeinsam für Gerechtigkeit und Frieden, Menschlichkeit und Versöhnung gearbeitet und gekämpft wird.*

Erklärend ist sogleich hinzuzufügen: Begegnung und Kooperation geschehen also in einem Sektor, in dem Religion gesprengt wird. Hier ist dessen zu gedenken, was zum Thema »Religion oder Gerechtigkeit?« ausgeführt wurde (VI.3). Doch jetzt werden die Zielpunkte theologischer Religionskritik für die Begegnung zwischen den Religionen akut. Es kann sich in dieser Begegnung zunächst nicht darum handeln, daß eine theoretisch-lehrhafte Annäherung und Verständigung stattfindet, daß also ein jeder sich – kritisch und polemisch, Übereinstimmung und Konsens suchend – in einen Schuldialog hineinbegibt. Die Gräben sind zu tief, die Möglichkeiten gegenseitigen Verstehens nicht absehbar. Übereinkunft und Gemeinsamkeit werden *durch die bestehenden Verhältnisse provoziert* – durch unübersehbare Zustände der Ungerechtigkeit, Unterdrückung und Versklavung, in denen Menschen ihre Menschlichkeit und jede Lebensgrundlage verloren haben. Angesichts solcher unheilvollen Verhältnisse kann und muß sich eine Begegnung und eine Gemeinsamkeit des Handelns der Religionen ereignen. In der christlichen Kirche öffnet theologische Religionskritik die Voraussetzungen zur wahrhaft menschlichen Praxis des Daseins-für-andere. Aber niemand kann sich irgendwelchen Illusionen hingeben. In Indien z.B. verhält es sich so, daß Christen und Hindus sich zumeist in Kult und Frömmigkeit, auf Religion, zurückziehen und nur in kleinen Gruppen gegen die soziale Ungerechtigkeit, gegen Hunger und Elend auf den Straßen und in den Slums zu Felde ziehen. Immer sind es nur *Minoritäten*, die den Bannkreis der Religion durchbrechen, nur wenige, die sich der Gerechtigkeit und dem Frieden, der Menschlichkeit und der Veränderung bestehender Unrechtsverhältnisse unbedingt verpflichtet wissen. Nicht in der Theorie, sondern in der Praxis wird sich die Wahrheit des Glaubens zu erklären und zu bewähren haben (Mt 7,20). »Laßt euer Licht leuchten vor den Menschen, daß sie eure guten Taten sehen und euren Vater im Himmel preisen!« (Mt 5,16). Im Handeln kommt es an den Tag, wo christlicher Glaube und wo auch die Religionen ihren Wahrheitsgrund und ihre Antriebskraft haben.

Es kann hier nur angedeutet werden, daß sich – insbesondere in Asien – überall dort die schwierigsten Probleme ergeben, wo in der Lebensmitte der Religion *Ergebung* in die schicksalhaft hingenommenen Verhältnisse oder der Grundsatz »*Leben ist Leiden*« dominieren, wo also die Initiative zu helfenden und verändernden Taten wenn nicht gelähmt, so doch religiös unterbunden ist.

Christen werden in ihrem Handeln von zwei wesentlichen Aussagen des Neuen Testaments geleitet und angetrieben sein. In Mk 9,38ff. wird berichtet, daß Menschen, die Jesus nicht nachfolgen, Dämonen, Mächte des Verderbens, ausgetrieben haben. Jesus sagt: »Wer nicht gegen uns ist, der ist für uns!« (V. 40). Menschen, die die Mächte der Zerstörung und des Bösen bekämpfen, gehören zusammen, sind miteinander verbunden, auch wenn sie durch verschiedene Religionszugehörigkeit voneinander getrennt sind. Sie sind *Genossen des Reiches Gottes*, das größer und umfassender ist als die Kirche und die in ihr praktizierte »christliche Religion«. Die andere Aussage findet sich in Röm 2,12ff.: »Die ohne den Nomos gesündigt haben, werden auch ohne den Nomos dem Verderben verfallen; und die unter dem Nomos gesündigt haben, werden durch den Nomos verurteilt werden. Denn vor Gott sind nicht gerecht, die den Nomos hören, sondern die den Nomos *tun*; sie werden gerecht sein . . .« Es geht um das Tun. Freilich nicht um blinden Praktizismus und Pragmatismus, der seine Motivationen nur aus Aktivismus, Tatendrang, »Engagement« oder Programmen empfängt. Sondern es geht um das Tun, das aus Barmherzigkeit und Liebe, Gerechtigkeit und Menschlichkeit hervorgeht. Da wird jede Religion auf ihren Grund, auf ihre Wurzel hin befragt und geprüft. Da wird es für die christliche Kirche eine schwere, kaum zu tragende Hypothek sein, wenn sie – um ein Beispiel zu nennen – durch den Synodenpräsidenten der 5. Bischofskonferenz im Oktober 1980 erklärt: »Nicht die Doktrin muß sich dem Leben anpassen, sondern das Leben der Doktrin.«

Auch ist es unerträglich und anmaßend, wenn zu den nicht-christlichen Religionen pauschal erklärt wird: ». . . alle nicht-biblische Religion ist wesentlich eudämonistisch-menschenbezogen, um nicht zu sagen egoistisch. Der Mensch sucht auch in der Gottesverehrung sich selbst, das eigene Heil; er will auch in der Auslieferung an die Gottheit sich selbst in Sicherheit bringen« (E. *Brunner*, Offenbarung und Vernunft, ²1961, 292). Man wird doch fragen müssen, wie sich eine solche Erklärung und Behauptung mit Joh 1,9 verträgt, wo es heißt: Der menschgewordene Logos »war das wahrhaftige Licht, das *alle Menschen erleuchtet*, die in diese Welt kommen.« Darum wird auch von allen Menschen erwartet und erhofft werden können, daß sie erleuchtet sind von dem Geheimnis der Lebenserfüllung im Dasein-für-andere. Hier ist hinzuweisen auf das, was zum Thema »Das Licht und

die Lichter« in der Theologie Karl Barths ausgeführt wurde (I.4). Es gibt
Lichter in der Welt, leuchtende Taten des Daseins-für-andere in den Religionen und natürlich auch bei denen, die sich vom »Bann der Religion«
emanzipiert haben. Christen können nur staunen und lernen. Sie werden in
Buße und Gericht geführt überall dort, wo sie, zurückgezogen in Religion
oder gar mit Hilfe der Religion, bestehende Unrechtsverhältnisse dulden
oder sogar stützen. Der südafrikanische Friedensnobelpreisträger des Jahres
1960 Luthuli sagte: »Gerade die Kirchen hätten uns nicht Apartheid, sondern Bruderschaft bringen sollen!« Gerechtigkeit, keine Opfer! Versöhnung und Menschlichkeit, keine in sich geschlossenen religiösen Lebensbe-
zirke! Grundzüge solcher Bewegung zeigen sich in den Religionen als hell
aufstrahlende Lichter. Vivekananda, ein Schüler des erwähnten Yogi Ramakrishna, lehrte: »Wollt ihr Gott finden, so dienet den Menschen!« Und
Mahatma Gandhi erklärte: »Ich will bei der Wahrheit bleiben. Ich will mich
keiner Ungerechtigkeit beugen. Ich will frei sein von Furcht. Ich will keine
Gewalt anwenden. Ich will guten Willens sein gegen jedermann.« Sätze dieser Art bezeichnen den Ort der Begegnung und der Kooperation der Religionen. Da bedarf es keiner voraufgehenden interreligiösen Verständigung,
sondern des freien Anfangs, auf den Dialoge folgen können. Allerdings,
ohne Selbstbefreiung der christlichen Theologie von den eigenen Bedürfnissen und von den Forderungen herrschender Mächte kann es zu keiner befreienden Theologie kommen.

Es ist nicht leicht, im Rahmen des Möglichen die Aufgaben und Chancen
auch nur zu skizzieren. Ein Hinweis soll gegeben werden mit der Studie
»Gewalt, Gewaltfreiheit und der Kampf um soziale Gerechtigkeit« (verfaßt
vom Referat für Kirche und Gesellschaft im Ökumenischen Rat der Kirchen
in Genf, 1973: Beih. z. ökum. Rundschau Nr. 24, 88f.). »Christen und Kirchen stehen in ihrer Arbeit für die ganze Zukunft der Menschheit in einem
gemeinsamen Engagement mit Vertretern anderer Religionen und Ideologien. Sie können sich nicht einfach damit begnügen, die Wunden der
Menschheit zu versorgen. Im Namen christlicher Liebe müssen sie auch die
Ursachen, die in der kollektiven Selbstsucht und in den ungerechten Strukturen der Gesellschaft liegen, bekämpfen. Dies stellt sie vor eine Entscheidung über die Anwendung von Macht und Gewalt, der sie sich nicht entziehen können, in denen sie jedoch handeln müssen.« Damit ist noch einmal
angezeigt, was mehrfach betont worden war: Es geht nicht allein um die
sog. Samariterdienste, also darum, akute Hilfeleistung denen zu bringen,
die unter die Räuber ungerechter Gesellschaftsordnungen gefallen sind. Es
gilt, gesellschaftskritisch und wirtschaftsanalytisch die Ursachen, die eigentlichen Herde des Verderbens aufzuspüren und zu erkennen. Dann wird
aus der Diagnose die Therapie zu bestimmen sein. Keine sozial-ethische
Theorie kann durch Prinzipien vorwegbestimmen, was zu tun ist. Alles ist
in immer neue Anläufe gestellt. Doch was tatsächlich geschieht, wird von
den Minoritäten getragen werden und sich nicht an der Kategorie spontaner
Erfolge bemessen lassen.

Im Kontext des Ausgeführten ist als vorbildliche, wegweisende, auf das Judentum bezogene Untersuchung die Studie von *Bertold Klappert* zu nennen: *Perspektiven einer von Juden und Christen anzustrebenden gerechten Weltgesellschaft* (Freiburger Rundbrief 30, 1978, 67ff.). Es heißt in der These 1: »Das Reich Gottes als Reich der Gerechtigkeit und Freiheit, die Erwählung des Volkes Israel und die *Teilnahme* der Kirche an der Erwählung Israels in Jesus Christus, das Kommen des Reiches der Gerechtigkeit und Freiheit für die Völker und die Erde und die gemeinsame Hoffnung und Praxis Israels und der Kirche als Zeugen dieses kommenden Reiches und im Dienst dieses Reiches für die Weltgemeinschaft sind die Koordinaten unseres Themas« (69). Es bleibt dabei festzuhalten, daß die von *Klappert* ins Auge gefaßte Kooperation von Juden und Christen ein – allen anderen Religionen gegenüber deutlich abzuhebender – Sonderfall ist, der freilich für die Zusammenarbeit mit den anderen Religionen von wegweisender Bedeutung sein kann.

3. Wir stehen am Anfang eines großen Dialogs mit den Weltreligionen; dieser Dialog hat seinen Bewährungsgrund im Gespräch der Kirche mit der Synagoge und kann in allen Fällen nur in der Liebe Christi geführt werden.

Für den Dialog mit den Religionen ist unverzichtbar und permanent notwendig die gewissenhafte Befassung mit der Religionswissenschaft (Religionsgeschichte). Die Theologie bedarf in dieser Hinsicht immer neuer Informationen hinsichtlich der Erforschung und Kenntnis fremder Religionen. Allerdings muß die Theologie es unterlassen, stringente Verhältnisbestimmungen in einer »Theologie der Religionsgeschichte« zu entwerfen. Die Fixierung eines sog. »*gemeinsamen Ansatzpunktes*« kann nur durch die Setzung eines formalisierten, phänomenologisierten, äußerst verdünnten und problematischen gemeinsamen Religionsbegriffs bzw. durch theologisch unvertretbare Ampliation des Begriffs der Offenbarung, des Heiligen usf. zustande kommen. Doch von allem Anfang her ist der Gott Israels eben nicht »das Heilige«, sondern *der* Heilige in unvergleichlicher und exklusiver Selbstbestimmung durch seinen Namen, ist Israel der große Fremdling unter den Völkern und Religionen (s.o.). Es ist erstaunlich zu sehen, mit welcher Selbstverständlichkeit religionswissenschaftlich orientierte Theologen an der *inkoordinablen Wirklichkeit Israels* vorübergehen. Der begriffliche Minimalkonsens, der dann fixiert wird, ist aussichtslos, ohne Aussicht auf eine angemessene Verständigung. – Das *Ereignis des Dialogs*, sofern er zustande kommt, genügt vollauf zur Bestimmung des »gemeinsamen Ansatzes«. Das Ereignis wird erweisen müssen, ob und wie ein gemeinsamer Ansatz überhaupt möglich ist. – Zur Literatur: *P. Tillich*, Religionsphilosophie, 1925; 1962; *W. Freytag*, Das Rätsel der Religionen und die biblische Antwort: Das Gespräch 1, 1956; *H. Kraemer*, Religion und christlicher Glaube, 1959; *F. Benz*, Ideen zu einer Theologie der allgemeinen Religionsgeschichte, 1960; *U. Mann*, Theologische Religionsphilosophie im Umriß, 1961; *H. R. Schlette*, Die Religion als Thema der Theologie. Überlegungen zu einer ›Theologie der Religionen‹, 1963; *G. Rosenkranz*, Religionsgeschichte und Theologie, 1964; *W. Holsten*, Zum Verhältnis von Religionsgeschichte und Theologie: Festschr. f. W. Baetke, 1966, 191ff.; *W. Pannenberg*, Erwägungen zu einer Theologie der Religionsgeschichte: Grundfragen systematischer Theologie, ²1971, 252ff.; *C. H. Ratschow*, Von der Religion in der Gegenwart: Kirche zwischen Hoffen und Planen 6, 1972; *N. Schiffers / H. W. Schütte*, Zur Theorie der Religion, 1973; *H. W. Gensichen*, Religionswissenschaft und Theologie: Theologie – was ist das?, ed. *G. Picht / E. Rudolph*, 1977, 107ff.; *H. Gollwitzer*, Was ist Religion?, 1980; *T. Sundermeier*, Zur Verhältnisbestimmung von Religionswissenschaft und Theologie aus protestantischer Sicht: Zeitschr. f. Missionswissenschaft u. Religionswissenschaft 4, 1980, 241ff.

Es wird jetzt nicht die Auffassung verfochten, daß Mission im biblischen Sinn von »*Sendung*« und »*Dialog*« zwei einander sich ausschließende Alternativen sind, daß also künftig an die Stelle der zu erfüllenden Sendung ein Gespräch, möglicherweise ein Schul- und Lehrgespräch zu treten haben. Daran allerdings soll kein Zweifel gelassen werden, daß das herkömmliche Verständnis von »Mission« nicht mehr rezipierbar ist. Doch ein Christ ohne Sendungsgewißheit, eine Kirche ohne prophetisch-missionarische Vollmacht ist ein Unding. Der Dialog, von dem zu handeln ist, kann kein belangloser, neutraler Meinungsaustausch, kein interessantes Religionsgespräch sein, sondern nur eine Begegnung, in der Glaube gegen Glaube und also auch Sendung gegen Sendung steht. Wer dürfte davon auch nur einen Augenblick absehen?! Wer könnte von der Voraussetzung ausgehen, daß die jeweils geglaubte und erkannte Wahrheit gleichsam zur Disposition gestellt werden sollte?! Was freilich tatsächlich in Frage gestellt werden wird und auch in Frage gestellt werden muß, das ist das – auch in der Sendungsgewißheit – ins Feuer der Bewährung zu werfende Verhältnis des jeweiligen Sprechers zu der von ihm geglaubten und bekannten Wahrheit angesichts des ihm begegnenden Partners. In dem allen spielt die Stellung der Kirche zur Synagoge und also der jüdisch-christliche Dialog eine besondere, geradezu normgebende Rolle. Doch machen wir uns zuerst die *Schwierigkeiten* klar, in die die Vorstellung vom Dialog mit den Religionen versetzt. Ein solcher Dialog kann mehr oder weniger offiziell geführt werden, d.h. die Ökumene christlicher Kirchen, der Vatikan, die leitenden Gremien der anderen Religionsgemeinschaften entsenden Vertreter zu den Gesprächen, wie sie ja auch bereits geführt worden sind. Was bisher gesprochen und beraten worden ist, bis hin zu gemeinsamen Gottesdiensten, darüber unterrichten zahlreiche Bücher.

Es sei an dieser Stelle nur hingewiesen auf drei Arbeiten: *H. Schultze / W. Trutwin*, Weltreligionen – Weltprobleme, 1973; *H. J. Margull / S. J. Samartha*, Dialog mit anderen Religionen, 1972; *H. J. Margull*, Zu einem christlichen Verständnis des Dialogs zwischen Menschen verschiedener religiöser Traditionen: EvTh 39, 1979, 195–211.

Natürlich stellt sich sogleich die Frage ein: *Wer* wird in den Dialog entsandt? Welche Gruppe? Welche Vertreter welcher Theologie oder Glaubensrichtung? Ist das Gesprächsgremium »repräsentativ«? Stets werden andere Gruppen, Schulen und Richtungen dies in Zweifel ziehen. Doch kann auch auf unterer, unterster Ebene ein Dialog zustande kommen, an einem Ort, in einer Stadt, in der man übereinkam, in ein Gespräch einzutreten. Und wieder stellen sich die bezeichneten Schwierigkeiten ein. Schließlich wird man den literarischen »Dialog« nicht übersehen und unterschätzen dürfen. Doch auch in der Literatur treten die verschiedensten Meinungen hervor. Dabei sollte man die als so dringlich bezeichnete Äußerung von Minoritäten nicht vergessen. Kommt sie überhaupt zur Geltung? Niemand sollte das so bezugsreiche, kommunikative Wort »Dialog« in einem allgemeinen, unbedachten Sinn in Umlauf bringen! Aber es geht weiter. Die Probleme und Schwierigkeiten sind kaum übersehbar. Versuchen wir, in sechs Punkten einige Hauptprobleme zu nennen: 1. »Die heutigen Weltreligionen dürfen nicht archaisierend *nur* von den klassischen Texten her verstanden, beziehungsweise rekonstruiert werden. Sie können nicht einfach auf das fixiert werden, was in ihrer Tradition steril nach rückwärts weist. Heutige Religionen müssen zugleich vom heutigen Selbstverständnis her verstanden werden« (*H. Küng*, Christ sein, 1974, 107). Diese Forderung ist einleuchtend, aber nicht unproblematisch, denn das »heutige Selbstverständnis« äußert sich oft in verwirrender Pluriformität. 2. *In einem Dialog mit den Religionen kann nichts, gar nichts als gemeinsamer Ausgangspunkt vorausgesetzt werden.* Alle Grundbegriffe sind strittig. Wörter wie »Religion«, »Gott«, »Offenbarung«, »Glaube«, »Sein«, »Geschichte«, »Sünde« usf. – alles ist umstritten, auf jeden Fall fraglich *(H. J. Margull).* Die naive Vorstellung von einem auch nur partiellen Konsens in der Begrifflichkeit ist aufzugeben. 3. Alle Gesprächspartner kommen aus einem Prozeß der *Säkularisierung ihres Glaubens* bzw. ihrer Religion heraus. Wie kann mit diesen säkularisierten Elementen umgegangen werden? Welche Rolle spielt z.B. die ja doch auch in anderen Religionen aufweisbare Religionskritik? Welche kulturellen und politischen Einflüsse haben sich auf das religiöse Denken und Leben ausgewirkt? 4. Es werden unter allen Umständen alle grob-gefertigten *Kategorien und Raster* aus dem Dialog auszuscheiden sein. Der Christ kann nicht alle nicht-christlichen Religionen von vornherein unter bestimmten Gesichtspunkten wie »eudämonistisch-egoistisch« *(E. Brunner)* oder »natürlich« bzw. »naturverhaftet« betrachten. Für den Islam z.B. trifft die Vorstellung von einer an natürliche Gegebenheiten gebundenen Religion überhaupt nicht zu. 5. Die Weisheit des Xenophanes (s.o.S. 115f.) und die *Grunderkenntnisse der Religionskritik* Ludwig Feuerbachs (s.o.S. 158ff.) sollten im Dialog nicht vergessen oder unterschlagen werden. Exemplifizieren wir es an einer christlichen Erscheinungsform: Es ist gewiß verständlich, wenn Christen im Vollzug der Emanzipation aus dem europäischen Menschenbild der »black theology« zustimmen. Aber es zeugt weder von Weisheit noch von theologischer Verantwortung, wenn Formulierungen wie die folgende fallen und Zustimmung finden: »Gott ist schwarz. Gott ist ein Marxist von lateinamerikanischer Überzeugung« (*Mellblom,* Schwarze Theologie: Religious News Service 10. Mai 1973, 6). Dies ist ein kraß-anthropomorpher Projektionsvorgang, wie er deutlicher nicht benannt werden könnte und die Weisheit des Xenophanes bestätigt. So verbindet sich mit dem Beispiel die Frage, ob und in welchem Ausmaß religionskritische Theorien säkularen Ursprungs in das Gespräch zwischen den Religionen eingeschaltet werden können. Voraussetzung wäre allerdings, daß sich die christliche Theologie und der christliche Glaube *zuerst* von diesen kritischen Theorien betreffen lassen. 6. Es kann in niemandes Interesse liegen, Erkenntnisse und Bekenntnisse des Glaubens zu verschleifen, zu verwässern und künstlich einander anzugleichen. Natürlich wird die Gesprächslage dort am schwierigsten, wo eine Religion wie der Hinduismus die verschiedensten Elemente in sich aufzunehmen vermag. Zu widerstehen aber ist jedem Versuch, *gemeinsame Gottesdienste* ins Leben zu rufen. Der Oberrabbiner *Kurt Wilhelm* hat erklärt: »Wir wollen unsere Feste für uns feiern!« Es gibt eben einen anderen, viel wichtigeren Platz gemeinsamen Handelns (s.o.S. 264f.). Doch die Schwierigkeiten und Probleme des Dialogs führen in noch dunklere Tiefen hinein. »Tatsache ist . . ., daß auch heute die Religionen nicht nur in Belanglosigkeiten differieren, sondern gerade in wesentlichen Punkten der Deutung und Sinngebung menschlicher Existenz. Es macht nun einmal einen Unterschied, ob z.B. für den Buddhisten das höchste Ziel das Nirwana ist, für den am Vedanta geschulten Hindu das Einswerden mit dem absoluten Sein, für den Muslim die Hingabe an Allah, für den Christen die Rechtfertigung des Sünders im Glauben an Christus. Ein Dialog, der nicht in diese Tiefen vorstieße, der beim Nicht-Strittigen, beim ohnehin Selbstverständlichen stehenbliebe, hätte seinen vollen Sinn verfehlt. Kein Partner darf sich im vorhinein veranlaßt fühlen, nicht auch das ins Gespräch einzubringen, was Wesen und Besonderheit seiner religiösen Loyalität ausmacht. Kein Partner darf, andererseits, um seiner eigenen Überzeugungen willen dem Dialog die Richtung aufzwingen wollen, die gerade ihm genehm ist – sei es, daß er vom anderen nur die Bestätigung der eigenen Position erwartet, sei es auch, daß er eine vorgefertigte Kompromißformel anbietet, durch die der andere sich nicht minder vergewaltigt fühlen könnte« (*H. W. Gensichen* in: Weltreligionen – Weltprobleme, 1973, 21). Damit sind die empfindlichsten Stellen angerührt. Und man könnte noch lange fortfahren, die Probleme kenntlich und die Schwierigkeiten deutlich zu machen. Noch steht alles in den Anfängen. Die Erfahrungen sind doch relativ gering. Vieles muß erst noch erarbeitet und ergründet werden.

Akut ist der *jüdisch-christliche Dialog*, der eine Sonderstellung einnimmt. Hier könnte der *Bewährungsgrund* für alle religiösen Dialoge liegen. Doch ist zuerst deutlich zu erklären, daß die Christenheit (jedenfalls in Deutschland) jeden Anspruch und jede Chance hinsichtlich der Dialogbereitschaft von seiten der Juden verloren hat. Sie ist nicht für die verfolgten Juden eingetreten; sie hat sich mit ihrem Schicksal nicht identifiziert, ja für dieses Schicksal sich zumeist noch nicht einmal interessiert, obwohl die Juden den Christen die Allernächsten sind und das, was im Neuen Testament »Nächstenliebe« und »Bruderliebe« heißt, hier zuerst zu bewähren gewesen wäre. Diese unendliche Schuld lastet auf der Kirche. Daß gleichwohl Juden gesprächsbereit und aufgeschlossen den Christen entgegenkommen, kann nur mit Beschämung und Dankbarkeit erkannt werden.

Nun ist es unmöglich, die verschiedenen Aspekte des jüdisch-christlichen Gesprächs zu nennen und zu diskutieren. Es mag genügen, wenn zwei Sprecher des Judentums in ihrer scharf konturierten Auffassung vom Dialog bzw. Religionsgespräch zitiert werden. Es sind der Oberrabbiner *Kurt Wilhelm* und der jüdische Religionsphilosoph *Martin Buber*. Zunächst *Kurt*

Wilhelm: »Das Gespräch zwischen Religionen ist erwünscht – als Gespräch, aber nicht als Auseinandersetzung oder Diskussion. Discutere bedeutet auseinanderschlagen. Das Gespräch soll das Gemeinsame der religiösen Überzeugungen feststellen und soll Achtung lehren vor dem, was trennt. Beim jüdisch-christlichen Gespräch muß es deutlich sein, ohne das Gespräch zu gefährden, daß das Christentum aus dem Judentum gewachsen ist und mit dem Anspruch einer Botschaft zum Judentum kommt, während das Judentum Judentum wäre ohne die Existenz des Christentums (und Islams)« (Die Antwort der Religionen, 1964, 220). Damit ist angedeutet, in welche Tiefen der Gemeinsamkeit der jüdisch-christliche Dialog hinabreicht. Vor allem begegnet im Juden ein Mensch, der *von den religionskritischen Perspektiven der Tora und der Prophetie* herkommt und damit alle jene Zusammenhänge ins Gespräch einbringt, die in VI.1 und VI.3 (»Religion oder Gerechtigkeit?«) vorgetragen wurden. Dazu *Kurt Wilhelm:* »Im Judentum fehlt die ›Religion‹ deshalb, weil das Judentum nicht das Verhältnis zwischen Mensch und Gott in bestimmten erhabenen Stunden verlangt, sondern das ständige Verbundensein des Menschen mit Gott. ›Ganz sollst du mit IHM deinem Gott sein!‹ (Dt 18,13). Aber das ist Glauben mit Leib und Seele und unter allen Bedingungen« (168). Und auch die Zukunftsperspektive ist von großem Gewicht: »Die Utopie, die Religion zu sein, die allein im Besitz der allgemein gültigen Wahrheit ist, gehört zur messianischen Zukunft des Judentums. Dann wird dem einen Gott die eine und geeinte Menschheit entsprechen. Diese große Idee der Zukunft ist im Anfang aller Vergangenheit, in der Schöpfung, angelegt« (188). *Kurt Wilhelm* zitiert in wörtlicher Übersetzung ebenjenen Text, auf den schon hingewiesen wurde (s.o. S. 262): »Der von der Urfrühe her die Geschlechter beruft: ICH bin der Urfrühe und mit den Letztspäten bin ich derselbe« (Jes 41,4). Es ist wohl entscheidend, daß die Christenheit, insbesondere im Dialog mit dem Judentum, die Grundkategorien ihrer von griechischem Geist inspirierten traditionellen Lehren zu überprüfen hat. Hier gilt es zu lernen und sich von Grund auf, vom Grund des Alten Testaments her, in Frage stellen zu lassen. Aber auch *die Art und Weise der Gesprächsführung* kann vom Juden gelernt werden. *Martin Bubers* Schriften über das »Dialogische Prinzip« enthalten Einübungen und Einweisungen in das Religionsgespräch: »Zwei Bekennern, die miteinander um ihre Glaubenslehren streiten, geht es um die Vollstreckung des göttlichen Willens, nicht um ein flüchtiges, persönliches Einvernehmen« (Die Schriften über das dialogische Prinzip, 1954, 133). Genau dies ist es, was mit dem Begriff der *Sendungsgewißheit* nachdrücklich angesprochen worden war. Dabei ist jedem Versuch der »Judenmission« entgegenzutreten (vgl. *P. G. Aring,* Christliche Judenmission, 1980; *H. Kremers,* Judenmission heute?, 1979). Doch mit Buber ist von der Überzeugung auszugehen, daß ein Dialog zwischen Christen und Juden weder den Charakter eines neutralen Informationsgesprächs noch den eines flüchtigen persönlichen Einvernehmens haben kann, daß vielmehr »die Vollstreckung des göttlichen Willens« auf dem Spiel steht, also der ganze Entscheidungsernst, aus dem heraus jeder der beiden Partner spricht. »Eine Zeit echter Religionsgespräche beginnt, – nicht jener so benannten Scheingespräche, wo keiner seinen Partner in Wirklichkeit schaute und anrief, sondern echter Zwiesprache von Gewißheit zu Gewißheit, auch von aufgeschlossener Person zu aufgeschlossener Person. Dann erst wird sich die echte Gemeinschaft weisen, nicht die eines angeblich in allen Religionen aufgefundenen gleichen Glaubensinhalts, sondern die der Situation, der Bangnis und Erwartung« (135). Das Gespräch von »Gewißheit zu Gewißheit« mindert nicht die Bereitschaft zur Selbstkritik; es bestärkt sie vielmehr.

Abschließend ist die Formulierung zu bedenken, daß von seiten der Christen alle Gespräche nur *in der Liebe Christi* geführt werden können. Dazu hat sich die ökumenische Konsultation in Zürich (1970) grundsätzlich geäußert: »Der Dialog strebt danach, die Liebe zum Ausdruck zu bringen, die allein Wahrheit schöpferisch macht. Liebe ist stets verwundbar. Aber in der Liebe gibt es keinen Raum für Furcht. Echte Liebe verändert gegenseitig. Der Dialog trägt das Risiko in sich, daß ein Partner durch den anderen verändert wird. Das Verlangen nach falscher Sicherheit in einer Getto-Gemeinschaft oder der Wunsch, in einem einbahnigen Missionsschema fortzufahren, verrät beides: Angst und Arroganz und deswegen Mangel an Liebe . . . Ein echter Dialog ist ein fortschreitender und immer stärker zunehmender Prozeß, bei dem die Teilnehmer ihr Mißtrauen und ihre Furcht voreinander verlieren und zu einem Zusammenleben im Dialog übergehen. Das ist dann eine dynamische Verbindung von Leben mit Leben, durch die beide einander verändern und gemeinsam wachsen.« Dies mag eine mit idealtypischen Zügen gemalte Vorstellung sein, doch bleibt eines unverrückbar: der Hinweis auf die Bedeutung der Liebe, die vor allem in ihren von 1 Kor 13 ausgehenden Wirkungen hervorzuheben ist. Der Begriff der *Toleranz* ist durch den der Liebe zu ersetzen. Toleranz, so bedeutsam dieser Begriff in Zeiten rigoroser Unduldsamkeit gewesen sein mag, bezeichnet stets ein passives, distanziertes Dulden, ein Geltenlassen fremder Anschauungen, Religionen und Bräuche. Im Gespräch mit Eckermann hat Goethe mit Recht erklärt: »Toleranz sollte eigentlich nur eine vorübergehende Gesinnung sein: sie muß zur Anerkennung führen. Dulden heißt beleidigen.« Was Goethe »Anerkennung« nennt, wird in den höheren Begriff der Liebe aufzunehmen sein. Es müßte immer deutlicher erkannt werden: »Dulden heißt beleidigen«. Darum sei noch einmal *Martin Buber* zitiert, der zum jüdisch-christlichen Gespräch erklärte: »Euch und uns, jedem geziemt die gläubige Ehrfurcht vor dem Wahrheitsglauben des anderen. Das ist nicht, was man ›Toleranz‹ nennt: es ist nicht an dem, das Irren des anderen zu dulden, sondern dessen Realverhältnis zur Wahrheit anzuerkennen. Sobald es uns, Christen und Juden, wirklich um Gott selber und nicht bloß um unsere Gottesbilder zu tun ist, sind wir, Juden und Christen, in der Ahnung verbunden, daß das Haus unsres Vaters anders beschaffen ist, als unsere menschlichen Grundrisse meinen« (Der Jude und sein Judentum, 1963, 211).

Abkürzungen

ATD	Altes Testament Deutsch (Göttingen)
BK	Biblischer Kommentar Altes Testament (Neukirchen-Vluyn)
BWANT	Beiträge zur Wissenschaft vom Alten und Neuen Testament (Stuttgart)
CA	Confessio Augustana
CR	Corpus Reformatorum
EvTh	Evangelische Theologie (München)
Inst.	J. Calvin, Institutio Christianae Religionis
KD	K. Barth, Kirchliche Dogmatik
MEGA	K. Marx / F. Engels, Gesamtausgabe
MEW	K. Marx / F. Engels, Werke
NTD	Neues Testament Deutsch (Göttingen)
NZSTh	Neue Zeitschrift für Systematische Theologie
OS	J. Calvin, Opera Selecta, ed. P. Barth / W. Niesel
PTh	Pastoraltheologie (Göttingen)
RE	Realenzyclopädie für prot. Theologie und Kirche
RGG	Religion in Geschichte und Gegenwart (Tübingen)
S. theol.	Th. v. Aquino, Summa theologiae
ThBü	Theologische Bücherei (München)
ThEx	Theologische Existenz heute (München)
WA	Luthers Werke (Weimarer Ausgabe)
WuE	D. Bonhoeffer, Widerstand und Ergebung (^{2}1977)
ZdZ	Zwischen den Zeiten (München)
ZKG	Zeitschrift für Kirchengeschichte (Stuttgart)
ZThK	Zeitschrift für Theologie und Kirche (Tübingen)

Register der Bibelstellen

Register der Namen